KB055215

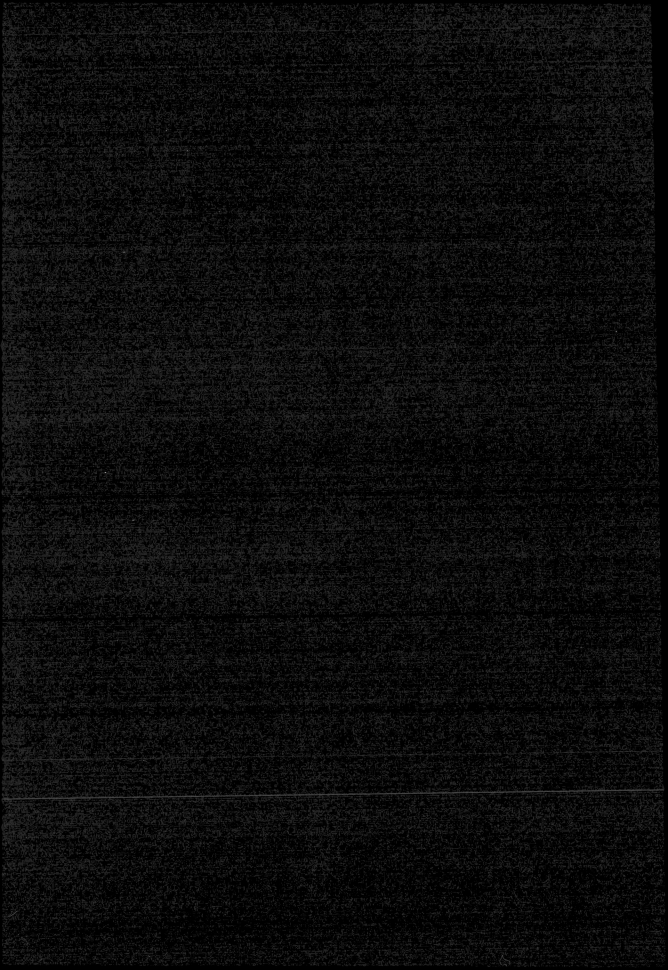

안중근 자료집 제1권

안중근 유고

-안응칠 역사·동양평화론·기서

편역자 신운용(申雲龍)

한국외국어대학교 사학과 졸업
한국외국어대학교 대학원 사학과 졸업(문학박사)
한국외국어대학교 사학과 강사
(사)안중근평화연구원 책임연구원

편역자 최영갑(催瑛甲)

성균관대학교 유학동양학과 졸업
성균관대학교 대학원 동양철학과 졸업(문학박사)
성균관대학교 유학동양학부 겸임교수

안중근 자료집 제1권
안중근 유고−안응칠 역사·동양평화론·기서

1판 1쇄 펴낸날 ǀ 2016년 03월 26일

기 획 ǀ (사)안중근평화연구원
엮은이 ǀ 안중근 자료집 편찬위원회

총 괄 ǀ 윤원일
편역자 ǀ 신운용·최영갑

펴낸이 ǀ 서채윤
펴낸곳 ǀ 채륜
책만듦이 ǀ 김미정·김승민·오세진
책꾸밈이 ǀ 이현진·이한희

등 록 ǀ 2007년 6월 25일(제2009-11호)
주 소 ǀ 서울시 광진구 자양로 214, 2층(구의동)
대표전화 ǀ 02-465-4650 ǀ 팩스 02-6080-0707
E-mail ǀ book@chaeryun.com
Homepage ǀ www.chaeryun.com

© (사)안중근평화연구원, 2016
© 채륜, 2016, published in Korea

책값은 뒤표지에 있습니다.
ISBN 979-11-86096-26-0 94910
ISBN 978-89-93799-84-2 (세트)

※ 잘못된 책은 바꾸어 드립니다.
※ 저작권자와 합의하여 인지를 붙이지 않습니다.
※ 저작권자와 출판사의 허락 없이 책의 전부 또는 일부 내용을 사용할 수 없습니다.

이 책은 '안중근 의사 전집 발간 연구사업'으로 서울특별시의 인쇄비 지원을 받아 만들었습니다.

안중근 자료집 제1권

안중근 유고

−안응칠 역사 · 동양평화론 · 기서

(사)안중근평화연구원

채륜
CHAE RYUN

발간사 _ 하나

안중근 의사의 삶과 교훈

'안중근의사기념사업회'에서는 2004년부터 역사, 정치, 경제학자들과 일본어, 한문 번역 전문가들을 모시고 안중근전집발간위원회(위원장: 조광 교수, 고려대학교 명예교수)를 구성하여 안중근 의사와 관련된 자료를 모아 약 40여 권의 책으로 자료집을 발간하기로 하였습니다. 안중근 자료집 발간의 참뜻은 100년 후 안중근 의사가 오늘 우리에게 요구하는 시대정신을 확인하고 실천하는 계기를 만들자는 것입니다. 이를 위해 자료집 발간에 앞서 역사적 안중근과 오늘의 안중근정신을 확인하고 연구할 필요가 있다는 것을 자료집 발간위원들과 정치, 경제, 역사, 인권 등 여러 분야의 전문가들이 제언하고 동의하였습니다. 이에 따라 우리 사업회에서는 안중근 의사 의거와 순국 100주년을 준비하면서 10여 차례의 학술대회를 개최하였습니다. 특히 2008년 10월 24일에는 한국정치학회와 공동으로 한국외국어대학교에서 "안중근 의사의 동양평화론"을 주제로 학술대회를 하였고, 의거와 순국 100주년에 안중근 의사의 정신을 실천하기 위한 방안을 모색하는 국제학술대회를 개최하고 지속적으로 안중근 의사의 뜻을 실현하기 위한 연구 사업을 위해 노력하고 있습니다. 2004년 이후 학술대회 성과를 묶어 안중근 연구 총서 5권으로 이미 출판하였습니다. 특히 안중근 의사의 의거와 순국 100주년을 맞아 남북의 동포가 함께 개성과 여순감옥에서 안중근 의사를 기억하며 남북의 화해와 일치를 위해 노력하기로 다짐한 행사는 참으로 뜻깊은 사건이었습니다.

역사를 기억하는 것은 역사적 사실로부터 미래를 지향하는 가치를 확인하는 것입니다. 일본 제국주의의 잔혹한 식민지 통치와 2차 세계대전의 잔혹한 역사적 잘못에 대해 이미 일본 국민과 학자들도 비판과 반성을 통해 동아시아 국가들과 화해를 시대적 가치로 제시하고 있습니다.

그럼에도 불구하고 한국현대사학회가 중심이 된 교과서포럼과 교학사 역사교과서 논쟁에서 보여준 식민지근대화론을 주장하거나 이에 동조하는 학자들, 특히 국사편찬위원장을 역임한 이태진 교수, 공주대학교 이명희 교수, 권희영 한국학중앙연구원 교수, 안병직, 박효종, 이인호, 유영익, 차상철, 김종석 교수 등이 보여준 언행은 비판받아 마땅하다고 생각합니다.

특히 "정신대는 일제가 강제동원한 것이 아니라 당사자들이 자발적으로 참여한 상업적 매춘이자 공창제였다."(교과서포럼 이영훈 교수), "그 시기(일제강점기)는 억압과 투쟁의 역사만은 아니었다. 근대 문명을 학습하고 실천함으로써 근대국민국가를 세울 수 있는 '사회적 능력'이 두텁게 축적되는 시기이기도 하였다."(박효종 교수)고 주장하며 분명한 사실조차 왜곡하려는 현대사학회와 교과서포럼의 구성원들에게 진심으로 안타까움을 넘어 인간적 연민을 갖게 됩니다.

안중근 연구 사업은 안중근 자료집이 역사적 사실에 한정되지 않고 우리 역사와 함께 진화하고 발전하기를 바라는 자료집 발간에 참가하는 위원들과 우리 사업회의 소망이 함께하고 있습니다. 2009년 안중근 의사 의거 100주년을 맞아 자료집 5권을 출판한 이후 많은 어려움으로 자료집 발간이 지체되는 것을 안타까워한 서울시와 서울시의회 의원들의 지원으로 자료집 완간을 위한 계획을 수립하게 되었습니다. 앞으로 순차적으로 40여 권의 자료집을 3년여에 걸쳐 완간할 것입니다.

저는 지난 85년부터 성심여자대학교(현재 가톨릭대학교와 통합)에서 〈종교의 사회적 책무〉라는 주제로 20여 년간 강의를 했습니다. 강의를 하면서 학생들로부터 새로운 시각과 신선함도 배우고 또한 학생들을 격려하며 자극하기도 했습니다. 새 학년마다 3월 26일 안중근 의사 순국일을 맞아 〈안중근 의사의 삶과 교훈〉을 학생들에게 강의하고 안중근 의사의 자서전, 공판기록 등 그와 관련된 책을 읽고 보고서를 제출토록 과제를 주고 이를 1학기 학점에 반영했습니다. 학생들은 누구나 숙제를 싫어하지만 학점 때문에 내 요구에 마지못해 응했습니다. 그런데 학생들의 보고서를 읽으면서 저는 큰 보람을 느끼곤 했습니다. 그중 큰 공통점은 거의 모든 학생들이 "안 의사에 대해서는 어린 시절 교과과정을 통해 일본의 침략자 이토 히로부미(伊藤博文)를 사살한 분 정도로만 알고 있었는데 그분의 자서전을 읽고는 그분의 투철한 신념, 정의심, 교육열, 사상, 체계적 이론 등을 깨달았고 무엇보다도 우리 민족의 선각자, 스승임을 새삼 알게 되었다"고 고백했습니다.

그렇습니다. 우리에게 귀감이 되고 길잡이가 되는 숱한 선현들이 계시지만 안중근 의사야말로 바로 지금 우리 시대에 우리가 되새기고 길잡이로 모셔야 할 스승이며 귀감입니다.

그러나 스스로 자신을 낮추며 나라와 겨레를 위해 목숨까지 바친 안 의사의 근본 정신은 간과한 채 거짓 언론과 몇몇 무리들은 안 의사를 형식적으로 기념하면서 안 의사의 삶을 장삿속으로 이용하기만 합니다. 참으로 부끄럽고 가슴 아픈 일입니다. 그뿐 아니라 나라를 빼앗긴 피눈물의 과정, 일제의 침략과 수탈을 근대화의 계기라는 어처구니없는 주장을 감히 펼치고 있는 이 현실, 짓밟히고 삭제되고 지워지고 조작된 역사를 바로 잡기 위한 역사학도들의 피눈물 나는 노력과 뜻있는 동지들의 진정성을 아직도 친일매국노의 시각으로 훼손하고 자유당 독재자 이승만, 그리고 유신체제의 군부독재자 박정희 등 이들의 졸개들이 으쓱거리고 있는 이 시대는 바로 100년 전 안중근 의사가 고민했던 바로 그때를 반영하기도 합니다.

역사와 국가공동체 그리고 교회공동체의 모든 구성원들은 조선 침탈의 원흉 이토 히로부미를 안 의사가 제거하였다는 업적과 동양 평화와 나라의 독립을 위하여 헌신하시고 제안한 방안들을 얼마나 지키려 하였는지, 일본의 한국병탄(倂呑)에 동조하거나 협력하였던 외국인 선교사들을 거부하고 직접 하느님의 뜻을 확인하려하신 그 신앙심에 대하여 진심으로 같이 고백하였는지 이제는 깊게 반성하여야 합니다. 확인되지도 않는 일본인들 다수가 안 의사를 존경하는 것처럼 호도하고 안 의사의 의거의 정당성을 일본과 그에 협력하였던 나라들에게 당당하게 주장하지도 않으면서 그 뜻을 받들고 있는 것처럼 때가 되면 모여서 묵념하는 것이야말로 역사를 모독하고 안 의사를 훼손하고 있다는 것도 이 기회에 함께 진심으로 반성하여야 합니다. 심지어 안 의사 연구의 전문가인 양 온 나라에 광고하면서 진정한 안 의사의 의거의 정당성과 사상과 그 생각을 실현하려는 방안을 하나도 제시하지 않고 있는 사람들의 속내를 과연 무엇이라고 해석하여야 합니까?

안중근 자서전의 공개과정과 내용

안중근은 의거 후 중국 여순 감옥에 갇혀 죽음을 앞두고 자신의 삶을 되돌아보면서 〈안응칠 역사〉를 기술하였습니다. 아직 원본은 발견되지 않았지만, 1969년 4월 일본 동경에서 최서면 씨가 한 일본인으로부터 입수한 〈안중근 자서전〉이라는 필사본과 1979년 9월 재일동포 김정명(金正明) 교수가 일본 국회도서관 헌정연구실 '7조 청미(七條淸美)' 문서 중에서 '안응칠 역사'와 '동양평화론'의 등사 합본을 발굴함으로써 더욱 명료해졌습니다(신성국, 의사 안중근(도마), 지평, 36~37, 1999).

우리 안중근의사기념사업회와 (사)안중근평화연구원에서는 안중근 자료집 발간과 함께 안중근 자서전을 새롭게 번역하여 출간할 계획입니다. 〈안중근 자서전〉은 한자로 기록된 문서로 한글번역 분량은 신국판 70여 쪽에 이르지만 해제를 덧붙여야하기에 그 두 배에 이를 것입니다. 안 의사는 감옥생활 5개월 동안 감옥에서 유언과 같은 자서전 〈안응칠 역사〉를 집필한 뒤 서문, 전감, 현상, 복선, 문답 등 5장으로 구성된 〈동양평화론〉의 서문과 전감은 서술하고 나머지 3개장은 완성하지 못한 채 순국하셨습니다.

안 의사는 자서전에서 출생과 성장과정(1879~1894) 등 15세 때까지의 회상을 서론과 같이 기술하고, 결혼, 동학당(東學黨)과의 대결, 갑신정변(1894), 갑오농민전쟁(1895)에 대한 청년시절 체험을 얘기하고 있습니다. 이어 그는 19세 때인 1897년 아버지와 함께 온 가족이 세례 받게 된 경위와 빌렘(J. Wilhelm, 한국명: 홍석구)신부를 도와 황해도 일대에서 선교에 전념하던 일을 증언하면서 특히 하느님 존재 증명방법과 그리스도를 통한 구원론, 각혼, 생혼, 영혼에 대한 설명, 하느님의 심판, 부활영생 등의 기본적 교리를 천명하고 있습니다. 이 증언을 통해 우리는 그의 돈독한 신앙과 19세기 말엽의 교리체계를 이해하고 확인할 수 있습니다.

안 의사는 빌렘신부를 도와 선교에 힘쓰면서 교회공동체나 주변의 억울한 사람들을 만나면 그들의 권리나 재산을 보호하기 위하여 스스로 위험을 감수하고 앞장섰습니다. 우리는 신앙인으로서 청년 안중근의 열정과 정의심을 몇 가지 사례를 통해 확인할 수 있습니다. 당시 서울의 세도가였던 전 참판 김중환(金仲煥)이 옹진군민의 돈 5천 냥을 빼앗아간 일이 있었는데 이를 찾아주기 위해 서울까지 가서 항의하고 꼭 갚겠다는 약속을 얻어내기도 했습니다. 또 다른 일은 해주 병영의 위관 곧 오늘의 표현으로는 지방군부대 중대장 격인 한원교(韓元校)가 이경주라는 교우의 아내와 간

통하여 결국 아내와 재산까지 빼앗은 횡포에 대해 법정투쟁까지 벌이면서 사건을 해결하려 했으나 결국 한원교가 두 사람의 자객을 시켜 이경주를 살해한 일을 회상하면서 끝내 한원교가 처벌되지 않는 불의한 현실을 개탄하였습니다. 안중근 의사의 이와 같은 정의감과 불의한 현실적 모순에 대한 그의 고뇌와 갈등을 우리는 여러 대목에서 확인할 수 있습니다. 이 자서전을 읽을 때마다 우리는 19세기 말 당시의 상황과 안중근 의사의 인간미를 새롭게 깨닫고 그의 진면목을 대하게 됩니다.

선교과정에서 안 의사는 무엇보다도 교육의 필요성을 절감하고 빌렘신부와 함께 뮈텔(G.Mutel, 한국명: 민효덕)주교를 찾아가 대학설립을 건의하는데 두 번, 세 번의 간청에도 불구하고 뮈텔은 "한국인이 만일 학문을 하게 되면 신앙생활에 좋지 않을 것이니(不善於信敎) 다시는 이러한 얘기를 꺼내지 말라"라고 거절했습니다. 고향으로 돌아오는 길에 안 의사는 뮈텔의 이러한 자세에 의노를 느끼며 마음속으로 "천주교의 진리는 믿을지언정 외국인의 심정은 믿을 것이 못된다" 하고 그때까지 배우던 프랑스어를 내던졌다고 술회하고 있습니다. 특히 교회공동체와 사제에게 가장 성실했던 신앙인 안 의사는 1907년 안 의사의 독립운동을 못마땅하게 여기며 독립투쟁을 포기할 때에만 비로소 성사생활을 할 수 있다면서 성사까지 거부했던 원산성당의 브레 사제(Louis Bret, 한국명: 백류사) 앞에서 당당하게 신앙을 증거하고 끝까지 독립운동을 지속했습니다. 당시 대부분의 선교사들이 일제에 영합하는 정교분리의 원칙에 따라 독립운동을 방해하고 반대하였음에도 불구하고 해외에서 무장투쟁을 펼치며 마침내 이토 히로부미를 주살하였습니다. 여기서 우리는 선교사의 한계를 뼈저리게 느끼며 하느님과의 직접적인 관계를 생각하셨던 안 의사의 신앙적 직관과 통찰력을 엿볼 수 있습니다. 특히 프랑스 사제들의 폐쇄적 자세와 인간적 한계를 극복한 성숙한 신앙인의 결단과 자세는 우리 모두의 귀감이며 사제와 주교 때문에 신앙이 흔들리는 우리 시대의 많은 형제자매들에게 안 의사는 참으로 든든한 신앙의 길잡이입니다.

일본의 침략이 노골화되자 안 의사는 가족과 함께 이주할 계획으로 상해를 방문했고 어느 날 성당에서 기도하고 나오던 길에 우연히 르각(Le Gac, 한국명: 곽원량) 신부를 만나 깨우침을 얻게 됩니다. 안 의사의 계획을 듣고 르각 신부는 프랑스와 독일의 국경지대인 알자스 지방을 예로 들면서 많은 이들이 그 지역을 떠났기에 다시는 회복할 수 없게 되었다고 설명하면서 만일 조선인 2천만 명이 모두 이주계획을 가지고 있다면 나라가 어떻게 되겠느냐 하면서 무엇보다도 ①교육 ②사회단체돕기 ③공동협심 ④실력양성을 해야 한다고 강조했습니다. 이에 안 의사는 진남포로 돌아와 돈의학교를 인수하고 야학 삼흥학교를 설립하여 후학을 위해 교사로서 봉사했습니다. 삼흥(三興)이란 국사민(國士民), 곧 나라와 선비와 백성 모두가 흥해야 한다는 그의 교육이념이기도 합니다. 또한, 안 의사는 국채보상운동에도 안창호와 함께 참여하고 스스로 사업도 하였으나 일본인들의 방해로 실패하게 됩니다.

그 후 1907년 정미 7조약으로 군대가 해산되고 경찰, 사법권 등 국가 권력이 일본에게 넘어가고 고종이 강제 퇴위를 당하자 일본의 한국의 보호와 동양 평화에 대한 주장이 한국을 일본의 식민지로 병탄하려는 의도라고 확신하고 독립군에 투신합니다. 독립군 시절 일본군인과 상인 등을 포로로 잡아 무장해제한 후 돌려보낸 일화는 유명합니다. 엄인섭 등 독립군들은 일본인 포로 2명을 호송하기도 어렵고 번거로우니 제거하자고 주장했으나 안중근은 독립군은 스위스 만국공법(萬國公法)을 지켜야 한다고 주장하며 공법에 따라 포로들을 관리할 수 없다는 이유로 이 둘을 석방했습니다. 이 일로 인해 위치가 노출되어 독립군부대는 일본군의 급습을 받고 완전히 괴멸되었습니다. 안 의사는 1달 반 동안 쫓기면서 여러 차례 죽을 고비를 넘깁니다. 이러한 과정에서 동행했던 2명의 동지들에게 세례를 베풀었고 죽을 고비마다 안 의사는 하느님께 전적으로 의탁하며 기도와 신앙으로 살아날 수 있었다고 기록하고 있습니다.

미완의 원고 〈동양평화론〉

이후 안 의사는 독자적으로 독립운동을 전개하다가 1909년 연추의 김씨댁 여관에서 11명의 동지들과 함께 대한독립의 결의를 다지며 자신의 손가락을 잘랐습니다. 안 의사는 이를 정천동맹(正天同盟)이라 했습니다. 하늘을 바로 세우고, 하늘 앞에서 바르게 살겠다는 서약이며 봉헌이었습니다. 그리고 이토 히로부미의 러시아 방문 소식을 접하고 그를 응징하기로 동지들과 계획하고 마침내 1909년 10월 26일에 하얼빈에서 침략자 이토 히로부미를 주살(誅殺)하였습니다. 이토 히로부미의 주살에 대하여 안 의사는 15가지의 죄상을 주장하였습니다. 그러나 그 근본적인 죄과에 대해 대한국의 독립국으로서의 지위 보장에 대한 명백한 약속 위반과 동양평화를 해치는 주범으로서 온 세상을 기만 죄로 죽음이 마땅하다고 주장하였습니다. 동양의 평화를 이루는 구체적인 방안들을 안 의사는 자신의 미완성의 원고인 동양평화론에서 제시하였습니다. 동양 삼국의 제휴를 통하여 평화회의 체제를 구성하고 상공업의 발달을 촉진하여 삼국의 경제적인 발전을 도모하고 이의 지원을 위하여 공동은행의 설립과 삼국연합군대의 창설과 교육을 통하여 백인들의 침략을 견제 대비하여야 진정한 세계평화를 유지할 수 있다고 제안 주장하였습니다. 어느 한 나라의 군사 경제적인 발전만으로는 평화와 발전이 불가능하다는 것을 안 의사는 간파하고 있었던 것입니다. 한나라의 강성함은 필히 주변국들과의 불화의 원인이 되므로 연합과 연대를 통하여 공동의 발전과 평화를 유지하기 위한 다자간 협력 체제와 이를 위한 국제기구의 필요성에 대해 안 의사는 강력한 소신을 가지고 있었던 세계 평화주의자였습니다. 국제적인 갈등의 해결 방법들을 제안한 안 의사의 생각을 읽으면 오늘 우리에게 부여되어있는 과제들을 돌아보게 됩니다. 분단의 해소를 통한 통일을 모두가 염원하고 있지만 그 구체적인 과정을 실천하기에는 아주 많은 난관을 우리 스스로 만들어 가고 있는 현실을 직면하게 됩니다. 남과 북의 대립, 그에 앞서 치유되지 않고 있는 지역, 계층 세대 간의 갈등과 반목이라는 부끄러운 현실 속에서 안 의사의 자서전을 대할 때마다 죄송스러움과 한계를 절감하게 됩니다.

신뢰를 지킨 빌렘사제

안 의사는 대한독립군 참모중장으로서 거사의 정당성과 이토 히로부미의 죄상을 밝히는 의연한 주장에도 불구하고 여순 감옥에서 일제의 부당한 재판을 통하여 사형을 선고받고 죽음을 앞두고 두 동생들을 통하여 뮈텔주교에게 성사를 집전할 사제의 파견을 요청하였습니다. 그러나 뮈텔주교는 '안 의사가 자신의 범죄를 시인하고 정치적인 입장을 바꾸도록' 요구합니다. 곧 독립운동에 대한 잘못을 스스로 시인해야만 사제를 파견할 수 있다고 이를 거절합니다. 더구나 여순의 관할 주교인 슐래(Choulet)와 일본 정부의 사제 파견에 대한 동의가 있었음에도 불구하고 뮈텔주교의 입장은 완강하였습니다. 이에 빌렘신부는 스스로 뮈텔주교에게 여순으로 간다는 서신을 보내고 안 의사를 면회하여 성사를 집전하고 미사를 봉헌하였습니다. 이 일로 뮈텔주교는 빌렘신부에게 성무집행정지 조치를 내렸으나 빌렘신부는 뮈텔주교의 부당성을 바티칸에 제소하였고 뮈텔주교에게는 공식적 문서를 통하여 주교의 부당한 명령을 지적하고 죽음을 앞둔 신자에게 성사를 집행하는 것은 사제의 의무이며 권리임을 강조했습니다. 바티칸은 성사집행이 사제로서의 정당한 성무집행임을 확인하였습니다. 그러나 뮈텔과의 불화로 빌렘은 프랑스로 돌아가 안중근을 생각하며 여생을 마쳤습니다.

〈동양평화론〉의 저술을 마칠 때까지 사형 집행을 연기하기로 약속한 일본 법원의 약속 파기로 순국을 예견한 안 의사는 동생들에게 전한 유언에서 나라의 독립을 위하여 국민들이 서로 마음을 합하고 위로하며 상공업의 발전을 위하여 힘써 나라를 부강하게 하는 것이 독립의 초석임을 당부하시고 나라가 독립되면 기뻐하며 천국에서 춤을 출 것이라고 하였습니다. 사실 현재 우리나라는 부강해졌고 국민들의 소득 수준은 높아졌습니다. 그러나 부의 편중으로 가난한 사람들은 점점 늘어가고 일자리가 없는 사람들의 수는 정부 통계로도 그 수를 짐작하기가 어려운 실정입니다. 그런데 국론은 분열되어 있고 정책은 일관되게 부자들과 재벌들을 위해 한 쪽을 향해서만 달려가고 있습니다. 상식이 거부되고 있는 현실입니다. 안 의사가 다시 살아나 설득을 하신다면 과연 이들이 안 의사의 말씀에 귀를 기울이겠습니까?

역사는 반복이며 미래를 위한 창조적 길잡이라고 했습니다. 오늘도 안중근과 같은 의인(義人)을 박해하고 괴롭히는 또 다른 뮈텔, 브레와 같은 숱한 주교와 사제들이 엄존하고 있는 이 현실에 대해 후대에 역사는 과연 어떻게 평가하겠습니까?

십인십색이라는 말과 같이 사람의 생각은 늘 같을 수만은 없습니다.

그러나 함께 생각하고, 역사의 삶을 공유하는 것이 우리의 도리이기에 이 자료집을 만들어 우리시대 미완으로 남아있는 안중근 의사의 참뜻을 실현할 것을 다짐하고 후대 역사의 지침으로 남기려 합니다.

자료집 발간을 위해 도와주신 박원순 시장님과 서울시 관계자분들 그리고 서울시 의회 새정치민주연합 전 대표 양준욱 의원님, 임형균 의원님에게 진심으로 감사드립니다. 10년을 넘게 자료집 발간을 위해 한결같은 마음으로 애쓰고 계시는 조광 교수님, 신운용 박사, 윤원일 사무총장과 자료집 발간에 참여하고 계시는 편찬위원들과 번역과 교정에 참여해 주신 모든 분들, 출판을 맡아준 채륜의 서채윤 사장님과 직원분들 모두에게 감사와 위로의 인사를 드립니다.

안 의사님, 저희는 부끄럽게도 아직 의사님의 유해를 찾지 못했습니다. 아니, 잔악한 일본인들이 안 의사의 묘소를 아예 없앤 것 같습니다. 그러나 이 책이 그리고 우리 모두의 마음이 안 의사를 모신 무덤임을 고백하며 안 의사의 열정을 간직하고 살기로 다짐합니다. 8천만 겨레 저희 마음속에 자리 잡으시어 민족의 일치와 화해를 위한 열정의 사도가 되도록 하느님께 전구해 주십시오.

안 의사님, 우리 겨레 모두를 돌보아주시고 지켜주소서.

아멘.

2016년 3월

안중근의사기념사업회, (사)안중근평화연구원 이사장

함 세 웅

발간사 _ 둘

"역사를 잊은 민족에게 미래는 없다."

역사는 현재를 살아가는 우리에게 거울과 같은 존재입니다. 우리는 지나온 역사를 통해 과거와 현재를 돌아보고 미래를 설계해야 합니다. 암울했던 일제강점기 우리 민족에게 빛을 안겨준 안중근 의사의 자료집 출간이 더욱 뜻 깊은 이유입니다.

107년 전(1909년 10월 26일), 만주 하얼빈 역에는 세 발의 총성이 울렸습니다.

전쟁에 몰입하던 일제 침략의 부당함을 전 세계에 알리고 나아가 동양의 평화를 위해 동양 침략의 선봉에 섰던 이토 히로부미를 안중근 의사가 저격한 사건입니다. 안중근 의사의 하얼빈 의거는 이후 수많은 독립운동가와 우리 민족에게 큰 울림을 주었고, 힘들고 암울했던 시기를 분연히 떨치고 일어나 마침내 조국의 광복을 맞이하게 했습니다.

그동안 독립 운동가들의 활동상을 정리한 문집들이 많이 출간되었지만, 안중근 의사는 뛰어난 업적에도 불구하고 관련 자료가 중국과 일본, 러시아 등으로 각각 흩어져 하나로 정리되지 못하고 있었습니다.

이번에 발간되는 『안중근 자료집』에는 안중근 의사의 행적과 사상, 그 모든 것이 집대성되어 있습니다. 이 자료집을 통하여 조국의 독립과 세계평화를 위해 일평생을 바친 안중근 의사의 숭고한 희생정신과 평화정신이 대한민국 전 국민의 가슴에 깊이 아로새겨져 우리 민족의 미래를 바로 세울 수 있는 밑거름이 될 수 있기를 기원합니다.

2016. 3
서울특별시장 박 원 순

발간사 _ 셋

역사 안에 실재하는 위인을 기억하는 것은 그 삶을 재현하고 실천하는 것입니다.

지금 우리 시대 가장 존경받는 분은 안중근 의사입니다.

특히 항일투쟁기 생존했던 위인 중 남북이 함께 기억하고 있는 유일한 분이기도 합니다.

그것은 "평화"라는 시대적 소명을 실천하자는 우리 8천만 겨레의 간절한 소망이 담긴 징표라고 저는 생각합니다.

안중근 의사는 20세기 초 동양 삼국이 공존할 수 있는 평화체제를 지향했고 그 가치를 훼손하고 힘을 앞세워 제국주의 질서를 강요하는 일제를 질타하고 이토 히로부미를 주살했습니다.

안중근 의사 의거 100년이 지난 지금 중국대륙에서 새롭게 안중근을 조명하고 있습니다. 그것은 100여 년 전 동양을 위협했던 제국주의 세력이 다시 준동하고 있다는 증거이며 안중근을 통해 공존의 아름다운 가치를 회복하자는 다짐입니다.

안중근 의사는 동양평화론을 저술하기 전에 "인심단합론"이라는 글을 남기셨습니다.

지역차별과 권력 그리고 재력 등 개인과 집단의 상대적 우월을 통해 권력을 행사하거나 집단을 통제하려는 의지를 경계하신 글입니다. 그런 행위는 공동체를 분열하고 해체하는 공공 악재가 되기 때문에 이를 경계하라 하신 것입니다.

해방 이후 지난 70년 우리 사회는 끊임없는 갈등과 분열을 경험하고 있습니다. 이런 상황을 문제로 인식하고 해결하려는 의지를 공동체가 공유하기보다 당연한 결과로 받아들이며 갈등과 분열을 사회 유지 수단으로 이용하고 있습니다.

사회구성원으로 살아가는 한 개체로서 인간은 자신의 의지와 관계없이 역사와 정치 이념의 영향을 받게 됩니다. 안중근 의사는 차이를 극복하고 서로 존중하는 공동체 유지 방법을 "인심단합론"이라 했습니다. "동양평화"는 그를 통해 이루어지는 결과입니다.

우리 사회는 민주화와 경제화 과정에 있습니다.

미완의 제도들은 갈등의 원인으로 작용하고 있으며 아름다운 공동체를 위해 많은 문제를 해결해야 한다는 것을 모두 알고 있습니다.

오늘은 어제의 결과이며 미래의 모습입니다. 지난 역사와 그 안에 실재했던 우리 선열들의 가르침은 우리에게 많은 지혜를 알려 주고 있습니다. 그 중에도 "안중근"이 우리에게 전하려는 "단합"과 "평화"는 깊이 숙고하고 논의를 이어가야 할 우리 시대 가치입니다.

안중근 의사의 독립전쟁과 공판투쟁 등 그분의 모든 행적을 담은 자료를 모아 자료집으로 만들어 우리 시대 자산으로 삼고 후대에 전하는 일에 기꺼이 동참해 오늘 작은 결실을 공동체와 함께 공유하게 되었습니다. 앞으로 이보다 더 많은 자료를 엮어 발간해야 합니다. 기쁜 마음으로 함께 결실을 거두어 낼 것입니다.

안중근 자료집 발간을 통해 많은 분들이 안중근 의사의 나라의 독립과 민족의 자존을 위해 가졌던 열정과 결단을 체험하고 우리 시대 정의 실현을 위해 헌신할 것을 다짐하는 계기가 되기를 바랍니다.

10년이 넘도록 안중근 자료집 발간을 위해 애쓰고 계시는 안중근의사기념사업회, (사)안중근평화연구원 이사장 함세웅 신부님과 임직원 여러분들에게 진심으로 존경과 감사의 인사를 드립니다.

서울특별시의회 새정치민주연합 전 대표의원
양 준 욱

편찬사

안중근은 1909년 10월 26일 하얼빈에서 대한제국의 침략에 앞장섰던 이토 히로부미를 제거해서 국가의 독립과 동양평화에 대한 의지를 드높인 인물이다. 그에 대한 연구는 한국독립운동사 연구에 있어서 중요한 부분을 이루고 있으며, 그의 의거는 오늘날까지도 남북한 사회에서 적극적 의미를 부여받고 있다. 안중근의 독립투쟁과 그가 궁극적으로 추구했던 평화에 대한 이상을 밝히는 일은 오늘을 사는 우리 연구자들에게 공통된 과제이다.

안중근이 실천했던 일제에 대한 저항과 독립운동은 5백 년 동안 닦아온 우리 민족문화의 특성을 가장 잘 나타내주고 있다. 조선왕조가 성립된 이후 우리는 문치주의를 표방하며 문민(文民)들이 나라를 다스렸다. 그러나 개항기 이후 근대 우리나라 사회에서는 조선왕조가 유학사상에 바탕한 문치주의를 장려한 결과에 대한 반성이 일어나기도 했다. 문치주의로 나라는 이른바 문약(文弱)에 이르게 되었고, 그 결과로 나라를 잃게 되었다는 주장이 제기된 것이었다.

그러나 조선왕조가 표방하던 문치주의는 불의를 용납하지 않고 이욕을 경시하면서 정의를 추구해 왔다. 의리와 명분은 목숨만큼이나 소중하다고 가르쳤으며, 우리의 정통 문화를 지키는 일이 무엇보다도 중요함을 늘 일깨워주었다. 이러한 정신적 경향은 계급의 위아래를 떠나서 삼천리강산에 살고 있던 대부분의 사람들의 심중에 자리잡은 문화적 가치였다. 그러므로 나라가 위기에 처했을 때, 유생들을 비롯한 일반 농민들까지도 의병을 모두어 침략에 저항해 왔다. 그들은 단 한 번 무기를 잡아본 적이 없었다. 그렇다 하더라도 우리나라에 대한 상대방의 침입이 명분 없는 불의한 행위이고, 사특한 움직임으로 규정될 경우에는 유생들이나 농민지도자들이 의병장으로 일시에 전환하여 침략에 목숨을 걸고 저항했다. 일반 농민들도 군사훈련을 받지 않은 상태임에도 불구하고 자신의 몸을 던져 외적의 침입에 맞서고자 했다.

그러나 엄밀히 말하자면, 글 읽던 선비들이 하루아침에 장수가 될 수는 없었던 일이며, 군사훈련을 받지 않은 사람을 전선으로 내모는 일은 살인에 준하는 무모한 행동으로 비난받을 수도 있었으나 이러한 비난은 우리 역사에서 단 한 번도 일어나지 않았다. 그 까닭은 바로 문치주의에서 강조하던 정의와 명분은 사람의 목숨을 걸 수 있을 만큼 소중한 것으로 보았기 때문이다.

우리는 안중근에게서 바로 이와 같은 의병문화의 정신적 전통이 계승되고 있음을 확인하게 된다. 물론 전통시대 의병은 충군애군(忠君愛君)을 표방하던 근왕주의적(勤王主義的) 전통이 강했다. 안중근은 전통 유학적 교육을 통해 문치주의의 향기에 접하고 있었다. 그는 무인(武人)으로서 훈육되었다기보다는 전통적인 문인(文人)으로 교육받아 왔다. 또한 안중근은 천주교 입교를 통해서 유학 이외의 새로운 사조를 이해하기 시작했다. 안중근은 전통적 근왕주의를 뛰어넘어 근대의 세례를 받았던 인물이다. 그의 혈관에는 불의를 용납하지 않고 자신을 희생하여 정의를 세우고자 했던 의병들의 문화전통과 평등이라는 가톨릭의 정신이 흐르고 있었다. 이 때문에 안중근의 생애는 전통적인 의병이 아닌 근대적 독립운동가로 규정될 수 있었다.

안중근은 우리나라의 모든 독립운동가들에게 존경의 대상이 되었다. 그는 독립운동가들에게 '역할 모델(role model)'을 제공해 주고 있다. 그의 의거는 한국독립운동사에 있어서 그만큼 큰 의미를 가지고 있었다. 그렇다면 해방된 조국에서 그에 관한 학문적 연구도 본격적으로 착수되어야 했다. 그러나 안중근에 관한 연구는 다른 독립운동가에 비교해 볼 때 체계적 연구의 시기가 상대적으로 뒤늦었다. 그 이유 가운데 하나는 『안중근 전집』이나 그에 준하는 자료집이 간행되지 못했던 점을 들 수도 있다. 돌이켜 보건대, 박은식·신채호·안창호·김구·이승만 등 주요 독립운동가의 경우에 있어서는 일찍이 그분들의 저작집이나 전집들이 간행된 바 있었다. 이러한 문헌자료의 정리를 기초로 하여 그 독립운동가에 대한 본격적 연구가 가능하게 되었다. 그러나 안중근은 아직까지도 『저작전집(著作全集)』이나 본격적인 『자료집』이 나오지 못하고 있다. 이로 인하여 안중근에 대한 연구가 제한적으로밖에 이루어지지 못하고 있다. 그리고 안중근에 대한 본격적 이해에도 상당한 어려움이 따르게 되었다.

물론 안중근의 『자서전』과 그의 『동양평화론』이 발견된 1970년대 이후 이러한 안중근의 저술들을 중심으로 한 안중근의 자료집이 몇 곳에서 간행된 바도 있다. 그리고 국사편찬위원회 등 일부 기관에서는 한국독립운동사 자료집을 간행하는 과정에서 안중근의 재판기록을 정리하여 자료집으로 제시해 주기도 했다.

　그러나 안중근에 대한 연구 자료들은 그 범위가 매우 넓다. 거기에는 안중근이 직접 저술하거나 집필했던 문헌자료들이 포함된다. 그리고 그는 공판투쟁과정에서 자신의 견해를 분명히 제시해 주고 있다. 따라서 그에 대해 알기 위해서는 그가 의거 직후 체포당하여 받은 신문 기록부터 재판과정에서 생산된 방대한 양의 기록들이 검토되어야 한다. 또한 일본의 관인들이 안중근 의거 직후 이를 자국 정부에 보고한 각종 문서들이 있다. 여기에서도 안중근에 관한 생생한 기록들이 포함되어 있다. 그리고 안중근 의거에 대한 각종 평가서 및 정보보고 등 그와 그의 의거에 관한 기록은 상당 분량에 이른다.

　안중근 의거 직후에 국내외 언론에서는 안중근과 그 의거에 관해 자세한 내용을 경쟁적으로 보도하고 있었다. 특히 국내의 주요 신문들은 이를 보도함으로써 의식 무의식적으로 문치주의적 의병정신에 동참하고 있었다. 안중근은 그의 순국 직후부터 우국적 언론인의 탐구대상이 되었고, 역사학자들도 그의 일대기와 의거를 연구하여 기록에 남겼다. 이처럼 안중근에 관해서는 동시대를 살았던 독립운동가들과는 달리 그의 행적을 알려주는 기록들이 무척 풍부하다.

　앞서 말한 바와 같이, 개항기 이래 식민지강점기에 살면서 독립을 위해 투쟁했던 주요 독립운동가들의 전집이나 자료집은 이미 간행되어 나왔다. 그러나 그 독립운동가들이 자신의 모델로 삼기 위해 노력했고 존경했던 안중근 의사의 자료집이 전집의 형태로 간행되지 못하고 있었다. 이는 그 후손으로서 안중근을 비롯한 독립 선열들에게 대단히 면목 없는 일이었다. 따라서 안중근 전집 내지 자료집의 간행은 많은 이들에게 대단히 중요한 과제로 남게 되었다.

　이 상황에서 안중근의사기념사업회 산하에 안중근연구소가 발족한 2005년 이후 안중근연구소는 안중근 전집 내지 자료집의 간행을 가장 중요한 과제로 삼았다. 그리하여 2005년 안중근의사기념사업회 안중근연구소는 전집간행을 준비하기 시작했다. 그 과정에서 안중근연구소는 안중근 연구를 필생의 과업으로 알고 있는 신운용 박사에게서 많은 자료를 제공받아 이를 중심으로 하여 전집 간행을 위한 가편집본 40여 권을 제작하였다. 그리고 이렇게 제시된 기본 자료집에 미처 수록되어 있지 못한 별도의 자료들을 알고 있는 경우에는 그것을 제공해 달라고 연구자들에게 요청했다. 한편, 『안중근 자료집』에는 해당 자료의 원문과 탈초문 그리고 번역문의 세 가지를 모두 수록하며, 원문의 교열 교감과 번역과정에서의 역주작업을 철저히 하여 가능한 한 완벽한 자료집을 간행하기로 의견을 모았다.

안중근의사기념사업회에서는 안중근연구소의 보고에 따라 그 자료집이 최소 25책 내외의 분량에 이를 것으로 추정했다. 또한 자료집 간행이 완간되는 목표 연도로는 안중근 의거 100주년에 해당되는 2009년으로 설정했다. 안중근의사기념사업회는 이 목표를 달성하기 위해 백방으로 노력했다. 그러나 안중근 자료집의 간행이라는 이 중차대한 작업에 대한 국가적 기관이나 연구재단 등의 관심에는 큰 한계가 있었다. 안중근의사기념사업회는 정리비와 간행비의 마련에 극심한 어려움을 겪고 있었다. 이 어려움 속에서 안중근 의거와 순국 100주년이 훌쩍 지나갔고, 이 상황에서 안중근의사기념사업회는 출혈을 각오하고 자력으로라도『안중근 자료집』의 간행을 결의했다. 자료집을 순차적으로 간행하기로 하였다.

이 자료집의 간행은 몇몇 분의 특별한 관심과 노력의 소산이었다. 먼저 안중근의사기념사업회, (사)안중근평화연구원 이사장 함세웅 신부는『안중근 자료집』간행의 비용을 마련하기 위해 많은 노력을 기울였다. 무엇보다도 이 자료집의 원사료를 발굴하여 정리하고 이를 번역해서 원고를 제공해준 신운용 박사의 노고로 이 자료집은 학계에 제시될 수 있었다. (사)안중근평화연구원 부원장 윤원일 선생은 이 간행작업의 구체적 진행을 위해 수고를 아끼지 않았다. 안중근의사기념사업회의 일에 깊은 관심을 가져준 여러분들도『안중근 자료집』의 간행을 학수고대하면서 격려해 주었다. 이 모든 분들의 선의가 모아져서 2010년 5권이 발간되었으나 더 이상 진척되지 못하고 있었다. 여러 어려움으로 자료집 발간이 지체되는 것을 안타깝게 여긴 박원순 서울시장님과 서울시의회 새정치민주연합 전 대표 양준욱 의원님과 임형균 의원님을 비롯한 서울시의원님들의 지원으로 자료집 발간 사업을 다시 추진하게 되었다. 이 자리를 빌려 서울시 역사문화재과 과장님과 관계자들 서울시의원님들에게 심심한 감사의 인사를 드린다. 앞으로 이 자료집은 많은 분들이 도움을 자청하고 있어 빠른 시간 내에 완간될 것이라 생각한다. 이 자료집 발간에 기꺼이 함께한 편찬위원 모두의 마음을 모아 안중근 의사와 순국선열들에게 이 책을 올린다.

광복의 날에
안암의 서실(書室)에서
안중근 자료집 편찬위원회 위원장
조 광

『안중근 유고-안응칠 역사·동양평화론·기서』해제

신운용*

1. 들어가는 말

1909년 10월 26일의 안중근의거가 있은 이후 안중근 연구는 1970년대까지 거의 이루어지지 않았다. 그 가장 큰 이유는 바로 안중근관계 자료의 수집과 보급이 더디었기 때문이다. 이에 책임감을 느끼어 (사)안중근평화연구원은 지난 10년간에 걸쳐 자료집 11권을 냈으나 여러 가지 사정으로 안중근연구의 가장 기초사료인 『안응칠역사』와 『동양평화론』을 이제야 출간하게 되었다. 물론 저간의 사정이 있었지만 안중근 자료집을 총괄하고 있는 필자 탓임을 부정하지 않는다.

1960년대 말까지 안중근연구는 답보상태에서 벗어나지 못하였다. 그 이유는 종합적인 사료의 수집과 편찬이 이루지지 않았음에 기인하는 것은 물론이지 무엇보다 안중근 자신이 남긴 글이 발견되지 않았기 때문이다.

다행히 1969년 일본에서 일본어본 『안중근자전』이 발견되었다. 같은 일본어본이 일본 공문서관에도 남아 있다. 이어서 1978년 나가사키에서 안중근을 조사한 사카

---

* (사)안중근평화연구원 책임연구원.

이(境) 경시가 전사한 『안응칠역사』가 발견되고 나서 1979년 일본 국회도서관에서 『안응칠역사』·『안중근전』·『동양평화론』의 필사본이 안중근관련 사진과 더불어 발견됨으로써 안중근연구의 한 획을 그었다.

『안응칠역사』는 안중근의 성장과정, 천주교 입교와 활동, 교육활동 등의 계몽운동, 독립방략의 모색, 블라디보스토크 망명과 활동, 국내진격작전, 이토처단과 재판과정과 순국 등 안중근에 대한 가장 기본적이면서도 중요한 정보를 제공하고 있다. 이 점에서 이 책에 『안응칠역사』·『안중근전』·『안중근자전』(일본어본)·『동양평화론』을 실었다. 아울러 안응칠역사의 공백을 메우기 위해서는 많은 관계자료의 수집과 섭렵이 필요하다. 이러한 의미에서 대략적인 안중근 관계를 이 글에서 소개하였다.

중국의 민우일보는 인도(人道)철학을 격변시킨 일대 사건으로 평가하였다. 중국인들은 안중근을 단순히 이토를 처단한 독립운동가로만 평가한 것이 아니라 인류의 철학을 바꾼 인물로 평가하였다.

하지만 이러한 인물이 어떠한 과정을 통해서 이토 처단과 『동양평화론』이라는 불후의 명작을 날 수 있었는지에 대해서는 거의 알 수 없었다. 이러한 평가가 가능한 것은 당시에 안중근의 사상적 깊이가 어느 정도 알려진 사실을 반영하지만 중국 지식인들의 통찰력에 탄복하지 않을 수 없다.

중국인들의 안중근의 사상과 관련하여 주목한 것은 바로 그의 『동양평화론』이다. 동양평화론은 안중근이 자신의 사상을 집략적으로 표현한 것이다. 이러한 의미에서 이 책에 『동양평화론』을 포함시킨 것은 당연한 일이다. 그런데 안중근의 동양평화론은 완성된 글이 아니라는 점에서 아쉬움이 있지만 그 대략적인 내용은 1910년 2월 17일 히라이시 고등법원장과의 면담 내용이 일본외교사료관에 남아 있어 전반적인 내용은 확인할 수 있다. 이 글에서 글쓴이는 『동양평화론』 형성배경과 그 내용을 기술하였으므로 안중근의 사상을 이해하는데 어느 정도 도움이 될 것이다.

2. 『안응칠역사』 발견과 안중근관계 사료

기왕의 안중근연구에서 주로 사용된 사료는 크게 『안응칠역사(安應七歷史)』와 『한국독립운동사(韓國獨立運動史)』 자료 6·7, 『아주제일의협(亞洲第一義俠) 안중근(安重根)』 1·2·3으로 나누어 살펴볼 수 있다. 『안응칠역사(安應七歷史)』는 1969년 최서면

이 『안중근자전(安重根自傳)』이라는 서명의 일본어본을 발견하여 그 내용이 처음으로 세상에 알려지게 되었다.[1] 이후, 1978년에는 안중근을 조사했던 사카이 경시가 전사한 『안응칠역사』를 일본인 와타나베 쇼시로(渡邊庄四郎)가 구입해 한문본을 한국대사관에 기증하였다. 물론 이 두 가지의 『안응칠역사』는 완전한 것이 아니었다.

그러나 다행히도 1979년 이치카와 마사아키(市川正明)가 일본 국회도서관 헌정사료실의 시치죠 키요미관계문서(七條淸美關係文書)에서 『안응칠역사』·『안중근전』·『동양평화론』을 발견하여 세상에 알렸다.[2] 이에 힘입어 완벽에 가까운 『안응칠역사』를 재구성할 수 있었다. 이후 이은상이 재구성된 『안응칠역사』를 번역 출판하였다.[3] 아울러 『안응칠역사』는 다른 안중근 관계 전기류와 함께 윤병석이 『안중근전기전집(安重根傳記全集)』[4]으로 역편(譯編)하였는데 완벽하지 않지만 안중근과 그의 의거에 대한 후대의 평가를 연구하는 데 도움을 주고 있다.

그런데 『안응칠역사』는 안중근을 이해하는 데 있어 기초적인 정보를 제공하고 있지만, 이는 어디까지나 안중근의 시각에서 작성된 것이므로 다른 자료와 비교 검토할 필요성이 있다. 특히, 계몽운동 이전 안중근의 행적을 객관적으로 살펴보기 위해서는 『각사등록(各司謄錄)』·『공문편안(公文編案)』·『내부거래안(內部去來安)』·『기안(起案)』·『외부소장(外部訴狀)』·『사법품보(司法稟報)』 등의 대한제국 정부가 남긴 관찬사료와의 비교검토가 요구된다. 특히 『각사등록』의 「황해도편」[5]에서는 안중근가문이 천주교를 통하여 주변지역을 장악해 들어가는 상황을 살펴볼 수 있다. 또한 법부에서 생산한 『외부소장(外部訴狀)』[6] 중에는 안중근의 대외인식을 규명하는 데 도움이 될 만한 문서가 남아 있다. 그것은 안중근의 부 안태훈을 폭행한 청의(淸醫) 서원훈(舒元

---

1 글쓴이는 이 일본어본 『안중근자전』을 日本 公文書館에서 확인하였다(日本 公文書館, 『韓國警察報告資料』 卷 ノ三(內務省警保局).

2 이치카와 마사아키(市川正明)의 『安應七歷史』 발견은 그 진위논쟁을 촉발시켰다. 즉, 일본 국회도서관에서 발견된 것이 원본이라고 주장하는 이치카와의 연구(市川正明, 「安重根の獄中記(自筆)發見をまぐって」, 『安重根と日韓關係史』, 原書房, 1979, 1~4쪽)에 대해 최서면은 원본이 아니라고 주장하였다(최서면, 「安重根自傳攷」, 『淸坡盧道陽博士 古紀念文集』, 1979). 그것은 현재 통용되고 있는 『안응칠역사』의 원본이 아님이 분명하다. 필시 조선사편수회의 『吉林 新京·奉天·旅順·大連 史料探訪復命書』(국사편찬위원회 소장)에서 확인할 수 있듯이, 원본은 여순지방법원에 소장되어 있던 것으로 추정된다. 따라서 일본 외무성본과 일본 국회도서관본은 필사본으로 추정된다.

3 안중근의사숭모회, 「발간사」, 『안중근의사자서전』, 1979, 11~15쪽.

4 윤병석 편역, 『언중근전기전집』, 국가보훈처, 1999.

5 『각사등록』 제25권(황해도편 4), 국사편찬위원회, 1987.

6 『外部訴狀』, 서울대 규장각, 2002.

勳)을 고발한 「청원서」로 안중근과 그의 친구 이창순(李敞淳)이 외무대신에게 제출한 문서이다. 또한 『황해도장토문적(黃海道庄土文績)』[7]은 안중근의 경제관념과 민권의식을 살펴보는데 의미 있는 사료이다. 아울러 『사법품보(司法稟報)』에 1899년 10월경 '한원교의 이경주(이경룡, 안중근의 친구)를 살해사건'이 기록되어 있다.[8] 이들 사료는 기왕의 안중근연구에서 그다지 주목되지 않았던 문서로 러일전쟁 이전의 안중근의 활동을 규명하는 데 유익하다.

『한국독립운동사』 자료 6·7은 사건 당시의 『통감부문서』[9]와 조선사편수회가 1939년 9월에 수집한 것[10]을 1976~77년에 국사편찬위원회가 번역하여 수록한 것이다.

『아주제일의협 안중근』 1·2·3은 일본외무성 외교사료관에 소장되어 있는 『이토공작만주시찰일건』[11]에 편철된 「구라치정무국장여순출장중발수서류」 2책,[12] 「이토공작조난에 관한 각국인의 태도 및 신문논조」 1책,[13] 「이토공작조난에 관한 구라치정무국장여순출장중범인신문일건」 3책[14]을 국가보훈처가 영인 출판한 것이다. 이도 상당 부분이 『한국독립운동사』 자료 7과 겹치고 있지만 새로운 내용도 다소 담고 있다. 특히 「이토공작조난에 관한 각국의 태도 및 신문논조」는 각국의 반응을 규명하는 데 기초적인 사료가 된다. 특히 안중근이 히라이시(平石) 고등법원장을 만나 그의 동양평화론을 설파한 내용은 안중근의 동양평화론의 전모를 살펴보는 데 있어 분석을 요하는 부분이다.[15]

그러나 『이토공작만주시찰일건』에 편철되어 있는 「이토공작조난에 관한 구라치정

---

7 「黃海道信川郡所在庄土安重根提出圖書文績類」, 『黃海道庄土文績』(서울대 규장각소장, 문서번호: 奎 19303-v.60).

8 『司法稟報』 갑 제82권(서울대 규장각 소장, 문서번호: 奎 17278). 한원교의 약력은 일본 외교 사료관, 「陸軍步兵副尉 韓元教履歷書」, 『倉知政務局長統府參事官兼任中ニ於ケル主管書類雜纂(來住公信)』第一卷(문서번호: 7.1.8-21) 참조.

9 국사편찬위원회, 『統監府文書』 7, 2000.

10 이는 국사편찬위원회에서 『駐韓日本公使館記錄』 38·39·40으로 영인 출판되었다.

11 일본 외교사료관, 『伊藤公爵滿洲視察一件』(문서번호: 4.2.5, 245).

12 일본 외교사료관, 『倉知政務局長旅順出張中發受書類』 2冊(문서번호: 4.2.5, 245-1).

13 일본 외교사료관, 『伊藤公爵遭難ニ關シ各國人ノ態度並新聞論調』 1冊(문서번호: 4.2.5, 245-2).

14 일본 외교사료관, 『伊藤公爵遭難ニ關シ倉知政務局長旅順へ出張中犯人訊問一件』 3冊(문서번호: 4.2.5, 245-3).

15 일본 외교사료관, 『伊藤公爵遭難關倉知政務局長旅順出張中犯人訊問一件』 第3卷.

무국장 여순출장 및 범인신문일건」2권[16]은 안중근을 비롯한 사건연루자 신문기록, 하얼빈 한인신문기록, 일본인 신문기록, 러시아인 신문기록 등, 『한국독립운동사자료』6에 실려 있지 않는 풍부한 신문기록이 편철되어 있다.[17] 특히 필자는 이 사료에 실려 있는 우덕순이 안중근과 함께 썼던 미공개 사료인 「이토척결을 읊은 시(詩)」와 유동하가 그의 부친에게 보낸 편지를 발굴하여 소개하였다.[18] 유동하의 편지는 안중근과 대동공보사의 관계를 검토할 때 참고가 된다는 면에서 주목된다.

아울러 「이토공작조난에 관한 각국으로부터의 조사신출지건」2책[19]은 각국의 안중근의거에 대한 공식적인 인식을 엿볼 수 있는 사료이다. 또한 일본외무성 외교사료관에 보관되어 있는 『불령단관계잡건(不逞團關係雜件)』은 안중근의거에 대한 재외한인의 인식과 반응을 기술하는 데 큰 도움이 된다. 뿐만 아니라, 이는 안중근의 의병투쟁, 동의회(同義會)관계, 정천동맹(단지동맹) 등에 대한 정보를 담고 있어 「독립전쟁기의 안중근」을 서술하는 데 기반이 된다.

그리고 안중근재판의 배경을 규명하는데, 이 글에서 일본외무성 외교사료관에 소장되어 있는 『청국에 있어 한국신민치외법권향유에 관한 하얼빈제국총영사노국총영사와 교섭일건』[20]과 『재외한국민보호 및 동국민에 대한 제국영사의 직무집행방관계일건』을[21] 이 책에서 활용하였다. 이 자료는 안중근이 일제의 재판을 받게 된 사유가 단순히 일제의 순간적인 결정에 따른 것이 아니라, 재외한인의 사법권을 침탈하는 과정에서 이루어진 극치(極致)임을 살펴보는 데 도움이 된다.

이 외에 일본 외교사료관에 소장된 사료 중에 안중근연구에 참고가 될 만한 사료는 『요시찰외국인의 거동관계잡찬(要視察外國人ノ擧動關係雜纂)』에 편철되어 있는 「한국인지부(韓國人之部)」이다. 이 사료는 국사편찬위원회에서 발행되었고,[22] 『불령단관계잡건(不逞團關係雜件)』과 중복되는 경향도 있으나, 안중근연구에 참고될 부분도 많다.

------

16 일본 외교사료관, 『伊藤公爵遭難ニ關シ倉知政務局長旅順出張竝ニ犯人訊問之件(聽取書)』2冊(문서번호: 4.2.5, 245-4).
17 특히 이는 『한국독립운동사』 자료 6과 대체로 같으나 다른 부분도 상당히 있기 때문에 비교 검토가 요구된다.
18 『중앙일보』 2002년 10월 25일자, 「우덕순 '의거歌' 원문 발견」.
19 일본 외교사료관, 『伊藤公爵遭難ニ關シ各國ヨリ弔詞申出之件』2冊(문서번호: 4.2.5, 245-5).
20 日本外務省 外交史料館, 『清國ニ於ケル韓國臣民治外法權享有ニ關シ在哈爾賓帝國總領事露國總領事ト交渉一件』(문서번호: 4.1.2. 39).
21 『在外韓國民保護並ニ同國民ニ對スル帝國領事ノ職務執行方關係一件』(문서번호: 6.1.2-47).
22 국사편찬위원회, 『要視察韓國人擧動』3, 2001.

일본의 안중근 관계 사료는 『일본외교문서』에도 일부가 실려 있다.[23] 또한 이치카와 마사아키(市川正明)의 『안중근과 일한관계사(安重根と日韓關係史)』도 참고된다.[24] 여기에 신문(訊問)기록과 재판기록, 그리고 일본 국회도서관에서 발견된 『안응칠역사』가 일본어 번역본과 함께 게재되어 있다. 이외에 일본국회도서관 헌정자료실에 보관되어 있는 안중근 관계 사료도 안중근연구에 있어 그 중요성을 더 한다. 특히 산조가문서(三條家文書) 중 『이토히로부미 암살사건 앨범(伊藤博文暗殺事件アルバム)』은 안중근 관계 사진을 살펴볼 수 있는 사료이다. 이외에도 카츠라 타로관계문서(桂太郎關係文書)·고토 신페이문서(後藤新坪文書) 등에도 안중근 관계 사료가 있으나 특별한 의미는 없는 것으로 보인다.

한편, 안중근의거가 당시 러시아 관할지역인 하얼빈에서 일어났다는 지리적 이유와 더불어 까깝쵸프·이토회담 직전에 이루어졌다는 정치적인 사유로 러시아도 많은 안중근 관계 사료를 남기고 있다. 러시아가 남긴 대표적인 안중근 관계 사료로는 『군 첩보원 비류꼬프(Бирюков Н.Н.) 보고서』[25]·『이토 히로부미의 암살범 안중근의사의 공범체포에 관한 보고서』[26]·『안중근의거 첩보 보고서』[27]·『재상의 극동 출장과 하얼빈역 이토 히로부미(伊藤博文)사살 사건』[28] 등이 있다. 이들 외교사료는 박보리스(Б.Д.Пак, Возмездие)의 『하얼빈역의 보복(На Харбинском Вокзале)』[29]의 저술에 활용되었다. 이외에 블라디보스토크의 극동문서보관서에 소장되어 있는 안중근 관계 자료는 박환에 의해 국내에 소개되었다.[30] 이는 국사편찬위원회에서 번역 출판되었다.[31] 이러한 러시아의 사료에서 까깝쵸프와 이토의 회담과 안중근의거에 대한 러시아의 입장을 확인할 수 있었고, 아울러 안중근의 독립전쟁에 대한 러시아의 평가를 엿볼 수 있었다. 이러한 측면에서 안중근연구에 러시아의 사료들은 적극적으로 활용되어야

---

23 日本外務省 編, 『日本外交文書』第四十二卷 第一冊.

24 市川正明, 『安重根と日韓關係史』, 211~667쪽.

25 РГВИА(러시아국립군역사자료보관소), фонд No.2,000, опись No.1, дело No. 4134.

26 РГИА(러시아국립역사자료보관국), фонд No.2000, опись No.1, дело No. 41349.

27 РГВИА фонд No.2,000 опись No.1, дело No.4107. 이는 박종효, 『러시아 국립문서 보관소 소장 한국 관련 문서 요약집』(한국국제교류재단, 2002, 665~666쪽)에 일부가 번역되어 있다.

28 РГВИА фонд No.150 опись No.493 дело No.1379.

29 박보리스 저/ 신운용·이병조 역, 『하얼빈역의 보복』, 채륜, 2009.

30 박환, 「러시아 소재 한인독립운동 자료현황」, 『재소한인민족운동사 - 연구현황과 자료해설』, 국학자료원, 1998, 108~109쪽.

31 국사편찬위원회, 『한국독립운동사』 자료 34, 1997.

한다.

그리고 안중근의 종교 활동과 행적을 엿볼 수 있는 천주교 측의 사료는 『뮈텔문서』·『뮈텔주교일기』(Ⅱ·Ⅲ·Ⅳ)·『조선교구통신문』·『한국여행기』[32] 등이 있다. 이들 사료는 안중근의 천주교 입교 과정과 활동 및 천주교의 안중근의거에 대한 반응을 살펴보는데 기초자료가 된다.

신문자료는 안중근연구에 반드시 검토해야 할 대상이다. 안중근관계신문자료는 크게 한국어 신문과 외국어 신문으로 분류할 수 있다. 한국어신문은 다시 국내신문과 국외신문으로 나누어 볼 수 있다. 국내신문으로는 『대한매일신보』·『황성신문』·『대한민보』·『경향신문』 등이 있다. 특히 『대한매일신보』는 국내의 안중근의거에 대한 인식과 반응을 살펴보는 데 참고된다.

무엇보다 『대한매일신보』의 안중근재판 관계기사는 일제의 보도와 극한 대조를 이루고 있다는 데서 그 의미를 부여할 수 있다. 『대한매일신보』는 애국계몽운동기 안중근의 활동, 공판투쟁, 천주교를 비롯한 국내의 안중근의거에 대한 인식, 안중근의거의 역사적 위상 등을 살펴볼 수 있다.[33]

국외에서 발행된 한국어 신문 중에서 안중근연구에 기반이 되는 사료는 블라디보스토크에서 발행되던 『대동공보』이다. 이 신문에서 많은 분량의 안중근관계기사를 엿볼 수 있는데 이는 안중근의 활동무대가 러시아령이었다는 사실과 깊은 관계가 있다. 이러한 측면에서 『대동공보』는 안중근 구출운동, 외국언론보도, 안중근의거에 대한 러시아령 한인의 인식 등을 살펴볼 수 있다.[34]

특히 미국 캘리포니아 프레스노에서 발행되던 일본어 잡지 『주간노동(週間勞動)』의 기사를 역재한 12월 19일자 『대동공보』의 「역주간노동지쾌론(譯週間勞動之快論)」이 주목된다. 즉, 『주간노동』은 안중근을 '의사'로 이토를 '더러운 놈'으로 묘사하고 있다는 점 때문이다. 이는 안중근의거의 국제적 의미를 되새길 수 있는 기회를 제공하고 있다는 면에서 의미가 있다.[35]

- -

32 Weber Norbert, 『Im Lande der Morgenstille: Reise-Erinnerungen an Korea』, Missionsverlag St.Ottilien, 1923.

33 신운용, 「안중근의거에 대한 국외 한인사회의 인식과 반응」, 『한국독립운동사연구』 28, 한국독립운동사연구소, 2007, 101~104쪽.

34 신운용, 「안중근의거에 대한 국외 한인사회의 인식과 반응」, 103~104쪽.

35 이는 『신한민보』 1909년 11월 10일자에 게재된 「譯「週間勞動之快論」」을 다시 『대동공보』에 게재한 것 같다.

이외에도 미주에서 발행되던 『신한민보』와 『신한국보』에서도 안중근의거를 살펴볼 수 있다. 이들 신문은 안중근의거에 대한 미주한인의 인식 등을 구체적으로 살펴볼 수 있다는 면에서 안중근연구에 반드시 참고해야 할 사료이다.

안중근관계 외국어 신문은 각국의 신문들이 이에 해당한다. 외국어 신문 중에서 안중근관계 기사를 가장 많은 분량으로 다룬 신문은 주로 일본어 신문이다. 일본어 신문은 발행지역에 따라 일본 국내와 일본 국외로 나누어 볼 수 있다. 전자의 대표적인 신문으로 『조일신문(朝日新聞)』·『매일신문(每日新聞)』·『법률신문(法律新聞)』 등을 들 수 있다. 후자는 주로 한국과 중국에서 발행되던 신문으로 대표적인 것은 『조선신문(朝鮮新聞)』·『경성신보(京城新報)』·『만주일일신문(滿洲日日新聞)』·『만주신보(滿洲新報)』 등이 있다. 전자에서는 주로 일본의 한국병탄을 앞에 둔 상황 속에서 일본이 안중근의거를 어떻게 보고 있으며 이들의 대응책이 무엇인지, 그리고 안중근의거의 배경이 된 국제정세에 대한 일본인들의 인식 등을 자세히 살펴볼 수 있다. 후자에서는 이토의 만주방문을 통하여 만주일본인들이 얻고자 하는 바, 이토의 만주방문의 목적, 한국인들의 반응 등을 살펴볼 수 있다.

한편, 중국어 신문으로는 『민우일보(民吁日報)』·『상해신보(上海申報)』·『상해시보(上海時報)』·『상해주보(上海週報)』·『천진대공보(天津大公報)』 등을 들 수 있다.[36] 이는 국가보훈처에서 발행된 『해외의 한국독립운동사료』[37]에 일부가 수록되어 있어 안중근의거를 전후한 중국의 반응을 살펴보는 데 도움이 된다.

중국신문들은 대체로 일본의 눈치를 보고 있었기 때문에 안중근의거를 긍정적으로 보도한 것 같지 않다. 이러한 상황 속에서 『민우일보』는 약 93회에 걸쳐 안중근에 대해 보도하였다.[38] 무엇보다도 『민우일보』는 서양의 혁명을 "100만 대군의 혁명에 버금가는 것으로 세계의 군주정치와 인도철학(人道哲學)에 관한 학설을 일변시켰다고 평가한 연장선에서 안중근의거를 인류가 지향해야 할 보편적 가치를 제공하였다"고 주장한 대목은 주목된다.[39] 또한 중국 상해에서 발행된 1910년 2월 22일자

---

36 중국의 안중근관계 기사내용은 이상일, 「안중근의거에 대한 각국의 동향과 신문논조」, 『한국민족운동사연구』 30, 2002, 101~105쪽; 김춘선, 「안중근의거에 대한 중국인의 인식」, 『한국근현대사연구』 33, 2005, 111~116쪽 참조.
37 국가보훈처, 『해외의 한국독립운동사료』(Ⅵ) 중국편②, 1992.
38 김춘선, 「안중근의거에 대한 중국인의 인식」, 국사편찬위원회 논문, 113쪽.
39 백암 박은식, 이동원 역, 『불멸의 민족혼 安重根』, 135쪽.

『내셔날리브』(『上海週報』第十九號)는 일제의 안중근재판 관할권 행사의 부당성을 지적하였다. 동시에 같은 신문은 이러한 일제의 조치에 대해 한인을 일인으로 취급하고 요동반도를 일제의 소유로 보고 있는 일제의 시각을 드러낸 것이라고 신랄하게 비판하였다.[40]

안중근의거를 다룬 러시아어 신문은 『동방의 여명(Восточная заря)』, 『신생활(Новая жизнь)』, 『연해주(Приамурье)』, 『변방(Далекая окраина)』, 『우수리스크변방(Уссурийская окраина)』, 『극동(Дальний Восток)』, 『말(Речь)』 등을 들 수 있다. 이들 신문사료는 안중근의거를 전후한 러시아의 반응과 안중근의거의 국제적 의미를 살펴보는 데 유익하다.[41]

안중근의거에 대한 러시아신문의 논조는 서구의 신문이 대체로 그러하듯이 부정적인 측면이 강하다. 이런 와중에서 『말(Речь)』는 안중근의거를 위대하다고 평가한 이범진과의 인터뷰 내용을 게재하면서[42] 안중근의거를 '민족적 복수'라고 보도하였다.[43] 『말』과 같은 논조를 보인 러시아신문은 『신생활』, 『우수리스크변방』, 『동방의 여명』 등을 들 수 있다.[44] 1910년 4월 16일자 영국신문 『더 그래픽(The Graphic)』이 "세계적인 재판의 승리자는 안중근이다"라고 보도하여 『말』과 보조를 같이하였다.

---

40 日本 外交史料館, 『上海週報』(문서번호: 1.3.2, 30) "수회의 선언에 의해 한국의 지위는 명확하게 되었음에도 불구하고 한국은 이미 일본의 속국이 되었다. 그의 이토공암살사건의 경우는 분명히 이를 예증하는 것이다. 대저 암살이 행해진 장소는 러청 어디냐는 명백하다. 그리고 일본은 한국의 외교권을 갖고 있으므로 재청 한인의 재판은 일본영사관에서 관할할 수 있다하더라도 일본영사관은 살인죄와 같은 중대한 사건을 관할할 수 없다는 것은 사실로 상해의 예에 비추어 보아도 명백하다. 고로 본건은 범인의 본국 즉 한국재판소에 이송하지 않으면 안 되는데도 일본은 이를 행하지 않고 여순으로 이첩하였다. 이러한 처리는 한인을 일본인과 같이 취급하고 요동반도를 일본령토시하는 요구의 예증을 구성하는 것이다. 그러나 이는 모두 근거 없는 부당한 요구인 것은 이를 각 조약에 비추어 보아도 명백하다."
41 러시아의 안중근 관계 신문자료에 대해서는 박보리스 드미트리예비치·박벨라 보리소브나, 「안중근의사에 대한 조선과 해외의 반응」, 『안중근연구의 기초』(안중근의사 의거 100주년기념연구논문집 2), 안중근의사기념사업회, 2009 참조.
42 국가보훈처, 『아주제일의협 안중근』 3, 1995, 150~153쪽.
43 박보리스 드미트리예비치·박벨라 보리소브나, 「안중근의사에 대한 조선과 해외의 반응」, 369쪽.
44 박보리스 드미트리예비치·박벨라 보리소브나, 「안중근의사의 위업에 대한 러시아 신문들의 반응」, 『安重根義士의 偉業과 思想 再照明』, 안중근의사숭모회·안중근의사기념관, 2004, 368~375쪽.

3. '동양평화론' 형성배경과 그 내용

1) 형성배경

18세기 천주교의 전래로 인한 문화충돌, 병인양요(1866년), 신미양요(1871년), 영국과 청국간의 아편전쟁(1840년~1842년) 등으로 인해 조선인의 척양(斥洋)의식이 고착화되어, 조선은 1876년 강화도 조약이 체결되기 이전까지는 쇄국정책으로 일관하였다. 그러나 1876년 강화도조약 이후, 조선은 서양제국과 국교를 맺고 국제사회에 등장하게 되었다.

강화도조약 이후 러시아 등 서양 제국주의 세력의 동양 침략이 점증하는 상황에 직면하여, 인종적 문화적으로 비슷한 기반위에 있던 동양 삼국은 일정한 공영 내지 동맹의 필요성을 인식하게 되었던 것이다. 이러한 삼국공영론 또는 삼국동맹론이라는 시대적 담론은 주로 당시의 신문을 매개로 전개되었다. 이러한 맥락에서 안중근의 정치사상은 『대한매일신문』·『황성신문』·『제국신문』·『공립신문』·『대동공보』등 당시의 신문에 큰 영향을 받으며 형성되었던 것 같다.[45] 따라서 안중근의 동양평화론을 살펴보기 위해서는 당시 신문지상에서 논의되던 삼국공영론·삼국동맹론·동양평화론 등의 담론을 우선 살펴보아야할 것이다.

강화도조약에 따라 1880년 김홍집은 수신사로 일본을 방문하게 된다. 일본에서 김홍집은 황준헌으로부터 『사의조선책략(私擬朝鮮策略)』을 받아 귀국하였다. 주지하다시피, 조선책략은 1860년 11월 러시아와 북경조약을 체결하여 우수리강 이동의 연해주를 러시아에 양도하는 등 러시아의 청국에 대한 압력을 배경으로 서술되었던 것이다.

황준헌의 『사의조선책략』에서 러시아를 견제하기 위해 서양문물을 받아들이고 기독교의 포교를 인정해야 하며, '친중국결일본연미'해야 한다는 내용을 담고 있다. 말하자면 친중이란 청국의 지도를 받아 대외정책을 취하는 속방 체제의 강화를 뜻하고, 결일은 근대화의 모델로 일본을 본받아야 한다는 것이며, 결미는 미국이 조선을 보호할 것이라는 의미이다. 결국 황준헌의 『사의조선책략』은 청국의 입장에서 러

---

45 신운용 편역, 「안중근 제1회 신문기록」, 『안중근 신문기록』(안중근 자료집 3), (사)안중근평화연구원, 2014, 7쪽.

시아를 견제하기 위해 조선과 일본·미국을 대항세력으로 끌어들이려는 술책이었던 것이다. 조선의 개화정책이 청국의 영향력 하에서 이루어지고 있는 상황에서 『사의 조선책략』은 조선의 대외정책에 큰 영향을 끼쳤다는 것은 짐작하고도 남음이 있다.

1880년 3월 흥아회가 '동양삼국이 동심협력하여 서양으로부터의 굴욕을 막자' 라는 허울 좋은 슬로건을 내세우며 창단되었다. 1880년 9월 5일 흥아회의 월례회에 이조연·윤웅렬·강위 등이 참석하였던 것으로 미루어 보아, 이들은 흥아회의 주장을 경청하였던 것으로 보인다.[46] 1881년 6월 23일 조사시찰단의 일원인 홍영식은 흥아회에 참석하여 "동생사세우동주삼국의관공일루(同生斯世又同洲三國衣冠共一樓)" 라는 시를 지어 화답하기도 하였다. 1882년 6월 김옥균·서광범·유길준 등이 흥아회에 참석하였고,[47] 이들은 1883년 1월 27일 아세아협회에도 참석하였다.

개화세력이 흥아회·아세아협회에 참석하여 일제의 논리에 일정하게 노출되었을 것이다. 이는 1884년 7월 3일자 『한성순보』가 아세아협회를 "협심동력하여 피차가 서로 유익하게 하여 부강의 위치에 나아가 힘써 아시아 전주의 대세를 진작하려고 하는 것이다"[48]라고 평가하는 등 일제의 아시아주의자들의 주장에 동조하는 듯한 논조에서 엿볼 수 있다.[49]

그러나 김홍집[50]·홍영식·어윤중[51] 등의 집권세력은 여전히 청국중심의 외교정책으로 일관하였기 때문에, 청국을 중심으로 일본을 서세의 방어망으로 이용하겠다는 서세에 대한 대항논리를 구축하려고 하였을 것이다. 말하자면 당시 조선의 위정자

---

46 이광린, 「開化期 韓國人의 아시아連帶論」, 『開化派와 開化思想의 研究』, 일조각, 1989, 140~144쪽.

47 이광린, 「開化期 韓國人의 아시아連帶論」, 140~142쪽.

48 『漢城旬報』 1884년 7월 3일자, 「隣交論」.

49 이러한 측면에서 이광린 교수와 조재권은 흥아회 등과의 교류를 통하여 삼국공영론·삼국동맹론이 형성되었다는 주장을 한다(이광린, 「開化期 韓國人의 아시아連帶論」, 『開化派와 開化思想의 研究』, 140~144쪽; 조재권, 「한말 조선지식인의 동아시아 삼국제휴 인식과 논리」, 『역사와 현실』 37, 한국역사연구회, 2000, 156~157쪽).

50 1880년 7월 15일 황준헌과 김홍집의 대화 속에서 김홍집의 청국에 대한 인식의 일단을 엿볼 수 있다. 즉, "중국에 대한 저희나라의 義理는 屬邦과 같았으니 近日 바깥일이 어지러운 만큼 구하고자 하는 바가 더욱 간절합니다"(황준헌 원서, 조일문 역주, 「金弘集과 駐日淸國外交官과의 筆談」, 『조선책략』, 건국대학교출판부, 42쪽).

51 어윤중은 청의 周馥과의 나눈 대화에서 다음과 같은 청국에 대한 인식을 드러내고 있다.
왕년에 일본 유람하였는데. 일인이 독립으로서 일본의 지표로 삼는다고 하므로 중간에 큰소리로 그 말을 막고서 自主라면 가하나 獨立이라면 안 된다. 왜냐하면 청이 있기 때문이다. 自來로 正朔을 받들고 侯度를 닦았는데 어찌 독립을 말하는 것이 가하겠는가(中央研究院近代史研究所, 『淸溪中日韓關係史料』 第二卷, 1979년, 59쪽).

들은 중국을 주변수로, 일본을 종속변수로 여겼던 것으로 보인다.

하지만 1882년 10월 17일 「조중상민수륙무역장정」이 체결된 이후, 청국의 조선 속방화와, 청일전쟁 이후 구습에 빠져 있어 국가의 유지도 곤란하다는[52] 청국에 대한 부정적인 인식 등으로 삼국공영론이 약화되는 현상을 보이기도 하였다. 이에 따라, '한일공영론'이 강화되는 현상마저 보이게 된다. 물론 이는 청일전쟁으로 청국세력의 몰락과 일본세력의 부상이라는 현실을 반영하는 것으로 보인다.[53]

이러한 경향은 1898년 4월 7일자 『독립신문』의 「논설」에서도 엿볼 수 있다. 즉, 청국은 '균세론적 현실을 이해하지 못하고, 자살지계만 세우고 있으므로 삼국의 보존을 위해서는 한일 양국이 억지로라도 청국을 개화시켜야 한다'고 『독립신문』에서 주장되었던 것이다. 더 나아가 『독립신문』은 한국의 독립과 동양의 보전을 위한 일본의 조치가 불가피한 것이었다고 주장하면서,[54] 일본을 동양삼국의 맹주로 받아들여야 한다고 강조하였다.[55] 특히 독립신문은 대한독립에 큰 공이 있는 사람으로 이토 히로부미를 지목하기도 하였다.[56]

그렇다고 전적으로 조선의 지식인들이 일본의 논리에 경도되어 일본의 침략성을 인식하지 못한 것은 아니다. 예컨대, 1896년 5월 16일자 『독립신문』의 「논설」에서 러·일의 조선 보호국화 논의를 비판하면서 조선인의 각성과 국익을 우선시할 것을 촉구하며 일본의 침략성을 경계하기도 하였다.

이처럼 독립신문에 나타난 일본관은 한편으로는 조선독립과 개화의 은인으로, 다른 한편으로는 한국을 침략하는 세력으로 보는 이중적 구조를 띠고 있었던 것이다. 이는 독립과 문명개화라는 당시의 시대적 문제가 독립신문에 투영되어 나타나는 현상에서 기인하는 것으로 보인다.

한편, 청일전쟁을 전후로 반일세력이 급성장하였다는 사실에 주목할 필요가 있다. 말하자면 부일세력이 성장하고 있는 반면에 위정척사파·동학농민세력으로 대표되는 반일세력도 그에 비례하여 강화되었다는 의미이다. 아울러 일제의 침략논리인 아시아주의가 부일세력 사이에서 형성됨에 따라, 이에 대한 반일세력의 대항논리가

---

52 『황성신문』 1899년 5월 13일자, 「論說」.
53 김신재, 「〈獨立新聞〉에 나타난 '三國共榮論'의 性格」, 『경주사학』 9, 동국대국사학회, 1990, 168쪽.
54 『독립신문』 1898년 11월 9일자, 「논설」.
55 『황성신문』 1899년 4월 12일자, 「論說」.
56 『독립신문』 1898년 8월 27일자, 「잡보」.

출현하리라는 역사적 필연성을 내포하고 있었다고 하겠다.

주지하다시피, 서세동점이라는 상황을 극복하기 위해 동양삼국이 공동으로 대응해야 한다는 논리를 본격적으로 주장한 세력은 독립협회 세력이었다. 즉, 독립협회 세력은 『독립신문』을 통하여 당시대를 서세동점의 시대로 인식하면서 동종(同種)·동문(同文)이라는 시각에서 인종적 문화적 공동기반 위에 있는 동양 삼국이 구라파의 학문과 교육을 본받아 협심동력으로 구라파 세력의 침략을 막아야 한다고 강조하고 있다.[57] 특히 1897년 후반 러시아가 대련과 여순을 점령하는 급박한 상황 속에서 러시아에 대한 독립협회세력의 인식은 삼국공영론을 강화시키는 계기가 되었음은 두 말 할 필요도 없다.[58]

이러한 독립협회세력의 현실인식은 『황성신문』에서도 엿볼 수 있다. 즉, 『황성신문』은 1899년 5월 24일자 「논설」에서 현실을 '약육강식'의 시대라고 규정하면서 동양이 약하고 서양이 강하다고 하여, 약한 동양이 강한 서양을 상대하려면 동양 삼국을 단결시켜야 한다는 논리를 구축하였다.[59] 그러면서도 『황성신문』은 일제의 침략정책에 대한 경계의식을 표출하기도 하였다.[60] 예컨대, 『황성신문』은 1900년 2월 8일자 「北京事變의 驚疑慟」라는 기사에서 청국에 대한 러시아의 침략성을 성토하였다.

이처럼 삼국공영론이 강조된 배경은 1890년대의 열강의 청국분할[61]과 1900년 의화단 사건을 이용한 러시아의 만주침략[62]이라는 시대상황을 들 수 있다. 이는 물

---

57 『독립신문』 1898년 4월 7일자, 「논설」.

58 주요 방어론적(邦俄論)적 내용이 담겨져 있는 사료는 다음과 같다.
『漢城旬報』 1884년 9월 24일자, 「申報俄孤立約論」; 『漢城週報』 1886년 2월 8일자, 「邦俄助法論」; 『漢城週報』 1886년 10월 11일자, 「俄人自繇」; 『漢城週報』 1887년 6월 13일자, 「續瀛海各國統考」; 『독립신문』 1899년 2월 27일자, 「논설」; 『독립신문』 1899년 3월 25일자, 「동양풍운」; 민홍기 편/ 이민수 역, 『민충정공유고(전)』, 일조각, 2000, 69~70·106~108쪽.

59 『황성신문』 1899년 5월 24일자, 「論說」.
汎我含生氣類之居於天淵之間者-有黃白泓黑四種而已인데 紅黑兩種은 非所與論於歐亞大勢어니와 至若黃白兩種하야는 此弱則彼强하고 此强則彼弱하니 唯此大衆이 息食於弱肉强食之天下而不知其慈聞身計則 豈非冥頑無知하야 悍然不願者浩아 嗟 我同洲黃種之際에 甘爲奴隷于他洲白人之人者-豈其有人心云乎哉아 西勢東漸之勢에 誰能以一葦抗之好아 支那之四億萬과 大韓之二千萬과 日本之四千萬同胞가 繫是同洲同文之人而憂之如何오(중략) 吾난 以爲聯絡三國之英傑하야 萊會一社之文明則堅固我東亞하며 保護我人種이 自此爲始也라하노라.

60 『황성신문』 1900년 8월 8일자, 「韓淸危機」.

61 『황성신문』 1899년 6월 13일자, 「논설」.

62 『황성신문』 1900년 2월 8일자, 「北京事變의 驚疑慟」; 『황성신문』 1900년 4월 17일, 「日我淸之滿洲密

론 인종론적 시각에서 그 당위성을 강화하는 수단이었으나, 다른 측면에서 보건대, 일본의 침략을 삼국동맹의 테두리 안에서 처리하려는 의도였다고 하겠다. 당시 한국인이 침략성격이 강한 일제를 통제하기 위한 수단으로 내세울 수 있는 이론은 집단안보체제라는 삼국공영론 이외에 현실적으로 없었을 것이다. 이러한 정황이 언론에 반영되어 나타난 것으로 여겨진다.[63]

따라서 인종론에 바탕을 둔 삼국공영론자들이 일제의 침략을 인식하지 못하였다는 주장은 일면 타당성이 결여된 것이라고 할 수 있을 것이다.[64] 요컨대, 1901년 러·일 사이에 소위 '만한교환론'이 부상하자, 『황성신문』은 러·일의 침략성을 성토하며 이들 국가로부터 한국을 보호하기 위한 방책으로써 '동양평화'를 내세우기도 하였다.[65] 더구나 일제의 경제침탈이 강화됨에 따라, 『황성신문』은 이를 적극적으로 보도하여 일제의 침략에 경종을 울리기도 하였다.[66]

더욱이 1900년의 의화단 사건에 따른 러시아의 만주침략과 1903년 4월 용암포 점령사건은 한국인에게 크나큰 위기의식을 불러일으켰다. 이에 따라 러일전쟁의 부득이함을 강조하면서[67] 동양삼국이 연합하여 정치 사회적 공영관계를 넘어 군사적 관계를 발전시켜 러시아세력을 물리쳐야한다는 여론이 한국사회내부에서 형성되었다.[68] 이러한 여론의 형성은 러일전쟁 직후 '삼국동맹론'이라는 형태로 등장하게 된다. 이러한 맥락에서 『황성신문』 1904년 2월 12일자 「논설」에서 러시아를 구축하기 위한 동양삼국의 단결을 호소하기도 하였던 것이다.

여기에서 러일전쟁을 전후로 삼국공영론이 삼국동맹론·동양평화론으로 담론의 변화를 보이고 있다는데 주목할 필요가 있다. 왜냐하면 이는 한국인의 한일관계에 대한 인식의 질적 변화를 의미하기 때문이다. 말하자면 러일전쟁 이후 안중근의 경

約」.

63 『독립신문』 1899년 11월 9일자, 「논설」.

64 김신재, 「〈獨立新聞〉에 나타난 '三國共榮論'의 性格」, 135쪽.
　　이는 러일전쟁 직전 일본보다 러시아에 접근하려는 집권층의 태도(서영희, 『光武政權의 국정운영과 日帝의 국권침탈에 대한 대응』, 서울대 대학원 박사학위논문, 1998년, 참고)와 황성신문의 기사(『황성신문』 1902년 1월 28일자, 「辨朝鮮新報辨妄之謬」)에서도 엿볼 수 있다.

65 『황성신문』 1901년 2월 8일자, 「卞答滿韓交換說」.

66 『황성신문』 1902년 1월 28일자, 「論日本政府移民法改正」; 『황성신문』 1903년 3월 2일자, 「警告政府」; 『황성신문』 1903년 3월 4일자, 「卞朝鮮新報銀行券性質」.

67 『황성신문』 1903년 10월 1일자, 「日不得不戰」.

68 『황성신문』 1903년 8월 13일자, 「論說」; 『황성신문』 1903년 6월 19일자, 「論說」; 유영렬, 「한말 애국계몽 언론의 일본인식」, 『한일관계의 미래지향적 인식』, 국학자료원, 2000, 31쪽.

우에서 보듯이, 일제의 침략이 본격적으로 노정됨에 따라, 동양평화론은 일본을 견제하기 위한 이론으로 작동되었던 것이다.

한편, 삼국동맹론은 황성신문사 세력만의 인식이 아니었다. 요컨대, 위정척사파도 동양삼국의 협력을 강조하는 삼국동맹론적 입장에서 러시아를 견제해야 한다고 주장하였다. 즉, 위정척사파의 거두 최익현도 "한·일·청 삼국이 서로 긴밀한 의존관계를 갖게 되어야 전동양의 대국을 보전할 수 있다."고 하여 동양삼국 동맹의 필요성을 주장하였다.[69] 이처럼 삼국동맹론은 정치적 배경을 불문하고 당시 급변하는 시대상황 속에서 한국인이 취할 수 있는 자위수단으로 제기되었던 외교방책이었던 것이다.[70]

그런데, 이처럼 삼국공영론에서 군사관계에 무게를 두는 삼국동맹론으로 전환되는데, 이는 삼국동맹론의 허상이 드러날 때 일제의 침략성에 맞설 이론의 등장을 예고함을 의미하는 것이다. 결국, 삼국동맹론은 러일전쟁 이후 다시 한 번 변화를 겪게 된다. 요컨대, 러일전쟁 이후 1904년 2월 한일의정서 체결, 6월 일제의 황무지개간요구로 이어지는 일제의 대한정책은 한국지식인들이 일제의 침략을 재인식하는 계기가 되었다. 이에 따라 러일전쟁 전후로 형성되었던 삼국동맹론을 한국 지식인들은 회의적 시각으로 보게 되었던 것이다.

예컨대, 1904년 2월 23일 한일의정서가 체결된 후, 『황성신문』이 한일의정서 체결이야 말로 보호국의 실례라고 주장한데서[71] 알 수 있듯, 황성신문사 계열의 인사들은 일제의 침략속성을 확실히 인식하게 되었다. 이처럼 삼국동맹론에 입각하여 서세를 통제하려는 측면에서 삼국동맹론이 지속되는 경향을 보이기도 하지만, 상당수의 한국지식인들은 일본의 침략에 대해서는 대응태세를 분명히 하고 있었다는 점도 지적되어야 할 것이다.[72]

---

69 박창희 편저, 「致日本政府大臣書」, 『사료국사』, 580쪽.
　　허위도 일제가 명성황후를 시해한 원수이지만 동양평화를 구현하기 위해 협력해야 할 대상으로 보았다(한국문헌연구소 편, 「排日檄文」, 『(국역)허위전집』, 아세아문화사, 1985년 1월, 64~65쪽; 박성진, 「許蔿의 現實認識과 國權回復運動」, 『淸溪史學』 9, 1992, 247쪽).
70 삼국공영론은 문화, 정치, 경제적 측면에서 삼국의 발전을 추구하였다면, 삼국동맹론은 군사적 관계 강화를 통한 동양의 보존을 강조했다는 면에서 차이점을 발견할 수 있다.
71 『황성신문』 1904년 3월 1일자, 「論韓日協商條約」.
72 『대한매일신보』 1904년 9월 2일·6일·7일자, 「한국에 일본위력이라」; 『대한매일신보』 1904년 9월 14일자, 「영국과 일본을 비교함」; 『대한매일신보』 1904년 8월 9일자, 「명예를 유지함」; 『대한매일신보』, 1904년 12월 3일자, 「일본서 붕우에게 하는 일」; 유영렬, 「한말 애국계몽언론의 일본일식」, 「한일관계의 미래지

　　이러한 맥락에서 일본의 침략에 대한 대응책은 민족의식의 강화로 나타났던 것이다. 즉, 이는 1904년 11월 24일자 『황성신문』이 "將見四千年檀箕舊域이 屬在何人版圖하며 二千萬同胞民族이 淪爲誰家奴隷를 未可知也리니 오호 同胞여."[73]라고 보도한데서 엿볼 수 있다. 요컨대 러일전쟁 발발 이후 일제를 통제하는 수단으로써의 삼국동맹론의 한계성이 드러나자,[74] 당시 한국인들은 일제에 대한 대응이론으로써 '민족간의 경쟁'이라는 현실인식론을 내세우게 되었다.[75] 이러한 분위기 속에서 『황성신문』은 현실을 민족경쟁의 시대로 보았던 것이다.[76]

　　이와 같은 당시 지식인들의 민족에 대한 담론이 활성화되는 상황에서 안중근도 '민족'에 대한 일정한 인식을 드러냈던 것이다. 즉 안중근이 1905년 7월에서 12월 사이 해외이주를 준비하기 위해 상해에 갔다가 서상근(徐相根)을 만났다. 이때 안중근은 서상근에게 "현재는 민족 세계인데 무슨 까닭에 유독 한국 민족만 도마 위의 물고기나 고기 신세가 되어 앉아서 멸망을 기다려야 옳단 말이오?"[77]라고 하였다. 이처럼 안중근은 민족을 중심으로 국제정세를 인식하고 있었다고 하겠다.

　　반침략논리로써의 민족에 대한 이러한 한국인들의 착목은 '민족주의'를 반일투쟁의 주된 사상적 무기로 주창하는 배경이 되었던 것이다. 즉,

　　　　孕育於上古하고 長成於十六世紀하고 光輝活躍二十世紀之新天地하야 震撼宇宙하며 衝突東西하고 灑盡英雄之熱血하며 擲盡人民之肝腦하야 知此者는 興하며 昧此者는 亡하고 得此者는 生하며 失此者는 死하나니 此果何物哉아…즉 右揭한 問題 民族主

향적 인식』, 국학자료원, 2000년 4월 20일, 32쪽.

73 『황성신문』 1904년 11월24일자, 「警告同胞」.

74 『대한매일신보』 1905년 11월 29일자, 「韓日交誼」; 『대한매일신보』 1905년 11월 8일자, 「驅使韓人이 甚於牛馬」.

75 백동현은 1904년 11월 24일자 『황성신문』의 「警告同胞」를 예로 들면서 이를 한국의 주민집단은 동양단위로부터 분리된 '韓人種族'으로 인식되기 시작하였다고 주장하고 있다(백동현, 「대한제국기 언론에 나타난 동양주의 논리와 그 극복」, 『한국사상사학』 17, 한국사상사학회, 2001, 539쪽).

76 이는 다음에서 엿볼 수 있다. "或言 我韓이 雖 爲 被保護國이라도 其獨立二者는 猶得保存이라하야 訛言이 紛紛에 猜推-萬端하니 此는 靡他라 皆其學識이 蒙陋하야 不知單體之何爲獨立하며 何爲保護하고 但以從前依賴之痼性으로 希望於他人之扶待我袒護我하니 迨此에 民族競爭之世하야 有何宋襄之人이 捨自己之利益關係하고 爲他人而謨其成立者哉아"(『황성신문』 1904년 10월 21일자, 「對日俄講和條約第二條 警告當局諸公」).

77 신운용·최영갑 편역, 「안응칠 역사」, 『안중근 유고-안응칠 역사·동양평화론·기서』(안중근 자료집 1), (사)안중근평화연구원, 2016, 30쪽.

義라는 것이 是라[78]

요컨대 황성신문 세력은 한국의 민족주의는 근대국가 형성과정에서 만들어진 서양민족주의와 달리 상고시대에 시작되어 16세기에 광범위하게 확장되었으며[79] 20세기에 절정이 이른 것으로 파악하면서 민족주의를 아는 자만이 흥한다는 논리를 펴고 있다. 말하자면, 황성신문사 인사들은 한국의 민족주의를 20세기 일제의 침략에 대항하는 과정에서 처음 제시된 이론이 아니라, 한국사의 발전과정에서 민족의 최대 수난기인 20세기에 절정을 이루었던 것으로 보았던 것이다. 결국 민족에 대한 인식은 '국혼'[80]을 강조하거나 '국수보전론'[81]의 대두로 이어졌던 것이다.

이러한 배경 하에 안중근은

세계의 대세를 헤아리고 해외에서 신호흡을 하는 자가 어찌 무모하게 다른 사람의 생명을 빼앗겠는가. 이토의 정책이 동양평화에 지대한 해를 끼쳤으므로 일신일가를 돌볼 여지없이 결행한 것이라 하겠다.[82]

라고 주장하였다. 이처럼 안중근은 이토의 대한정책이 동양평화에 지극히 해를 끼쳤다고 이토를 비판하였다.

러일전쟁 발발을 전후하여 생겨난 삼국동맹론은 일제의 침략성이 드러나자, 일제의 침략논리에 대항하는 이론의 출현으로 이어져, '동양평화론'으로 발전하는 양상을 보였다. 요컨대, 당시 한국에서는 천황의 러일전쟁 선전조직의 허구성을 비판하는 가운데 '민족경쟁'이라는 용어가 출현하는 분위기 속에서 동양평화론이 일제의 침략성을 적극적으로 비판하는 논리로 등장하였던 것이다.[83] 예를 들면, 『황성신문』

----

78 『황성신문』 1907년 6월 10~11일자, 「民族主義」.
79 여기에서 16세기라 함은 임진왜란을 의미하는 것으로 보인다.
80 『황성신문』 1907년 7월 31일자, 「大呼國魂」; 『대한매일보』 1908년 2월 15일자, 「韓國敎育界의 悲觀」.
81 『대한매일보』 1908년 8월 12일자, 「國粹保全說」.
82 신운용 편역, 「안중근 제11회 공술」, 『안중근·우덕순·조도선·유동하 등 공술기록』(안중근 자료집 5), (사)안중근평화연구원, 2014, 52쪽.
83 삼국공영론 또는 동맹론에서 보이는 인종적 시각의 한계성은 신채호에 의해 완전히 극복되었다고 평가되기도 한다. 이러한 맥락에서 현광호는 "신채호 같은 경우 국가주의·민족주의를 강조하고 동양평화론을 철저히 배격했다. 안중근은 민족주의적 애국사상을 소유하고 있었지만 동양평화론을 견지 했다"고 하여 안중근의 동양평화론의 한계성을 지적하고 있다(현광호, 「안중근의 동양평화론과 그 성격」, 『아세아연구』 46, 고려대학

은 일제의 소위 '시정방침'과 '아시아주의'의 허구성을 폭로하면서 '동아평화론'(동양평화론)을 반침략 논리로 제시하고 있는 것이다.[84] 이는 이기·나인영·오기호가 1905년 7월 26일 도일하여 일본 천황에게 보낸 글에서도 엿볼 수 있다.[85]

이상과 같은 시대의 흐름 속에서 안중근은 '나를 희생하여 이토의 부활을 막는 것이 우리 동양평화의 근본을 살리는 것이다(害我伊藤不復活生我東洋平和本).'[86]라는 유묵에서 알 수 있듯이, 오직 동양평화를 위해 일생을 살았다. 이처럼 안중근은 동양평화론에 입각하여 일제의 침략에 대항하는 논리를 구축하였던 것이다. 말하자면, 안중근은 『동양평화론』에서 이기와 나인영의 경우와 같은 논법으로 일제의 기의배신, 즉 천황이 청일전쟁과 러일전쟁에서 한국의 독립을 보장하고 동양의 평화를 유지겠다고 천명한 조직과 달리, 이토 히로부미가 한국과 동양을 침략하였음을 지적하고 있다. 이러한 맥락에서 황성신문사는 1906년 9월 19일자 「고이등통감후각하(告伊藤統監侯閣下)」에서 이토통감을 비판하는 논리로 동양평화를 내세우고 있는 점을 주목할 필요가 있다. 이는 한국에서 주장된 동양평화론이 일진회 등 일부 부일세력이 주장하는 동양평화론과는 성격을 달리하는 것[87]으로, 일제의 침략을 무력화시키기 위한 한국인의 논리로 정착되었음을 의미하는 것이다.

이처럼 적어도 러일전쟁 전후로 일제의 침략성을 인식한 한국인들은 한편으로는 일제와 대결 논리를 '민족경쟁'에서 찾았고, 다른 한편으로는 동양평화론을 일제에

교 아세아문제연구소, 2003, 189쪽). 그러나 신채호가 배척한 동양평화론은 '일제가 말하는 동양평화' 즉, '滿肚男盜女娼'을 배격한 것으로(丹齋申采浩先生記念事業會, 『丹齋申采浩全集』, 1977년, 252~253쪽). 안중근의 동양평화론과 같은 궤도 위에 있었다고 볼 수 있다. 즉, 신채호의 동양평화론의 핵심도 안중근과 마찬가지로 한국의 독립을 전제로 하는 것이었다(丹齋申采浩先生記念事業會, 『丹齋申采浩全集』, 252쪽). 이러한 맥락에서 1908년 12월 17일자 『대한매일신보』의 「奇奇怪怪한 會名」에서 일제의 동양(아시아)주의가 비판되었던 것이다.

84 『황성신문』 1905년 4월 18일자, 「答示漢城報記者」.

85 日本外交史料館, 『韓人李沂外二名より請願捧呈一件』(문서번호: 1.1.2-38).

86 신운용 편역, 「안중근 제12회 공술」, 『안중근·우덕순·조도선·유동하 등 공술기록』(안중근 자료집 5), (사)안중근평화연구원, 2014, 56쪽.

87 유영렬, 「한말 애국계몽언론의 일본일식」, 48~49쪽. 또한 이는 다음에서도 엿볼 수 있다. 즉, "국가가 주요 동양은 객인데 금일 동양주의를 제창하는 자를 보건대, 동양이 주되고 국가가 객되어, 국가의 흥망은 天外에 붙이고 오직 동양을 보호하려 한다"(『대한매일신보』 1908년 8월 10일자, 「東洋主義에 대한 批判」). "저 일본인들의 唱導하는 동양협회 동양척식회사도 동양주의가 아닌가. 일본인의 동양운운은 국가를 확장하여 동양을 병합함이요 한국인의 동양운운은 동양을 주장하여 국가를 소멸코자 함이라"(『대한매일신보』 1908년 12월 17일자, 「奇奇怪怪한 會名」).

대항하는 이론으로 내세웠던 것이다.[88] 안중근도 이와 같은 당시의 사상적 조류 속에서 일제에 대한 대항논리로 민족을 내세우면서 동시에 동양평화론을 주창하였던 것이다.

안중근의 동양평화론은 이처럼 당시 한국이 처한 시대문제를 해결하기 위한 방법론을 모색하는 과정에서 만들어진 삼국공영론·삼국동맹론 등으로 불리는 이론이 배경이 되었던 것이다. 말하자면, 안중근의 동양평화론은 당시 한국인들이 자위책으로 내세웠던 삼국공영론·삼국동맹론에서 이어지는 반침략논리의 최종단계라고 볼 수 있다. 이러한 면에서도 안중근의 동양평화론의 의미를 평가할 수 있을 것이다.

그리고 안중근의 동양평화론 형성과 관련하여 이상설을 주목할 필요가 있다. 즉, 안중근은 이상설에 대해 "동양평화주의를 가지는 위에 있어 동인과 같은 친절한 마음을 가진 자는 드물다."[89]라고 평가하고 있다. 이로 보건데, 안중근이 이상설과 어떠한 관계를 맺고 있었는지는 정확히 알 수 없으나 안중근의 동양평화론 형성에 큰 영향을 끼쳤음은 분명하다.[90]

이와 더불어 안중근의 동양평화론 형성에 결정적인 영향을 끼친 사상적 배경으로 천주교신앙을 지적하지 않을 수 없다. 즉, 안중근의 동양평화론은 필자가 이미 지적하였듯이,[91] 천주의 명인 천명, 즉 한국의 독립과 동양평화 유지라는 신의 명령을 구체적으로 실천할 수 있는 방법론을 기술한 것으로 볼 수 있다.

2) 안중근의 동양평화론 내용

안중근은 1909년 12월 13일 『안응칠역사』를 쓰기 시작하여 1910년 3월 15일 탈고하기에 이른다. 그리고 그가 몇 해 동안 다듬은[92] 『동양평화론』을 집필하기 시작한 시점은 정확한 것을 알 수 없으나 적어도 1910년 2월 17일 이전임에는 분명하

88 유영렬, 「한말 애국계몽언론의 일본일식」, 56쪽.
89 신운용 편역, 「안중근 제5회 공술」, 『안중근·우덕순·조도선·유동하 등 공술기록』(안중근 자료집 5), (사)안중근평화연구원, 2014, 27쪽.
90 최기영 교수는 안중근의 동양평화론에 영향을 끼친 사람으로 안창호를 들고 있다(최기영, 「안중근의 『동양평화론』」, 『한국근대계몽사상연구』, 일조각, 2003년 7월, 111~112쪽).
91 신운용, 「안중근 의거의 사상적 배경」, 『한국사상사학』 25, 한국사상사학회, 2005, 55쪽.
92 국가보훈처·광복회, 「청취서」, 『21세기와 동양평화론』, 54쪽.

다.[93] 요컨대, 안중근이 2월 17일 히라이시 고등법원장을 만나

> 나는 지금 옥중에서 동양정책과 전기를 쓰고 있는데 이것을 완성하고 싶다. 또한 나의
> 사형은 홍신부(프랑스인 홍석구 신부)가 나를 만나기 위해 오게 되었다고 하나 그를 만날 기
> 회를 얻은 뒤 내가 믿는 천주교의 기념스러운 날 즉 3월 25일에 집행해주기 바란다.[94]

라고 한데서 알 수 있듯이, 이미 2월 17일 이전에 『동양평화론』을 집필하였던 것
으로 보인다. 1910년 3월 15일 『안응칠역사』를 완성한 안중근은 죽음을 준비하면
서 동양평화론 집필에 박차를 가해 3월 18일 서론을 완성하였다. 안중근은 3월 25
일에 자신의 사형을 집행하도록 요구하였으나, 『동양평화론』 집필이 끝나지 않아 15
일정도 사형집행을 연기해 줄 것을 일제에 요구하였다. 그러나 일제는 안중근의 요구
를 묵살하고 3월 26일에 사형을 집행하여 결국 『동양평화론』은 완성되지 못하였다.

안중근은 동양평화론의 체제를 서문·전감·현상·복선·문답으로 잡았다. 안중근이
1910년 3월 26일 순국하였기 때문에 현상·복선·문답은 완성되지 못하였다.

안중근은 『동양평화론』을 저술하는 목적에 대해 그 서문에서 다음과 같이 주장
하였다.

> 지금 서세동점(西勢東漸)의 환난을 동양인종이 일치단결해서 극력 방어해야 함이 첫째
> 가는 상책임은 비록 어린아이일지라도 익히 아는 일이다. 그런데도 무슨 이유로 일본은
> 이러한 순연한 형세를 돌아보지 않고 같은 인종인 이웃나라의 가죽을 벗기고 살을 베며
> 우의를 끊어 방휼(蚌鷸)의 형세를 스스로 만들어 어부를 이롭게 하는 가. 한청 양국인은
> 희망을 완전히 잃게 되었다.
> 만약 정략을 고치지 않고 핍박이 날로 심해진다면 차라리 다른 인종에게 어쩔 수 없이
> 망할지라도 차마 같은 인종에게 욕을 당하지 않겠다는 의론이 한청양국인의 폐부에서 용

---

93 김호일 교수는 안중근이 『동양평화론』 저술에 착수한 시점에 대해 3월 15일이후로 보고 있다(김호일, 「舊韓
末 安重根의 '東洋平和論' 연구」, 『중앙사론』 10·11, 1998, 55쪽). 김옥희 교수는 3월 24일로 보고 있다
(김옥희, 「안중근의 자주독립사상과 동양평화사상」, 『安重根과 東洋平和』(안중근의사순국제87주년기념국
제학술회의), 순국선열기념재단, 1997, 33쪽).

94 일본외교사료관, 『伊藤公爵滿洲視察一件別冊』, 第三卷(문서번호: 4.2.5, 245-3); 국가보훈처·광복회, 「청
취서」, 57쪽.

솟음처 위아래가 하나 되어 스스로 백인의 앞잡이가 될 것이 명약관화한 형세이다.

그렇게 되면 동양의 몇 억 황인종 중의 허다한 뜻이 있고 강개한 남아들이 어찌 수수 방관하고 동양전체가 까맣게 타죽은 참상을 앉아서 기다릴 것이며 또 그것이 옳겠는가. 그래서 동양평화를 위한 의전을 하얼빈에서 벌리고 담판하는 자리를 여순구에 정하였다. 이어 동양평화문제에 관한 의견을 제출하는 바이니 여러분은 눈으로 깊이 살필지어다.[95]

요컨대, 안중근은 서세동점이라는 시대 속에서 서양세력의 침략을 막을 방법을 강구하는데 『동양평화론』을 서술하는 목적이 있다고 밝히고 있다. 또한 그는 동양 평화를 실천하기 위해 이토를 처단한 의전을 하얼빈에서 행하였으며 동양평화의 당 위성을 알리기 위한 장으로써 여순을 선택하였다고 주장했다.[96] 결국 안중근은 동양 평화론 서술의 목적을 일제로 하여금 대한·만 침략정책을 수정하도록 하는데 두었 던 것이다.[97]

「전감」에서 안중근은 청일전쟁에서 청국의 패배 이유를 '중화대국'이라는 교만과 권신척족의 천농 때문이라고 진단한 반면, 일본의 승리 원인을 한덩어리 애국당을 이루었기에 가능하였다고 분석하였다. 동시에 인종론적 입장에서 삼국간섭으로 요 동반도를 차지한 러시아의 침략정책에 대해 주목해야 한다고도 주장하였다. 그러면 서 동양평화가 유지되지 못한 원인을

그러나 그 이유를 살펴보면 이 모두가 일본의 과실이다. 이것이 이른바 구멍이 있으면 바람이 생기는 법이요, 자기가 치니까 남도 친다는 격이다. 만일 일본이 먼저 청국을 침 범하지 않았다면 러시아가 어찌 감히 이와 같이 행동했겠는가! 자기도끼로 자기 발을 찍 은 것이라고 할 수 있는 것이다.[98]

- -

95 신운용·최영갑 편역, 「동양평화론」, 『안중근 유고-안응칠 역사·동양평화론·기서』(안중근 자료집 1), (사)안 중근평화연구원, 2016, 80~81쪽.

96 신운용·최영갑 편역, 「동양평화론」, 『안중근 유고-안응칠 역사·동양평화론·기서』(안중근 자료집 1), (사)안 중근평화연구원, 2016, 81쪽.

97 같은 맥락에서 1910년 1월 9일자 『황성신문』의 「時局에 對하여 猛省함이 可함」과 1910년 1월 15일자 『황성신문』의 「人種의 關係」에서도 일본은 황인종의 상호보호 방침을 강구해야 하며, 일제가 추진하고 있던 침략적 대한정책의 근본적인 수정을 요구하였다.

98 신운용·최영갑 편역, 「동양평화론」, 『안중근 유고-안응칠 역사·동양평화론·기서』(안중근 자료집 1), (사)안 중근평화연구원, 2016, 82~83쪽.

라고 하여 일제의 대동양정책의 과실을 지적하였다.

러일전쟁에서 일본 승리의 원인은 안중근은 동양전체의 백년풍을 피하기 위해 즉, 동양평화를 위해 일본을 한청양국이 도왔기 때문이라고 진단하면서도, '한청 양국 유지인사의 허다한 소망'을 절단하였다고 일제를 책망하였다. 또한 러·일강화조약에 한국이 러·일 양국과 아무런 관계가 없음에도 불구하고, 일제가 한국문제를 조약문에 넣은 것은 같은 인종을 배신하는 행위라고 안중근은 일제를 질책하였다.

동양평화론을 완성하지 못하였으므로 현상·복선·문답 편에서 안중근이 무엇을 말하려고 하였는지 정확히 알 수 없다. 그러나 안중근의 동양평화론의 내용은 대체적으로 알려져 있기 때문에 이를 통하여 그 내용을 짐작할 수 있을 것이다.[99]

안중근이 현상에서 기술하고자 한 것은 일제의 한국침략의 실상이었을 것으로 추정된다. 다시 말해 안중근이 이토 히로부미를 처단한 15개조 이유가 이에 해당할 것으로 보인다. 즉,

　　1. 한국 민황후를 시해한 죄요.

　　2. 한국 황제를 폐위시킨 죄요.

　　3. 5조약과 7조약을 강제로 체결한 죄요.

　　4. 무고한 한국인들을 학살한 죄요.

　　5. 정권을 강제로 빼앗은 죄요.

　　6. 철도, 광산, 산림, 천택을 강제로 빼앗은 죄요.

　　7. 제일은행권 지폐를 강제로 사용한 죄요.

　　8. 군대를 해산시킨 죄요.

　　9. 교육을 방해한 죄요.

　　10. 한국인들의 외국유학을 금지시킨 죄요.

　　11. 교과서를 압수하여 불태워 버린 죄요.

　　12. 한국인이 일본인의 보호를 받고자 한다고 세계에 거짓말을 퍼뜨린 죄요.

　　13. 현재 한국과 일본 사이에 경쟁이 쉬지 않고 살육이 끊이지 않는데, 한국이 태평

---

99 안중근의 동양평화론의 구체적인 내용은 손키(園木) 통역생이 게재지 미상의 「安重根 原木通譯生의 談 東洋平和論」을 그의 딸이 최서면에게 제공함으로써 확인되었다. 이후 대체적인 안중근 동양평화론의 내용을 담은 사료인 「청취서」가 1996년 최서면에 의해 『21세기와 동양평화론』(국가보훈처·광복회, 1996년)에 소개되었다.

무사한 것처럼 위로 천황을 속인 죄요.

14. 동양평화를 깨뜨린 죄요.

15. 일본 천황폐하의 아버지 태황제를 죽인 죄라고 했었다.[100]

복선(伏線)이라는 사전적인 의미는 '뒷일의 준비로서 암암리에 마련해 둔다'는 의미이므로, 「복선」에서는 동양평화를 지키기 위한 방책에 대해 서술하려고 하였을 것이다. 이는 안중근이 1910년 2월 14일 히라이시(平石) 고등법원장과의 면담하였을 때의 상황을 일본 외무성이 남긴 「청취서」라는 기록에서 확인된다. 그 내용을 정리 해보면 다음과 같다. 즉, 안중근은 동양의 평화를 유지하는 방법론을 다음과 같이 제시하였다. 즉, ① 세계 각국의 신용을 얻는 일이다. ② 일본이 해야 할 급선무는 현재의 재정을 정리하는 것이다. ③ 평화회의를 정착시키는 방법을 강구해야한다. ④ 세계 각국의 지지를 얻는 일이다.[101] 여기에서 알 수 있듯이, 안중근의 동양평화론은 일본이 아시아에서 패권을 유지하기 위한 방책을 제시한 것이다. 다시 말해 안중근은 일본을 바로 잡음으로써 동양의 평화를 유지할 수 있다고 보았던 것이다. 일본이 대외정책을 시정하지 않는 한 동양의 평화와 한국의 독립은 보장되지 않을 것으로 보았던 것이다.

이러한 의미에서 안중근은 당시 일제가 취하고 있던 대한·만 정책에 대해

종래 외국에서 써오던 수법을 흉내 내고 있는 것으로 약한 나라를 병탄하는 수법이다. 이런 생각으로는 패권을 잡지 못한다. 아직 다른 강한 나라가 하지 않으면 안 된다. 이제 일본은 일등국으로서 세계열강과 나란히 하고 있지만 일본의 성질이 급해서 빨리 망하는 결함이 있다. 일본을 위해서는 애석한 일이다.[102]

라고 평가하였던 것이다. 요컨대 안중근의 해법은 일본이 서양침략세력의 정책을 모방해서는 안 되며 새로운 방법론을 취해야 한다는 것이다.

그럼, 안중근이 『동양평화론』에서 제시한 '새로운' 방책이란 무엇일까. 이에 대해

----

100 신운용 편역, 『안중근 신문기록』(안중근 자료집 3), (사)안중근평화연구원, 2014, 5~6쪽.
101 국가보훈처·광복회, 「청취서」, 55쪽.
102 국가보훈처·광복회, 「청취서」, 54~55쪽.

서는 다음에서 구체적으로 살펴보자.

① 세계 각국의 신용을 얻는 일이다.

일본의 대외정책은 이미 신용을 잃었기 때문에 신용을 회복하기 위해서 이토와 같은 침략 정책을 고쳐야 한다고 안중근은 주장하였다. 더 나아가 안중근은 일본이 신용을 회복할 수 있는 방법을 다음과 같이 제시하고 있다. 요컨대, 안중근은 우선 일본이 강점한 여순항을 청국에 돌려주는 동시에, 여순항을 한·청·일이 공동으로 관리하는 군항으로 만들자고 제안을 하였다. 그러면서 그는 여순항에 삼국의 대표로 구성된 '평화회의'를 조직하고[103] 이를 발표한다면 세계가 놀라 일본을 신뢰하게 될 것으로 보았던 것 같다.[104]

② 일본이 직면한 급선무는 현재의 재정을 정리하는 것이다.

안중근은 평화회의가 조직되면 동양 삼국의 국민 수억 명으로부터 회비 1원씩 모금하여 은행을 설립하자는 것이다. 이 은행을 통해 공통의 화폐를 발행하고 중요한 곳에 평화회의 지부를 두고 은행의 지점을 병설한다면 재정문제는 완전히 해결될 것이라는 의견을 제시하였다.[105] 이는 일제가 동양을 침략하는 원인이 경제적 궁핍에 있다는 안중근의 진단에 따른 것으로 경제적 문제가 해결되면 일제가 결코 침략으로 나오지 않을 것이라는 전제를 기반으로 한 것으로 보인다.

③ 평화회의를 정착시키는 방법을 강구해야한다.

이상의 방법으로 동양평화가 지켜지나, 열강이 일본을 노리고 있으므로 무장은 필수적인 일이다고 안중근은 강조하였다. 그러면서 이 문제를 해결하기 위해 동양 삼국의 청년들을 모아 군단을 편성하고 이들에게 2개국 이상의 어학을 배우게 하고 우방 또는 형제의 관념을 갖도록 한다면 일본에 야심이 있는 나라도 감히 일본을 넘볼 수 없다는 논리를 안중근은 내세우고 있다.[106]

안중근은 이러한 과정을 통하여 인도·태국·베트남 등의 아시아 각국이 참여하게 될 것이고 동양의 상공업은 발전할 것이며, 결국 패권이라는 말부터 의미가 없어지고

---

103 1883년 12월 20일자 『한성순보』의 「銷兵議」에서 세계정부와 국제평화군의 창설을 언급하고 있는데, 안중근의 평화회 창설론은 이러한 史的 궤적위에 형성되었을 것으로 보인다(김현철, 「개화기 한국인의 대외인식과 '동양평화구상'」, 『평화연구』 11, 고려대학교 평화연구소, 2002, 25~26쪽 참고).
104 국가보훈처·광복회, 「청취서」, 55쪽.
105 국가보훈처·광복회, 「청취서」, 55~56쪽.
106 국가보훈처·광복회, 「청취서」, 56쪽.

만철문제가 발생하는 분쟁도 사라질 것이라는 동양의 미래상을 제시하고 있다.

④ 세계 각국의 지지를 얻는 일이다.

안중근은 이와 같은 동양평화 체제를 확고히 하는 방법으로 세계 각국의 지지를 얻는 것이 필수적이라고 주장하였다. 이를 위해서 세계인구의 2/3를 차지하는 천주교신자들의 왕인 로마교황을 만나 함께 맹세하고 관을 쓴다면 이 문제는 해결될 것으로 안중근은 보았다.[107] 이러한 측면에서 안중근이 인종론에만 집착하여 현실을 인식하지 못하였다는 지적[108]에 대해 재고할 필요가 있다. 요컨대, 안중근은 대체로 서양을 침략세력으로 동양을 평화세력으로 구분하여 보았던 것은 추정되지만 서양인 전체를 침략세력으로 인식하였다고 볼 수는 없을 것이다. 이는 로마교황에게 평화회의를 추인 받도록 하자고 주장한 안중근의 발언에서도 엿볼 수 있다. 이러한 맥락에서 안중근의 서양인식은 그 자신이 일본을 이토를 중심으로 한 침략세력과 이에 반대하는 천황과 일본국민으로 구분하는 분석적 시각을 보이고 있는 것과도 일맥상통한 것이라고 하겠다.[109]

「문답」은 일제의 대한침략을 정당화하는 논법 즉 아시아주의로 무장한 구연 검찰관과 같은 일본인을 등장시키고, 이에 대한 대항이론으로써 안중근의 동양평화론을 내세워 상호 논쟁을 통하여 일본인이 안중근의 동양평화에 설복당하는 내용으로 구성되었을 것으로 추측된다.

---

107 안중근의 동양평화론 구조와 비슷한 논리는 안경수의 '한청일동맹론'에서도 엿볼 수 있다. 즉, 안경수는 일제의 중심적 역할을 인정하면서 한국과 청국이 근대화를 이루는 가운데 군사동맹과 상업동맹을 통하여 국민적 동맹으로 발전시켜야 한다고 주장하였다. 군사동맹은 유학생을 통한 장교 양성 등 간접적인 방식으로 하고, 상업동맹은 조선은행을 설립하고 그 대가를 일본에게 주어야 한다는 것이다. 그러나 이러한 안경수의 한청일동맹론은 안중근의 동양평화론과는 달리, 일제의 한국병탄논리를 합리화시키는데 기여한 이론에 지나지 않다고 평가되기도 한다(조재곤, 「한말조선지식인의 동아시아 삼국제휴 인식과 논리」, 『역사와 현실』 37, 한국역사연구회, 2000, 171쪽).
안경수의 한·청·일 삼국동맹론에 대해서는 다음의 논문과 사료가 참고 된다. 김윤희, 「침략주의 앞에 일그러진 100년 전 동북아시아 발전 플랜: 안경수의 『일청한동맹론』」, 『(내일을 여는)역사』 15, 서해문집, 2004; 송경원, 「한말 안경수의 정치활동과 대외인식」, 『한국사상사학』 8, 한국사상사학회, 1997; 안경수, 「일청한동맹론」, 『일본인』116호, 1900년 6월.
108 최기영, 「안중근의 『동양평화론』」, 101쪽.
109 신운용, 「안중근의거의 사상적 배경」, 69쪽.

4. 안중근의 동양평화론 특징

이상에서 살펴본 안중근의 동양평화론 특징은 다음과 같이 정리될 수 있다. 1) 종교적 절대성을 근간으로 하고 있다. 2) 물질문명(사회진화론)에 대한 경고를 하고 있다. 3) 구체적이고 실천적이다. 4) 개방적이다. 5) 평화 지향적이다. 6) 현재적이다. 이를 보다 구체적으로 살펴보면 다음과 같다.

1) 종교적 절대성을 내포하고 있다

안중근의 동양평화론이 종교성을 바탕으로 하고 있음은 다음에서 알 수 있다. 요컨대, 1910년 3월 26일 10시경 안중근의 순국 당시 상황을 다음과 같이 기술하고 있다.

> 전옥은 재차 안에게 뭔가 유언하고 싶은 말이 없냐고 하였다. 그 말에 안은 아무것도 없다. 다만 자신의 범죄는 동양평화를 위해서 한 것이니 자신의 사후에도 한일 양국인이 서로 일치협력하여 동양평화의 유지를 꾀하기를 바란다고 하였다.[110]

말하자면, 안중근에게 동양평화는 죽는 그 순간까지도 놓칠 수 없는 절대적인 과제였던 것이다. 한국에는 많은 독립운동가들이 있었지만 안중근처럼 한국의 운명과 동양의 운명을 동일시 할 뿐만 아니라, 관념의 한계를 넘어 실천적으로 동양평화를 구현하려고 한 독립운동가는 드물 것이다.

이러한 측면에서 안중근의 동양평화론의 특징을 엿볼 수 있다. 물론 안중근이 동양평화를 '삶의 화두'로 삼은 배경에는 당시의 시대적 조류도 있지만, 그 무엇보다 그의 종교에 대한 태도에서 비롯되었다고 할 수 있다. 요컨대, 그는 천주교 신자로서 그가 믿는 천주의 명령 즉 '천명'을 한국의 독립과 동양의 평화유지라고 확신하면서

---

110 신운용 편역, 「1910년 3월 27일」, 『재만 일본 신문 중 안중근 기사 Ⅱ-만주일일신문』(안중근 자료집 16), (사)안중근평화연구원, 2014, 231쪽.

이를 실천하기 위한 구체적인 방법론으로써 동양평화론을 제시하였던 것이다.[111]

이러한 맥락에서 한국의 독립을 천명이라고 전제한 안중근의 동양평화론은 종교성을 바탕으로 한 '선독립론'에 무게를 두고 있다는 면에서 의미가 있는 것이다. 주지하다시피, 당시 많은 계몽운동계열의 인사들이 선실력양성 후독립론에 매몰되어 일제의 침략에 효과적으로 대응하지 못한 것이 사실이다. 반면에 안중근은 일제의 본질을 인식하면서 계몽운동에 머물지 않고 무력투쟁으로 전환할 수 있었다. 이는 안중근의 종교적 현실인식과 깊은 관계가 있는 것으로 보인다.

그러므로 안중근에게 있어 동양평화론은 관념적 목표가 아니라, 종교성을 기반으로 한 절대성을 함축하고 있는 신의 명령이다. 그렇기 때문에 현실에서 동양평화의 구현을 방해하는 역천행위자는 제거의 대상이 된다는 의미인 것이다. 이러한 맥락에서 안중근은 이토처단의 정당성을 내세울 수 있었으며, 한·청·일 삼국의 국왕이 로마 교황을 만나 동양평화 유지를 맹세하라고 주장하였던 것이다.

2) 물질문명(사회진화론)에 대해 경고를 하고 있다

한국 근대 지식인들은 물질문명을 발전시키는 것이 한국의 독립을 유지하는 길로 보는 경향이 강하였다. 이러한 맥락에서 일본의 대한 정책이 한국의 물질문명을 향상시키는데 있어 긍정적으로 작용하고 있다고 본 세력도 출현하였다는 것은 주지하는 바이다. 물론 이러한 경향을 촉진한 것은 사회진화론이었음은 두말할 필요가 없는 것이다.[112]

그러나 안중근은 『동양평화론』서문에서 물질문명에 대한 경고를 함으로써[113] 사

---

111 신운용, 「안중근의거의 사상적 배경」, 55쪽.

112 이러한 맥락에서 현광호는 "안중근이 사회진화론에 입각하여 강자인 백인종이 약자인 황인종을 침략하고 있다고 인식하고 있으며 러일전쟁에 대한 안중근의 인식도 이에 근거하고 있다"고 주장하고 있다(현광호, 「안중근의 동양평화론과 그 성격」, 176쪽).

113 안중근은 문명개화의 부정적인 측면에 대해 다음과 같이 경고하고 있다. 즉, "지금 세계는 동서로 나뉘어져 있고 인종도 각각 달라 서로 경쟁하고 있다. 일상생활의 이기(利器)연구와 같은 것을 보더라도 농업이 상업보다 대단하며 새발명인 전기포·비행선·침수정(浸水艇)은 모두 사람과 사물을 해치는 기계이다. 청년들을 훈련하여 전쟁터로 몰아넣어 수많은 귀중한 생명들을 희생처럼 버리고 날마다 피가 냇물을 이루고 인육이 땅에 널려져 있는 날이 없는 날이 없다. 삶을 좋아하고 죽음을 싫어하는 것은 모든 사람의 상정이거늘 밝은 세계에 이 무슨 광경이란 말인가. 말과 생각이 이에 미치면 뼈가 시리고 마음이 서늘해진다"(신운용·최영갑

회진화론의 허상을 예리하게 지적하고 있는 것은 시사하는 바가 크다고 하지 않을 수 없다. 때문에 안중근은 물질문명이 지배하는 세계보다 도덕이 지배하는 시대를 이상세계로 보았던 것이다.[114]

3) 구체적이고 실천적이다

외세의 침략에 대한 대응논리는 시대상황에 따라 일정한 변화의 양상을 보이고 있다. 따라서 삼국동맹론 내지 동양평화론도 역사적 변화의 궤적을 형성하였다. 안중근의 동양평화론은 이러한 일제의 침략에 대한 대응논리 변화의 궤도 위에서 형성된 것이다. 게다가 그의 동양평화론은 전시기에 논의 되어오던 삼국공영론·삼국동맹론 등의 담론을 통합하면서 그 실천방법을 구체적으로 제시하였다는데서 의의가 있다.

요컨대, 한국에서 동양평화론이라고 볼 수 있는 대부분의 이론이 당위론적 입장에서 동종동문(同種同文)인 황인종을 백인종의 침략으로부터 보호하기 위해 단결해야 한다는 주장에 머물고 있다. 그에 반해 안중근의 동양평화론은 구체적인 실천방법론을 제시하고 있다는 것이다. 안중근은 동양의 문제를 해결하기 위해 경제적으로는 공동의 은행을 설립하고, 군사적으로는 공동의 군대를 소유하며 문화적으로는 상대국가의 언어를 익혀야 한다는 동양평화론을 제시하였다. 무엇보다 안중근이 천명인 동양평화를 실천하기 위한 기초 작업으로써 역천(逆天)행위를 한 이토를 제거하였다는데서 그의 실천성을 엿볼 수 있다.

이토가 한국인의 독립에 대한 열망과 자신감을 상실케 하는데 대해, 안중근은 정면으로 대응논리를 구사하였다. 그것은 이토의 논리를 내세워, 문명개화를 이룩할 없는 한국을 일본이 대신 하여 유지 발전시키고 있다는 구연검찰관의 주장을 안중근이 전면적으로 반박하는 것으로 나타났다.[115]

편역, 「동양평화론」, 『안중근 유고-안응칠 역사·동양평화론·기서』(안중근 자료집 1), (사)안중근평화연구원, 2016, 79쪽).

114 신운용·최영갑 편역, 「동양평화론」, 『안중근 유고-안응칠 역사·동양평화론·기서』(안중근 자료집 1), (사)안중근평화연구원, 2016, 79쪽.

115 신운용 편역, 「안중근 제8회 신문기록」, 『안중근 신문기록』(안중근 자료집 3), (사)안중근평화연구원, 2014,

이처럼 동양평화론이 본격적으로 반침략 논리로 등장한 시기는 1904년 2월 한일 의정서 체결로 촉발되어 1904년 10월 제1차 한일협약 이후 절정에 이르렀던 것으로 보인다. 이러한 측면에서 안중근의 동양평화론은 바로 안중근의 증언에서도 알 수 있듯이[116] 이 시기에 형성된 것으로 보인다. 따라서 이 시기 반침략 논리의 특징인 '민족'이라는 개념과 『황성신문』에서 주장한 '동양평화론'이 안중근의 동양평화론에 반영되어 나타나고 있는 것으로 볼 수 있다.

4) 개방적이다

일본의 아시아주의 또는 이토의 극동평화론은 일본이 한국을 비롯한 동양 각국을 식민지로 삼아야 동양의 평화가 보장된다는 허구적·독선적·국수적 논리에 지나지 않다고 평할 수 있다. 그러나 안중근은 평등한 국제관계와 독립을 전제로 동양문제를 해결하기 위해 공동으로 대응하자는 이론을 제시하였다. 그것도 서구인의 지지를 받을 수 있는 구조를 창출함으로써 어느 세력도 동양평화를 위협하지 못하도록 하자는 '열린' 동양평화론을 안중근은 주장하고 있는 것이다. 때문에 안중근은 일본인이 반드시 안중근의 날을 외칠 것이라고 확신하였던 것이다.[117]

또한 안중근의 동양평화론은 일제에게 침략정책의 수정을 촉구하면서 동양평화에 기여할 수 있는 방법을 제시하였다는 면에서 일본 전체를 적대시한 이론이 아니라는 점을 지적해 둘 필요가 있다. 이러한 면에서 안중근은 "내가 이토를 죽인 것은 이토가 있으면 동양의 평화를 어지럽히고 한일간을 이간시키므로 한국의 의병중장의 자격으로 주살한 것이다."[118]라고 하여 일본과 한국의 사이를 좁히기 위해 방해물인 이토를 제거하였다는 주장을 하였던 것이다. 따라서 안중근의 동양평화론은 일본의 아시아주의처럼 국수적 침략이론이 아니라 적국인 일본마저 품고 나가는 개방

120~132쪽.

116 신운용 편역, 「안중근 제1회 신문기록」, 『안중근 신문기록』(안중근 자료집 3), (사)안중근평화연구원, 2014, 8쪽.

117 신운용·최영갑 편역, 『안중근 유고-안응칠 역사·동양평화론·기서』(안중근 자료집 1), (사)안중근평화연구원, 2016, 74쪽.

118 신운용 편역, 「공판시말서 제5회」, 『안중근·우덕순·조도선·유동하 공판기록-공판시말서』(안중근 자료집 9), (사)안중근평화연구원, 2014, 105쪽.

적 이론이라는 점에서 그 특징을 엿볼 수 있다.

5) 평화 지향적이다

일본의 아시아주의가 동양침략을 전제로 하였다면 안중근의 동양평화론은 아시아주의를 견제하기 위한 대항논리로 존재하였으며 평화지향성을 바탕으로 하고 있다. 때문에 박은식은 그의 『안중근전』에서 안중근에 대해 평하기를

> 그를 죽이게 된 것은 안중근이 세계 평화를 바랐고, 이등이야말로 평화를 해치는 나쁜 놈(公賊)으로 인정하여 그 꼭지를 없애지 않으면, 화를 막을 수 없다고 여겼기 때문이다. 한 개인 목숨을 내던져 세계 평화를 얻는 것은 값으로 따질 수 없는 행복이다. 믿는 바가 서로 달라 같이 살 수 없는 결과 이에 이르게 된 것이다. 이와 같이 논할진대 안중근은 세계를 꿰뚫는 눈빛을 가지고 있었으며 스스로 평화의 대표를 맡고 나선 분이다. 어찌 한국만을 위한 앙가품이라고만 하겠는가?[119]

라고 하였다. 요컨대 박은식은 안중근을 대표적인 '평화주의자'로 평가하였던 것이다. 이러한 맥락에서 안중근에게 '평화'라는 것은 곧 '천명'으로 거부할 수 없는 숙명인 것이었다.[120] 따라서 천주의 명인 동양평화를 사수하기 위해 자신을 희생시킬 수밖에 없었을 것이다.

6) 현재적이다

유럽은 하나로 통합되는 과정에 놓여 있고, 미주는 역내 협력을 강화하며 세계의 변화에 대응하고 있다. 그럼에도 동아시아는 아직도 평화정착을 위한 어떠한 보장책도 마련하지 못하고 있는 가운데 오히려 역사인식 문제로 야기된 지역적 불안정성

----

119 정현기 편역, 『한국인 집필 안중근 전기 Ⅱ』(안중근 자료집 12), (사)안중근평화연구원, 2014, 42~43쪽.
120 신운용, 「안중근의거의 사상적 배경」, 55쪽.

이 강화되는 경향마저 보이고 있다. 하지만 한·중·일은 세계사의 변화를 선도하기 위해서는 무엇보다 역내 안정전망을 갖추어야 한다는 당위성론이 지속적으로 주창되어 왔다.[121] 문제는 어떠한 논리로 역내평화정착과 경제관계의 강화를 이룩하느냐 하는데 있다. 이러할 시 안중근의 동양평화론은 현재의 한·중·일간의 문제를 해결하기 위한 원천적 이론임은 의심의 여지가 없을 것이다. 따라서 안중근의 동양평화론은 환경·군사·경제·문화 등 역내문제를 해결하기 위한 이론을 창출하는데 기본적 구조를 제시하고 있다는 점에서 '현재적'이라고 하겠다.

5. 나가는 말

위에서 보았듯이, 1969년 일본에서 『안중근자전』(일본어본)이 발견되고, 1978년 나가사키에서 안중근을 조사한 사카이(境) 경시가 전사한 『안응칠역사』(한문본)가 발견되고 나서 1979년 일본 국회도서관에서 한문본 『안응칠역사』·『안중근전』·『동양평화론』의 필사본이 안중근관련 사진과 더불어 발굴되었다. 이로써 본격적인 안중근연구가 가능해졌다.

『안응칠역사』는 안중근의 성장과정, 천주주교 입교와 활동, 교육활동 등의 계몽운동, 독립방략의 모색, 블라디보스토크 망명과 활동, 국내진격작전, 이토처단과 재판과정과 순국 등 안중근에 대한 가장 기본적이면서도 중요한 정보를 제공하고 있다는 점에서 안중근 연구를 시작하거나 안중근을 이해하기 위해서는 반드시 일독해야 할 책이다. 아울러 위에서 살펴본 바와 같이, 『안응칠역사』의 공백을 메우기 위해서는 많은 관계자료의 수집과 섭렵이 필요하다는 의미에서 대략적인 안중근관련 자료를 소개하였다.

그리고 안중근의 동양평화론은 무엇보다 한국의 독립과 동양평화유지라는 천명의 구체적 실천방법이라는 것이 지적되어야 할 것이다. 이러한 바탕 위에 당시 서양,

---

[121] 김유혁, 「안중근 동양평화론과 신동북아경제권 전개의 이념」, 『21세기와 동양평화론』, 국가보훈처·광복회, 1996; 김영호, 「안중근의 동양평화론과 동북아 경제에 통합론」, 『2000년』(2005년 1월호) 2000, 현대사회문화연구소; 이태준, 「동양평화론: '국제주의자' 안중근의 이루지 못한 꿈, 동북아의 수평적 연대: 안중근과 신동북아시대」, 『말』 통권 217호, 2004.

특히 일제와 러시아의 침략이라는 구조 속에서 생겨난 '삼국공영론', '삼국동맹론'에 일정한 영향을 받으면서 당시의 민족에 대한 관심과 열정 속에서 안중근의 동양평화론이 탄생되었다고 볼 수 있다.

동양평화론의 체제는 서문·전감·현상·복선·문답으로 구성되어 있다. 안중근은 『동양평화론』의 서술 목적을 그 서문에서 서양의 침략을 동양의 단결로 물리치기 위한 방법을 강구하기 위한 것이라고 밝히고 있다. 전감에서는 동양평화가 유지되지 못하는 원인을 일제의 침략정책 때문이라고 지적하였다. 현상·복선·문답을 완성하지 못하였기 때문에 그 내용을 정확히 알 수 없다. 추정컨대, 현상에서는 일본의 한국을 비롯한 아시아 침략 실태를 기록하였을 것이다. 필시 이는 이등처단 15개조에서 안중근이 지적한 내용으로 되었을 것으로 보인다. 복선에서 안중근이 언급하려고한 것은 1910년 2월 14일 평석 고등법원장과의 면담을 하였을 때 나눈 대화내용일 것으로 보인다. 즉, 일본이 세계 각국의 신용을 얻는 일, 일본의 재정적 어려움을 극복할 수 있는 방법, 일본의 약점을 보안하는 방안이었을 것이다. 대체로 본문에서 지적하였듯이, 복선의 내용이 동양평화론의 핵심으로 보인다. 그리고 안중근은 문답에서 동양평화론의 당위성을 구연 검찰관과 같은 일본인을 등장시켜 설복시킨다는 내용을 담으려 하였을 것이다.

안중근이 제시한 동양평화론의 특징은 종교적 절대성을 근저로 하면서 물질문명(사회진화론)의 위험성을 경고하는데 있는 것으로 구체적이고 실천적이며, 개방적이고 평화 지향적이면서도 현재적이다고 할 수 있을 것이다.

차 례

안중근 유고–안응칠 역사·동양평화론·기서

안중근 유고–안응칠 역사·동양평화론·기서 번역본

安重根 遺稿–安應七 歷史·東洋平和輪·긔서 脫草本

안중근 유고–안응칠 역사·동양평화론·기서 원본(原本)

안중근 유고

−안응칠 역사·동양평화론·기서

번역본

범례

- 이 책은 일본 국회도서관 등의 『안응칠역사』·『안중근전』·『동양평화론』과 일본 공문서관의 『안중근자전』을 탈초 번역한 것으로 제목을 『안중근 유고-안응칠 역사·동양평화론·기서』 라고 하였다.
- 이 책은 크게 번역본, 탈초본, 원본으로 구성되어 있다.
- 번역본의 인명과 지명은 그 나라의 발음을 따랐다.

1 안응칠 역사

　1879년 을묘 7월 16일 대한국 황해도 해주부 수양산 아래에서 한 남자가 태어나니 성은 안(安)이고 이름은 중근(重根)이며 자(字)가 응칠(應七)이다(성품이 경솔하고 급한 까닭에 이름을 중근이라고 했고 가슴과 배에 검은 점이 일곱 개 있어서 자를 응칠이라고 했다).

　그의 조부는 이름이 인수(仁壽)이신데, 성품은 어질고 돈후했으며 재산이 풍부해서 자선가로 도내에 이름이 났다. 일찍이 진해현감에 서임되었고, 아들 여섯과 딸 세를 낳았는데 첫째가 태진(泰鎭), 둘째가 태현(泰鉉), 셋째가 태훈(泰勳: 친아버지), 넷째가 태건(泰建), 다섯째가 태민(泰敏), 여섯째가 태순(泰純)으로 도합 육형제인데 모두가 학문이 깊었다.

　그 중에 부친이 재주와 지혜가 뛰어나 8·9세에 사서삼경에 통달하여 13·4세에 과거의 문장과 6체(六體)를 마쳤는데, 통감을 읽을 때에 선생이 책을 펴고 한 글자를 가리키며

　"이 글자로부터 열장 아래에 있는 글자가 무슨 자인지 알 수 있겠는가?"

　라고 물으니,

　"알 수 있습니다. 그 자는 반드시 필시 천(天) 자일 것입니다."

　라고 대답하였다. 선생이 이리저리 살펴보니 과연 말대로 천(天)자였다. 선생이 기이하게 생각하여 다시 묻기를

　"이 책을 거꾸로 뒤집어 위로 올려도 알 수 있느냐?"

　라고 하자,

　"예, 알 수 있습니다."

　라고 대답하셨다. 이와 같이 시험하는 물음이 십여 차례였지만 밑으로 내리거나 위로 올려도 한결같이 모두 착오가 없었다. 이를 듣고 보는 사람들이 모두 칭찬하지하여 부친을 선동(仙童)이라고 하였다. 이로부터 이름이 원근에 알려졌으며 중년에 과거에 합격하여 진사가 되었다. 조 씨에게 장가들어 3남 1녀를 낳으니 첫째가 중근

(重根)이고, 둘째가 정근(定根)이고, 셋째가 공근(恭根)이다.

1884년 갑신 연간에 경성에 거주하였다. 이 때 박영효(朴泳孝)가 나라의 형세가 위태롭고 혼란함을 몹시 걱정하여 정부를 혁신하고 국민을 개명시키고자 하였다. 그리하여 뛰어난 청년 70인을 선발하여 장차 외국에 유학을 시키려고 했는데 중근의 부친 또한 선발되었다.

아, 슬프도다! 정부의 간신배가 박영효가 반역을 꾀한다고 무고로 엮어 군대를 동원해 체포하려 하였다. 당시 박영효는 일본으로 도주하고 동지와 학생들은 혹 피살되기도 하고 혹 체포되어 멀리 귀양을 가기도 하였다. 부친도 몸을 피해 달아나 고향 집에 몰래 돌아와 숨었다. 그리고 나는 부친과 상의하며

"나랏일이 장차 잘못될 것 같습니다. 그래서 부귀와 공명은 도모할 수가 없습니다."라고 하였다.

하루는 모든 것이 일찍이 산으로 들어가 한가롭게 한 세상을 마치는 것만 못하다고 여겨 가산을 모두 팔고 재산을 정리하여 가솔 7·80인을 거느리고 신천군 청계동 산중으로 이사하였다.[1] 지형이 험준해도 논밭이 모두 갖추어졌으며, 산은 빼어나고 물은 맑아서 별유천지(別有天地)라고 할 만하였다. 당시 내 나이는 6·7세였다. 나는 조부모의 사랑과 양육으로 한문학교에 들어가, 8~9세 사이에 겨우 보통 학문을 익혔다. 14세 무렵 조부께서 작고하시니 사랑으로 길러주신 정을 잊지 못해 애통함이

----

1 안중근의 안중근가문이 해주에서 청계동으로 이주한 이유를 갑신정변에 따른 정치적 압력과 세속에 대한 안태훈의 염증으로 설명하고 있으나 1914년에 청계동을 직접 방문하여 『한국여행기』를 쓴 독일 성오티리엔 베네딕토수도회 총장 로베르토 베버신부는 안태훈의 청계동 이주에 대해 다음과 같이 다른 견해를 내놓았다.

"연간 쌀 수확량은 대략 4백섬에 이르렀고, 이러한 숫자는 한국에서는 상당한 富를 누리고 있음을 의미하는 것이었다. 그 외에도 청어 잡이에 종사하고 있었는데, 해마다 해주연안에서 어부들을 동원하여 잡아들이는 청어가 2만~6만 마리에 달했다. 그러나 청어 잡이가 점점 하락세를 보였다. 청어가 줄어들었던 것이다. 이제는 더 이상 옛날에 누리던 권세를 지킬 수가 없었다. 대대로 내려오는 자존심 때문에 그곳에 더 머물 수가 없었다. 그들은 해주를 떠나 청계동으로 이주하게 되었다(Weber Norbert, Weber Norbert, *Im Lande der Morgenstille: Reise-Erinnerungenan Korea*, 1923, p. 319; 『조선일보』, 1979년 9월 2일자, 「安重根義士의 故鄕 淸溪洞(1)」)."

베버신부는 안중근가문의 청계동 이주의 원인을 경제적 몰락에 따른 해주지역에서의 세력약화를 들고 있다. 무엇보다 "그가 원하는 일이면 무엇이고 안 되는 일이 없었다."라는 베버 신부의 지적에서 보듯이, 경제적 타격은 안중근가문의 향방과 관련하여 의미 있는 대목이다.

그런데 안중근가문이 해주에서 청어를 잡는 어업이 중요한 가문의 경제적 배경이 되었다는 베버의 지적은 청계동으로 안중근가문이 이주한 이유를 규명할 수 있는 근거가 된다는 점에서 구체적으로 살펴볼 필요가 있는 것이다. 이는 청계동으로의 이주가 정치적 압력을 피하기 위한 수단에서 나온 것이라는 안중근의 주장으로만은 설명할 수 없는 복합적 원인의 결과이었음을 의미하기 때문이다.

절절하여 반년 가량 병들어 있다가 회복되었다.

어려서부터 사냥을 특히 좋아하여 늘 사냥꾼을 따라서 산과 들판으로 사냥을 다녔다. 점차 성장하면서 총을 메고 산에 올라 짐승을 사냥하며 학문에 힘쓰지 않았기에 부친과 선생님이 몹시 꾸짖었으나 나는 끝내 따르지 않았다.

가까운 벗과 학생들이 서로 타이르며

"자네 부친은 문장으로 오늘날 세상에 이름이 났는데 자네는 무엇 때문에 장차 무식한 하류배로 자처하려는가?"

라고 말하였다.

내가 대답하였다.

"너희 말이 옳다. 그러나 내말을 들어봐라. 옛날 초패왕 항우는 "글은 이름을 쓸 줄 알면 충분하다."라고 했지만 만고영웅 초패왕의 명예는 오히려 천추에 남아 전해지고 있다. 나는 학문으로 세상에 알려지기를 바라지 않는다. 그도 장부고 나도 장부다. 너희들은 다시는 내게 학문을 권하지 말라."

어느 3월 봄날, 학생들과 같이 산에 올라 경치를 감상하며 깎아지른 절벽 위에서 탐스러운 꽃이 있어 꺾으려다가 발이 미끄러져 수십 척 아래로 떨어졌으나 어찌할 방법이 없었다. 정신을 바짝 차리고 생각하는 순간 문득 한 나뭇가지가 보여, 손을 뻗어 잡고 몸을 일으켰다. 사방을 돌아보니 만약 몇 자만 더 떨어졌다면 수백 척 깎아지른 절벽 아래라 뼈가 부서지고 몸이 가루가 되어 희망이 없었을 것이다. 여러 아이들은 얼굴이 흙빛이 되어 산위에 서있을 뿐이었다. 내가 살아있다는 것을 알고 밧줄을 내려 나를 끌어올렸다. 그런데 별로 다친 곳은 없었지만 식은땀이 흘러 등을 적셨다. 서로 손을 잡고 축하하며 하늘에 감사드리고 산을 내려와 집으로 돌아왔다. 이것이 위급한 처지에서 죽음을 면한 첫 번째 사건이었다.

1894년 갑오년. 16세에 김 씨에게 장가 들어서 지금 2남 1녀를 낳았다. 한국의 각 지방에서 동학당(지금 일진회의 뿌리)이 봉기하여 외국인을 배척한다고 핑계를 대며 고을마다 돌아다니면서 관리를 죽이고 백성의 재산을 약탈하였다(이 때 한국이 장차 위태로워질 기초와 일본·청나라·러시아가 전쟁한 원인의 싹이 만들어졌다). 관군이 진압하지 못했기 때문에 청나라가 군대를 동원해 바다를 건너오자, 일본 또한 군대를 움직여 바다를 건너와 청일양국이 서로 충돌하여 큰 전쟁이 되었다.

그 때 부친이 동학당의 횡포를 참지 못하고 동지들을 모아 의병을 일으키는 격문을 냈다. 사냥꾼을 불러 모으고 처자를 군대에 편성하자 정병이 70여 명이 되었는데, 청계산에 진을 치고 동학당에 대항하였다. 이 때 동학의 괴수 원용일(元容日)이 도당 2만여 명을 거느리고 나오니 깃발과 창검이 햇빛을 가리고 북과 피리 소리 함성이 천지를 진동하였다. 그런데 의병의 수는 70여 명에 불과해 강하고 약한 형세가 계란으로 바위를 치는 것과 같았다. 여러 사람들이 겁을 먹고 어찌 할 줄을 몰랐다.

이때는 2월 겨울인데, 동풍이 홀연히 불고 큰 비가 갑자기 쏟아져 지척을 분간 할 수가 없었다. 적병들은 옷과 갑옷이 모두 젖어 냉기가 들어 어찌해 볼 수가 없는 형편이라 십리 남짓한 촌으로 물러나 머물렀다. 이날 밤에 부친이 장수들과 서로 상의해서

"만약 내일 앉아서 적의 포위공격을 받으면 반드시 작은 수로 많은 수를 당하지 못할 형편이니 오늘 밤 먼저 적병을 습격하는 것이 좋겠다."

라고 하였다.

이에 닭이 울 때 일찍 밥을 먹고 정예 병사 40명에게 진격하고 나머지에게는 본동을 지키라고 명령하였다. 이 때 나와 동지 여섯명이 선봉 겸 정탐독립대에 자원하여 앞서 나아가 수색을 하고 적병 대장이 있는 지척까지 가서 숲 속에 잠복하여 적진의 동정을 살폈다. 깃발이 바람에 펄럭이고 불빛이 하늘을 찔러 대낮같이 밝은데 사람과 말은 시끄럽게 떠들고 울부짖어서 도무지 기율이 없었다.

나는 동지들을 돌아보며,

"지금 적진을 습격하면 반드시 큰 공을 세우리라."

라고 하였다.

여러 사람이

"소소한 잔병으로 어찌 수만의 적군을 대적하겠는가?"

라고 하자, 나는

"그렇지가 않다. 병법에 "적을 알고 나를 알면 백번 싸워 백번을 이긴다."라고 하였다. 내가 적의 형세를 보니 오합지졸이라 우리 일곱사람이 한 마음으로 힘을 합치면 저와 같은 어지러운 무리는 비록 백만 명이라도 두려울 것이 없다. 아직 동이 트지 않았으니 불시에 쳐들어가면 형세가 대나무를 쪼개는 것과 같을 것이니 그대들은 의심하지 말고 내 계책을 따르십시오."

라고 대답하였다. 여러 사람이 응낙하니 계책이 이미 세워졌다.

한 번 호령소리를 내자 일곱 사람이 일제히 적진 대장의 처소로 향하며 모두 사격을 했는데, 총소리는 우레와 같이 천지를 진동하고 탄환은 우박처럼 쏟아졌다. 적병은

별도의 대비책이 없어 손도 쓰지 못하였다. 몸에는 갑옷을 입지 못하고 손에는 병기도 잡지 못한 채 서로를 짓밟으며 들판 가득히 달아나니 이에 승기를 잡고 추격하였다.

이윽고 동녘이 이미 밝았다. 적병은 아군의 세력이 고립되고 약한 것을 비로소 깨닫고 사방으로 되돌아와 공격하였다. 형세가 매우 위급하여 좌충우돌했으나 도무지 몸을 뺄 계책이 없었다. 갑자기 배후에서 포 소리가 크게 울리며 한 부대가 와서 들이치자 적병이 패주하여 포위를 벗어날 수 있었다. 이는 본진의 후원병이 와서 응접한 것이었다. 양진이 합세하여 추격하자, 적병은 사방으로 흩어져 멀리 달아났다. 습득한 전리품은 병기와 탄약, 수십 필의 짐을 싣는 말 등 그 수를 헤아릴 수가 없었다. 군량은 천여 가마나 되고 적병의 사상자는 수십 명이었지만 의병은 한 사람도 다친 사람이 없었다. 천은에 감사하며 만세를 세 번 외쳤다.

승리하고 본동으로 돌아와 첩보를 본도 관찰사에게 알렸다. 이 때 일본 위관 스즈키(鈴木)가 군대를 거느리고 지나가다가 문서를 보내어 축하하였다. 이로부터 적병이 소문만 듣고도 달아나 싸울 일이 없어졌고 점차 난이 가라앉아 국내가 태평해졌다. 싸움 이후 나는 중병에 걸려 석 달 동안 고통을 받았으나 죽지 않고 살아났다. 이로부터 지금까지 15년간 한차례의 잔병치레도 하지 않았다.

아! 교활한 토끼가 죽으면 사냥개를 삶고, 개천을 건너던 지팡이는 모래밭에 버린다더니, 그 다음해(을미) 여름 두 사람의 손님이 와서,

"작년 전쟁 때 노획한 천여 가마의 곡식은 동학당의 소유물이 아니고 그 반은 지금의 탁지부대신 어윤중(魚允仲) 씨가 사다놓은 곡식이고 나머지 반은 전 선혜청 당상인 민영준(閔永駿) 씨의 농장에서 추수한 곡식이니 지체하지 말고 숫자대로 되돌려 보내라."

라고 하였다.

부친이 웃으며,

"어윤중과 민영준 두 사람의 쌀은 내가 알바 아니고 이는 동학의 진에서 탈취한 것이니 공 등은 다시는 이와 같은 무리한 말을 하지 마시오."

라고 대답하였다. 두 사람은 대답 없이 떠났다.

어느 날 서울로부터 긴급한 서신이 한 차례 와서 열어보았다.

"현 탁지부대신 어윤중과 민영준 두 사람이 잃어버린 곡식을 되찾고자 황제폐하

에게 모함하는 상주문[2]을 올려 "안 아무개가 막중한 국고금으로 사들인 쌀 천여 가마를 무단히 훔쳐 먹었기 때문에 사람을 시켜 조사해보니 이 쌀로 군인 수천을 양성하여 장차 음모를 꾸미려고 합니다. 만약 군대를 출동시켜 진압하지 않으면 국가의 큰 근심이 될 것입니다."라고 하였다. 그래서 바야흐로 군대를 파견할 계획을 세우고 있으니 이와 같은 사실을 믿는다면 빨리 상경하여 선후의 방책을 세워라."(김종한(金宗漢)의 서신이다. 판결 전이다)

편지를 읽은 뒤에 부친은 곧장 떠나서 서울에 이르렀는데 과연 그의 말과 같았다. 사실대로 법관에게 호소하며 세 차례 재판을 했으나 끝내 판결을 내리지 않았다.[3] 김종한 씨가 정부에 제의하여

"안 아무개는 본래 도적의 무리가 아니라 의병을 일으켜 도적을 쳤으니 국가의 일대 공신입니다. 그의 공훈을 표창하는 것이 마땅한데 도리어 이치에 맞지 않는 부당한 말로 모함을 해서야 되겠습니까?"

라고 하였다.

그러나 어윤중은 끝내 듣지 않았다. 뜻밖에 어윤중이 민란을 당하여 난민의 돌에 맞아 죽어버려 어 씨의 음모도 끝나고 말았다. 독사가 물러나자 맹수가 다시 나타나는 것처럼, 이 무렵 민영준이 다시 음모를 꾸몄다.

민 씨는 세력가였다. 일이 다급하게 돌아가는데 계책은 없고 힘마저 빠져 형세를 어찌할 수가 없었다. 가까스로 프랑스인 천주교 교당으로 몸을 피해 숨어들어간 지 몇 개월 만에 다행히 프랑스인의 도움을 받아 민 씨의 일은 영구히 끝났고 무사히 편안하게 되었다. 이 무렵 교당 내에 오랫동안 머물며 강론을 많이 듣고 성서를 널리 보아 진리에 감격하여 입교를 허락하였다.[4] 그 뒤 장차 복음을 전파하고자 교중의 박

----

2 상주문(上奏文): 임금에게 말씀을 아뢰어 올리는 글.

3 1895년 7월 9일 탁지부에서 이 문제는 대략 다음과 같은 유권해석을 내려 해결되었다.
"안태훈은 동학도가 일어날 때 의려를 모집하여 비도를 진압한 공적이 이미 순무영(巡撫營)에 올라 있다. 동비(東匪)에게 빼앗긴 송도(松都) 상인 김수민(金壽敏)의 무치곡무치곡(貿置穀貿置穀) 중 현미 172석과 조(租) 19석을 안의려(安義旅)가 취용(取用)한 바 있으나 비요(匪擾)가 진정된 지금 탁지부 공무곡(公貿穀)이 그 중에 혼입되었다 하여 안진사를 월침(越侵)하는 것은 옳지 못하다. 이 곡(穀)은 이미 상인이 소유한 것이 아니고 의려용(義旅用)으로 군수(軍需)에 보충된 것이니만큼 김수민의 미포(米包)뿐만 아니라, 모인의 곡(穀)도 의려(義旅)가 보향(補餉)으로 취용한 것은 절대 침색(侵索)하지 말라"(서울대 규장각, 「全國 各道觀察府, 各郡과 度지부간의 훈령과 보고」, 『公文編案 要約』 1, 1999, 335쪽).

4 안태훈은 다음에서 보듯이 1896년 1월 단발령이 내려진 때에 이미 천주교에 관심을 갖고 있었던 것으로 보인다. 이 때의 상황에 대해 김구는 다음과 같이 전하고 있다. "단발령이 나는 즘(1896년 1월 1일: 편역자)이라 군대경찰은 거개 단발되고 문관도 각군에 면장까지 실행하는 중이라. 고선생과 상의하고 안진사와 의병

학한 선비 이보록(李保祿)과 함께 많은 성경을 본향으로 보냈다.

이 때 내 나이 17~8세 무렵이었다. 나이가 젊고 기운도 세며, 기골은 청수(淸秀)하여 남만 못하지 않았는데 평생토록 좋아하는 것이 네 가지였다. 첫 번째는 벗과 사귀며 의를 맺는 것이고, 두 번째는 음주가무이고, 세 번째는 총으로 사냥하는 것이고, 네 번째는 준마를 타고 달리는 것이다. 원근을 막론하고 만약 의협심이 강한 사나이가 살고 있다는 말을 들으면 항상 총포를 휴대하고 말을 달려 찾아갔다. 만약 동지를 만나면 비분강개한 이야기를 나누고, 좋은 술을 많이 마셔 취한 뒤에는 간혹 노래도 하고 춤도 추었다. 혹은 유흥가에서 놀 때에 기생에게 이렇게 말하였다.

"너의 아름다운 미색으로 호걸 남자와 짝이 되어 해로한다면 어찌 아름다운 일이 아니겠는가? 그런데 너희들은 그렇게 하지 않는구나. 만약 돈 소리를 들으면 자신의 본성을 잃어버리고 염치도 없이, 오늘은 장서방 내일은 이서방과 즐기며 짐승 같은 행실을 하지 않느냐?"

이렇게 말을 하니 기녀들은 즐겁지 않아도 미워하는 낯빛이나 불손한 태도를 밖으로 나타내면 간혹 욕을 하고 때렸기 때문에 벗들이 별명을 지어 '번개입[電口]'이라고 하였다.

어느 날 동지 여섯 일곱 사람과 산에 들어가 사슴을 사냥하는데 탄환이 총구멍에(구식 6연발) 걸려서 뺄 수도 넣을 수도 없었다. 쇠꼬챙이로 구멍을 뚫었는데 뜻밖에 벼락 치는 소리에 혼비백산하여 머리가 있는지 없는지를 모르고 목숨이 살았는지 죽었는지를 모를 지경이었다. 잠시 후에 정신을 차리고 자세히 검사해보니 탄환이 폭발하며 쇠꼬챙이와 총알이 오른손을 뚫고 하늘로 날아간 것이었다. 곧 병원에 가서 치료를 받았지만 이로부터 지금까지 10년 동안 꿈속에서도 당시의 놀라운 상황은 늘 모골이 송연하였다. 그 뒤 한번 다른 사람이 엽총을 잘못 쏘아 산탄 두 개를 등에 맞았지만 중상을 입지 않았다. 이것은 땅으로 총을 쏘려다가 실수를 한 것뿐이었다.

그 때 부친이 널리 복음을 전파하고 원근에 권장하여 입교하는 사람이 나날이 늘었다. 가족들이 전부 천주교에 입교하여 신봉하였고 나 역시 입교하여 프랑스인 선

장기 할 문제를 가지고 회의하다가 아모 승산이 업시 일어나면 실패할 것밧게 업슨즉 아직 거기할 생각이 업고 아즉은 천주교나 봉행하다가 후일에 견기(見機)하야 창의를 하겟으나"(金九, 『金九自敍傳 白凡日誌』(백범학술원총서 ①), 나남출판사, 2002, 59쪽).

교사 홍약슬(若瑟)[5] 신부에게 세례를 받고 세례명을 토마스라고 하였다.[6] 성경을 익히고 교리에 대해 토론하면서 몇 개월이 지나자 믿음과 덕이 점차 견고해졌으며, 독실한 신앙심으로 의심이 없어져 천주와 예수그리스도를 숭배하게 되었다.

세월이 흘러 이미 몇 년이 지났다. 당시 교회의 업무가 확장되어 나와 빌렘 신부는 여러 곳을 왕래하며 사람들에게 전교하고 다음과 같이 사람들에게 연설을 하였다.

형제여! 내가 여러분께 드릴 말씀이 있으니 청컨대 들어보십시오. 만약 어떤 사람이 혼자 맛있는 음식을 먹으면서도 가족에게 주지 않고, 재주를 가지고 있으면서도 남에게 가르치지 않으면 이것을 동포의 정이라 할 수 있겠습니까? 내게 지금 기이한 음식과 뛰어난 재주가 있는데, 이 음식은 장생불사하는 음식이고 이 재주는 한번 통달하면 하늘로 날아오르는 재주이므로 여러분에게 가르쳐주고자 하오니 원컨대 모든 동포는 경청해주십시오.

천지의 사이에 존재하는 만물 가운데 오직 인간이 가장 귀한 것은 영혼이 있기 때문입니다. 혼에는 세 가지 구별이 있습니다. 첫째는 생혼인데, 이것은 초목의 혼으로 생장하는 혼입니다. 둘째는 각혼인데, 이것은 금수의 혼으로 지각하는 혼입니다. 셋째는 영혼인데, 이것은 사람의 혼으로 생장하고 지각하며 시비를 분별하고 도리를 추론하며 만물을 관할하는 혼입니다. 그러므로 오직 사람이 가장 귀한 것은 혼이 신령하기 때문입니다.

만약 사람에게 영혼이 없으면 단지 육체만 있게 되어 금수만도 못할 것입니다. 왜 그럴까요? 금수는 옷을 입지 않아도 따뜻하고 일을 하지 않아도 배부르고, 날아다니거나 달릴 수도 있으며 재주의 용맹함은 인간보다 뛰어납니다. 그러나 많은 동물이 사람의 통

---

5 홍요셉. 빌렘 신부(Wihelm, Nicolas Joseph Mare, 洪錫九, 1860~1938).

6 Weber, Norbert, 『Im Lande der Morgenstille : Reise-Erinnerungenan Korea』, Missionsverlag St. Ottilien, 1923, p.323; 『조선일보』 1979년 9월 4일자, 「안중근의사의 고향청계동(2)」.
안태훈가문의 입교과정은 다음과 같다. 안태훈은 1986년 12월경 안악 문산면에 있던 빌렘신부에게 사람을 보내 청계동을 방문하여 세례를 줄 것을 요청하였다. 이를 받아들인 빌렘신부는 청계동으로 가서 안태훈과 안중근가문의 사람들에게 영세를 주었다. 즉, 1897년 1월 10일경 안태훈·안중근 부자는 빌렘신부로부터 세례를 받았고 얼마 후 다시 30명이, 그리고 4월 17일 부활절에는 33명이 또 세례를 받았다(『조선일보』 1979년 9월 4일자, 「安重根義士의 故鄕 淸溪洞(2)」).
1897년 11월 26일 뮈텔주교는 청계동으로 향하던 길에 신천군을 방문하였다. 이 때 군수 이민조(李敏祚)가 직접 영접을 하였다는 데서 천주교의 위상이 어느 정도였는지를 짐작할 수 있다. 1897년 11월 26일 뮈텔주교는 마침내 청계동을 방문하여 조마리아·안태훈의 누이 막달레나·안태훈의 모 고씨(안나)등 19명에게 영세를 주었다. 이처럼 안태훈·안중근이 빌렘신부로부터 세례를 받은 이후 장남 안태건을 제외한 청계동 주민 대부분이 천주교에 입교하였다(한국교회사연구소, 『뮈텔주교일기』Ⅱ, 1993, 233~235쪽).

제를 받는 것은 그 혼이 신령하지 않기 때문입니다. 그러므로 영혼의 귀중함은 이것을 미루어 알 수 있습니다. 이른바 하늘이 명령한 본성은 지존하신 천주께서 태중에 있을 때 이미 부여한 것으로 영원무궁하고 불사불멸한 것입니다.

천주는 누구입니까? 한 집안에는 집안의 주인[家主]이 있고, 한 나라에는 나라의 주인[國主]이 있는 것처럼 천지의 위에는 천주(天主)가 있습니다. 시작도 없고 끝도 없는 삼위일체(三位一體: 성부와 성자와 성신이다. 그 의미는 심오해서 자세히 알 수 없다.)이시며, 전지전능(全知全能)하시고 전선(全善)하시고, 지극히 공평하고 의로우며, 천지만물과 일월성신을 만드시고, 착한 사람에게 상을 주고 악한 사람에게 벌을 주는 오직 유일하며 둘이 아닌 위대한 주재자가 바로 천주입니다. 만약 한 집안에 아버지가 집을 짓고 생업을 마련하여 그 자식에게 누리고 쓸 것을 주는데, 그 자식이 방자하게 스스로 위대하게 여기고 부모 섬기는 도리를 알지 못한다면 불효가 막심하여 그 죄가 무거울 것입니다. 한 나라에서도 국주가 지극히 공정한 정치를 시행하여 각각의 산업을 보호하고 백성과 더불어 태평을 누리는데, 백성이 명령에 복종하지 않고 도무지 충성하고 사랑하는 마음이 없다면 그 죄는 매우 무거울 것입니다.

천지 사이에 위대한 부모요 위대한 군주인 천주는 하늘을 만들어 우리를 덮어주고, 땅을 만들어 우리를 실어주고, 일월성신을 만들어 우리를 비춰주고, 만물을 만들어 우리가 누리고 쓸 것을 주었습니다. 여러 가지의 큰 은혜가 이와 같이 막대한데 만약 인류가 스스로 존귀하고 위대하다고 여기며 충성과 효성을 다하지 않고 근본에 보답하는 의리를 잊는다면 그 죄는 견줄 데가 없이 큰 것이니 두렵지 않을 수 있겠으며 삼가지 않을 수 있겠습니까? 그러므로 공자께서는 "하늘에 죄를 지으면 빌 곳이 없다."[7]라고 했던 것입니다.

천주는 지극히 공정하시어 착한 일에 보답하지 않음이 없고, 악한 일에 벌을 주지 않음이 없습니다. 공과 벌에 대한 심판은 몸이 죽는 날에 하게 됩니다. 착한 사람의 영혼은 천당으로 올라가 영원토록 기쁨을 누리고, 악한 사람의 영혼은 지옥에 들어가 영원토록 고통을 받게 됩니다. 한 나라의 군주에게도 오히려 상벌의 권한이 있는데 하물며 천지의 대군이야 말해 무엇 하겠습니까? 만약 어떤 사람이, "무슨 까닭에 천주는 사람이 살아가는 현세에서 왜 선악에 대한 상벌을 주지 않는가?"라고 묻는다면 다음과 같이 말할 것입니다.

----

7 『논어』 팔일편에 나오는 말로 원문은 "獲罪於天 無所禱也"이다.

"그렇지 않습니다. 이 세상의 상벌은 유한하고 선악은 무한한 것입니다. 만약 어떤 사람이 한 명의 사람을 죽여 그 시비를 판단할 때 무죄라면 그만이지만 유죄라면 마땅히 한 몸으로 그것을 대신하면 충분합니다. 그런데 만약 어떤 사람이 몇 천만 명의 사람을 죽인 죄가 있다면 한 몸으로 어찌 대신 할 수 있겠습니까? 만약 어떤 사람이 수천만 명의 사람을 살린 공로가 있다면 잠깐 누리는 이 세상의 영화로 어찌 그 상을 다할 수 있겠습니까? 하물며 사람의 마음은 수시로 변하기 때문에 지금 착한 일을 하다가도 나중에 악한 일을 하기도 하며, 오늘 악한 일을 하다가도 내일은 착한 일을 할 수도 있습니다. 그런데 만약 선악에 따라 상벌을 주고자 한다면 이 세상의 인류에게 보답하기 어렵다는 것은 명백합니다. 또 세상의 벌은 다만 몸을 다스리는 것이지 마음을 다스리는 것이 아닌데, 천주의 상벌은 그렇지가 않습니다. 전능(全能), 전지(全知), 전선(全善), 지공(至公), 지의(至義)하시기 때문에 너그러이 사람의 목숨이 다하는 날을 기다렸다가 선악의 경중을 심판하는 것입니다. 그런 다음에 불사불멸한 영혼으로 하여금 영원한 상벌을 받게 합니다. 상이란 천당의 영원한 복이요, 벌이란 지옥의 영원한 고통입니다. 오르고 내림이 한번 정해지면 다시는 옮기거나 바꿀 수가 없는 것입니다."

아! 사람의 수명은 길어도 백년에 불과하여 현명하고 어리석음, 귀하고 천함을 막론하고 알몸으로 이 세상에 태어나 알몸으로 후세로 돌아갑니다. 이것이 바로 공수래공수거(空手來空手去)라고 하는 것입니다. 세상 일이 이처럼 허망함을 이미 알고 있는데, 무슨 이유로 이익과 욕심에 골몰하여 죄를 짓는 것을 깨닫지 못하는 것입니까? 그리고 후회한들 어찌 미치겠습니까? 만약 천주가 상벌을 내리지도 않고 영혼 또한 육신과 함께 소멸한다면 짧은 세상에서 영화도 도모해볼 수 있을 것입니다. 그러나 영혼은 죽지도 않고 사라지지도 않으니, 이것이 천주의 지존한 권능이라는 것은 명약관화한 일입니다.

옛날 요(堯) 임금이 말하기를 "저 흰 구름을 타고 황제의 고향에 가니 무슨 유감이 있겠는가?"[8]라고 했고, 우(禹) 임금이 말하기를, "삶은 잠시 의탁하는 것이고, 죽음은 본래 모습으로 돌아가는 것이다."[9]라고 했으며, 또 말하기를 "혼은 올라가고 백은 내려간다."라고 했으니 이것은 영혼이 불멸한다는 명확한 증거가 될 수 있습니다. 만약 사람이 천주의 천당과 지옥을 보지 못한다고 해서 그것이 있다는 것을 믿지 않는다면 이것은 유복자가

---

8 『장자』 천지편에 보이는 말이다.
9 『회남자』와 『십팔사략』에 보이는 말이다.

자기 아비를 보지 못했다고 해서 그 아비가 있다는 것을 믿지 못하는 것과 무엇이 다르겠습니까? 장님이 하늘을 보지 못한다고 해서 하늘에 해가 있음을 믿지 못하고, 화려한 집을 보고서도 건축할 당시를 보지 못했기 때문에 그것을 지은 장인이 있음을 믿지 못한다면 어찌 우습지 않겠습니까?

지금 하늘과 땅, 해와 달, 별과 같이 광대한 것과 날아다니고 달리는 동식물의 기기묘묘한 만물이 어찌 만든 사람도 없이 저절로 생성되었겠습니까? 만약 저절로 생성됐다면 일월성신은 어찌 회전하는 차례를 어기지 않고, 춘하추동은 어찌 그 갈마드는 순서를 어기지 않는 것입니까? 비록 한 칸의 집이나 한 개의 그릇이라도 만약 만든 사람이 없다면 모두 만들어질 도리가 없고, 물이나 땅에 존재하는 허다한 기계들도 만약 주관하는 사람이 없다면 어찌 저절로 움직일 도리가 있겠습니까? 그러므로 믿고 못 믿는 것은 보았느냐 보지 못했느냐에 달린 것이 아니라 오직 합리적인 것인가 불합리한 것인가에 달린 것일 뿐입니다. 이 몇 가지 증거만 들어도 지극히 존귀한 천주의 은혜와 위엄은 확실하게 믿어 의심할 수가 없습니다. 따라서 몸을 바쳐 봉사하여 만의 하나라도 보답하는 것이 우리들 인류의 당연한 본분입니다.

지금으로부터 1800여 년 전 지극히 인자한 천주가 이 세상을 불쌍히 여겨 장차 만민이 죄악에서 구제되도록 돕고자 천주의 제2위인 성자(聖子)를 동정녀 마리아의 뱃속에 내려서 잉태시켜 유대 베들레헴에서 탄생케 하니 이름이 예수그리스도입니다. 이 세상에 33년간 살면서 사방을 떠돌며 만나는 사람들로 하여금 허물을 고치게 했고 기적을 많이 행하였습니다. 소경이 보게 되고, 벙어리가 말하게 되었으며, 귀머거리가 듣게 되며, 절름발이가 걷게 되고, 문둥병이 나으며, 죽은 자가 소생하니 여기저기서 이 소문을 들은 자들이 복종하지 않는 사람이 없었습니다. 12명을 선택하여 제자를 삼았고, 12명 중에 다시 특별히 한 사람을 뽑으니 이름이 베드로요 그를 교종(敎宗)으로 삼았습니다. 장차 그 자리를 대신하여 권한을 위임하고 규정을 정하여 교회를 설립했습니다. 지금 이태리 로마에 재위하는 교황은 베드로로부터 전해온 자리이며, 지금 세계 각국의 천주교인들이 모두 받들어 모시고 있습니다.

당시 유대 예수살렘 성 안의 유대교인들은 예수가 선행을 권장하는 것을 증오하고 권능을 혐오하여 온갖 모함으로 체포했습니다. 그리고 무수한 악한 형벌과 수많은 고난을 가한 뒤에 십자가에 못을 박아 공중에 매달았습니다. 이에 예수는 하늘을 향해 "만민의 죄악을 구원해주십시오."라고 기도하며 큰 소리를 한 번 지른 뒤에 기절하고 말았습니다. 이 때 천지가 진동하고 햇빛이 어두워지니 사람들이 모두 두려움에 떨며 하늘의 아들이라고 칭하고, 제자들은 그의 시신을 거두어 장례를 치렀습니다. 3일 뒤, 예수가 부활하여 무덤에서 나와 제자들 앞에 나타나 같은 장소에서 40일 동안 죄를 용서해주는 권한을 전해주고 무리와 헤어져 하늘로 올라갔고, 제자들은 하늘을 향해 경배하고 돌아갔습니다. 세계를 두루 다니며 천주교를 전파한지 지금까지 2천년 동안 신도가 몇 억인지, 천주교의 진리를 증명하고자 주를 위해 목숨을 바친 자가 또한 몇 백만인지 알 수 없습니다.

오늘날 세계에서 문명국의 박학한 신사들은 천주와 예수그리스도를 믿지 않는 사람이 없습니다. 그러나 현세에는 위선으로 가득 찬 교인도 매우 많습니다. 이것은 예수가 제자들에게 예언하면서 "후세에 반드시 위선자가 있어, 내 이름을 빌려 대중을 감동시킬 것이니 신중하게 처신하여 잘못에 빠지지 말라. 천국의 문으로 들어가는 것은 다만 천주교회 하나의 문일 뿐이다."라고 말한 것에 해당합니다. 바라건대 우리 대한의 모든 동포 형제자매는 엄중히 깨닫고 용감히 나아가 전날의 죄과를 깊이 회개하고 천주의 의로운 아들이 되어 현세에서는 도덕시대를 만들어 함께 태평을 누리고 죽은 뒤에는 하늘로 올라가 무궁 영원한 복을 상으로 받아 함께 즐기기를 천번만번 엎드려 바라는 바입니다.

이와 같은 설명이 왕왕 있었으나 들은 사람들이 혹 믿기도 하고 혹 믿지 않기도 하였다. 당시 교회는 점차 확장되어 교인이 수만 명에 가까웠다. 선교사 8명이 황해도에 와서 머물렀는데, 나는 그 때 홍 신부에게 프랑스어를 몇 개월 동안 배웠다. 그리고 홍 신부와 상의하며 말하였다.

"지금 한국 교인은 학문에 몽매하여 전교(傳敎)하는데 손해가 적지 않은데 하물며 목전에 다가온 국가대세는 말하지 않아도 상상할 수가 있습니다. 민 주교에게 품신하여 서양 수사회(修士會) 가운데 박학한 수사 몇 명을 모시고 와서 대학교를 설립한 뒤에 국내의 뛰어난 인재들을 교육한다면 몇 십 년이 못 되어 반드시 큰 효과가 있을 겁니다."[10]

- -

10 안중근이 뮈텔 주교에게 대학설립을 건의한 시기로는 1900년 설(최석우), 1902년 설(원재연·윤선자·장석흥), 1907년 설(조광)이 있다. 안중근이 공판과정에서 대학설립 시기를 '10년 전쯤'이라고 한 것(신운용편역, 「안중근 제8회 신문기록」, 『안중근 신문기록』(안중근 자료집 3), (사)안중근평화연구원, 2014, 119쪽)을 보면 적어도 1907년 설은 그 가능성이 없는 것으로 보아야 한다. 그런데 안중근이 「안응칠역사」를 대체로 연대기 순으로 서술하였다는 것을 인정한다면, 그 시점은 빌렘 신부가 청계동에 본당이 완공되고 부임한 1898년 4월 이후 1899년 10월 이경주사건 이전의 일이다. 따라서 1900년설보다는 앞선 시기로 보는 것이 타당하다고 생각된다. 또한 1897년 12월 1일 안중근은 뮈텔 주교의 길 안내를 해준 인연으로 뮈텔 주교에게 대학건립을 건의할 수 있었던 것으로 보인다.

계획이 정해진 뒤 홍 신부와 함께 곧바로 상경하여 민 주교를 만나서 이 의견을 내놓으니, 주교는

"한국인이 만약 학문을 배우면 선교하는데 좋지 않으니 다시는 이런 의견을 내지 마라."

라고 하였다. 두 번 세 번 권했지만 끝내 듣지 않으므로 어찌 할 수가 없이 고향으로 돌아왔다. 이로부터 울분을 이기지 못하고 마음으로 맹세하며

"교의 진리는 믿을 수 있지만 외국인의 마음은 믿을 수가 없다."

라고 하고 프랑스어 배우는 것을 그만 두었다. 친구가

"왜 그만 두었나?"

라고 묻자, 나는

"일본어를 배우면 일본의 노예가 되고 영어를 배우면 영국의 노예가 되며 프랑스어를 배우면 프랑스의 노예가 된다. 만약 우리 한국이 세계에 위엄을 떨치면 세계인들이 한국어를 통용할 것이다. 자네는 염려하지 말게."

라고 대답하였다. 친구는 말없이 물러갔다.

이 때 이른바 금광의 감리인 주가(朱哥)라는 사람이 천주교를 훼방하여 피해가 적지 않았는데 내가 총 대표로 선정되어 주가가 있는 곳으로 파견되었다. 이치에 따라 질문을 하고 있을 때, 금광의 일꾼 4~5백 명이 각자 몽둥이와 돌을 들고 불문곡직하고 때리려고 몰려들었다. 이것이 바로 주먹은 가깝고 법은 멀다는 것이다.

이와 같이 위급하여 어찌할 방법이 없었다. 나는 오른손으로 허리에 차고 있던 단도를 뽑고 왼손으로는 주가의 오른손을 잡고 큰 소리로 그를 꾸짖으며

"너에게 비록 백만 명의 무리가 있어도 너의 목숨은 내 손에 달렸으니 알아서 해라."

라고 하였다. 주가가 크게 겁을 먹고 좌우 사람들을 꾸짖어 물러나게 하였다. 나는 주가의 오른손을 잡은 채로 문 밖으로 나와 같이 십여 리를 동행한 뒤에 주가를 놓아주고 마침내 빠져나와 돌아올 수 있었다.

그 뒤 나는 만인계(채표회사)[11]의 사장에 피선되었다. 출표식[12]을 거행하는 날에 원근에서 참석한 수만 명이 추첨장을 전후좌우로 둘러싸고 늘어서서 인산인해를 이루었다. 추첨장은 가운데 있고, 각 임원과 일반인이 자리에 있었으며 네 문에는 순검

---

11 일종의 복권회사임.
12 추첨.

들이 경비를 서며 보호해주고 있었다. 그런데 이 때 추첨기계가 고장 나서 표 5~6개가(표는 매번 한 개씩 나오도록 된 방식) 한꺼번에 튀어나왔다.

이 광경을 지켜보던 많은 사람들은 시비를 따지지 않고 협잡이라고 큰소리로 부르짖으며 달려드니 돌덩이와 몽둥이가 마치 비 오듯이 날아왔다. 경비하던 순검들도 사방으로 흩어져 달아나고 일반 임원들도 다친 사람이 매우 많았다. 각자가 목숨을 구해 달아나고 다만 남은 사람은 오직 나 혼자 뿐이었다. 추첨장에 있던 사람들이 큰소리로 사장을 때려죽이자고 외치며 일제히 몽둥이를 들고 돌을 던지며 몰려오니 위세가 몹시 급하고 목숨이 경각에 달렸다.

갑자기 생각해보니, 만약 사장이라는 사람이 한 번 도망치면 회사의 일을 어찌 해볼 여지도 없었다. 하물며 나중에 명예가 어떻게 될지 말하지 않아도 상상이 되었다. 그러나 몰려드는 기세를 어찌할 수 없어 급하게 가방 속을 뒤져 총포 한 자루(12연발 신식총)를 찾아내 오른손에 들고 추첨장 단상으로 올라가 사람들을 향해 크게 부르짖으며 말하였다.

"왜들 이러시오? 왜들 이러시오? 잠시 내 말을 들어보시오. 무슨 이유로 나를 죽이려고 하는 것이오? 여러분들이 시비를 따지지 않고 소란을 피우니 세상에 어찌 이런 야만스러운 행위가 있단 말이오? 여러분이 비록 나를 해치려고 하지만 나는 죄가 없소. 그런데 어찌 까닭 없이 목숨을 버리겠소? 나는 결코 죄 없이 죽지 않을 것이오. 만약 나와 함께 죽고 싶은 사람이 있다면 빨리 앞으로 나오시오."

말을 마치자 사람들이 모두 겁을 먹고 물러나 흩어져 다시는 시끄럽게 떠드는 사람이 없었다. 잠시 후, 한 사람이 밖으로부터 수만 명이 에워싼 틈을 뚫고 달려오는데 빠르기가 마치 나는 새와 같았다. 그는 내 면전에서 나를 꾸짖으며

"그대는 사장으로서 많은 사람들을 오게 해놓고 이렇게 사람을 죽이려고 하는가?"

라고 하는 것이었다. 문득 그 사람을 보니 신체가 건장하고 기골이 청수(淸秀)하며 목소리가 큰 종소리와 같아서 일대 영웅이라 할 만 하였다. 나는 단상을 내려가 그의 손을 잡고 인사하며 말하였다.

"형씨! 형씨! 화내지 말고 내 말을 들으시오. 지금 사세가 이렇게 되었는데, 이것은 내 본뜻이 아니오. 일의 단초가 이렇게 저렇게 된 것인데 난동을 부리는 무리들이 공연히 소란을 피운 것이오. 바라건대 형씨는 내 위태로운 목숨을 살려주시오. 옛 글에도 죄 없는 한 사람을 죽이면 그 재앙이 천세에 미치고 죄 없는 한 사람을 살리면 음덕의 영화가 만대에 미친다고 했소. 성인이라야 능히 성인을 알아보고 영웅이

라야 영웅과 사귈 수 있다고 했으니 형씨와 나는 지금부터 백년지교를 맺는 것이 어떠하오?"

그러자 그는

"좋소."

라며 사람들에게

"사장은 아무런 죄가 없소. 만약 사장을 해치려는 자가 있으면 내가 한주먹으로 때려죽일 것이오."

라고 큰 소리로 말하였다.

말을 마치고 두 손으로 군중을 헤치고 나가는데 형세가 마치 파도와 같아서 사람들이 모두 흩어졌다. 그때서야 나는 비로소 겨우 마음을 놓고 다시 추첨장 단상으로 올라가 큰 소리로 사람들을 불러 모아 안정시킨 뒤에 해명하였다.

"오늘 일어난 일은 이러저러한 것에 대해서 별로 허물될 것이 없고, 공교롭게도 기계 고장으로 생긴 일이니 원컨대 여러분이 너그럽게 용서하는 것이 어떻겠습니까?"

그러자 군중들도 모두 승낙하였다. 나는 다시 말하였다.

"그러면 오늘 출표식 거행은 마땅히 처음과 끝이 한결같아야 다른 사람의 비웃음을 면할 수가 있을 것이오. 그러니 속히 다시 거행해서 끝내는 것이 어떻겠소?"

그러자 군중이 모두 박수를 치고 응낙하였다. 이에 행사를 거행하여 무사히 끝마치고 헤어져 돌아왔다.

그 때 그 은인과 통성명을 하니 성은 허(許)씨 이고 이름은 봉(鳳)이요 함경북도 사람이었다. 큰 은혜에 감사한 뒤 형제의 의를 맺고 술자리를 마련하여 즐기며 독주 백여 사발을 마셨는데 도무지 취한 흔적이 없었다. 그의 팔 힘을 시험해보았더니 개암과 잣 30개를 손바닥에 놓고 두 손바닥을 맞대서 문지르니 마치 맷돌로 간 것처럼 부서져서 가루가 되므로 보는 사람들이 놀라 감탄하지 않은 사람이 없었다.

또 한 가지 특별한 재주가 있었다. 두 팔을 등 뒤로 돌려 기둥을 안은 뒤에 밧줄로 두 손을 꽉 묶었다. 기둥은 자연히 두 팔 사이에 있게 되어 몸과 기둥이 한 몸이 되어 손을 묶은 밧줄을 풀지 않으면 도저히 몸을 뺄 방법이 없었다. 이렇게 한 뒤에 사람들을 잠시 돌아서게 하고 1분이 지난 뒤 돌아보니, 두 팔을 묶은 손은 그대로여서 조금도 달라진 것이 없었지만 기둥을 두 팔 사이에서 뽑아내고 전처럼 우둑 서니 그 몸이 기둥에 걸리지 않고 빠져 나온 것이었다. 보는 사람들이 모두

"주량은 이태백(李太白)보다 낫고, 힘은 항우(項羽)보다 부족하지 않고, 술법은 좌

자(佐左)에게 비길 만하다."

라고 칭찬하였다. 그와 함께 며칠을 즐긴 뒤에 작별했는데, 지금까지 몇 년간 어떻게 되었는지 알 수가 없다.

이 때 두 가지 사건이 있었다. 하나는 옹진군 백성이 돈 오천 냥을 경성에 사는 전 참판 김중환(金仲煥)에게 강탈당한 일이요, 하나는 이경주(李景周)의 일이다. 김중환은 본적이 평안도 영유군 사람으로 직업은 의사인데, 황해도 해주부로 와서 살며 유수길(柳秀吉: 본래 천인이지만 재력가였다.)의 딸과 혼인하였다. 동거 한 지 3년 동안 딸 하나를 낳았는데, 유수길은 이경주에게 집과 전답, 재산과 노비를 많이 나누어 주었다. 이 때 해주부 지방대 병영의 위관인 한원교(韓元校)[13]라는 이름난 사람이 이경주가 상경한 틈을 타서 그의 아내를 꾀어 간통하고 유길수를 협박하여 그 집과 세간을 빼앗은 뒤에 태연히 그곳에 거주하고 있었다. 이 때 이경주가 그런 소문을 듣고 경성에서 본가로 돌아오자 한원교가 병정을 시켜 이경주를 때려서 내쫓았는데, 두 개골이 깨지고 피가 낭자하게 흘러 차마 볼 수가 없었다.

그러나 이경주는 타향에서 외롭게 지내는 처지라 어찌할 방법이 없어 겨우 도망쳐서 목숨을 보존한 뒤에 곧 상경하여 육군법원에 소송을 제기하고 한원교와 더불어 7~8차례 재판을 했지만 한원교는 관직만 면직당했을 뿐 이경주는 아내와 가산을 되찾지 못하였다(이것은 한원교가 세력가이기 때문이다). 한원교는 그 여인과 함께 가산을 정리하여 상경하여 살았다.

이 때 옹진 군민과 이 씨는 모두 교회에 다녔기 때문에 내가 총대표로 선정되어 두 사람과 함께 상경해서 두 사건의 변호를 맡았다. 먼저 김중환을 찾아갔더니 귀중한 손님들이 방안에 가득 앉아 있었다. 나는 주인과 서로 인사를 하고 통성명을 한 뒤에 자리를 잡고 앉았다.

김중환이

"무슨 일로 찾아왔는가?"

라고 묻자, 내가

"나는 본래 시골에 사는 어리석은 백성이라 세상의 규칙과 법률을 잘 모르기 때

---

13 한원교에 대해서는 다음의 사료가 참고 된다. 서울대 규장각, 『司法稟報』갑 제82권(규장각 소장 문서번호 : 규 17278);『독립신문』1899년 1월 3일자,「필무시리」; 日本 外交史料館,「陸軍步兵副尉 韓元校履歷書」,『倉知政務局長統監府參事官兼任中ニ於ケル主管書類雜纂(來住公信)』(문서번호 : 7.1.8, 21).

문에 문의하러 온 것입니다."

라고 대답하였다.

김중환이 "묻고 싶은 일이 무엇이오?"

라고 하므로 내가

"만약 경성에 있는 한 고관이 시골 백성의 재산 몇 천 냥을 억지로 빼앗고 도무지 되돌려주지 않는다면 그것은 무슨 법률로 다스려야 합니까?"

라고 대답하였다.

김중환이 궁리해보고 잠시 뒤에

"이것은 나와 관계된 일이 아닌가?"

라고 하자, 나는

"그렇습니다. 공께서는 무슨 까닭에 옹진 군민의 재산 5천 냥을 강탈하고 갚지 않는 것입니까?"

라고 하였다. 김중환이

"나는 지금 돈이 없어 못 갚겠으니 나중에 갚을 생각이네."

라고 하였다. 내가

"그럴 수 없습니다. 이와 같이 고대광실에 많은 집기들을 풍족하게 갖추고 살면서 만약 5천 냥이 없다고 말한다면 어떤 사람이 믿을 수 있겠습니까?"

라고 대답하였다.

이렇게 서로 따지고 있을 때 곁에서 듣고 있던 한 관리가 큰 소리로 나를 꾸짖으며,

"김참판께서는 연세가 많은 고관이요, 그대는 나이 어린 시골 백성인데 어디서 감히 이런 불손한 얘기를 하는 것인가?"

라고 하자, 나는 웃으면서

"공은 누구요?"

라고 물었다. 그는

"내 이름은 정명섭(丁明燮)이오"(당시 한성부재판소 검사관)

라고 대답하므로 내가 말하였다.

"공께서는 옛 글을 읽지 않았습니까? 예로부터 지금까지 어진 임금과 훌륭한 재상은 백성을 하늘로 여기고, 어리석은 임금과 탐욕스러운 관리는 백성을 밥처럼 여겼소. 그렇기 때문에 백성이 부유하면 나라가 부유하고 백성이 약하면 나라가 약해지는 것입니다. 이처럼 위태로운 시대에 공은 국가를 보필하는 신하가 되어 임금의

성스러운 뜻을 받들지 않고 이처럼 백성을 학대하니 국가의 앞날이 어찌 통탄스럽지 않겠습니까? 하물며 이 방은 재판소도 아닙니다. 공이 만약 5천 냥을 갚아줄 의무가 있다면 나와 같이 따지는 것이 좋겠습니다."

그랬더니 정명섭은 아무런 대답을 하지 못하였다. 김중환이

"두 분은 서로 따지지 마시오. 내가 며칠 후에 5천 냥을 갚을 것이니 그대는 너그럽게 용서해 주시오."

라고 하며 네다섯 차례나 애걸했기 때문에 어쩔 수 없이 약속을 정하고 물러났다.

이 때 이경주가 한원교의 주소를 알아내고 상의하며 말하였다.

"한가는 세력가라 법관이 도망갔다고 핑계대고 도무지 체포해서 공판에 세우지 않을 것이오. 그러니 우리들이 먼저 한가 부부를 잡은 뒤에 함께 법원으로 가서 공판하는 것이 좋겠소."

이 씨가 동지 몇 사람과 같이 함께 한가가 사는 집을 수색했지만 한가 부부는 먼저 눈치를 채고 도피했기 때문에 잡지 못하고 헛되이 돌아왔다. 그러자 도리어 한가는 한성부에

"이경주가 본인의 집에 와서 안채까지 들어와 노모를 구타했습니다."

라고 무고하였다.

한성부에서는 이경주를 체포하여 검사가 있는 방으로 보내 증인을 물었다. 이 씨가 내 이름을 지명했기 때문에 나 역시 불려가서 검사소에 이르러 보니 검사관이 바로 정명섭이었다.

정 씨가 나를 보자마자 화난 기색을 겉으로 드러냈다. 나는 속으로 웃으며

"오늘은 반드시 정명섭에게 전에 다투었던 일 때문에 혐의를 받겠구나(김중환의 집에서 서로 따지던 혐의). 그러나 죄 없는 나를 누가 해칠 수 있겠는가?"

라고 생각하였는데, 검사가 나에게

"그대는 이 씨·한 씨 두 사람 사건을 증명할 수 있는가?"

라고 물었다. 나는

"그렇소."

라고 대답하였다. 또

"무엇 때문에 한가의 어미를 구타했는가?"

라고 묻기에,

"그렇지 않습니다. 처음부터 그런 행동은 하지 않았습니다. 공자께서는 "자기가 하

고 싶지 않은 것을 남에게 베풀지 말라."[14]고 하셨는데, 어찌 남의 늙은 어머니를 때릴 리가 있겠습니까."

라고 하였다. 또

"그러면 무엇 때문에 남의 집 안채까지 일없이 뛰어 들어갔는가?"

라고 물으니,

"나는 본래 남의 집 안채에 들어간 일이 없고 다만 이경주의 집 안채에 출입한 일은 있습니다."

라고 하였다. 또

"왜 이가의 안채라고 말하는가?"

라고 물으니,

"이 집은 이가의 돈으로 산 집이고, 방안의 가구도 모두 이가가 전에 가지고 있던 물건이고, 노비 또한 이가가 부리던 노비요, 그 아내도 곧 이가가 사랑하던 아내입니다. 이것이 이가의 가정이 아니라면 누구의 가정이겠습니까?"

라고 하니 검사가 묵묵히 말을 하지 못하였다.

문득 보니 한원교가 내 앞에 서 있기에 급히 한가를 불러 말하였다.

"한가야, 너는 내 말을 들어라. 대개 군인이란 국가의 막중한 임무를 맡은 사람이다. 충성스럽고 정의로운 마음을 배양하여 외적을 토벌하고 강토를 지키며 백성을 보호하는 것이 당당한 군인의 직분이다. 너는 하물며 위관이라는 작자가 양민의 처를 강제로 빼앗고 재산을 토색질하면서도 그 세력을 믿고 꺼리는 바가 없구나. 만약 경성에 너 같은 도적놈이 많이 산다면 단지 서울 놈들만 자손을 낳고 집을 보존하고 생업을 편히 누리며, 시골의 힘없는 백성들은 부인과 재산을 서울 놈들에게 빼앗겨 모두 없어질 것이다. 세상에 어찌 백성이 없는 나라가 있겠느냐? 너와 같은 서울 놈들은 만 번 죽어도 아까울 것이 없다."

내 말이 채 끝나기도 전에 검사가 책상을 치고 크게 꾸짖으며,

"이 놈!(욕이다). 서울 놈들이라고 하는데, 서울에 어떤 사람들이 살고 있는데(황제, 대관 운운한 일전의 혐의에서 말한 것.), 네가 감히 그런 말을 하는 것이냐?"

라도 하여 나는 웃으며 대답하였다.

---

14 『논어』 안연편에 나오는 말이다.

"공은 무엇 때문에 그렇게 화를 내는 것이오? 내가 한 말은 한가에게 만약 너와 같은 도적놈이 서울에 많이 살고 있다면 단지 서울 놈들만 생업을 지키고 시골사람은 모두 없어질 것이라는 것입니다. 만약 한가와 똑같은 인간이라면 이런 욕을 먹는 것이 마땅하지만, 한가와 다른 사람이라면 무슨 상관이 있겠습니까? 공께서는 오해하지 마십시오."

그러자 정명섭이

"네 말은 잘못을 꾸며대는 것일 뿐이다."

라고 하였다. 이에 내가

"그렇지 않습니다. 비록 말을 잘해서 잘못을 꾸며댈 수도 있지만, 만약 물을 가리켜 불이라고 한다면 누가 그것을 믿겠습니까."

라고 하자, 검사가 대답을 못하였다. 그리고 사람을 시켜 이경주를 잡아 감옥에 가두고 나에게,

"너도 잡아 가두겠다."

라고 하므로 내가 화를 내며 말하였다.

"무슨 연유로 나를 잡아넣겠다는 것이오? 오늘 내가 여기에 온 것은 다만 증인으로 불려온 것이지 피고로 잡혀 온 것이 아닙니다. 하물며 비록 수천만 조항의 법률이 있다고 해도 아무런 죄도 없는 사람을 잡아넣는 법률은 없고, 비록 수백 수천 칸의 감옥이 있어도 죄 없는 사람을 잡아넣는 감옥은 없습니다. 요즘 같은 문명시대에 공께서 어찌 사사로이 야만의 법률을 시행하려는 것이오."

그렇게 말하고 민첩하게 앞문을 나와 숙소로 돌아왔으나, 검사도 아무런 말이 없었다.

이 때 본가로부터 서신이 왔는데 아버지의 병환이 위중하다는 것이었다. 쏜살같이 돌아가고 싶은 마음에 곧바로 여장을 꾸려 육로로 길을 떠났다. 계절이 엄동설한이라 하얀 눈이 온 천지에 가득하고 찬바람이 허공에 몰아쳤다.

독립문 밖을 지나면서 돌이켜 생각해보니 간담이 찢어지는 것 같았다.

"이렇게 친한 친구가 죄 없이 감옥에 갇혀서 풀려나지 못하고, 한 겨울 차가운 감옥에서 어찌 그런 고통을 당하는가 싶어서였다. 하물며 어느 날이나 되어야 저렇게 나쁜 정부를 일거에 무너뜨리고 개혁을 한 뒤에 난신적자(亂臣賊子)의 무리를 쓸어 없애버리고 당당한 문명독립국을 세워 민권과 자유를 얻을 수 있겠는가."

라는 생각에 이르자 피눈물이 쏟아 올라 차마 발길을 돌리기가 어려웠다.

그러나 상황이 어쩔 수 없어서 죽장(竹杖)을 집고, 마혜(麻鞋)[15]를 신고 홀로 천리 길을 가는데 도중에 고향친구 이성룡(李成龍)을 만났다. 이 씨가 말을 타고 오다가 나에게

"다행이네. 같이 고향에 가면 매우 좋겠네."

라고 하자, 내가

"말을 타고 가는 것과 걸어가는 것이 서로 다른데 어찌 동행하겠는가?"

라고 말하였다.

이성룡이

"물론 그렇게 할 수는 없지. 그런데 이 말은 경성에서부터 값을 정하고 빌린 말인데 날씨가 너무 추워 말을 오래 탈 수가 없네. 자네와 몇 시간씩 번갈아 타고 걷는다면 가는 길도 빠르고 적적하지도 않을 걸세. 그러니 사양하지 말게."

라고 하였다. 말이 끝나자 함께 며칠 뒤에 연안읍에 이르렀는데, 그해 그 인근에 비가 오지 않아서 큰 흉년이 들었다.

이 때, 나는 말을 타고 가고 이 씨는 뒤를 따라 걸어오는데 마부(말고삐를 잡은 자)가 말을 이끌고 가면서 서로 얘기를 하다가 마부가 전신주를 가리켜 욕을 하면서

"지금 외국인이 전봇대를 설치한 뒤에 공중의 전기를 모두 거두어서 전주 속에 가두어놨기 때문에 비가 되지를 못해 이렇게 큰 흉년이 들었소."

라고 하였다. 나는 웃으면서 그를 타이르며,

"어찌 그와 같은 이치가 있겠는가? 그대는 오랫동안 경성에 살았던 사람으로 그렇게 무식한가?"

라고 하였다. 말이 채 끝나기도 전에 마부가 채찍으로 내 머리를 두세 번 세게 치며 욕을 퍼부으며,

"넌 어떤 사람이기에 나를 무식한 사람이라고 하는가?"

라고 하였다.

나는 스스로 생각해봐도 그 까닭을 알 수 없었다. 더구나 그곳은 무인지경이었고, 그 마부의 행동은 그렇게 흉악하여 나는 말 위에서 내리지도 못하고 말도 못하고 하늘을 우러러 크게 웃을 뿐이었다. 이 씨가 힘껏 만류해서 다행히 큰 피해가 없었으나

---

15 삼베로 만든 신발.

내 옷과 모자는 모두 찢어져버렸다.

얼마 후에 연안 성중에 이르자 그곳에 있던 친구들이 내 모습을 보고 놀라며 연유를 물었다. 그 까닭을 설명하였더니, 모두들 분노하여 마부를 잡아가두고 법관에게 징벌케 하고자 했으나 내가 말리며,

"이 녀석은 제 정신을 잃어버린 미친놈이니 손대지 말고 돌려보내자."

라고 하였다.

모두들 그렇게 하자고 해서 무사히 돌려보냈다. 내가 고향 집에 도착하자, 부친의 병환은 점차 차도가 있었고 몇 달 후 회복되었다.

그 뒤, 이경주는 사법관의 강압적인 법률 적용으로 3년 징역에 처해졌고 1년 뒤에 사면을 받아 석방되었다. 당시 한원교는 만금의 뇌물을 주고 송가와 박가 두 사람을 시켜 이 씨를 아무도 없는 곳으로 유인하여 한가가 칼로 이 씨를 찔러 죽인 뒤에(아! 재물과 여자 때문에 함부로 사람의 목숨을 죽이는 것은 후인들이 경계할 것이다.) 도망을 쳤다. 당시 사법부에서는 체포령을 내려 송가·박가와 그 여자를 잡아서 법률에 따라 처형하였다. 그러나 한가는 끝내 체포하지 못했으니 통탄할 일이요, 이 씨는 비참하게 영원히 원혼이 되고 말았다.[16]

이 때, 각 지방의 관리들은 가혹한 정치를 남용하고 백성들의 고혈을 빨았기 때문에 관리와 백성 사이가 원수 보듯 했고 도둑처럼 대하였다. 무릇 천주교인들은 포악한 명령에 항거하거나 토색질을 받지 않았기 때문에 관리들이 교인을 외적과 다름없이 증오하였다. 그러나 자기들은 옳고 우리는 잘못되었다고 여기니 어찌할 도리가 없었다(좋은 일에는 마가 끼고, 고기 한 마리가 바다를 흐리게 한다).

이 무렵 난동을 부리는 무리들이 교인을 사칭하며 협잡하는 일이 간혹 있었기 때문에 관리들이 이 기회를 틈타 정부 대관과 더불어 비밀리에 상의하고 교인을 모함하여

"황해도는 교인들의 행패 때문에 행정 사법을 시행할 수가 없다."

라고 하였다.

---

16 국사편찬위원회, 『각사등록』 제26권(황해도편5), 1987, 329~330쪽; 日本 外交史料館, 「陸軍步兵副尉 韓元教履歷書」, 『倉知政務局長統監府參事官兼任中ニ於ケル主管書類雜纂(來住公信)』(문서번호 : 7.1.8, 21).

그래서 정부로부터 사핵사 이응익(李應翼)이 특파되었다.[17] 그는 해주부에 당도하여 각 고을에 순검과 병정들을 파견하여 천주교회의 우두머리들을 불문곡직하고 모두 압송해 올려 교회는 큰 어려움을 겪게 되었다. 내 아버지를 잡으려고 순검과 병정들이 두세 차례 왔지만 항거하여 끝내 잡아가지 못하였다. 다른 곳으로 피신하여 관리들의 악행을 통분히 여기고 탄식하며 주야로 술을 마셨기 때문에 화병이 생기고, 이것이 중병이 되어 몇 달 뒤에야 본가로 돌아왔는데 치료해도 효과가 없었다. 그 당시 교회 안의 일은 프랑스 선교사의 보호로 점차 평온해졌다.[18]

그 다음 해에 나는 볼일이 있어 다른 곳으로 놀러갔다(문화군이다). 소문을 들으니 부친께서 이창순(李敞淳)의 집에 오셨다는 말을 들었다(안악읍 근처다). 내가 곧바로 그 집에 달려가 보니 부친께서는 이미 본가로 돌아가셨기에 그 집의 이 씨 친구와 함께

---

17 이는 해서교안으로 불리는 사건으로 1903년 1월의 일이다.

18 1903년 11월 4일 해서교안이 타결되었다(「법안」 1817호, 1903년 11월 4일; 「법안」 1821호, 1903년 11월 10일) 그런데 천주교의 교세가 확산되는 상황 속에서 안중근가문은 향촌사회에서 세력의 확대와 천주교 포교에 진력하였다. 동시에 이는 안중근가문이 향촌사회의 반발을 초래했던 것이다. 이와 같은 천주세력과 향촌사회와의 충돌 원인을 베버신부는
"청계동의 신자들에 의해서 새로이 자리 잡게 되었던 교회가 처음으로 꽃피우기 시작했던 이 시기 바로 뒤에, 비록 어두운 먹구름이 밀려가 버리기는 했지만 두 차례에 걸쳐 처리하기 힘든 폭풍우가 다시 몰아치기도 했다. 첫 번째의 위험은 안베드로가 가지고 있던 거만과 이기심 때문에 생겨난 것이고, 다음은 당시의 정치적 상황에서 비롯된 것이었다(『조선일보』 1979년 9월 5일자, 「安重根義士의 故鄕 淸溪洞(3)」)."
라고 분석하고 있다. 특히, 베버신부가 큰 충돌이 '두 차례' 있었다고 지적한 사실은 안중근가문의 성격을 규정할 때 시사하는 바가 크다는 점에서 대단히 주목되는 대목이다.
하나는 앞에서 살펴본 바와 같이 지역적 기반을 강화하려는 안중근일가와 가렴주구를 일삼는 지방 관료의 충돌을 의미하는 것으로 보인다.
다른 하나는 천주교와 개신교의 충돌을 의미하는 것 같다. 황해도 문화군 군수 민영석(閔泳錫)은 1901년 3월 25일 뮈텔주교를 방문하여 천주교신자와 관청의 마찰을 막기 위해 빌렘신부에게 편지 한 장을 써주기를 청하였다. 물론 뮈텔주교는 민영석의 요구를 들어주었으나 양측의 충돌은 계속되었다. 천주교의 부상은 향촌사회와의 충돌을 넘어 개신교와의 마찰로 확대되는 양상을 보이면서 황해도 특히 신천군 일대의 양상은 더욱더 복잡하게 전개되었다.
결국 이는 국제문제가 되어, 1903년 1월 조선정부는 사핵사(査覈使) 이응익(李應翼)을 파견하여 소위 '해서교안'의 실상을 조사 보고하도록 하였다. 그 결과를 이응익이 1903년 8월 21일 "안태건(安泰健)·이용각(李龍恪)·최영주(崔永周) 3괴(魁)를 공권력을 무력화시킨 주범"이라고 지적하면서 "안태훈에 대해서도 조율 중감(照律重勘)하여야 하며, 빌렘신부 등의 프랑스 신부들의 불법적인 행위에 대해 불국 공사에게 불국의 법률에 따라 처벌할 것을 요구해야 한다."라고 고종에게 복주하였다(국사편찬위원회, 「광무 7년 8월 21일자」, 『고종시대사』 5, 1968, 830~831쪽). 이렇게 되자 관아에서 순검과 병정이 파견되었으나 안태훈은 이미 피신한 상태였다. 안태훈이 다시 귀가하게 된 것은 해서교안이 해결된 이후이다.
해서교안의 타결로 빌렘신부는 1905년 11월 24일 청계동으로 귀환하였으나, 해서교안으로 인해 황해도 천주교의 교세는 1903년 4·5월에 1/3로 급락하였다. 교세의 급락은 황해도 지역 천주교뿐만 아니라, 안태훈 세력의 약화를 의미하는 것이었다. 이러한 상황 변화는 러일전쟁 이후 일본의 본격적 침략이라는 시대상황 속에서 안중근이 해외로 본거지를 이전하려는 계획을 세우게 되는 하나의 배경이 되었을 것으로 추정된다.

술을 마시며 얘기를 하는데 그 사람이

"이번에 그대의 부친께서 공교롭게도 큰 욕을 당하고 돌아가셨네."

라고 하였다. 나는 깜짝 놀라 무슨 일이냐고 물었다.

그러자 그가 대답하였다.

"네 부친께서 신병을 치료하러 우리 집에 오셨다가 우리 아버지와 함께 안악읍에 있는 청나라 의사인 서가(舒哥)를 찾아가 진료 후에 술을 마시며 얘기를 했다네. 그런데 청국 의사가 무슨 까닭인지 그대 부친의 가슴과 배를 발로 차서 상처를 입혔기 때문에 하인들이 청나라 의사를 잡아서 때리려고 하자, 그대 부친께서 말리고 타이르시며, "오늘 우리들이 이곳에 온 것은 치료하기 위해 의사를 방문한 것인데 만약 의사를 때리면 시비를 막론하고 남의 비웃음을 면하기 어렵다. 명예에 관계된 것이니 참는 것이 어떠한가?"라고 했더니, 모두 분노를 참고 돌아왔네."

이에 내가 이렇게 말하였다

"내 아버님은 비록 대인의 행동을 지키셨지만 나는 자식 된 도리로 어찌 참고 지나가겠는가? 마땅히 그곳에 가서 시비곡직을 자세히 알아본 뒤에 사법부에 호소하여 그런 행패를 고치도록 하는 것이 어떠한가?"

이 씨도 그러자고 해서 즉시 두 사람이 동행해서 서가의 집을 찾아가 사실을 물었다. 말 몇 마디도 하지 않았는데, 아! 그 오랑캐 청나라 놈이 갑자기 일어나 칼을 뽑더니 내 머리를 내려치려고 하였다. 나는 매우 놀라 급히 일어나 왼손으로 그의 손을 막고 오른손으로 허리춤에 있던 권총을 뽑아 서가의 가슴과 배를 겨누고 쏠 것처럼 했더니 서가는 겁을 먹고 손을 쓰지 못하였다.

이러할 즈음, 동행했던 이창순이 그 위급한 상황을 보고 자기의 권총을 들고 공중을 향해 두 방을 쏘자, 서가는 내가 총을 쏜 줄 알고 대경실색했고 나 역시 까닭을 몰라 크게 놀랐다. 이 씨가 쫓아 와서 서가의 칼을 뺏어 돌에 쳐서 반으로 부러뜨려 두 사람이 반쪽씩의 칼을 가지고 서가의 무릎을 차니 서가가 땅에 넘어졌다. 나는 곧장 법관에게 가서 전후 사실을 호소하니 법관은

"외국인의 일은 판결할 수가 없다."

라고 말하였다. 그런 까닭에 다시 서가의 집으로 왔지만 읍중의 사람들이 모여서 만류했기 때문에 서가를 버려두고 이 씨 친구와 함께 각자 본가로 돌아왔다.

그렇게 5·6일이 지난 어느 날 밤에 어떤 7·8명의 사람들이 이창순에 집에 쳐들어와 그의 부친을 마구 때리고 잡아갔다. 이창순은 바깥채에서 자다가 화적이 쳐들어

온 것으로 알고 손에 권총을 잡고 추격하자, 그 자들은 이 씨를 향해 총을 쏘았다. 이 씨 또한 총을 쏘며 생사를 돌보지 않고 돌격하자, 그들은 이 씨의 부친을 버리고 도망치고 말았다. 그 다음 날 자세히 알아보니 서가가 진남포에 있는 청나라 영사관에 가서 호소했기 때문에 청나라 순검 두 명과 한국 순검 두 명을 안가에게 파송하여 잡아다가 지령을 기다리도록 했는데 그들은 안가의 집으로 가지 않고 이렇게 공연히 이가의 집으로 침입한 것이었다.

이러한 일을 알리는 서신이 당도해서 나는 즉시 길을 떠나 진남포로 갔다. 사실을 알아보니 청나라 영사가 이일을 경성에 있는 공사관에 보고해서 한국 외무부에 조회했다고 한다. 그런 까닭에 나는 즉시 경성으로 가서 전후 사실을 들어 외무부에 청원을 하였다. 다행히 공판을 한다는 결정이 진남포 재판소에 회부되었다. 나중에 서가와 공판할 때, 서가의 전후 만행이 드러났다. 그러므로 서가가 잘못했고 안가가 옳은 것이었다. 그런데 아직 결정이 내려지기 전이었다. 뒤에 청나라 사람으로 소개하는 사람이 있어서 서가와 서로 만나 피차간에 사과하고 평화를 유지하게 됐다.[19]

그 사이에[20] 나와 홍신부가 크게 다툰 일이 있었다. 홍신부는 늘 교인을 강압적으

----

19 안중근이 말하는 이 사건의 자세한 내막과 의의는 이러하다. 즉, 안중근은 안태훈이 1904년 4월 20일 청국 의사 서원훈(舒元勛, 서가)에게 치료를 받다가 '구타'를 당하였다는 소식을 친구 이창순으로부터 전해 듣고 이창순과 함께 서원훈을 찾아갔다. 먼저 서원훈이 이들을 위협하자, 안중근이 총으로 그를 제압하였다. 이후 안중근은 이 일을 법에 호소하였으나(서울대규장각, 『外部訴狀』, 2002, 551~552쪽), "외국인을 재판할 수 없다"는 법관의 말을 듣고 "청나라의 의사의 행위가 이와 같을진대 우리 백성의 생명을 어찌 지킬 도리가 있겠는가(如淸醫之所爲면 我韓民生이 豈有支保之道乎잇가)(서울대규장각, 『外部訴狀』, 552쪽)"라며 귀가해야만 했다. 그로부터 5·6일 후 서원훈이 자객을 보내어 이들에게 위해를 가하려고 하였으나 무사하였다(국사편찬위원회, 『각사등록』 제25권(황해도편 4), 1987, 427쪽). 이렇게 되자, 서원훈은 이들을 진남포 청국 영사에게 고소하였다. 그리하여 청국순사 2명과 한국순검 2명이 이들을 체포하러 오기도 하였다. 그러나 이들은 7월경 서울 등지로 도피하여 무사할 수 있었다. 이후 안중근이 이하영 등에게 전후사실을 진정하는 등 규명운동을 한 결과, 사건은 다시 진남포재판소에 환부되어 서원훈과 함께 재판을 받았다(국사편찬위원회, 「헌기 제2634호」, 『한국독립운동사』 자료 7, 243쪽). 그 결과 안중근은 무죄판결을 받았다. 후에 안중근과 서원훈의 화해가 이루어져 이 사건의 결말을 보게 되었다. 이 사건은 안중근의 민족의식을 엿볼 수 있다는 점에서 주목된다.

20 서가의 안태훈 구타 사건을 처리하는 과정에서 안중근은 서울 심상진(沈相震) 등이 1904년 7월 13일 서울에서 창립된 보안회를 방문하여 당시 황무지개척권 요구를 침략을 일삼던 '하야시 곤스케(林權助) 대리공사와 부일파의 처단'을 제안한 사건은 『안응칠역사』에 기록되어 있지 않다. 이는 다음에서 엿볼 수 있다. 물론 이는 네 가지 측면에서 그 의미를 부여할 수 있다. 첫째 천주교인들의 문제 해결에 진력하던 사적 영역에서 민족문제의 구체적인 해결방법을 강구하는 공적 영역으로의 전환을 의미하는 것이다. 둘째, 학계에서는 대체적으로 의열투쟁의 효시를 1907년 나철 등의 을사오적 처단시도로부터 잡고 있는 것 같다. 그보다 약 3년 전인 1904년의 하야시 곤스케와 부일세력 처단 구상을 보건대 그의 민족 운동사상의 위치를 의열투쟁사의 효시로 볼 수 있다. 그의 의거도 바로 이러한 의열투쟁 구상의 연결선상에서 이루어진 것이라고 할 수 있다. 셋째, 안중근의 일본인식은 러일전쟁을 전후하여 변한 것이 아니라고 볼 수 있다. 넷째, 해외이주와 무력투쟁

로 대하는 폐단이 있었다. 그러므로 나와 여러 교인들은 상의하여 말하였다.

"성스러운 교회에서 어찌 이와 같은 도리가 있을 수 있겠는가? 우리들이 경성에 가서 민 주교님에게 청원하고, 만약 주교님이 들어주지 않으면 로마 교황 앞으로 품신하여 이와 같은 폐습을 막는 것을 기대하는 것이 어떻겠는가?"

여러 사람들이 좋다고 따랐다. 이 때 홍신부가 이 말을 듣고 크게 화를 내며 나를 마구 때렸지만 나는 분함을 마음에 품고 욕을 참아냈다. 그 뒤에 홍신부가 나에게

"잠시 화가 나서 감정이 폭발한 것이다. 서로 용서하고 회개하는 것이 어떻겠는가?"

라고 하였으므로 나 역시 사과하고 우호를 맺어 전날의 정을 되찾았다.

세월이 흘러 1905년(을사)이 되었다. 인천 항만에서 일본과 러시아 두 나라의 함포가 크게 울리더니 동양의 일대 문제가 되었고, 사변의 초기에 이와 같은 통신이 들어왔다. 홍신부는 탄식하며

"한국이 장차 위태롭겠구나."

라고 하였다. 내가

"무슨 까닭입니까?"

라고 묻자, 홍신부는

"러시아가 이기면 러시아가 한국을 차지하고, 일본이 이기면 일본이 한국을 관할하려 할 것이니 어찌 위태롭지 않겠는가?"

라고 하는 것이었다.

당시 나는 날마다 신문과 잡지 그리고 각국의 역사를 살펴보고 있었기 때문에 과거와 현재 그리고 미래의 일을 추측할 수 있었다. 일본과 러시아의 전쟁이 강화를 맺고 휴전한 뒤 이토 히로부미가 한국에 와서 정부를 위협하여 을사 5조약을 강제로 맺었다. 삼천리 강산과 2천만 인심을 뒤흔들어 바늘방석에 앉은 것 같았다.

- -

을 이 무렵부터 고려한 것으로 보인다.

"흐로난 청인 일명이 ᄌᆞ긔의 부친과 흠씌 다토다가 쥬목으로 챠며 발노 차고 갓ᄂᆞ듸 즁근이 산영ᄒᆞ고 집에 도라와서 그 말을 듯고 분긔를 춤지 못ᄒᆞ야 그 청인을 쫏ᄎᆞ가 안악군 등디에 맛나 총을 노아 죽이고 인ᄒᆞ여 피신 ᄎᆞ로 상경ᄒᆞ니 이 ᄯᆡᄂᆞᆫ 한일간에 즁대ᄒᆞᆫ 문뎨가 층싱텹츌할 ᄯᆡ이라 보안회가 창셜되엿거늘 안즁근이 그 회에 입참코져 ᄒᆞ야 그 회 회쟝을 차져가 보니 시국ᄉᆞ를 담론ᄒᆞ더니 그 회쟝이 목덕을 무르믜 안즁근이 ᄃᆡ답ᄒᆞ기를 내가 림권조를 버히려고 쟝뎡 이십명을 쥰비ᄒᆞ엿스니 회즁에서 삼십명만 퇴츌ᄒᆞ여 도합 오십명으로 결ᄉᆞ디를 조직ᄒᆞ면 림권조 죽이기ᄂᆞᆫ 여반쟝이라 흔듸 회쟝이하가 모다 묵묵부답ᄒᆞ믜 안즁근이 박쟝대쇼ᄒᆞ며 말하기를 버러지ᄀᆞ흔 인싱이 여러 쳔명의 두령 노릇을 엇지ᄒᆞ리오 ᄒᆞ고 즉시 썰치고 니러나셔"(『大韓每日申報』 1909년 12월 3일자, 「안즁근닉력」).

그 때 아버지께서는 심신이 울분으로 가득 차서 병세가 더욱 위중하게 되었다. 나는 아버지와 함께 비밀리에 상의하여 말하였다.

"일본과 러시아가 전쟁을 시작했을 때 일본의 선전포고문 속에 동양의 평화를 유지하고 한국의 독립을 굳건히 하겠다고 말해놓고, 이제 일본은 이러한 대의를 지키지 않고 야심에 찬 침략을 자행하고 있습니다. 이것은 모두 일본의 정치가인 이토의 정략입니다.

먼저 늑약을 맺고 그런 다음에 뜻있는 무리들을 없앤 뒤에 강토를 병탄하고 이 나라를 없애는 새로운 방법입니다. 만약 속히 도모하지 않으면 큰 재앙을 면하지 못할 것인데, 어찌 이렇게 속수무책으로 앉아서 죽기를 기다리겠습니까? 지금 의거하여 이토의 정책에 반대하고자 하여도 강약(強弱)이 같지 않으니 헛되이 죽을 뿐 이익이 되지 않을 것입니다. 요즘 들어보니 청나라 산동과 상해 등지에 한국 사람들이 많이 살고 있다고 합니다.

우리 가족도 그곳에 옮겨 살다가 훗날 선후 계획을 도모하는 것이 어떻겠습니까? 그러면 제가 먼저 그곳에 가서 살펴보고 오겠습니다. 아버님께서는 그 사이에 비밀리에 짐을 꾸린 뒤에 가족들을 거느리고 진남포로 가서 제가 돌아오기를 기다렸다가 다시 의논해서 결행하시지요."

부자간에 계획이 이미 정해지자 나는 즉시 길을 떠나[21] 산동 등지를 둘러본 뒤에 상해에 도착하여 민영익(閔泳翊)을 찾아가니, 문을 지키는 하인이 문을 닫고 들여보내지 않으며,

"대감은 한국 사람을 만나지 않습니다."

라고 하여 그 날은 그냥 돌아왔다. 뒷날 두세 차례 방문했지만 역시 지난번과 같이 만나주지 않으므로 내가 크게 꾸짖으며 말하였다.

"공은 한국인이면서 한국 사람을 만나지 않으면 어느 나라 사람을 만나려는 것이오? 하물며 공은 한국에서 대대로 국록을 먹은 신하로서, 이런 위태로운 시기를 당하여 도무지 사람을 사랑하고 선비에게 몸을 낮추는 마음도 없이 베개를 높이 하고

---

21 안중근의 근거지 이전계획은 의병전쟁준비론에 입각하여 추진된 것으로 보인다. 그러나 이는 즉각적인 의병투쟁을 염두에 두고 추진된 것이 아니라, 애국계몽주의적 준비론이라고 할 수 있을 것이다. 안중근이 애국계몽주의의 한계를 인식하고 무력투쟁으로 전환한 것은 1907년 8월 만주에서 비참한 한국인의 생활을 목격하고 나서부터라고 할 수 있다. 그리고 '국외독립기지건설론'이 1907년경부터 논의되었다고 한다면 국외 독립기지건설론의 시원은 안중근으로부터 잡는 것이 타당하다.

편안히 누워서 조국의 흥망을 잊어버리고 있으니 세상에 이런 의리가 있단 말이오?
오늘날 나라가 위태롭게 된 것은 그 죄가 모두 공과 같은 대관들에게 있는 것이고,
민족의 과실에 달린 것이 아니기 때문에 부끄러워 만나지 못하는 것이오?"

이렇게 말하며 한참 동안 욕을 하고 돌아와 다시는 찾아가지 않았다. 그 뒤 서상
근(徐相根)을 찾아가 만나 얘기하며,

"지금 한국의 정세는 위태롭기가 조석지간에 있으니 어찌하면 좋겠소? 계획을 어
떻게 세우면 좋겠소?"

라고 하자, 서 씨가 대답하였다.

"그대는 한국의 일을 내게 말하지 마시오. 나는 일개 장사치로 몇 십 만원의 자금
을 정부의 대관들에게 빼앗기고 피신하여 이곳에 온 것이요. 하물며 국가의 정치가
백성에게 무슨 상관이 있단 말이오."

나는 웃으며 대답하였다.

"그렇지 않소. 그대는 다만 하나만 알고 둘은 모르고 있습니다. 만약 백성이 없다
면 국가가 어떻게 존재하겠소? 더구나 국가는 몇 명 대관들의 국가가 아니고 당당한
2천만 민족의 국가인데, 만약 국민이 국민의 의무를 행하지 않으면 어찌 민권과 자
유를 얻을 수 있겠소? 현재는 민족 세계인데 무슨 까닭에 유독 한국 민족만 도마 위
의 물고기나 고기 신세가 되어 앉아서 멸망을 기다려야 옳단 말이오?"

이에 서 씨가

"그대의 말이 비록 그러하나 나는 다만 장사를 해서 입에 풀칠만 하면 될 뿐이니
다시는 정치 얘기를 하지 마시오."

라고 대답하였다.

내가 두 번 세 번 얘기를 했지만 도무지 응낙하지를 않았다. 이것은 우이독경(牛耳
讀經)이나 마찬가지였다. 하늘을 우러러 길게 탄식하며 스스로

"우리 한국인의 뜻이 모두 이와 같으니 국가의 앞날은 말하지 않아도 알겠다."

라고 생각하였다. 여관으로 돌아와 침상에 누워 이런저런 생각을 하며 비분강개
한 심정을 금치 못하였다.

어느 날, 천주교 교당에 가서 오랫동안 기도를 드린 다음, 문을 나와 앞을 바라보
는데 문득 신부 한 분이 앞길을 지나다가 나를 돌아보고 놀라며,

"네가 어떻게 여기에 왔느냐?"

라고 하며 손을 잡아 인사를 했는데, 그가 바로 곽신부[22](이 신부는 프랑스 사람으로 황해도 지방에서 전교를 했기 때문에 나와 같이 여러 해 동안 한국에 머물면서 절친하게 지냈는데, 홍콩으로부터 한국으로 돌아가는 길이었다.)였다. 정말 꿈같은 일이었다. 우리 두 사람은 함께 여관에 돌아와 얘기를 나누었다.

곽신부가

"네가 어떻게 여기에 왔느냐?"

라고 묻자, 나는

"신부님께서는 지금 한국의 참상을 듣지 못했습니까?"

라고 하였다. 곽 신부가

"들은 지가 오래되었지."

라고 하였다. 나는 신부님께 말했다.

"현 상태가 이와 같은데 어찌해볼 방법이 없어서 부득이 가족들을 외국으로 이주시킨 뒤에, 재외동포들과 연락하고 두루 여러 나라로 돌아다니며 원통한 상황을 설명하여 동정을 얻은 뒤에 기회가 오기를 기다렸다가 한 번 거사한다면 어찌 목적을 달성하지 못하겠습니까?"

곽 신부는 오랫동안 말이 없다가 대답하였다.

"나는 종교인이고 전도사라 전혀 정치계와 무관하지만 지금 너의 말을 들으니 감동을 이기지 못하겠구나. 너를 위해 한 가지 방법을 일러줄 테니 시험 삼아 한번 들어보고 만약 이치에 맞으면 그대로 하고 그렇지 않으면 스스로 알아서 하라."

내가

"그 계획을 듣고 싶습니다."

라고 하자, 곽 신부가 말하였다.

"너의 말처럼 비록 그럴 수도 있지만 이것은 다만 하나만 알고 둘은 모르는 것이다. 가족들을 외국으로 이주시킨다는 것은 잘못된 계획이다. 2천만 민족이 모두 너와 같이 한다면 나라 안은 장차 텅 비게 될 것이고, 이것은 바로 원수들이 바라는 일이다.

우리 프랑스가 독일과 전쟁할 때에 두 지방을 할양한 것은 너 역시 알고 있을 것이다. 지금까지 40년 동안 그 땅을 회복할 기회가 여러 차례 있었지만, 그 지역에 살

---

22 르각신부(Le Gac, Charles Joseph Ange, 郭元良 1876~1914). 르각신부에 대해서는 대한국가톨릭대사전 편찬위원회, 『한국가톨릭대사전』 4, 한국교회사연구소, 2004, 2266~2267쪽 참조.

던 뜻 있는 사람들이 모두 외국으로 피신했기 때문에 그 목적을 달성할 수가 없었다. 이것을 전철로 삼아야 할 것이다. 재외동포로 말하면 국내의 동포에 비하여 사상을 배가 한다고 해도 한 가지로 도모할 수가 없으니 고려할 바가 못 된다. 열강의 움직임을 가지고 말한다면 혹시 너의 억울한 설명을 듣고 모두 가엾다고 하겠지만 반드시 한국을 위해 군대를 움직여 성토하지 않을 것이 분명하다.

지금 각국은 이미 한국의 참상을 알고 있지만 각자 자기 나라의 일에 바빠서 도무지 다른 나라를 돌볼 겨를이 없다. 만약 훗날 운이 다가오고 때가 되면 혹시 일본의 불법행위를 성토할 기회가 있겠지만, 오늘 너의 설명은 별로 효력이 없을 것이다. 옛글에 이르기를 "하늘은 스스로 돕는 자를 돕는다."라고 했으니 너는 속히 귀국하여 먼저 네가 해야 할 일에 힘을 쓰도록 허거라. 첫째는 교육의 발달, 둘째는 사회의 확장, 셋째는 민심의 단합, 넷째는 실력의 배양이다. 이 네 가지가 확실하게 이루어진다면 2천만의 마음과 힘이 반석과 같이 굳건하여 비록 수천문의 대포를 가지고 공격해도 파괴할 수 없을 것이다.

이것이 바로 필부의 마음도 빼앗을 수가 없다는 말인데, 하물며 2천만 명의 마음과 힘을 어찌 빼앗겠는가? 그러니 빼앗긴 강토도 형식적일 뿐이요, 강제로 체결된 조약도 종이 위에 적힌 부질없는 글로써 허망한 것이 될 것이다. 이렇게 하는 날, 사업이 빨리 성취되고 반드시 목적을 달성할 수 있을 것이다. 이 방법은 만국이 공통으로 행하는 사례이므로 이렇게 권하는 것이니 스스로 헤아려 보아라."

곽 신부의 말을 다 듣고서, 나는

"신부님의 말씀이 좋은 것 같으니 원컨대 그래도 따라 행하겠습니다."

라고 대답하고 즉시 행장을 꾸려서 기선을 타고 진남포로 돌아왔다.

1905년 12월, 상해에서 진남포로 돌아와 가족들의 소식을 알아보았다. 그 사이에 가족들은 청계동을 떠나 진남포에 당도했는데, 다만 도중에 부친께서 병세가 위중하여 돌아가셨기 때문에 가족들은 다시 되돌아가 부친의 영구를 청계동에 매장했다고 한다. 나는 이 말을 듣고 통곡하다가 몇 차례나 기절하였다. 다음 날 길을 떠나 청계동으로 돌아와 상청을 차리고 며칠 간 상복을 입고 예를 마치고 가족들과 함께 그 해 겨울을 보냈다. 그 때 나는 마음속으로 대한독립의 날이 올 때까지 술을 끊을 것을 맹세하였다.

다음 해 봄 3월에 가족들을 거느리고 청계동을 떠나 신남포로 이사하였다. 양옥 한 채를 지어 살림을 안정시킨 뒤, 가산을 정리하여 학교 두 곳을 설립하였다. 하나는 삼흥학교(三興學校)[23]이고, 하나는 돈의학교(敦義學校)이다. 나는 교무를 담당하며 청년 영재들을 교육하였다.[24]

다음 해 봄에 어떤 한 사람이 찾아왔는데 그의 기상을 살펴보니 모습과 거동이 당당하여 자못 도인의 기풍이 있었다. 통성명을 하니 그 분은 김진사(金進士)라고 하였다. 그 분은

"나는 평소 자네의 부친과 교우가 돈독한 까닭에 특별히 찾아온 것이네."

라고 하였다. 내가

"선생님께서 멀리서 찾아오셨으니 어떤 고견을 일러 주시겠습니까?"

라고 물으니, 그 분이

"자네의 기개를 가지고 이렇게 나라의 형세가 위태로운 때에 어찌 앉아서 죽음을 기다린단 말인가?"

라고 물으므로 나는

"계획을 어떻게 세우면 좋겠습니까?"

라고 물었다. 그분이

"지금 백두산 뒤에 있는 서북간도와 러시아 영토인 블라디보스토크 등지에 한국인 백여만 명이 살고 있는데, 물산이 풍부하여 군사를 움직일 만한 땅이네. 자네의 재주로 그곳에 가면 뒷날 반드시 큰 사업을 성취할 것이네."

라고 하였다.

나는

"마땅히 가르쳐 주신대로 지키겠습니다."

라고 대답하고 서로 말을 마치자 손님은 작별하고 돌아갔다.

이 무렵 나는 재정을 마련할 계획으로 평양으로 가서 석탄광을 열었는데[25], 일본

---

23 안중근의 처남 김능권(金能權)이 15,000냥(국사편찬위원회, 「기밀통발 제111호」, 『한국독립운동사』 자료 7, 293~294쪽)을 들여 만든 학교의 정식 명칭은 영어삼흥학교(英語三興學校)이다. 안중근은 오일환을 영어교사로 이 학교에 초빙하여 가르치게 하였는데, 이는 안중근이 영어를 통해 국제정세와 서구문물의 학습의 중요성을 인식하였다는 증거로 해석된다.

24 이때 상무정신을 강조하던 안중근은 오일환에게 "한국의 장래를 위해서 공부해야 한다(국사편찬위원회, 「경비 제317호」, 『한국독립운동사』 자료 7, 196쪽)"라고 학문의 중요성을 강조하기도 하였다. 여기에서 그의 학문자세를 알 수 있다. 말하자면 그는 문무의 구비를 강조하면서 학문의 목적을 개인이 아니라 국가발전에 두었던 것으로 보인다.

25 안중근은 미곡상 운영과 1907년 7월경 평양에서 석탄회사 삼합의(三合義) 설립하였으나 실패하였다(국사편찬위원회, 「복명서」, 『한국독립운동사』 자료 7, 338쪽). 한재호가 삼흥학교의 교장으로 온 것을 인연으로

사람의 방해로 수천원의 돈만 피해를 봤다. 이 때 일반 한인들이 국채보상회를 발기하여 사람들이 구름처럼 모여서 회의를 했는데[26], 일본이 특별히 순사 한 명을 보내서 조사하였다. 순사가

"회원은 몇 명이고 재정은 얼마나 모았는가?"

라고 묻자, 내가

"회원은 2천만 명이고, 재정은 1천 3백만 원을 모은 뒤에 보상하려고 한다."

라고 대답하였다.

일본 순사가 욕을 하며

"한국인은 하등한 사람들인데 무슨 일을 할 수 있겠냐?"

라고 하자, 내가

"빚을 진 사람은 빚을 갚고, 빚을 준 사람은 빚을 받는 것인데 어찌 불미한 일이 있다고 이렇게 질투하고 욕을 하는가?"

라고 하였다. 그 일본 순사가 화를 내며 나를 때리려고 달려들었다. 이에 나는

"이처럼 이유 없이 욕을 본다면 대한의 2천만 민족은 장차 크고 많은 압제를 면치 못할 것이다. 어찌 나라의 수치를 달게 받겠는가?"

라고 하며 발분하여 서로 치고받기를 무수히 하자, 옆에서 구경하던 사람들이 힘껏 말려 모두 해결하고 흩어져 돌아갔다.[27]

때는 1907년. 이토 히로부미가 한국에 와서 정미 7조약을 강제로 체결하고 광무황제를 폐위하고 군대를 해산하자, 2천만 민족이 일제히 분발하여 의병이 곳곳에서 봉기해서 삼천리강산에 포성이 크게 올렸다. 그 때 나는 급히 행장을 꾸려 가족과

안중근은 한재호와 삼합의 설립을 도모한 것으로 보인다(『대한매일신보』 1907년 5월 29일자, 「國債報償義捐金收入廣告」).

26 『대한매일신보』 1907년 5월 29일자, 「國債報償義捐金收入廣告」.

27 1907년 5월 29자 『대한매일신보』의 「國債報償義捐金收入廣告」에 삼흥학교의 교원과 학생들이 34원 60전의 국채보상 의연금을 냈다는 기록이 있다. 특히 여기에 삼흥학교의 교감 '안동근'이 3원을 희사했다는 기록이 있다. 전후사정으로 보아 안동근은 안중근의 오기로 보인다. 이것이 사실이라면 그의 국채보상운동의 시점과 무대는 계봉우의 주장(1907년 2월 평양)과 달리(계봉우, 「만고의사 안중근전」(정현기 편역, 『한국인 집필 안중근 전기 Ⅰ』(안중근 자료집 11), (사)안중근평화연구원, 2014, 153쪽) 1907년 5월경 삼화항 즉 진남포일 가능성이 높다. 또한 안정근과 안공근도 각각 1원씩 국채의연금을 냈다는 사실도 확인된다.

작별하고 북간도[28]로 향하였다.[29] 도착해 보니, 이곳 또한 일본 군대가 막 와서 주둔하고 있어 도무지 발을 붙일 곳이 없었다.[30] 서너 달 동안 각 지방을 시찰한 뒤에 다시 이곳을 떠나 러시아 영토 노우키에프스크를 거쳐 블라디보스토크에 도착하였다.

이 항구 안에는 한인 4~5천 명이 살고 있었고 학교도 여러 곳 있으며 또 청년회도 있었다. 그 때[31] 나는 청년회에 참가하여 임시 사찰(査察)에 피선되었는데, 어떤 사

----

28 일제의 기록에 간도 천주교의 상황이 다음과 같이 전해지고 있다. "본교(천주교: 편역자)의 전파는 지난 20여 년 전 원산 교회당에서 1명의 불국 선교사를 파견한 것이 포교의 기원이다. 매년 2회 출장포교를 행하여 점차 신자가 증가함에 따라 명치 38년(1905)부터 태납자(太拉子) 및 이곳에 교회당을 창설하고 전임 각 일명을 주재시키고 때때로 원근의 촌락을 순회포교한 이래 천주교의 세력이 점차 왕성하게 되었다. 당지를 교촌이라 칭하고 서전서숙(瑞甸書塾)이라는 학교를 세우기에 이르렀다. 그 유명한 헤이그 회의의 밀사인 이모와 같은 자가 이교의 일교사였다. 그러나 통감부파출소 설치 후 해교를 폐쇄하자, 재빨리 신자 아동을 회당의 일부에 모아 놓고 사숙적(私塾的)으로 교육시켰으나 작년 여름 이래로 商埠局으로 이전하여 금후 構內 校舍를 택하여 官立學堂이라 개칭하였다. 목하 간도 전역의 천주교신자는 청국인 조선인을 합해 15000명에 달하고 이 곳에서도 45호 250명의의 신자가 있다"(日本 外務省 外交史料館, 『在間島總領事館ノ調査ニ係ル龍井一般』(문서번호 : 1.6.1, 68)).

29 이 때 안중근은 빌렘 신부를 만나, "국가(민족) 앞에서는 종교도 없다"(국사편찬위원회, 「보고서」, 『한국독립운동사』 자료 7, 1977, 543쪽)라고 선언하고서 떠났다.

30 안중근은 간도에 1907년 9월 10일경에 도착하여 주로 불동(佛洞, 敎村) 남 회장(천주교)댁에 기숙하면서 서전서숙을 방문하고(신운용 편역, 「안중근 제1회공술」, 『안중근·우덕순·조도선·유동하 등 공술기록』(안중근 자료집 5), (사)안중근평화연구원, 2014, 3쪽), 불동과 용정촌 등으로 동포들의 상황을 시찰하고, 의병투쟁을 전개하기로 결심하였다(위와 같음).

그런데 이는 안중근이 의병전쟁으로 노선을 변경한 것을 확인한 점에서 두 가지 의미가 있다. 첫째, 이 시기의 의병전쟁 결심은 이전 시기의 그것과 성격을 달리하고 있다는 것이다. 즉, 그가 이전에 고려한 하야시와 부일세력 처단계획은 개별적인 협력을 전제로 한 것이었다. 또한 해외망명 후 거병하려던 안중근의 생각도 계획에 그치고 말았다. 이에 반하여, 간도에서의 의병전쟁 결심은 '현실타개책으로 거병밖에 없다'는 자각 위에서 러시아령지역의 의병세력과 포괄적인 연대를 상정하여 이루어진 것이다. 둘째, 안중근이 의병전쟁에 투신했다는 것이다. 1904~1905년 러일전쟁·1905년 을사늑약·1907년 고종의 퇴위·한일신협약·군대해산 등 일제의 침략정책이 표면화되자, 계몽운동가들 사이에서 운동노선을 둘러싸고 좌우 분화현상이 나타났다. 말하자면 대한협회를 중심으로 한 계몽주의의 전통을 계승한 우파세력과 대일 강경론에 입각한 신민회를 중심으로 한 좌파세력으로 분화되어 갔다. 신민회로 대표되는 계몽운동의 좌파세력이 무력투쟁을 본격적으로 고려한 시점은 신민회 간부회의가 있었던 1910년 4월로 보인다. 이에 반해 한때 학교설립 등의 계몽운동을 통하여 구국을 실현하려고 하던 안중근은 계몽운동가들과 다른 노선을 걷고 있었다. 즉, 그는 1904년 하야시와 부일세력 처단계획과 1905년 거병을 목적으로 한 해외이주계획의 연장선에서 1907년 9월경 이미 계몽운동 방식의 한계를 직시하고 의병전쟁으로 전환하였던 것이다. 물론 이는 반일투쟁이라는 일관된 그의 의식 흐름 속에서 나온 것이다. 따라서 계몽운동계열 인사 중에서 그에게 독립 전쟁론의 '주창자'라는 위치를 민족운동사에 부여할 수 있다.

31 블라디보스토크에 정착한 안중근은 인심결합론을 1908년 3월 21일 발표하였다(『해조신문』 1908년 3월 21일자, 「긔서」). 이는 이 시기 안중근의 시대인식과 그 해결책을 다음과 같이 엿볼 수 있는 중요한 사료이다. 첫째, 안중근의 현실인식이다. 즉, 그는 대한제국이 일제의 침략을 당하는 이유를 개인·가족·국가의 단결력 부족과 교만함에 있다고 진단하고 있다. 결국 그는 대한제국이 단결된 일본을 이기기 위해서는 '불합' 두 자를 거두어내고 단합할 때만이 가능하다고 판단하고 있는 것이다. 이러한 인식은 미국 한인사회의 운동노선과도 일정한 관련성이 있는 것으로 보인다. 이를테면 공립협회는 국권회복운동의 선결과제로 '국민단합

람이 허락 없이 사사로운 얘기를 하므로 내가 규칙에 의해서 금지시켰더니 그 사람이 화를 내며 내 따귀를 몇 차례 때렸다. 그 순간 여러 회원들이 만류하고 화해하기를 권하였다. 나는 그 사람을 보고 웃으며,

"오늘 날 이른바 사회라는 것은 여러 사람의 힘을 합치는 것을 중심으로 삼는데 이렇듯이 서로 싸운다면 어찌 남의 비웃음을 받지 않겠는가? 시비를 막론하고 화합을 위주로 하는 것이 어떻소?"

라고 하였다. 여러 사람들이 모두 좋다고 여기고 폐회했는데, 그 뒤 귓병을 얻어 매우 아프다가 한 달 뒤에야 차도가 있었다.

이곳에 한 사람이 있었는데 성명이 이범윤(李範允)이었다. 이 분은 러일전쟁 전에 북간도 관리사에 임명되어 청나라 군대와 여러 차례 교전을 했었다. 러일전쟁 때는 러시아 군대와 힘을 합해 서로 도왔고, 러시아 군대가 패전 후 돌아갈 때 함께 러시아 영토로 건너와서 지금까지 이곳에 살고 있는 것이었다. 나는 그 분을 찾아가 보고 담론하며 말하였다.

"각하가 러일전쟁 때 러시아를 도와 일본을 친 것은 하늘을 거스른 것이라고 할 수가 있습니다. 왜냐하면 그 때 일본이 동양의 대의(大義)를 들어 동양평화를 유지하고 대한독립의 굳은 의지를 세계에 선포한 뒤에 러시아를 성토했으므로 이것은 이른바 하늘의 뜻에 순응한 것이기 때문에 큰 승리를 얻을 수 있었습니다. 지금 만약 각하께서 다시 의병을 일으켜 일본을 성토한다면 이것도 하늘의 뜻에 순응하는 것이라고 말할 수 있습니다.

론'을 제기하면서 한인단체의 '통일연합론'을 주창하는 등 한인사회의 통합운동을 전개하였다. 이러한 운동 방략은 러시아 한인사회와 연동되어 있었고 미주에서 발행된 한인신문을 읽고 있던 안중근도 이에 공감하는 위에서 '인심단합론'을 주장하였던 것으로 보인다. 둘째, 러시아 한인사회를 어떻게 바라보고 있는가 하는 문제를 엿볼 수 있다. 그는 한인사회의 분열양상을 정확히 인식하였고 그 해결책으로 단합론을 제시했다. 러시아 한인사회는 지방색에 따른 분열양상을 보이고 있었다. 특히 의병세력은 최재형 등을 중심으로 토착세력과 이범윤 등을 중심으로 한 이주세력으로 양분되어 있었다. 이는 대일투쟁의 걸림돌로 작동되었다. 따라서 그의 인심단합론은 본토와의 관계를 깊이 생각하지 못하고 분열되어 있는 러시아 한인사회에 대한 안중근의 안타까움의 표현이며 단결을 촉구한 호소문이라고 할 수 있다. 이러한 주장은 「동의회 취지서」의 단합론과 맥락을 같이 하는 것이다. 셋째, 「동양평화론」의 근간이 이미 이 무렵에 성립되었음을 알 수 있다. 즉, 그는 「동양평화론」에서 일본이 러일전쟁에서 승리한 원인을 단결에 있다고 보았다. 반면 청국이 청일전쟁에서 패한 이유를 교만에 있다고 주장하였다. 또한 죽음을 앞둔 국왕의 왕자들처럼 단결해야 한다는 논리는 서양세력의 침략을 막기 위해 한·청·일 삼국의 단결이 절대적이라는 「동양평화론」과 궤를 같이하는 것이다. 넷째, 안중근이 러시아 한인사회의 여론형성에 일정한 역할을 하고 있다는 사실을 이를 통해 알 수 있다. 뿐만 아니라 이는 안중근이 한인사회의 지도자로 성장하였음을 보여주는 증거이다. 이러한 면에서 안중근이 동의회 참여와 국내진입작전을 이끌 수 있었던 배경을 이해할 수 있다.

왜냐하면 지금 이토 히로부미는 그 공을 믿고 망령되게 자만하며, 안하무인으로 교만이 심하고 극악무도해져서 임금을 속이고 함부로 백성을 죽이며 이웃나라와 우의를 단절하고 세계의 신의를 저버렸습니다. 이것은 이른바 하늘의 뜻을 거스른 것이니 어찌 오래 갈 리가 있겠습니까? 속담에 이르기를, 해가 뜨면 이슬이 사라지는 것이 이치이고, 달이 차면 반드시 기우는 것 또한 이치에 맞는다고 했습니다.

이제 각하께서 임금의 거룩한 은혜를 받고서도 이렇게 국가가 위급한 때에 팔짱을 끼고 구경만 해서야 되겠습니까? "만약 하늘이 주는 것을 받지 않으면 도리어 그 재앙을 받는다."[32] 하니 어찌 깨닫지 못하십니까? 바라건대 각하께서는 조속히 대사를 일으켜 시기를 놓치지 마십시오."

이범윤이

"네 말은 이치에 맞지만 그러나 재정과 군기를 도무지 마련할 수가 없으니 어떻게 하겠는가?"

라고 하였다. 이에 나는

"조국의 흥망이 조석에 달렸는데 다만 속수무책으로 앉아서 기다리기만 한다면 재정과 군기가 어디 하늘에서 떨어집니까? 하늘에 순응하고 사람의 뜻을 따르면 어찌 어려움이 있겠습니까? 이제 각하께서 거사를 결심하면 제가 비록 재주야 없지만 만분의 하나라도 힘이 되겠습니다."

라고 하였다.

하지만 이범윤은 망설이며 결정하지 못하였다.

이곳에 두 명의 좋은 사람이 있으니 한 명은 엄인섭(嚴仁燮)[33]이고 다른 한 명은 김

---

32 안중근은 당시 한국이 직면한 최대의 역사문제인 일제의 침략으로부터 조선을 보호하기 위한 독립전쟁을 '천명'이라고 여기게 되었다.

그러한 이유로 안중근은 이범윤에게 거병하여 일제를 공격하는 것을 하늘의 뜻, 곧 '천명'이라고 하였다. 이처럼 안중근은 독립투쟁의 이론적 근거를 천명에서 찾았던 것이다. 그리하여 안중근은 러일전쟁 당시 천명이 러시아의 동양침략을 저지한 일본에 있었지만, 이제 대일독립투쟁이 천명이라고 주장하였다. 이는 안중근이 『중용』의 "天命之謂性" 『맹자』의 "順天者存逆天者亡"라는 유교의 천명관을 천주교의 천명사상과 연결하여 한국사를 움직이게 하는 원동력으로 재해석하였기 때문에 가능한 일이었다. 이러한 측면에서 안중근은 이범윤에게 러일전쟁 때 이범윤이 러시아를 도운 것을 '역천행위(逆天行爲)'라고 비판하면서 역천한 일제를 치는 것이 '순천(順天)'이라는 논리로 이범윤을 설득하였던 것이다. 따라서 안중근이 주장하는 천명의 실체는 한국의 독립과 동양평화의 유지라는 그 시대의 역사문제였던 것이다(국가보훈처·광복회, 『21세기와 동양평화론』, 53쪽).

33 1877년 7월 24일 러시아에서 출생한 엄인섭은 최재형의 생질이자 부하로 알려졌다. 그는 1900년 의화단 사건이 발생하자, 러시아군에 종군하여 남만주에서 공로를 세워 훈장을 받았다. 러일전쟁 때에는 주하얼빈

기룡(金起龍)[34]이다. 두 사람은 자못 담략과 의협심이 남보다 출중하였다. 그래서 나는 두 사람과 더불어 형제의 의리를 맺으니 엄이 장형이 되고 내가 둘째가 되고 김이 셋째가 되었다. 이로부터 세 사람은 의리가 중하고 정이 돈독해져 의병을 일으킬 모의를 하면서 각처를 돌아다니며 많은 한인들을 방문하고 연설을 하였다.

"한 가족으로 비유하여 말하면, 한 사람이 부모와 동생들과 작별하고 타지에서 10여년을 산다고 합시다. 그 사이에 그 사람의 가산이 풍족하고 처자가 집안에 가득하고 좋은 벗과 서로 친하며 편안히 근심이 없다면 반드시 본가의 부모형제를 잊어버리는 것이 자연스러운 일일 것입니다.

하루는 본가 형제 중에 한 사람이 찾아와 급한 일을 알려, "지금 집에 큰 재앙이 있는데 머지않아 다른 곳의 강도가 쳐들어와 부모를 내쫓고 집을 빼앗고 형제를 죽이며 가산을 빼앗으려 하니 어찌 슬프지 않겠소? 바라간대 형제는 속히 돌아가 위급한 것을 도와주기를 간절히 바라오."라고 할 때 그 사람이 "나는 지금 이곳에 살며 편안하여 근심이 없는데 본가의 부모형제가 무슨 관계가 있는가?"라고 대답한다면 이 인간을 사람이라고 하겠소, 짐승이라고 하겠소? 하물며 구경하던 사람들도 "이 사람이 본가의 부모형제도 알지 못하는데 어찌 벗을 알겠는가?"라고 하며 반드시 배척하며 우의를 끊어버릴 것입니다. 친한 벗들에게 배척을 받는다면 무슨 면목으로 세상에 서겠습니까?

동포 동포여! 내말을 자세히 들으십시오. 지금 우리 한국의 참상을 그대들은 과연 알고 있겠습니까? 일본이 러시아와 전쟁할 때 선언서에서 "동양의 평화를 유지하고 한국의 독립을 굳건히 하겠다."라고 했는데 지금에 이르러서는 이와 같이 막중한 의리를 지키지 않고 도리어 한국을 침략하여 5조약과 7조약을 강제로 맺은 뒤에 정권을 장악하고 황제를 폐위하고 군대를 해산하며 철도·광산·삼림과 강을 빼앗지 않는 것이 없습니다. 또한 관아 각 청사와 민간의 넓은 집을 병참을 내세워 몰수하고 기

제1군단 본부의 통역으로 활동하였고 그 공로로 훈장을 받기도 하였다. 또한 그는 1908년 7월 안중근과 더불어 최재형 부대의 좌영장으로 참전했다. 1910년 5월 엄인섭 부대는 총 263명이었으며, 후에는 권업회 경찰부원 등으로 활동하기도 하였다. 그러나 그는 안중근의 사진이 『신한민보』에 게재된 사실을 일제에 알리는 등의 부일행위로 인해(日本 外務省 外交史料館, 「五月十二日嚴仁燮ヨリ得タル情報」, 『在西比 亞』第2卷 不逞團關係雜件-朝鮮人ノ部(문서번호 : 4.3.2, 2-1-2) 독립운동가들의 표적이 되었다.

34 평양출신 김기룡(1909년 당시 36세)은 단지동맹의 한 사람으로 안중근의 측근이었다. 1907년 안중근과 함께 블라디보스토크로 왔다는 일제의 기록이 있으나 (국가보훈처, 『아주제일의협 안중근』 3, 1995, 398쪽) 이를 전적으로 믿을 수 없다.

름진 전답과 오래된 분묘를 군용 땅으로 쓰겠다는 핑계로 표지를 꽂고 파헤쳐서 재앙이 백골에게 까지 미쳤으니 그 국민 된 자, 그 자손 된 자 누군들 분노를 참고 욕됨을 견디겠습니까?

이런 까닭에 2천만 민족이 일치 분발하여 삼천리 강산 곳곳에서 의병이 봉기하고 있소. 아! 저 강도들이 도리어 우리를 '폭도'라고 칭하고 군대를 풀어 토벌하고 처참하게 살육하여 2년 사이에 해를 입은 한인이 수십만에 이르렀소. 강토를 빼앗고 산 사람을 잔혹하게 죽이는 자가 폭도입니까, 아니면 스스로 자기나라를 지키며 외적을 방어하는 자가 폭도입니까?

이것이 바로 적반하장 격입니다. 한국에 대한 정략이 이처럼 잔악하고 포악한 근본을 말한다면 모두 이른바 일본의 대정치가 늙은 도적 이토 히로부미의 악행에서 비롯된 것입니다. 한민족 2천만이 일본의 보호를 바란다는 핑계를 대고 지금이 태평무사하고 평화가 나날이 나아지는 것처럼 위로 하늘을 속이고 밖으로 열강을 속여 그 이목을 가리고 제멋대로 농간을 부려서 하지 않는 일이 없으니 어찌 통분할 일이 아니겠습니까? 우리 한민족이 만약 이 도적을 죽이지 않는다면 한국은 반드시 망할 뿐 아니라 동양도 장차 망할 것입니다.

여러분! 여러분! 심사숙고하십시오. 여러분은 조국을 잊었습니까? 선대의 백골을 잊었습니까? 친족과 외척들을 잊었습니까? 만약 잊지 않았다면 이렇게 위급한 존망의 때를 당해서 발분하여 크게 깨달아야 합니다. 뿌리 없는 나무가 어디에서 생겨나고, 나라 없는 백성이 어디에서 편안히 살겠습니까?

만약 여러분이 외국에 살기 때문에 조국과 무관하다 하여 돕지 않고, 러시아 사람들이 그 사실을 안다면 반드시 "한인들은 자기 조국도 모르고 그 동포도 사랑하지 않는데 어떻게 외국을 돕고 다른 인종을 사랑할 수 있겠는가? 이렇게 도움이 되지 않는 인종은 정말로 쓸데가 없다."라고 하여 언론이 들끓고 머지않아 반드시 러시아 땅에서 쫓겨 날 것이 명약관화한 일입니다.

이와 같은 시기에 처하면 조국강토는 이미 외적에게 빼앗기고, 외국인이 일치단결하여 배척하며 우리를 받아들이지 않을 것입니다. 그렇게 되면 노인을 등에 업고 어린 것들을 데리고 장차 어디로 가겠습니까? 여러분! 폴란드 사람들이 학살된 일이나 흑룡강에서 있었던 청나라 사람들의 참상을 듣지 못했습니까? 만약 망한 나라의 인종과 강대국의 사람들이 동등하다면 어찌 나라가 망할 것을 걱정할 것이며, 어찌 강대국을 좋아하겠습니까? 어떤 나라를 막론하고 망한 나라의 인종은 이처럼 처참한 학대를 피할 수가 없을 것입니다.

그러므로 오늘날 우리 한국 인종은 이런 위급한 때를 당하여 무슨 일을 하는 것이 좋겠습니까? 이리 생각해 보고 저리 생각해 보아도 결국 한번 거사를 일으키는 것보다 좋은 것이 없으니 적을 토벌하는 일밖에는 다른 방법이 없다고 생각합니다. 왜냐하면 지금 한국 국내에서는 13도 강산에 의병이 일어나지 않은 곳이 없는데, 만약 의병이 패배하는 날에는 저 간악한 무리들은 좋고 나쁘고를 막론하고 폭도라는 이름을 붙여 사람들을 죽이고 집집마다 불을 지를 것입니다. 그런 뒤에 한국 민족 된 자가 무슨 면목으로 세상에서 행세하겠습니까?

그런즉 오늘날 국내외를 막론하고 한국인들은 남녀노소가 할 것 없이 총을 메고 칼을 들고 일제히 의거하여 승패와 유불리를 돌아보지 말고 통쾌하게 한바탕 싸워서 천하 후세의 비웃음을 면하는 것이 옳은 일입니다. 만일 이처럼 힘든 싸움을 한다면 세계열강의 공론이 일어나 우리나라의 독립에 대한 희망도 있을 것입니다.

하물며 일본은 불과 5년도 되지 않아 반드시 러시아·청나라·미국 등 세 나라와 전쟁을 할 것이니 이것은 한국의 큰 기회가 될 것입니다. 이때 한인이 만약 미리 대비하지 않는다면 설령 일본이 비록 패전해도 한국은 다시 다른 도적의 손안에 들어갈 것입니다.

가부간에 오늘 의병을 일으켜서 계속 끊임없이 큰 기회를 잃지 않고 스스로 힘써서 국권을 회복한다면 건전한 독립이라 할 것입니다. 이것을 두고 불가능 하다고 말하는 것은 만사가 망하는 근본이요, 할 수 있다고 하는 것은 만사가 흥하는 근본이라고 하는 것입니다.

그러므로 하늘은 스스로 돕는 자를 돕는다고 한 것입니다. 여러분! 앉아서 죽음을 기다리는 것이 옳습니까? 분발하여 힘을 떨치는 것이 옳습니까? 이렇든 저렇든 간에 결심하고 각성하며 심사숙고하여 용감하게 전진하기를 바랍니다."

이와 같이 설명하며 각 지방을 두루 돌아다녔는데, 보고 듣던 많은 사람들이 따르겠다[35]고 나서서 혹은 출전을 자원하고 혹은 병기를 내놓고 혹은 의연금을 내어

---

35 이 무렵 안중근은 이범윤 이외에도 홍범도와도 의거를 도모하려고 하였으나 다음에서 보듯이 함께 하기에는 부족하다고 판단하였다(신운용 편역, 「안중근 제1회 공술」, 『안중근·우덕순·조도선·유동하 등 공술기록』(안중근 자료집 5), (사)안중근평화연구원, 2014, 17~18쪽).

도왔다. 이로부터 의거의 기초가 충족되었다.[36]

당시 김두성(金斗星)[37]·이범윤(李範允) 등은 모두 의병을 일으키는데 일치단결했던 사람들이다. 이 사람들은 전에 이미 총독과 대장에 임명됐었다. 나는 참모중장의 직위에 피선되었다.[38] 의병과 군기 등을 비밀리에 수송하여 두만강 연안에 모인 뒤에

----

36 이는 동의회를 두고 한 말이다. 1908년 3월 장인환·정명훈 의거를 계기로 러시아령에서 대일투쟁 분위기가 고조되는 가운데 이범진이 자금을 보내 1909년 5월 총장에 최재형, 부총장에 이범윤, 회장에 이위종, 부회장에 엄인섭을 지도부로 하는 동의회가 발족되었다. 동의회는 표면적으로는 비귀화 한인의 보호를 표방하는 단체로 출발하였으나 점차 무장투쟁단체로 전환되었다. 안중근도 평의원으로서 동의회에 참여하기도 하였다. 동의회는 내부모순을 안고 있었으나 대일투쟁과 독립이라는 공동의 목적을 위해 힘을 합쳤다. 안중근은 동의회가 조직되는 과정에서 특히 이범윤이 전제익 백규삼 강의관 장봉한 엄인섭 등을 모반혐의로 배척하여(日本 外務省 外交史料館,「排日鮮人退露處分ニ關スル件」,『在西比利亞』第5卷) 이범윤을 떠나 최재형 세력으로 편입되게 된다.

37 여기에서 김두성이라는 인물의 실존성에 대해 살펴볼 필요가 있다. 이 문제는 여전히 풀리지 않는 숙제로 남아 있기 때문이다. 즉, 조동걸은 김두성을 유인석으로 보았다(조동걸,「安重根義士 재판기록상의 인물 金斗星考」,『韓國近現代史의 理想과 形象』, 푸른역사, 2001, 123쪽). 반면, 신용하는 실존인물이라고 주장하고 있다(신용하,「안중근의 사상과 의병운동」, 163쪽). 그러나 편역자는 김두성을 최재형으로 보고 있다. 왜냐하면 동의회는 최재형과 이범윤의 양대파의 합작으로 성립되었는데, 위에서 보듯이 이범윤에 필적할 사람은 당시 최재형밖에 없기 때문이다. 또한 일제의 사료도 안중근을 최재형의 부하로 파악하였다는 점도 이를 뒷받침하고 있다(국사편찬위원회,『한국독립운동사』자료 7, 263쪽). 아울러 최재형의 의병조직은 우영장에 안중근이, 좌영장에 엄인섭이 각각 임명되고, 이들의 상관인 도영장(都營將)을 전제익이 맡았다. 형식적으로 전제익이 중심이 된 의병대였으나, 실질적인 최고 상관은 최재형이었다. 문제는 안중근이 최재형을 김두성이라고 기술한 이유가 분명하지 않다는 데 있다. 이에 대해 반병률은 안중근이 최재형을 보호하기 위해서 그렇게 기술하였다고 주장하고 있다(반병률,「안중근(安重根)과 최재형(崔在亨)」,『역사문화연구』33, 한국외국어대학교 역사문화연구소, 2009 참조). 하지만 이범윤 등의 인물에 대해서는 그대로 진술하고 있다는 측면에서 그럴 가능성은 없다.『안응칠역사』많은 인물들이 등장하는데 최재형에 대한 언급이 없는 점도 앞으로 해결해야 할 문제이다. 하여튼 이 문제는 앞으로 정밀한 검토가 요구된다.

38 의병세력은 이범윤파의 창의회와 최재형파의 동의회를 중심으로 양분되어 있었는데, 안중근은 최재형파에서 활동하고 있었다. 최재형파의 의병조직은 동의회의 성립과정에서 반이범윤파의 주요인사인 전제익·엄인섭·안중근 등을 중심으로 한 약 3백여 명으로 탄생되었다. 그 조직은 다음과 같다.

도영장	전제익(全濟益)
참모장	오내범(吳乃凡)
참 모	정봉한(張鳳漢), 지운경(池云京)
군 의	미국으로부터 온 후 일본병에게 체포되어 회령(會寧)에서 총살당함
병기부장	김대련(金大連)
동 부장	최영기(崔英基)(어위장(御衛長))
경리부장	강의관(姜議官)
동 부장	백규삼(白圭三)
좌영장	엄인섭
	제일중대장 김모(소문에「완빠우잔」에서 병사)
	제이중대장 이경화(李京化)(현재 소성(蘇城)에 있음)
	제삼중대장 최춘화(崔化春)(위와 같음)
우영장	안중근
	중대장 3인

대사를 모의하였다. 그 때 내가 말하였다.

"지금 우리들은 300명에 불과하여 적은 강하고 우리는 약하니 가볍게 대적할 수가 없다. 하물며 병법에서 이르기를 "비록 바쁜 가운데에도 반드시 만전지책이 있다."라고 했으니 그런 뒤에야 대사를 도모할 수가 있을 것입니다.

지금 우리들이 한 차례 의거한다고 해도 성공하지 못하리라는 것이 분명하다. 그러므로 만약 1차에 성공하지 못하면 2차·3차 또는 10차에 이르도록 해야 한다. 백절불굴의 정신으로 올해 성공하지 못하면 다시 내년에 도모하고, 내년 또는 그 다음해, 십년 또는 백년까지 이르러야 될 것이다. 만약 우리 세대에서 목적을 이루지 못하면 자식과 손자 대에 이르러서 반드시 대한독립권을 회복한 뒤에야 멈출 것입니다.

그런즉 어쩔 수 없이 선진(先進)과 후진(後進), 급진(急進)과 완진(緩進), 예비(豫備)와 후비(後備)를 모두 갖춘 뒤에야 반드시 목적을 달성할 것이다. 그러므로 오늘 앞장서 나아가는 무리는 병약자나 늙은이로 해야 합당합니다.

그 다음으로 청년들은 사회를 조직하고 백성의 뜻을 단결시키며 어린이들을 교육하여 미리 대비하고 뒷날을 준비해야 한다. 한 편으로는 각자가 자기 맡은 일에 힘을 써서 실력을 양성한 뒤에야 대사를 도모하기 쉬울 것이니 유의하는 것이 어떠합니까?"

내 말을 듣고 본 사람들은 대부분 좋지 않은 생각이라고 말하였다. 왜냐하면 이곳은 기풍이 완고하여 가장 권력이 큰 자는 재력가이고, 둘째는 힘센 자이고, 셋째는 관직이 가장 높은 자이고, 넷째는 나이가 많은 자였기 때문이다. 이 네 종류의 권력 중에서 내가 장악한 권력은 하나도 없으니 어찌 실행할 수 있겠는가? 이로부터 마음이 불쾌하여 비록 물러날 마음이 있었지만 이미 끝까지 달려야 할 형국이라 어찌할 도리가 없었다.

이 때, 군대를 거느린 여러 장교들이 부대를 나누어 출정해서 두만강을 건너니, 이때가 1908년 6월 어느 날이었다. 낮에는 매복하고 밤에는 행군하며 함경북도에 이르러 일본 군대와 여러 차례 충돌하여 피차간에 사상자와 포로가 있었다. 이 때 일본 군인과 상민 포로를 불러서

(日本 外交史料館, 「排日鮮人退露處分ニ關スル件」, 『在西比 利亞』 第5卷).
이와 같이 회령(會寧) 출신으로 함북관찰부 경무관 출신인 전제익을 수장으로 하는 의병부대가 창설되었다. 안중근은 좌영장 엄인섭과 나란히 우영장을 맡았다. 위의 사료에서 보듯이 안중근 휘하에 3인의 중대장이 있었음을 알 수 있다. 이는 한인사회에서 안중근의 위치가 엄인섭과 견줄 만큼 확고해졌음을 의미하는 것이다.

"그대들은 일본국의 백성인데 무슨 까닭에 러일전쟁 때 선전포고문에서 동양의 평화를 유지하고 대한의 독립을 굳건히 한다고 하는 천황의 성스러운 듯을 받들지 않고 오늘날 이처럼 경쟁하듯 침략하고 있으니, 이것을 평화이고 독립이라고 말할 수 있는가? 이것이 역적이나 강도가 아니고 무엇인가?"

라고 물었다. 그 사람들이 눈물을 흘리며 대답하였다.

"이것은 우리들의 본심이 아니라 부득이 그런 것이 명백합니다. 사람이 이 세상에 태어나서 살기를 좋아하고 죽음을 싫어하는 것은 인지상정입니다. 하물며 우리들은 만 리 타향의 전쟁터에서 비참하게 주인 없는 원통한 귀신이 되어야 하니 어찌 통탄스럽지 않겠습니까?

오늘 우리에게 닥친 일은 다른 이유가 없고 모두 이토 히로부미의 잘못입니다. 임금의 성스러운 뜻을 받들지 않고 제멋대로 권세를 농락하며, 한일 양국 간에 귀중한 생명을 수없이 살육하고 자신들은 편안히 누워서 복을 누리고 있습니다. 우리들이 비록 분개하는 마음을 가지고 있더라도 형세가 어찌 할 수 없기 때문에 여기에 오게 된 것입니다.

그러나 옳고 그름에 대한 시비가 어찌 없을 수 있겠습니까? 더구나 농민과 상민은 더욱 곤란이 심합니다. 이와 같이 국폐와 민폐를 고려하지 않는 상황에서 동양평화뿐 아니라, 일본 국세의 안녕도 어찌 감히 바라겠습니까? 그러므로 우리는 비록 죽더라도 통한을 금할 수가 없습니다."

말을 마치자 통곡이 그치지 않았다.

나는 말하였다.

"내가 그대들의 말을 들어보니 충의의 선비라고 할 수 있겠소. 그대들을 지금 석방하여 돌려보내겠소. 돌아가면 이와 같은 난신적자를 쓸어 없애버리시오. 만약 또 다시 이런 간악한 무리들이 무단히 전쟁을 일으켜 동족과 이웃나라 사이를 침해하고 언론에 제기하는 자의 명단을 쫓아가 제거한다면 불과 열 명도 되기 전에 동양평화를 도모할 수 있을 것입니다. 그대들이 할 수가 있겠소?"

그 사람들이 펄쩍 뛰며 응낙했기 때문에 즉시 풀어주었다. 그들은 "우리들이 군기와 총포를 휴대하지 않고 돌아가면 군법을 면하기가 어려우니 어찌하면 좋겠습니까?"라고 하였다. 나는

"그렇겠소."

라고 하고, 즉시 총포 등을 돌려주며 그들에게

"그대들이 속히 돌아간 뒤에 포로가 되었던 일에 대해서는 절대로 입 밖에 내지 말고 신중히 대사를 도모하시오."

라고 하였다. 그 사람들은 몹시 감사하며 떠났다.

그 뒤에 장교들이 불만을 가지고 나에게

"무슨 까닭에 포로인 적병을 풀어주었소?"

라고 하자, 나는

"지금 만국 공법(公法)에 포로가 된 적병을 죽이는 법은 없고 다른 곳에 수감한 뒤에 송환하는 것이오. 더구나 그들의 말은 진정에서 우러나온 의로운 말입니다. 석방하지 않으면 어쩌겠소?"

라고 하였다. 여러 사람들이

"저 적들은 우리 의병을 포로로 잡으면 남김없이 참혹하게 죽였습니다. 하물며 우리들은 적을 죽이려는 목적으로 이곳에 와서 풍찬노숙하고 있습니다. 이처럼 힘을 다해 사로잡은 자를 모두 놓아 보내면 우리들의 목적은 어떻게 하겠소?"

라고 하였다. 내가 대답하였다.

"그렇지 않소. 적병의 이와 같은 폭행은 신(神)과 인간이 모두 분노하는 일입니다. 지금 우리들 역시 이렇게 야만스러운 행동을 하기를 바라오? 하물며 일본의 4천만 인구를 모두 죽인 뒤에 국권을 되찾을 계획이오? 적을 알고 자신을 알면 백전백승이라오.

지금 우리는 약하고 저들은 강하니 힘든 싸움은 옳지 않소. 그뿐만 아니라 충성스러운 행동과 의로운 거사를 통해 이토의 폭압적인 정략을 성토하고 세계만방에 널리 알려 열강들의 동정을 얻은 뒤에야 한을 씻고 국권을 회복할 수 있을 것이오. 이것이 바로 약한 것이 강한 것을 제거하고 인(仁)으로써 악을 대적하는 방법이라오. 그대들은 말을 많이 하지 마시오."

이처럼 복잡한 사정을 일깨웠지만 중론이 비등하여 복종하지 않는 사람도 있었고 장관 중에는 부대를 나누어 멀리 가버리는 자도 있었다.

그 뒤, 일본군의 습격을 받아 4~5시간 충돌하는 사이에 해는 이미 저물었다. 장맛비가 갑자기 내려 지척도 분간할 수 없고 병사들은 여기저기 분산되어 얼마나 많은 사람이 죽고 살았는지 판단할 수 없었다. 형세가 어찌할 수가 없어서 수십여 명이 함께 숲속에서 노숙하고 그 다음날 6~70명이 서로 만나 사정을 물으니 각각 부대를 나누어 흩어져 갔다고 말하였다.

이 때 사람들은 이틀 동안 먹지를 못해서 모두 굶주림과 추위에 떠는 기색이 역력

했으며, 각자가 살아남고자 하는 마음이 있었다. 이런 상황에 이르자 창자가 끊어지고 쓸개가 찢기는 듯 마음이 아팠지만 형세가 부득이 해서 그들의 마음을 위로한 뒤에 촌락으로 가서 보리밥을 구해 굶주림과 추위를 조금 면할 수 있었다. 그러나 많은 사람들이 복종하지 않고 기율도 따르지 않았다. 이러한 시기에 처해서 이와 같이 혼란한 모습을 본다면 비록 손자나 오자, 제갈공명이 다시 살아난다고 해도 어찌할 도리가 없었을 것이다.

다시 흩어진 무리들을 찾는 도중에 복병에게 저격을 당해서 나머지 군대도 흩어져버려 다시는 규합하기가 어려웠다. 나는 홀로 산위에 앉아서 혼자 웃으며

"나는 참 어리석구나. 저런 무리를 데리고 무슨 일을 도모하겠는가? 누구를 원망하며 누구를 탓하겠는가?"

라고 하였다.

다시 분발하여 용감하게 전진하여 사방을 수색하다가 다행히 2~3인을 만나 서로 어떻게 하는 것이 좋을지 의논하였다. 그런데 네 명의 의견이 각기 달랐다. 어떤 사람은 목숨이라도 살아남자고 하고, 어떤 사람은 죽음으로 자결하자고 하였으며, 어떤 사람은 자수하여 일본군의 포로가 되자고 말하는 사람도 있었다. 나는 한참 동안 이런 저런 생각을 하다가 홀연 한 수의 시를 생각하고 동지들에게 읊었다.

> 남아가 뜻을 품고 해외로 나왔지만(男兒有志出洋外),
> 일이 도모한 대로 되지 않아 처신하기 어렵구나(事不入謀難處身).
> 모름지기 동포들에게 피를 흘려 맹세하며 바라노니(望須同胞誓流血),
> 세상에 신의 없는 사람이 되지 말라(莫作世間無義神).

읊기를 마치고 다시 일러

"그대들은 각자의 생각대로 하시오. 나는 산을 내려가 일본군과 한바탕 통쾌히 싸워 대한국 2천만 명 가운데 한 사람의 의무를 다할 것이오. 그런 다음에 죽은들 무슨 여한이 있겠소이다?"

라고 하였다. 이에 총을 지니고 적진을 향하여 내려가는데 그 가운데 한 사람이 튀어나와 나를 잡고 통곡하며 말하였다.

"그대의 의견은 크게 잘못된 것이오. 그대는 다만 한 개인의 의무만 생각하고 수많은 생명과 뒷날의 큰일에 대해서는 왜 돌아보지 않소? 지금의 형세는 죽는다고 해

서 아무런 도움도 되지 않는데 만금처럼 귀중한 몸을 어찌 초개처럼 버리려 하시오? 오늘 마땅히 다시 강동으로 돌아가서(강동은 러시아 영토의 이름이다). 뒷날의 좋은 기회를 기다렸다가 대사를 도모하는 것이 매우 이치에 합당한 일이오. 어찌 깊이 헤아리지 않는 것이오?"

내가 다시 생각을 돌려 그에게 말하였다.

"그대의 말이 매우 훌륭하오. 옛날 초패왕 항우가 오강(烏江)에서 자살한 것은 두 가지 이유가 있습니다. 하나는 무슨 면목으로 다시 강동의 부로(父老)를 보겠는가라는 것이고, 다른 하나는 강동이 비록 작지만 또한 왕 노릇 하기에 충분하다는 말에 화가 나서 오강에서 자살한 것이오.

이런 상황에 처해서 항우가 한번 죽어 이 세상에 다시는 항우가 없게 되었으니 어찌 아깝지 않겠소? 오늘 안응칠이 한번 죽으면 반드시 세계에 다시 안응칠이 없을 것입니다. 대저 영웅이란 때로는 굽히기도 하고 때로는 펴기도 하면서 목적을 달성하는 것이니 그대의 말을 따르겠소."

이에 네 명이 동행하며 길을 찾다가 다시 3·4명을 만났다. 우리는 서로

"우리 7~8인이 낮에 적진을 뚫고 갈 수가 없으니 밤에 가는 것이 좋을 것이오."

라고 하였다.

그날 밤에 비가 끊임없이 세차게 내려 지척을 분간 할 수가 없었다. 그러므로 서로 길을 잃고 흩어져 다만 세 사람이 짝을 지어 같이 갔는데, 세 사람 모두 산천과 도로도 알지 못할 뿐만 아니라 구름과 안개가 천지를 가득 덮어서 방향도 분간할 수 없었기에 어찌할 방법이 없었다. 더구나 산도 높고 골짜기도 깊어서 인가도 없었다. 이처럼 4~5일 간을 걸었으나 한 끼도 먹지 못해 뱃속에는 밥알이 없고 발에는 신발도 없었다. 그러므로 굶주림과 추위의 고통을 참을 수가 없어서 풀뿌리를 캐먹고 담요를 찢어 발을 감쌌다. 서로 위로하고 보호하며 가는데 멀리서 닭과 개소리를 듣고 내가 두 사람에게

"내가 먼저 마을 인가에 가서 밥을 구걸하고 길을 물어 올 테니 숲속에 숨어서 내가 돌아올 때까지 기다리시오."

라고 하였다.

마침내 인가를 찾아갔는데, 이 집은 일본군 파출소였다. 어떤 사람이 불을 들고 문을 나오는 것을 언뜻 보고 나는 재빨리 몸을 피해 산속에 돌아와 두 사람과 도망칠 것을 상의하였다. 이 무렵, 기력은 모두 소진되고 정신이 혼미하여 땅 바닥에 쓰

러지고 말았다. 다시 정신을 차린 뒤에 하늘을 우러러 기도하며,

"죽을 거라면 빨리 죽게 해주시고, 살 거라면 빨리 살게 하소서."

라고 하였다. 기도를 마치고 개울을 찾아서 물을 마신 다음 나무아래 누워서 잠을 자게 되었다.

그 다음날, 두 사람이 몹시 괴로운 모습으로 탄식을 그치지 않자 내가 타일러 말하였다.

"너무 걱정하지 마시오. 인명은 하늘에 달렸으니 근심한들 무엇 하겠소. 사람은 특별히 어려운 일을 겪은 뒤에야 반드시 특별한 사업을 이룰 수 있고, 사지에 빠진 다음에야 반드시 살 수 있다고 했소. 이렇게 낙심한들 무슨 도움이 있겠소? 다만 천명을 기다릴 뿐이오."

말은 비록 대담했지만 아무리 생각해도 도무지 어찌할 방법이 없었다. 나는 혼자 생각하며 속으로 말하였다.

"옛날 미국 독립의 주역이었던 워싱턴은 7~8년 동안 풍진 속에서 많은 곤란과 고초를 겪었는데 어떻게 참을 수 있었을까? 정말로 만고에 둘도 없는 영웅이다. 내가 만약 뒷날 목적을 달성한다면 반드시 미국으로 가는 직무를 맡아서 특별히 워싱턴을 추모하고 숭배하여 같은 마음을 기념하겠다."

이날 세 사람은 생사를 돌보지 않고 백주대낮에 인가를 찾다가 다행히 산속 후미진 곳에서 인가를 만났다. 주인을 불러서 밥을 청하자 주인이 한 사발의 조밥을 주면서,

"그대들은 지체하지 말고 빨리 떠나시오. 어제 이 골짜기에 일본군이 와서 무고한 양민 5명을 체포하고 의병에게 밥을 줬다는 핑계로 즉시 쏴죽이고 갔소. 이곳은 수시로 와서 수색을 하니 허물치 말고 빨리 돌아가시오."

라고 하였다.

이에 다시 말하지 않고 밥을 가지고 산위로 올라가 세 사람이 고르게 나누어 먹었다. 이렇게 맛있는 별미는 인간 세상에서 다시 구하기 어려운 맛이었다. 아마도 하늘나라 신선들의 식당에서 파는 요리가 아닌가 싶었다.

이 때 우리는 굶은 지 이미 엿새가 지난 상태였다. 다시 산을 넘고 물을 건너 방향도 모른 채 가다가 낮에는 잠복하고 밤에는 길을 걸었다. 장맛비가 그치지 않아 고충이 너무 심하였다. 며칠 후 한 밤중에 다시 한 집을 만나서 문을 두드리고 주인을 부르니 주인이 나와서 나에게

"너는 필시 러시아로 입적한 사람이므로 일본군 부대로 압송하겠다."

라며 몽둥이로 마구 때리며 자기 동료들을 불러 체포하려고 해서 형세가 여의치 않아 몸을 피해 도망쳤다. 일본군이 지키는 어느 좁은 어귀를 지나치게 되었다. 어둠 속에서 서로 지척 간에 마주쳤기 때문에 일본군은 나를 향해 서너 발의 총을 쏘았다.

그러나 나는 다행히 총알에 맞지 않고 급히 두 사람과 함께 산으로 피신하였다. 그리고 다시는 감히 큰 길로 가지 못하고 단지 산골짜기로만 움직였는데, 전처럼 식량을 구하지 못해 4~5일 동안 굶주림과 추위가 더욱 심해졌다.

이에 두 사람에게 권하여 말하였다.

"두 형씨는 내 말을 믿고 들으시오. 세상 사람들이 만약 천지의 위대한 임금이요 부모이신 천주를 받들어 섬기지 않으면 금수만도 못한 것이오. 하물며 오늘 우리들은 사경을 벗어나기 어려우니 속히 천주 예수의 도리를 믿고 영혼의 영생을 구하는 것이 어떠하오? 옛 글에 이르기를 "아침에 도를 들으면 저녁에 죽어도 좋다."[39]라고 했소. 청컨대 형씨들은 속히 지난날의 잘못을 회개하고 천주를 받들어 섬김으로써 영생을 구하는 것이 어떻소?"

그리고 나아가서 천주가 만물을 만든 도리, 지극히 공평하고 지극히 의로운 상벌과 선악의 도리, 예수 그리스도가 강생(降生)하여 속죄를 구한 도리를 일일이 권하였다. 두 사람은 내 말을 듣고 나서 천주교를 신봉하려고 했기에 교회 규칙에 따라 즉시 대리세례를 주었다(이것은 대리세례권이다).

행례를 마친 뒤 다시 인가를 찾다가 다행히 외진 산속에서 오두막을 만났다. 문을 두드리고 주인을 부르자 잠시 뒤에 한 노인이 나와서 맞이하여 방안에서 인사를 마친 뒤에 음식을 청하였다. 말이 끝나자마자 즉시 동자를 불러서 성대한 음식을 내왔다(산 속이라 별미는 없고 나물과 과일이었다). 염치를 생각할 겨를도 없이 한바탕 배불리 먹은 뒤에 정신을 차리고 생각해 보니 무릇 12일 동안 오직 두 끼만 먹고 목숨을 연명해 여기에 이른 것이었다. 이에 주인 노인께 크게 감사드리고 전후에 당했던 고초를 일일이 얘기하였다. 그러자 노인께서 말씀하셨다.

"국가가 위급한 시기를 당했을 때 이와 같이 곤란한 것은 국민의 의무라오. 하물며 흥이 다하면 슬픔이 오고, 괴로움이 다하면 즐거운 일이 온다고 했으니 너무 걱

---

39 『논어』 이인편에 나오는 "朝聞道 夕死可矣"를 말한다.

정하지 마시오. 현재 일본군이 곳곳을 수색하고 있어 참으로 길을 가기 어렵지만 내가 가리키는 대로 어디를 따라 어디로 이르면 편할 테니 걱정할 것 없소. 두만강이 멀지 않으니 속히 건너서 돌아가 뒷날의 좋은 기회를 도모하시오."

내가 성명을 물었으나 노인께서

"물을 필요가 없다."

라고 말씀하시고 웃으며 대답하지 않았다.

이에 노인과 작별하고 그가 가리켜준 대로 하여 며칠 후 세 사람이 모두 무사히 강을 건널 수 있었다. 그때서야 겨우 마음을 놓고 한 촌가에 이르러 며칠을 편히 쉴 때에 비로소 옷을 벗고 보니 몸이 다 썩어서 빨간 피부를 가리기도 어렵고 이가 극성을 부려 수조차 헤아릴 수 없었다. 출정한 때부터 날짜를 계산해보니 한 달 반 동안 숙소도 없이 항상 노숙을 했으며, 게다가 장맛비가 그치지 않고 거세게 내려 온갖 고초를 겪었는데 이런 것을 모두 글로 적기도 어렵다.

이에 러시아령 노우키에프스크 방면에서 친한 친구를 만났으나 서로 알아보지 못할 만큼 피골이 상접하여 옛 모습을 찾아보기가 어려웠다. 아무리 생각해봐도 만약 천명(天命)이 아니었다면 도무지 살아 돌아올 방법이 없었을 것이다.

이곳에서 10여일을 머무르며 치료한 뒤에 블라디보스토크에 도착하였다. 이곳의 한인 동포들이 환영회를 마련하여 나를 초청하였지만, 나는 고사하면서

"패전한 장수가 무슨 얼굴로 여러분의 환영을 받겠습니까?"

라고 하였다.[40] 그러자 여러 사람들이

"한번 이기고 한번 지는 것은 병가지상사인데 어찌 부끄러워하십니까? 하물며 이

---

40 이러한 안중근의 의병평가와는 반대로 러시아 당국은 의병투쟁은 유래를 찾아볼 수 없는 대성공이었다고 평하였다. 그 이유를 ① 유리한 조건에서만 전투, ② 비정규군의 형태유지 및 탁월한 전술전략과 냉정한 전투자세, ③ 뛰어난 사격술과 무기라고 지적하였다. 따라서 이러한 러시아 측의 평가에서 본다면 의병투쟁을 실패로만 볼 수는 없는 것이다.

안중근이 행한 의병투쟁은 다음과 같은 의미를 갖는다. 즉, ① 의병세력의 한계성을 인식하여 이후 의열투쟁(이토 처단)으로 전환하는 계기가 되었다. ② 지속적인 대일항전을 위한 전투 경험을 쌓음으로써 향후 일제와의 의병투쟁을 전개하는 데 중요한 경험이 되었다. 이러한 전투경험은 이후의 독립전쟁의 밑바탕이 되었던 것이다. ③ 러시아인에게는 한인의 독립에 대한 열망이 얼마나 대단한지를 보여주었고, 일제에게는 한국인의 독립에 대한 의지를 과시하였다.

이러한 의병의 활동은 러일 양국에 충격을 주었던 것이다. 러시아당국은 일제의 압력의 원인을 러시아 한인의 무장봉기에서 찾고 있었다. 때문에 러시아당국은 한층 강경한 한인정책을 취하였다. 이는 국경수비위원회가 1909년 2월 6일 연해주 군총독에게 러시아 한인문제에 대한 정책을 건의한 비밀전문에서도 확인된다 (국사편찬위원회, 「연해주의 군총독 각하께」, 『한국독립운동사』 자료 34, 42쪽).

렇게 위험한 곳에서 무사히 살아 돌아 왔는데 어찌 환영하지 않겠습니까?"

라고 하였다.

그 무렵[41] 나는 다시 이곳을 떠나 하바로프스크 방면으로 향하는 기선에 탑승하여 흑룡강 상류 수천 리를 시찰하며 혹 뜻있는 한인들을 방문하였다. 그리고 다시 수청[42] 등지로 돌아와 교육을 권장하기도 하고 또는 사회단체를 조직하며 각 방면을 두루 다녔다.

하루는 사람이 없는 산 속에 이르렀는데, 갑자기 어떤 괴상한 무리 6~7명이 뛰어나와 나를 포박하였다. 그 가운데 한 명이

"의병대장을 잡았다."

라고 말하자, 나와 동행했던 몇 사람은 달아나고 말았다. 그들이 나에게

"너는 어찌하여 정부에서 엄격히 금지하는 의병을 감히 일으키느냐?"

라고 하였다. 내가 말하였다.

"오늘날 이른바 정부라고 하는 것은 형식적으로는 있지만 내용상으로는 이토가 한 개인의 정부에 불과하다. 한국 백성이 정부 명령에 복종한다면 이것은 사실 이토에게 복종하는 것이다."

그들은

"더 이상 말이 필요 없다. 그냥 때려죽이자."

라며, 말이 끝나자 수건으로 내 목을 묶어 눈 속에 넘어뜨리고 수없이 마구 때렸다. 내가 큰 소리로 꾸짖으며 말하였다.

"너희들이 만약 여기서 나를 죽인다면 무사할 듯해도 조금 전에 나와 동행했던 두 사람이 달아났다. 이 두 사람이 반드시 내 동지들에게 가서 알릴 것이니 너희들은 훗날 몰살 당할 것이다. 알아서들 해라."

그들은 내 말을 듣고 나서 서로 귓속말로 속삭였는데 필시 나를 죽일 수 없다고 의논하는 것 같았다. 잠시 후에 나를 붙잡고 산 속 초가집으로 들어갔는데, 어떤 놈은 때리기도 하고 어떤 놈은 말리기도 하였다. 내가 좋은 말로 타이르며 수없이 풀어

---

41 안중근은 1908년 9월경 우덕순과 블라디보스토크 공립협회의 회원으로도 활동하였다(이상봉·이선우 편, 『李鎭龍 義兵將 資料全集』, 국학자료원, 2005, 68쪽). 안중근이 우덕순과 함께 공립협회의 회원으로 활동한 사실은 안중근이 이토 처단의 동지로 우덕순을 택한 이유를 이해하는 데 일정한 실마리를 제공한다는 측면에서 그 의미가 크다.

42 현 빨치산스크.

주기를 권했지만 그들은 묵묵히 대답하지 않았다. 자기들끼리 서로

"너 김가가 발의한 일이니 김가가 임의대로 해라. 우리는 더 이상 상관하지 않겠다."

라고 하였다. 그러자 김가 한 사람만이 나를 압송해서 산을 내려갔다. 내가 한편으로는 타이르고 다른 한편으로는 저항을 하자, 김가는 어찌할 수 없다고 판단하고 아무 말도 없이 가버렸다. 이들은 모두 일진회의 잔당으로 본국에서 이곳으로 피난 와서 사는 무리들이었다. 내가 이곳을 지난다는 말을 듣고 이와 같은 사건을 일으킨 것이었다. 이 때 나는 죽음을 면하고 친구의 집을 방문하여 상처를 치료하였다. 그리고 이곳에서 그 해 겨울을 보냈다.

그 다음해 정월에(이 때가 곧 기유년 1909년이다). 노우키에프스크 방면으로 돌아와 동지 두 사람과 상의하며 말하였다.

"우리들이 전후로 아무런 일도 성공하지 못했으니 다른 사람들의 비웃음을 면하기 어려울 것이다. 뿐만이 아니라, 만약 특별한 단체가 없으면 어떤 일을 막론하고 목적을 달성하기 어렵다. 오늘 우리는 손가락을 잘라 함께 맹세하여 표시를 남긴 뒤에 일심으로 나라를 위해 헌신하여 목적달성을 기약하는 것이 어떠한가?"[43]

모든 사람들이 승낙을 하고[44], 이에 12명이 각각 왼손 약지를 자른[45] 뒤에 그 피로 태극기 전면에 크게 '대한독립'이라는 네 자를 썼다. 글자를 다 쓰고 대한독립만세를 일제히 세 번 외친 후 천지에 맹세하고 흩어졌다.[46]

----

43 안중근은 정천동맹(단지동맹)을 결성하기 전 1909년 2월 15일에 동회의 후신임을 자처하며 김길량 김지창 김병호 김기룡 수청파를 중심으로 하여 발기한 '연추한인일심회(煙秋韓人一心會)'(국사편찬위원회, 「친 제28호」, 『한국독립운동사』 자료 13, 470쪽)의 평의원으로 참여하였다(『대동공보』 1909년 3월 17일자, 「취지서」).

44 정천동맹 결성시점에 대해서는 ① 1908년 10월 12일 설(국사편찬위원회, 「피고인 안응칠 제8회 신문조서」, 『한국독립운동사』 자료 6, 246쪽; 최서면, 『大韓國人 안중근』, 문화체육부·한국문화진흥원, 1993, 13쪽; 박민영, 「러시아 연해주지역의 의병」, 『대한제국기 의병연구』, 한울, 1998, 306쪽). ② 1908년 12월 또는 1909년 정월 설(국사편찬위원회, 「안중근 제2회 공술」, 『안중근·우덕순·조도선·유동하 등 공술기록』(안중근 자료집 5), (사)안중근평화연구원, 2014, 9쪽; 신용하, 「안중근의 사상과 의병운동」, 『한민족독립운동사연구』, 을유문화사, 1985, 176쪽). ③ 1909년 2월 7일 설(계봉우, 「안중근전(9회)」, 『권업신문』 1914년 4월 29일자; 박환, 「러시아 沿海州에서의 安重根」, 74쪽). ④ 1909년 3월 5일 설(윤병석, 「安重根의 沿海州 義兵運動과 同義斷指會」, 12~13쪽). 그런데 일심회가 발기한 것이 2월 15일이므로 안중근의 정천동맹은 그 이후의 일이다. 따라서 정천동맹이 2월 15일 이전에 성립되었다는 기존의 주장은 타당성이 없다. 그러므로 3월 중에 성립된 것이 확실하다.

45 안중근은 대한독립(大韓獨立)이라고 쓴 '한국독립기(韓國獨立旗)'와 정천동맹 때 자른 '손가락(指頭)' 및 기타 서류를 백규삼이 보관하고 있다가 나중에 안정근에게 넘겨주었다(日本 外交史料館, 「朝鮮人ノ動靜ニ關スル密偵ノ情報送付」, 『在西比利亞』 第3卷(不逞團關係雜件-朝鮮人ノ部, 문서번호 : 4.3.2, 2-1-2)).

46 일제가 정천동맹(단지동맹)의 장소와 시점 취지는 다음에서 확인된다.

去 三月 二日 安應七 白圭三 金起龍 三名이 煙秋에 會合하여 義兵의 件(暴徒振興의 件)에 關하여 協議하고 斷指同盟을 하였다. 그 盟約文中에 死亦同穴 生亦同日의 文字가 있다. 三名이 共히 手指 一本을 截하여 違約하지 않을 것을 盟誓하였다 한다(국사편찬위원회, 「경비친 제22호」, 『한국독립운동사』 자료 13, 803쪽).

그리고 안중근과 뜻을 같이한 정천동맹의 동지는 모두 11명으로 그 성명·연령·이명(異名)·출생지는 아래와 같다.

성명	이명(異名)	출생지	활동지역	연령	직업 및 활동내용
安重根 (안중근)	安應七 (안응칠)	황해도	연추 (크라스키노) 블라디보스토크	31세	교육가, 군인. 1908: 동의회 평의원, 의병참모중장. 1909: 연추한인일심회 평의원, 정천동맹 맹주, 이토 처단. 1910: 순국.
金基龍 (김기룡)	金吉龍 (김길룡) 金泰龍 (김태룡)	평안도	소성 (수찬), 현 빠르찌산스크	30세	경무관, 상업, 의병. 1909: 연추한인일심회 서기. 1917: 노령한인협회 발기회 서기. 1918: 블라디보스토크 조선인군인회 대표. 1921: 대한국민의회 외무부장. 1935: 순치동제당 회원, 혼춘정의단 단장.
姜基順 (강기순)	姜起順(강기순) 姜順琦(강순기)	평안도	수청	40세	의병.
鄭元桂 (정원계)	鄭元植(정원식) 鄭桂元(정계원)	함경도	소성	30세	의병.
朴鳳錫 (박봉석)	朴奉石(박봉석)	함경도	소성	32세	농업, 의병.
柳致弘 (유치홍)	劉致鉉(유치현)	함경도	소성	30세	농업, 의병.
趙應順 (조응순)	曹順順(조순순) 趙順應(조순응) 趙一飛(조일비) 王大方(왕대방) 五 周(오 주) 金 閱(김 열)	함경도	소성 블라디보스토크 상해	25세	농업, 의병. 1917~1920: 모스크바 유학, 1920: 치타 고려공산당 입당, 치타 고려공산당동아한인부 위원. 1921: 한국독립단부단장. 1922: 안중근의사 추모회(서거 12주년)에서 정천동맹 증언.
黃炳吉 (황병길)		함경도	훈춘	25세	농업, 의병. 1912: 둔전영 평의원. 훈춘. 1913: 조선인기독교교우회회장, 1915: 대한민회 연추지방회 사무원. 훈춘의용군사령관. 1919: 훈춘현 한덕자의 만세시위주도, 대한국민회고 교제과장. 1920: 건국회조직, 조선애국부인회조직, 의용군 1,300여 명의 경원·온성 등의 국경지방을 습격 주도, 훈춘한민회경호부장. 1920년 6월: 사망.

그 뒤 여러 곳을 왕래하며 교육을 권장하고 백성의 뜻을 단합시키며 신문 구독을 권장하였다.[47] 이 때 갑자기 정대호(鄭大鎬)[48]의 편지를 받고 즉시 가서 만났다. 그 뒤 본가의 소식을 자세히 듣고 가족을 데려오도록 부탁한 뒤에 돌아왔다. 또 봄에서 여름 사이에 동지 몇 사람과 한국 국내로 들어가 여러 가지 정황을 살피고자 하였다. 그러나 움직일 자금을 마련할 길이 없어 목적을 달성하지 못하고 허송세월 하다 보

성명	이명(異名)	출생지	활동지역	연령	직업 및 활동내용
白圭三 (백규삼)	白南奎(백남규) 白樂奎(백낙규) 白圭復(백규복)	함경도	훈춘 연추	27세	1908: 농업, 의병, 동의회 서기, 최재형파의병 경리부장. 1912: 훈춘조선인기독교우회회장, 둔전영총리, 안중근유족구제회 간부.
金伯春 (김백춘)	金海春(김해춘) 金應烈(김응렬)	함경도	소성	25세	어업, 의병.
金天化 (김천화)	葛化千(갈화천) 金千化(김천화)	강원도	니콜라예프스크 블라디보스토크	26세	노동, 의병.
姜昌斗 (강창두)	姜計贊(강계찬) 姜斗讚(강두찬) 姜昌東(강창동)	평안도	니콜라예프스크	27세	노동, 의병. 동의회 회원.

47 안중근 정천동맹 이후 1909년 3월 5일 무장한 약 300명의 의병을 이끌고 수청방면으로부터 합십마(哈什碼) 부근으로 이동하는 등 의병활동을 벌였다(국사편찬위원회, 「경비친 제22호」, 『한국독립운동사』 자료 13, 803~804쪽). 또한 그는 일진회 색출에도 진력하였다. 이를테면 1909년 3월 3일 회령(會寧) 상인 박(朴)이라는 사람이 연추에서 6리 떨어진 南石洞(수하노브카)에 이르렀는데 의병 세 사람이 여관에서 그의 짐 보따리를 검사했다. 이때 안중근 수하의 의병들은 회령인 모(某)가 수청인 모(某)에게 보낸 편지 한 통을 발견하였다. 그것은 "현재의 시세로는 의병이 아무것도 안 되니, 조속히 일진회 가입을 유지자에게 권고하라"는 내용이었다(국사편찬위원회, 「경비친 제22호」, 『한국독립운동사』 자료 13, 803~804쪽). 의병들이 이 편지를 그에게 주었다. 그는 크게 노하여 3월 6일 상인 박을 포박하여 수청으로 데리고 갔다. 이는 그의 부일세력에 대한 인식을 엿볼 수 있는 단서가 된다는 점에서 주목되는 대목이다. 이처럼 안중근은 대일투쟁과 더불어 일진회 처단을 위하여 진력하였다.

48 정대호는 1884년 1월 2일 서울 종로구 중학동 43번지에서 부 정계성(鄭繼聖)과 모 김씨 사이에서 태어났다. 그는 1893년 한학공부를 시작하였으며 서울에서 1895년경 오일환과 영어학교에서 함께 4년간 수학하였다. 1899년에 안예도씨와 결혼하였다. 그는 1903년 8월 10일부터 진남포 해관에서 오일환과 함께 근무하였다. 1906년 봄부터 안중근과 친하게 지냈다. 1908년 9월부터 수분하 세관에 근무하면서 1909년 10월 안중근의 부탁을 받고 안전하게 안중근의 가족을 하얼빈까지 망명시켰다. 이 일로 일경에 체포되어 옥고를 치르기도 하였다. 1912년에 한인회 지방총회 회장으로 있다가 귀국하였다. 1916년 다시 중국 천진으로 망명하였다. 1919년에 상해로 이주한 이후, 임시정부에 참여하면서 임시의정원 경기도 의원에 선출되었다. 동년 11월에 대한 적십자회 3.1대에 소속되어 적십자회원 모집운동에 참여하였다. 1921년에는 신한청년당에 가입하여 『신한교육보』를 발행하였다. 그는 1923년 중국의 손문의 부탁을 받아 수마트라섬의 팔림방시에 있는 화교학교 교장으로 취임한 후 화교로부터 군자금을 모집하는 활동을 하였다. 1925년 싱가폴에 있는 화교학교인 돈암학교에서 근무하였다. 1941년 5월 싱가폴에서 57세로 유명을 달리하였다(愛國志士 鄭大鎬先生 追慕委員會, 「愛國志士 鄭大鎬先生年譜」, 『愛國志士鄭大鎬先生墓碑除幕式』, 1991, 4~5쪽).

니 이미 초가을 9월이 되어버렸다. 이 때가 1909년 9월이다.

당시 나는 노우크에프스크 방면에 머무르고 있었다. 하루는 홀연히 아무런 이유도 없이 심신이 울적하고 불안하여 진정하기가 어려웠다. 이에 친한 친구 몇 사람에게 "나는 지금 블라디보스토크로 가려 한다."

라고 말하였다. 그러자 친구들이

"무슨 이유로 이렇게 기약 없이 갑자기 떠나려고 하는가?"

라고 하자, 내가

"나도 그 이유를 알 수 없다. 저절로 가슴에 번뇌가 생겨 도무지 여기에 머물고 싶은 생각이 없기 때문에 가려는 것이다."

라고 대답하였다. 친구들이

"이번에 가면 언제 돌아올 것인가?"

라고 묻기에 나는 아무 생각 없이 문득

"다시는 돌아오지 않을 생각이다."

라고 대답하였다. 그는 이상하게 생각했는데, 나 역시 생각 없이 대답한 말이었다.[49] 이에 서로 작별하고 길을 떠나 보로실로프 항구에 도착하여 기선을(이 항구의 기

----

49 안중근이 이렇게 생각한 배경에는 1908년 7월경의 국내진격작전이 실패한 이후의 러시아한인 사회의 의병에 대한 부정적인 인식이 반영된 것이다. 안중근은 주로 블라디보스토크 이치권(李致權)의 집에 머물며 의병을 일으킬 방도를 이리저리 궁리한 끝에 연추·부령을 거쳐 함경도 등지로 가서 자금을 마련한 후 다시 거병을 도모하려고 하였다. 그래서 그는 블라디보스토크를 출발하여 1909년 7월경 김기룡(金起龍)과 함께 연추에 이르렀다. 그는 최재형(崔在亨)에게 거병지원을 요청하였으나 뜻을 이루지 못했다. 최재형은 지원은 고사하고 심지어 동복(冬服)조차 원조해 주지 않았다. 결국 부령 방면으로 출발도 하지 못한 채 진퇴양난에 처하게 되었다.
최재형은 1909년 1월 17·20일자 『대동공보』에서 의병에 대한 비판적인 태도를 분명히 드러냈다. 즉, 그는 "지방의 소문을 들은 즉 무뢰배들이 의병이라고 사칭하며 그 애국심을 자랑하고 유명인의 이름을 도용하여 위조된 편지를 각지에 돌려 불법적으로 돈을 거두어 착복하고 있다. 그런 자에게 무용한 보조금을 주지 말아야 하고 그와 같은 폐단을 살펴 없애야 한다"며 안중근을 비롯한 의병세력을 공격하였다. 이는 1908년 여름 의병전쟁이 실패한 후, 러시아의 압력과 한인사회의 내분 내지 최재형·최봉준 등의 강력한 요구에 기인한 것으로 여겨진다.
이러한 상황에서 최재형은 안중근을 '무뢰배'로 단정하고 그의 지원요청을 거부하였던 것이다. 이는 "無賴로서 늘 사람의 財産을 掠奪하는데만 汲汲하던 安重根이 이 壯擧를 했다니 앞서의 挾雜者가 지금 國家 第一功臣이 되었다"(국사편찬위원회, 「헌기 제2634호」, 『한국독립운동사』 자료 7, 251쪽)라는 최재형의 언급에서도 극명히 드러난다.
러시아 한인사회 유력자들의 의병에 대한 태도가 변하자, 안중근은 최봉준을 자신의 목숨과 돈만을 아는 인물이라고 평하였고, 최재형에 대해 의병을 경멸하는 인색가라고 하여 비판적인 입장을 취하였다(신운용 편역, 「안중근 제3회 공술」, 『안중근·우덕순·조도선·유동하 등 공술기록』(안중근 자료집 5), (사)안중근평화연구원, 2014, 18~19쪽). 이처럼 안중근은 러시아 한인사회의 유력자에 대해 대체로 부정적인 시각을 갖고

선은 1주일에 1~2차례씩 블라디보스토크를 왕복한다.) 타고 블라디보스토크로 갔다.[50]

소문을 들으니, 이토 히로부미가 장차 이곳에 온다는 말들이 항구에 자자하게 퍼졌다. 이에 자세히 알아보고[51] 여러 서양 신문들을 사서 읽어보니 조만간 하얼빈에

- -

있었던 것 같다.

50 이때 의병장 이석산(李錫山)이 연추에 와 있다는 소식을 듣고 그의 처소로 방문하였다. 그는 이석산이 다액의 무기구입자금을 갖고 있고 이후 블라디보스토크로 간다는 사실을 확인하였다(신운용 편역, 「안중근 제7회 공술」, 『안중근·우덕순·조도선·유동하 등 공술기록』(안중근 자료집 5), (사)안중근평화연구원, 2014, 37쪽). 이로써 그는 다시 거병할 희망을 품고서 약 10일 후 그 자금을 마련할 목적으로 연추에서 블라디보스토크로 출발하였다. 안중근은 연추를 출발하여 포셋트항에서 기선 우수리호를 타고서 약 9시간 만에 블라디보스토크에 도착하였다.

51 안중근이 블라디보스토크에 도착해 보니 이미 이토의 만주방문 소문이 파다하게 퍼져 있었다. 한인 열혈청년들은 "뭔가 해야 한다."라고 공공연하게 주장하고 있을 정도였다. 이러한 분위기 속에서 그가 처음으로 이토의 만주방문을 직접 확인한 것은 이치권의 집에서였다.
그는 블라디보스토크 이치권 집에 주로 머물고 있었다. 그만큼 이치권은 그의 성격과 애국심을 누구보다 잘 알고 있었던 인물이다. 이치권은 그를 보자 "이번에 이토가 오는데 너의 의견은 어떠냐."(위의 책, 38쪽)라며 떠보기도 하였다. 그러나 안중근은 그런 소리는 하지 말라며 정색을 하면서 첫째 미인, 둘째 나폴레옹의 부인과 같은 부자, 셋째 프랑스의 잔다르크와 같은 사람을 중신해 달라는 엉뚱한 소리를 하며 속마음을 숨기었다(위의 책, 39쪽). 이때 의병투쟁의 한계를 절감하고 있던 그는 을사늑약 이후 꿈꾸어 왔던 이토 처단 기회가 드디어 왔음을 직감하였다.
그리하여 안중근은 타인에게 선수를 빼앗길까 우려하면서도 너무나 기쁜 나머지 곧 밖으로 나왔다(신운용 편역, 「안중근 제6회 공술」, 『안중근·우덕순·조도선·유동하 등 공술기록』(안중근 자료집 5), (사)안중근평화연구원, 2014, 32쪽). 이치권으로부터 이토의 방만(訪滿)사실을 전해 들은 안중근은 사실여부를 보다 정확하게 조사할 필요성을 느꼈다. 그래서 그는 10월 20일 낮 12시경 대동공보사로 향하였다. 그곳에서 김만식(金萬植)을 만났다. 그의 성격을 잘 알고 있던 김만식은 "이번 伊藤이 온다는데 왔는가"(신운용 편역, 「안중근 제8회 공술」, 『안중근·우덕순·조도선·유동하 등 공술기록』(안중근 자료집 5), (사)안중근평화연구원, 2014, 41쪽)라고 그의 의중을 떠보려고 하였다. 이처럼 이치권과 김만식의 안중근에 대한 태도에서 블라디보스토크 한인사회에 이토를 처단할 적임자는 안중근뿐이라는 공감대가 형성되어 있었음을 알 수 있다.
그러나 안중근은 "이토 한 사람을 죽인다고 해서 문제가 해결될 것 같지 않다"(위와 같음)고 연막을 피웠다. 그리고 나서 영웅을 알아보는 미인을 얻고 싶으니 광고를 내겠다며 화제를 다른 방향으로 돌렸다(위와 같음). 이에 대동공보사의 다른 동지들은 비싼 광고료를 받고 게재하자며 서로 농담을 주고받기도 하였다(위와 같음). 이와 같이 안중근은 대동공보사 인사들의 초미의 관심사인 이토 처단문제에 대해 관심이 없는 것처럼 행동하였다. 그 이유는 그가 블라디보스토크에 많은 밀정이 있었음을 잘 알고 있었고(신운용 편역, 「안중근 제10회 공술」, 『안중근·우덕순·조도선·유동하 등 공술기록』(안중근 자료집 5), (사)안중근평화연구원, 2014, 49쪽). 또한 선수를 타인에게 빼앗기고 싶지 않았기 때문이었다.
안중근은 더 확실한 정보를 얻고자 20일 정오경 대동공보사 사원인 김치보(金致甫)의 집에서 정재관(鄭在寬)을 만났다. 이때 "신문기사에 의하면 이토가 온다고 하는데 사실이냐"고 그가 물었다. 이에 정재관은 다음과 같이 말했다
"그렇다. 사실이다. 이곳에도 청년배가 모여서 이토가 온다니 칼을 갈아갖고 가지 않으면 안 된다"고들 하므로 자기(정재관)가 "그런 일이 러시아 관헌에라도 알려지면 그야말로 큰일이다. 바보 같은 소리 말라"고 제지하였다.(신운용 편역, 「안중근 제13회 공술」, 『안중근·우덕순·조도선·유동하 등 공술기록』(안중근 자료집 5), (사)안중근평화연구원, 2014, 58쪽).
이와 같이 정재관은 블라디보스토크의 분위기와 이토의 방만(訪滿) 사실을 확인해 주었다. 그러나 평소 친분이 있던 정재관이 이토에 대해 소극적인 태도를 취하자, 그는 당신의 말이 옳다며 더 이상 말을 하지 않았다. 정재관의 이러한 태도는 의병전쟁 실패 후, 의병투쟁의 실효성에 의심을 품고 있던 블라디보스토크의 분

도착한다는 것은 의심할 바 없는 사실이었다. 혼자 생각하다 은근히 기뻐하였다.

"다년간 소원하던 목적을 오늘 이룰 수 있겠구나. 늙은 도적이 내 손에서 죽는구나."

그러나 이곳에 온다는 말은 자세히 밝혀지지 않아서 반드시 하얼빈에 간 뒤에야 성사될 것은 의심이 없었다.

즉시 길을 떠나려 했으나, 활동 자금을 마련할 방법이 없어서 이런저런 생각을 하던 중 이곳에 사는 한국 황해도의 의병장이었던 이석산(李錫山)[52]을 찾아갔다. 이 때 이 씨는 다른 곳으로 가려고 여장을 꾸려 문을 나서던 순간이었다. 나는 급하게 그를 불러 돌려세워 밀실에 들어가 100원을 빌려달라고 요청하였다. 그러나 이 씨는 내 말을 들어주지 않으려고 하였다. 상황이 여기에 이르자 나는 어쩔 수 없이 그를 협박하여 억지로 100원을 빼앗아 돌아왔다. 일은 이미 반은 성공한 것이었다.

이에 동지 우덕순(禹德淳)을 초청해서 거사 계획을 밀약한[53] 뒤 각자 권총을 휴대

- -

위기와 대동공보사 인사들의 점진적 성향이 반영된 것으로 보인다(신운용 편역, 「안중근 제1회 공술」, 『안중근·우덕순·조도선·유동하 등 공술기록』(안중근 자료집 5), (사)안중근평화연구원, 2014, 6쪽).

52 이토 처단을 결심한 안중근은 무엇보다도 거사자금의 필요성을 더욱 절실하게 느꼈다. 그래서 그는 연추에서 만난 적이 있던 이석산을 찾아 25루블·10루블·5루블·1루블짜리 각각 1매와 은화 등 총 100루블을 강제로 빌렸다(신운용 편역, 「안중근 제9회 신문기록」, 『안중근 신문기록』(안중근 자료집 3), (사)안중근평화연구원, 2014, 149쪽). 이때 그는 필생의 위업을 이룰 절호의 기회를 얻은 듯이 기뻐하였다.

여기에서 과연 이석산이 어떤 인물인지 살펴볼 필요가 있다. 일제의 기록에 따르면 이석산은 "유인석의 '生復'으로 이치권의 가택에서 340보 떨어진 좌측의 한국가옥에 머물고 있었으며, 연령은 34세로 평양출생"(日本 外交史料館, 『伊藤公爵遭難ニ關シ倉知政務局長旅順出張竝ニ犯人訊問之件 聽取書』第二卷(문서번호 : 4.2.5, 245-4))이라고 한다. 물론 이러한 이석산에 대한 일제의 기록이 정확하다고 단정할 수는 없으나, 적어도 이를 통해 이석산이라는 인물의 존재를 확인할 수 있다.

그렇다면 이석산은 누구일까? 결론적으로 말하면 이석산은 의병장 이진룡(李鎭龍)으로 추정된다. 이진룡은 1908년 8월 유인석과 함께 연해주로 갔다가 1909년 초에 귀국하여 1909년 3월 모상(母喪)을 치렀다. 그 후 다시 연해주로 가서 무기를 구입해 1909년 11월 하순에 한국으로 돌아온 것으로 보인다(『朝鮮新聞』 1910년 3月 6日字, 「賊魁 李鎭龍」). 필시 안중근이 블라디보스토크에서 이진룡을 만난 것도 이 무렵의 일로 보인다. 또한 이진룡이 그에게 이토를 처단할 무기를 제공하였다는 기록이 있다(이상봉·이선우 편, 『李鎭龍 義兵將 資料全集』, 국학자료원, 2005, 707쪽). 물론 그 자신의 권총으로 의거를 단행하였다는 기록을 보건대, 이진룡이 무기를 제공하였다는 것은 사실이 아닐 것이다. 그러나 이는 적어도 안중근과 이진룡의 조우 가능성을 뒷받침해주는 증거임에 분명하다.

53 이는 1909년 10월 20일의 일이다. 우덕순은 안중근의 이토 처단계획에 동의한 이유를 다음과 같이 말하였다. "나는 5조약의 이야기를 황성신문에서 보았다. 또 『대한신보』·『신한민보』 등에는 이토가 한국의 국권을 강탈하고 황실을 속이고 국민을 모두 승려로 만들고 인권까지도 빼앗으려고 한다. 또 이토는 한 번에 천황과 정부를 기만하고 한국에 대해 압박을 가하는 자다. 이토를 죽이지 않으면 동양 3국의 평화유지는 도저히 희망이 없다. 이토의 탐학한 대한정책은 천하를 속이고 지성에서 나온 것이 아니라는 기사 등을 읽고 늘 분개하고 있었으므로 이번 안의 유인에 응하여 죽일 결심을 한 것이다."(신운용 편역, 「우덕순 제1회공술」, 『안중근·우덕순·조도선·유동하 등 공술기록』(안중근 자료집 5), (사)안중근평화연구원, 2014, 70쪽).

하고 즉시[54] 길을 떠났다. 기차를 타고 가다 생각해보니 두 사람 모두 러시아어를 몰라 걱정이 태산과 같았다. 중간에 수이펀강 지방에 이르러 유동하(柳東夏)를 방문하여 말하였다.

"나는 가족을 맞이하고자 하얼빈에 가는데 내가 러시아 말을 몰라 매우 걱정이네. 그대가 그곳에 같이 가서 통역을 해주고 모든 일을 주선해 주면 어떻겠나?"

그러자, 유동하가

"저 또한 약을 사러 하얼빈에 가려고 생각하던 중이니 함께 가면 매우 좋겠습니다."

라고 하였다.[55] 즉시 동행하여[56] 다음 날 하얼빈에 있는 김성백(金聖伯)의 집에 도착해서[57] 머문 뒤에 다시 신문을 보고 이토가 오는 날짜를 자세히 알아봤다.[58]

그 다음 날 다시 남쪽에 있는 장춘 등지로 가서 거사를 하려고 하였다. 유동하는

---

54 안중근과 우덕순은 1909년 10월 21일 어침 8시 50분에 3등열차를 타고서 블라디보스토크를 출발한 지 약 6시간 16분 만인 오후 3시 6분 소왕령(小王領, 고고리스크)에서 일단 하차하였다. 그 이유는 첫째, 직통표를 사면 비용이 많이 들기 때문이었다. 둘째, 포그라니치아에 세관이 있는 관계로 3등 열차의 검사가 엄격하여 그렇지 않은 2등 열차로 갈아타기 위해서였다(신운용 편역, 「안중근 제9회 신문기록」, 『안중근 신문기록』(안중근 자료집 3), (사)안중근평화연구원, 2014, 150쪽). 안중근은 소왕령에서 30분간 정차하는 동안 포그라니치아까지 가는 2등 열차표를 샀다(위와 같음).

55 안중근은 유동하를 통역으로 데리고 갈 생각을 한 것은 정대호를 찾아갔을 때 1908년 음력 4월경에 평소 알고 지내던 한의사 유경집(劉敬緝) 집을 방문한 후, 유경집의 아들 유동하가 그를 '숙부'라고 부를 정도로 서로 잘 아는 사이였기 때문이다(日本 外交史料館, 『伊藤公爵遭難ニ關シ倉知政務局長旅順出張竝ニ犯人訊問之件(聽取書)』(문서번호 : 4.2.5, 245-4)).

56 이 때의 상황은 다음과 같다. 안중근은 유경집에게 이토 처단 계획을 숨긴 채, "정대호가 자기의 가족을 데리고 오므로 하얼빈으로 마중하러 가는데, 통역이 없어 곤란하다. 유동하를 데리고 갔으면 좋겠다"(위의 책, 152쪽)는 취지의 말을 하였다. 이에 유경집은 "아직 어려서 걱정하고 있는데 잘 되었으니 그대들과 함께 보내겠다."(위와 같음).이라며 유동하의 동행을 승낙하였다. 게다가 유경집은 숙박문제로 걱정하고 있던 그에게 자기의 친척인 김성백(金成伯)의 집에서 유동하가 숙박할 예정이니 함께 가하면 좋을 것이라며 숙소까지 알선해 주었다. 또한 유경집은 유동하에게 "할 일이 많으니 빨리 돌아오라"(위의 책, 154쪽)는 당부의 말도 잊지 않았다.

57 안중근 일행은 21일 밤 10시 34분경에 포그라니치아를 출발하여 22일 밤 9시 15분에 하얼빈에 도착하였다.

58 23일 오전 안중근과 우덕순은 이발을 하였다(신운용 편역, 「공판시말서 제3회」, 『안중근·우덕순·조도선·유동하 공판기록-공판시말서』(안중근 자료집 9), (사)안중근평화연구원, 2014, 72쪽). 그리고 나서 안중근·우덕순·유동하 세 사람은 함께 사진을 찍었다(신운용 편역, 「흥행 3일전 하얼빈 중국인 사진관에서 촬영한 기념사진」, 『재만일본 신문 중 안중근기사Ⅱ-만주일일신문』, (사)안중근평화연구원, 2014, 103쪽). 이때 안중근과 우덕순은 이것이 생애 마지막 사진이 될 것이라는 비장감을 느끼면서 이토 처단 결의를 다졌던 것으로 보인다. 또한 안중근과 우덕순은 옷을 사며 하얼빈 시내를 돌아다녔다.
안중근은 23일 점심때 이토가 하얼빈에 왔다는 김성백의 말을 들었고 또 그런 풍문이 있어 신문을 보고 사실 여부를 확인하였다(신운용 편역, 「안중근 제9회 신문기록」, 『안중근 신문기록』(안중근 자료집 3), (사)안중근평화연구원, 2014, 265쪽). 『원동보』에는 "10월 20일 밤 11시 이토가 長春에서 哈爾賓으로 온다"는 기사가 실려 있었다(위의 책, 158쪽). 20일 온다는 이토가 아직 도착하지 않은 것으로 보아 소문과 신문기사가 사실이 아니었음을 알 수 있었다. 그러나 그는 조만간 이토가 올 것이라는 확신을 갖고 있었다.

본래 나이가 어린 사람이어서 곧 본가로 돌아가고자 하였다. 다시 통역할 한 사람을 만나야 했는데 이때 조도선(曺道先)을 만났다. 가족을 맞이하려고 남쪽으로 가려고 하는데 함께 동행해달라고 하자, 조도선이 곧바로 응낙하였다.[59] 그날 밤도 역시 김성백의 집에서 잤다.

이때 활동 자금이 부족할까 걱정되어 유동하에게 부탁하여 김성백에게 50원을 잠시 빌려 주면 머지않아 곧 갚겠다고 말하라고 하였다. 유동하가 김성백을 만나러 밖으로 나갔다. 이 때 혼자 등불 앞 차가운 평상 위에 앉아 잠시 거사를 생각하며 비분강개한 마음을 이기지 못하다 우연히 노래를 읊었다.

"장부가 세상에 처함이여! 그 뜻이 크도다(丈夫處世兮 其志大矣).

때가 영웅을 만들고 영웅이 때를 만드는구나(時造英雄兮 英雄造時).

천하를 크게 바라봄이여 어느 날에 대업을 이루려나!(雄視天下兮 何日成業).

동풍이 점점 차가워짐이여! 장사의 의기는 뜨겁구나(東風漸寒兮 壯士義熱).

분개하며 한 번 떠남이여! 반드시 목적을 이루리로다(憤慨一去兮 必成目的).

쥐새끼 같은 도적 이또이 있음이여! 어찌 목숨을 유지하려 하겠느냐(鼠竊伊藤兮 豈肯比命).

어찌 이에 이를 줄을 알았으리! 사세가 그러하구나(豈度至此兮 事勢固然).

----

59 조도선과 만난 저간의 상황은 다음과 같다.
1909년 7월경에 포그라니치아에서 인사를 나눈 적이 있는 조도선(曺道先)을 김성백을 통하여 조도선을 찾을 수 있었다. 조도선은 1909년 음력 8월 초 세탁업을 하기 위하여 하얼빈에 와 있었다(신운용 편역, 「조도선 제5회 신문기록」, 『안중근·우덕순·조도선·유동하 등 공술기록』(안중근 자료집 5), (사)안중근평화연구원, 2014, 101쪽).
안중근과 우덕순은 김형재(金衡在)의 안내로 김성옥(金成玉) 댁에 있던 조도선의 숙소로 갔다. 조도선을 찾아가면서 안중근은 김형재에게 자신의 가족을 맞이하기 위해, 우덕순은 신문대금을 수금하기 위해 하얼빈에 왔다고 둘러댔다. 조도선이 술자리를 마련하였으나 이들은 술을 마시지 않았다. 조도선과 안면이 있던 우덕순도 블라디보스토크의 신문사에서 신문대금을 수금하러 왔다고 자기소개를 하였다(신운용 편역, 「우덕순 제4회 신문기록」, 『안중근·우덕순·조도선·유동하 공술기록』(안중근 자료집 5), (사)안중근평화연구원, 2014, 52쪽).
술자리가 끝난 후 안중근은 조도선에게 정대호가 자신의 가족을 데리고 올 예정인데 러시아어 통역이 필요하므로 함께 가주었으면 한다며 통역을 부탁하였다. 이에 조도선은 "나는 처를 불렀는데 이제 4·5일이면 올 것이다. 오면 세탁업을 시작하려고 생각하고 있어 오래 걸리는 일이라면 가지 못한다"(신운용 편역, 「공판시말서 제2회」, 『안중근·우덕순·조도선·유동하 공판기록-공판시말서』(안중근 자료집 9), (사)안중근평화연구원, 2014, 63쪽)라며 난색을 표하였다.
그러나 자금부족으로 세탁업을 못하고 있던 조도선은 "가능하면 도와주겠다"(신운용 편역, 「둘째날의 공판」, 『안중근·우덕순·조도선·유동하 공판기록-안중근사건 공판속기록』(안중근 자료집 10), (사)안중근평화연구원, 2014, 107쪽)라고 한 정대호의 말이 생각나 그의 요청에 응하였다. 안중근·우덕순·조도선 세 사람은 저녁 6시경 안중근이 머물고 있던 김성백 댁으로 돌아왔다.

동포여 동포여! 속히 대업을 이룰지어다(同胞同胞兮 速成大業).

만세, 만세여! 대한독립이로다(萬歲萬歲兮 大韓獨立).

만세, 만세여! 대한동포로다(萬歲萬歲兮 大韓同胞)."[60]

시를 읊고 나서 마치고 다시 편지 한 통[61]을 써서 블라디보스토크 대동공보신문

----

60 이때 쓴 안중근의 시는 다음과 같아 일본외교사료관에 남아 있다. "장부가 세상에 처흠이여 그 뜻이 크도다 / 띠가 영웅을 지음이여 영웅이 띠롤 지으리로다 / 텬하를 응시흠이여 어니 날에 업을 일울고 / 동풍이 점점 차미여 장사에 의긔가 쓰겁도다 / 분기히 한 번 가미여 반다시 목젹을 이루리로다 / 쥐젹 ○○이여 엇지 즐겨 목숨을 비길고 엇지 이에 이를 쥴을 시아려스리요 사제가 고연흐도다 / 동포 동포여 속히 딕업을 이룰지어다 / 만세 만세여 딕한독립이로다 / 만세 만세여 딕한동포로다."" 丈夫處世兮 其志大矢 / 時造英雄兮 英雄造時 / 雄視天下兮 何日成業 / 東風漸寒兮 壯士義熱 / 憤慨一去兮 必成目的 / 鼠竊伊藤兮 豈肯比命 / 豈度至此兮 事勢固然 / 同胞同胞兮 速成大業 / 萬歲萬歲兮 大韓獨立 / 萬歲萬歲兮 大韓同胞"(日本 外交史料館, 『伊藤公爵遭難ニ關シ倉知政務局長旅順出張竝ニ犯人訊問之件 聽取書』(문서번호 : 4.2.5, 245-4).

이 때 우덕순도 다음과 같이 시를 썼다.

"만나수나 원슈너롤 만나수나 평싱 흔 번 만나기가 엇지 그리 더듸던냐 너롤 흔번 보라흐고 슈육으로 몃만리에 천심만고 다흐면서 륜선화챠 가러타며 아쳥양디 지날 쩍에 힝쟝검수할 젹마다 하느님쩌 기도흐고 예슈씨쩌 경비흐되 살픕쇼샤 살픕쇼샤 동반도에 딕한데국 살픕쇼샤 아못죠록 제의롤 도읍쇼셔 져 간악흔 노젹놈이 우리민족 이천만구 멸종후에 삼천리 검슈강산 쇼리업시 먹으랴고 궁흉극악 독흔 슈단 열강국을 쇽여가며 닉장을 다 쎅먹고 무엇이 부죡하야 나문 욕심 치우고자 쥐쇠이 모양으로 요리죠리 단이면서 누구롤 쏘 쇽이고 뉘쌀를 먹으라고 겨갓치 단이는 간활흔 노젹을 만느랴고 이갓치 급히 간이 지공무사흐옵시고 지인지인 우리상쥬 딕한민죡 三千萬口 일쳬로 불쌍히 역이셔셔 노젹놈을 만느보게 흐옵쇼셔 이갓치 빌기를 졍거쟝마다 천만번을 기도흐며 곳에 당도하며 쥬야불망 보랴흐든 져무리롤 만나수나 너 슈단이 간할키로 세계에 유명하여 우리동포 어륙후에 우리강산 쎅셔다가 기리 흥낙 못노리고 오늘 날에 너 먹슴이 닉 손의 주게되니 너 일도 쏙 흐도다 갑오년가독립과 을사년신녁약후 양양자득 질시 쩍에 오늘일을 몰느쓴냐 쥐진놈은 쥐당흐고 덕닥근 쩍 덕이온다 너만 이리되쥴아니 너의 무리 사천마구 위셔부터 흔아둘식 우리손에 다 쥭을나 여화 우리 同胞들아 일심으로 단합흐여 왜구를 다멸흐고 우리국권 회복흔후 국부민강흐고 보면 세계에 어네누가 우리를 압제흐며 흥등이라 딕우흐랴 어셔밧비 합심흐야 져무리를 이등노흔 죽이듯이 어셔밧비 거사흐세 우리 일을 아니흐고 평안이 안져쓰면 국권회복 졀노될이 만무하니 용감역을 진발흐야 국민의무하여보세

우슈산인 우덕순"(日本 外交史料館, 『伊藤公爵遭難ニ關シ倉知政務局長旅順出張竝ニ犯人訊問之件 聽取書』(문서번호 : 4.2.5, 245-4).

61 이는 다음과 같다.

삼가 아뢰옵니다.

"이달 9일(양력 10월 22일) 오후 8시 당지 안착. 김노옹성백(金老翁成白) 씨 집에 머물고 있다. 『원동보』에서 산견하건데 그 이토가 이달 12일(양력 10월 25일) 관성자 발정 러시아 철도총국이 특별히 보낸 특별열차에 탑승, 같은 날 오후 11시 하얼빈에 도착한다고 하므로 동생들은 조(우)도선(曺(友)道先)씨와 함께 동생의 가솔을 마중하기 위해 관성자로 간다고 하여 남모르게 관성자라는 몇 십 한리(韓里) 아래에 있는 모 정거장에서 이를 기다려, 그곳에서 드디어 일을 결행할 작정이다. 그 어간 앞서 말한 바를 양지하기 바라며, 일의 성패는 하늘에 있고 요행히 동포들의 선도(善禱)로써 도움을 받을 수 있을 것을 복망하나이다. 또 당지 김성백 씨로부터 돈 50루블을 빌렸으니 곧 갚아주시기를 천만 번 앙망한다.

대한독립만세

우덕순 인

이 인(印)은 전서로서 한양의 글자로 새김

9월 11일(양력 10월 24일) 오전 8시 두제(頭弟)

사로 부치려고 하였다. 이 의도는 한편 우리들의 거사 목적을 신문에 공포할 계획이고, 다른 한편으로는 유동하가 만약 김성백에게 50원을 빌려오면 갚을 방법이 없기 때문에 장차 대동공보사가 지불하라고 말함으로써 증빙을 삼은 것이니 잠깐 동안의 속임수였다. 편지를 다 쓰자 유 씨가 돌아와 돈을 빌리는 계획이 여의치 않았다고 말하였다. 어쩔 수 없이 하룻밤을 자면서 밤을 보냈다.

그 다음 날[62] 이른 아침에 우덕순·조도선·유동하 세 사람과 함께 정거장으로 갔다. 조 씨를 시켜 남청열차가 교환하는 정거장이 어디에 있는지를 역관에게 자세히 묻게 하였다. 역관이 채가구 등지라고 말했기 때문에 즉시 우덕순·조도선 두 사람과 함께 유동하와 작별하였다.[63] 그런 다음 열차에 탑승하여 남쪽으로 길을 떠나 같은 방면에서 하차하고 여관을 정해 하룻밤을 묵었다. 내가 정거장 직원에게

"이 곳 기차는 매일 몇 차례씩 왕래합니까?"

라고 물으니,

"매일 3차례씩 왕래합니다. 그런데 오늘 밤에는 특별열차가 하얼빈에서 장춘에 보내져 일본대신 이토를 영접하여 모레 아침 6시에 이곳에 도착합니다."

라고 대답하였다. 이렇게 분명한 소식은 지금까지 처음 듣는 확실한 정보였다. 이에 다시 깊이 계산해 보고 스스로 말하였다.

"모레 오전 6시 무렵이면 아직 날이 밝기 전이므로 이토가 반드시 정거장에 하차하지 않을 수 있다. 설령 하차해서 시찰한다고 하더라도 어둠 속에서는 진짜와 가짜를 구별할 수도 없을 것이다. 더구나 나는 이토의 얼굴도 알지 못하는데 어떻게 거사할

안응칠 인
이 도장은 장원형(長圓形)으로서 횡문자(橫文字)로 되어 있으며, 위에 고레안 아래 토마스라고 되어 있다.
Corea Thomasu
블라디보스토크 대동공보사 이강 전
오늘 아침 8시 출발 남행
추신 「포그라니치나야」로부터 유동하와 함께 이곳에 도착, 향후의 일은 본사에 통지 하겠다"(신운용 편역, 「셋째날의 공판」, 『안중근·우덕순·조도선·유동하 공판기록-안중근사건 공판속기록』(안중근 자료집 10), (사)안중근평화연구원, 2014, 145쪽).

62 1909년 10월 24일.

63 이 때 안중근은 유동하에게 "러시아 대신도 오고 일본의 고관도 오기 때문에 나는 가족을 맞으러 가지만 그것도 촬영하고 싶으니 만약 만나지 못하면 전보를 치겠으니 알려 달라(신운용 편역, 「셋째날의 공판」, 『안중근·우덕순·조도선·유동하 공판기록-안중근사건 공판속기록』(안중근 자료집 10), (사)안중근평화연구원, 2014, 128쪽)고 하였다. 이러한 이유로 안중근으로부터 전보를 받은 유동하는 이토가 내일(25일) 온다는 전보를 쳤던 것이다.

수 있겠는가? 다시 앞서 장춘 등지로 간다면 여비가 부족할 텐데 어쩌면 좋겠는가?"

이런저런 생각을 하니 마음이 울적하였다. 이 때 유동하에게

"우리들은 이곳에 도착해서 하차하였다. 만약 그곳에 긴급한 일이 있으면 전보를 보내기 바란다."

라는 전보를 보냈다. 해가 진 뒤에 답전이 왔는데 그 말뜻이 도무지 분명하지가 않았다. 더욱 의아함이 줄어들지 않았기 때문에 그 날 밤 더욱 깊이 생각하고 다시 좋은 계획을 세웠다. 다음 날 우덕순과 상의하였다.

"우리가 모두 이곳에 머물 방법이 없네. 첫째는 재정이 부족하고, 둘째는 유동하의 답신이 매우 의심스럽고, 셋째는 이토가 내일 날이 밝기 전에 이곳을 지나치면 거사를 실행하기가 어렵네.

만약 내일처럼 좋은 기회를 놓친다면 다시는 도모하기가 어려울 것이네. 그러므로 오늘 그대는 이곳에 머물러 내일의 기회를 기다렸다 기미를 보아 거사하고, 나는 오늘 하얼빈으로 돌아가 내일 두 곳에서 거사한다면 매우 유리할 것이네. 만약 그대가 성공하지 못하면 내가 반드시 성공하고, 만약 내가 성공하지 못하면 반드시 그대가 성공할 것이네. 만약 두 곳 모두 여의치 않으면 다시 활동비를 마련한 뒤에 다시 거사를 상의하세. 이것이 만전의 계책이네."

이에 서로 작별하고 나는 열차에 탑승하여 하얼빈으로 돌아왔다.[64] 다시 유동하

---

64 채가구에서 다시 하얼빈으로 돌아온 저간의 사정은 다음과 같다. 안중근은 유동하가 산 표로 삼협하(三挾河)까지 갈 수 있었다. 그러나 열차가 교행하는 역이 채가구역(蔡家溝驛)이었으므로 이토가 반드시 열차를 갈아탈 것으로 생각하여 채가구를 목적지로 정하였다. 이리하여 일행은 24일 12시 13분에 채가구에 도착하였다. 이후 그는 채가구를 통과하는 열차시간을 역관리에게 물어보라고 조도선에게 부탁하였다. 조도선은 "일본대신을 태운 기차가 오늘 아침이나 내일쯤 통과한다"(신운용 편역, 「첫째 날의 공판」, 『안중근·우덕순·조도선·유동하 공판기록-안중근사건 공판속기록』(안중근 자료집 10), (사)안중근평화연구원, 2014, 36쪽)라는 역무원의 말을 다시 그에게 알려주었다.
이토가 탄 기차가 채가구역을 통과할 것이라는 사실을 확인한 안중근은 1시경에 유동하에게 "채가구에 도착했다 일이 있으면 알려라"(위와 같음)라는 전보를 쳤다. 그리고 나서 채가구역에서 20미터가량 떨어져 있는 찻집에서 잠시 휴식을 취하였다. 이때 이들은 찻집 2층에서, 조도선과 우덕순은 1층에서 24일을 보내기로 하였다. 그리고 그는 우덕순에게 거사를 할 때 탄환이 부족할지 모른다고 하면서 우덕순에게 탄환을 주었다.
저녁 7시경이 되어 하얼빈의 유동하로부터 전보가 왔다(신운용 편역, 「안중근 제2회 신문기록」, 『안중근 신문기록』(안중근 자료집 3), (사)안중근평화연구원, 2014, 37쪽). 전보를 받고서 안중근은 매우 당황스러웠다. 그 이유는 조도선도 그 내용을 정확히 해석할 수 없었기 때문이었다. 다만 조도선이 러시아인에게 물어본 즉 "내일 아침에 도착한다"(신운용 편역, 「둘째 날의 공판」, 『안중근·우덕순·조도선·유동하 공판기록-안중근사건 공판속기록』(안중근 자료집 10), (사)안중근평화연구원, 2014, 113쪽)라는 것이었다. 그는 일단 정대호가 블라디보스토크에서 온다는 뜻이라고 하여 조도선을 안심시켰다(위와 같음).
하지만 그는 유동하의 전보가 이토에 관한 것인지, 자기 가족에 관한 것인지 그 뜻을 정확하게 알 수 없었다.

를 만나 전보의 의미를 물었으나, 유동하의 답변이 여전히 분명하지 않았다. 그런 까닭에 내가 화를 내며 그를 질책하자, 유 씨는 말없이 밖으로 나가 버렸다.[65] 그날 밤은 김성백의 집에 머물렀다.

다음 날 아침 일찍 일어나 새 한복을 모두 벗고 온후해 보이는 양복으로 갈아입은 뒤에 권총을 휴대하고 곧 정거장으로 갔다. 이때가 오전 7시 경이었다. 현장에 도착해보니 러시아 장관과 군인들이 많이 나와서 이토를 영접할 준비를 하고 있었다. 나는 다방에 앉아서 차를 두세 잔 마신 뒤에 그를 기다렸다.

9시경이 되자 이토가 탑승한 특별기차가 도착했고 주변은 인산인해를 이루었다. 나는 다방에서 동정을 살피면서

"언제 저격하는 것이 좋을까?"

라고 속으로 생각하였다. 충분히 생각하며 아직 결정하지 못했을 때, 잠시 뒤에 이토가 기차에서 내려오자 각 군대가 경례를 하고 군악소리가 하늘로 퍼져 귀를 울렸다. 당시 나는 갑자기 화가 치밀어 삼천장이나 되는 불같은 노여움이 머릿속에서 솟아났다.

"무슨 이유로 세상은 이렇게 불공평한 것인가? 아, 슬프구나! 이웃나라를 강탈하고 인명을 잔혹하게 해친 자는 이처럼 기뻐 날뛰며 조금도 꺼리는 것이 없는데, 무고한 어질고 약한 민족은 도리어 이렇게 곤란에 빠진단 말인가."

왜냐하면 그는 정대호에게 자신의 가족을 데리고 오라고 부탁한 적이 있었고 이 일로 정대호가 귀국한 사실을 알고 있었기 때문이다(신운용 편역, 「공판시말서 제1회」, 『안중근·우덕순·조도선·유동하 공판기록-공판시말서』(안중근 자료집 9), (사)안중근평화연구원, 2014, 12쪽). 또한 김성백에게 부족한 여비를 직접 빌려볼 심산으로 하얼빈으로 돌아가기로 하였다.

65 안중근은 우덕순에게 전보에 관한 이야기를 자세히 하지 않은 채, "여비도 부족하고 하얼빈의 형세도 알아볼 테니 여기서 기다리라"라는 말을 남기고서 25일 하얼빈으로 출발하였다. 기차 속에서 그는 26일 아침 이토가 하얼빈에 도착한다는 『원동보』의 기사를 보았다(신운용 편역, 「공판시말서 제1회」, 『안중근·우덕순·조도선·유동하 공판기록-공판시말서』(안중근 자료집 9), (사)안중근평화연구원, 2014, 13쪽). 안중근은 1시경 하얼빈에 도착하였다. 이어 그는 "전보가 무슨 내용인가"라고 유동하를 다그쳤다. 유동하가 안중근에게 전보를 친 이유는 채가구로 출발하면서 "이토도 출영하고 싶다"는 그의 말을 기억하고 있었기 때문이다. 즉, 이에 대해 유동하는 "안은 그 전문의 의미를 몰랐다고 하므로 나는 가족과 이토를 마중하러 간다는 이야기였으므로 가족의 일을 물었다고 하면 그 사연이 썼을 터인데 쓰여 있지 않으므로 이토가 도착하는 것을 조회한 것이라고 생각하고 내일 아침 온다고 타전했다고 하였더니 안은 별로 아무 말도 하지 않았다"(신운용 편역, 「공판시말서 제1회」, 『안중근·우덕순·조도선·유동하 공판기록-공판시말서』(안중근 자료집 9), (사)안중근평화연구원, 2014, 79쪽)라고 설명하고 있다. 이러한 이유로 평소 숙부라고 부르던 그의 반응에 오히려 당황한 유동하는 "곧 돌아가고 싶어서 전보를 쳤는데 러시아어가 서툴러 아마 잘못 쳤을지도 모른다"라며 밖으로 나가 버렸던 것이다.

나는 다시 말하지 않고 즉시 큰 걸음으로 용감히 나아가 군대가 도열해 있는 후미에 이르렀다. 앞을 바라보니 러시아의 관리들이 호위하며 돌아오는데 노란 얼굴에 흰 수염의 작은 노인 한 명이 있었다. 이렇게 몰염치한 짓을 천지간에 감히 자행한단 말인가? 생각건대 반드시 이자가 이토일 것이다.

나는 곧 총을 뽑아 그의 오른 쪽 가슴을 향해 빠르게 네 발을 쏘았다. 그 순간 생각해 보니 여러 가지 의아심이 머리를 스쳤는데, 나는 본래 이토의 얼굴을 모른다는 것이었다. 만약 단 한 번에 맞추지 못하면 대사가 낭패로 돌아갈 것이다.

그리고 마침내 다시 뒤에 있는 일본인 단체 속에서 모습이 가장 중후하고 앞에 서서 가는 자를 목표로 삼아 연속해서 세 발을 쏘았다. 그런 뒤에 다시 생각해보니, 만약 죄 없는 사람을 잘못 쏜다면 일만 나쁘게 될 것이라는 생각이 들었다. 잠시 멈추어 그런 생각을 하는 사이에 러시아 헌병들이 와서 나를 체포하였다. 이때가 곧 1909년 음력 9월 13일 오전 9시 반 경이었다.[66]

즉시 하늘을 향해 큰소리로 '대한만세'를 세 번 외친 뒤에 정거장 헌병 분파소로 잡혀 들어가서 온 몸을 검사 당하였다. 잠시 뒤에 러시아의 검찰관이 한국어 통역원과 함께 와서 성명·국적·거주지를 묻고 어디서 무엇 때문에 왔는지를 물었다. 그리고 이토를 해한 까닭을 물었다. 묻는 이유는 대강을 설명한 사람이 한국인 통역원이었지만 한국어로 자세히 이유를 설명하지 못했기 때문이다.[67]

----

66 이후 우덕순과 조도선은 26일 오전 11시 55분에 러시아 관헌에 체포되었다.
안중근의거는 의병전쟁의 한계성을 실천적으로 극복한 것으로 1904년 7월에 구상한 하야시와 부일세력 처단이라는 의열투쟁의 연장선에서 이루어진 것이다. 이러한 맥락에서 그를 의열투쟁의 선구로 간주해야 한다. 아울러 안중근의거는 "이토를 제거해야 한다."라는 당시 독립운동가들의 일정한 공감대 위에 이루어진 역사적 사건이었다.
때문에 의열투쟁의 대표적인 인물인 김구는 그를 '사당의 신주'에 비유하여 독립운동가의 최고봉으로 섬기었다(백범학술원, 『백범일지』, 나남출판, 2002, 366~367쪽). 특히 한국 의열투쟁의 이론을 주창한 신채호는 대한제국이 병탄된 이후 진정한 독립운동가는 '안중근뿐'이라고 역설하였다(신채호, 『단재신채호전집』하, 형설출판사, 1979, 149쪽). 무정부주의자 유자명(유자명, 『한 혁명자의 회고록』, 한국독립운동사연구소, 1999, 11쪽)과 1926년 사이토 마코토(齋藤實) 총독 처단을 시도하여 의열투쟁사의 한 페이지를 장식한 송학선도 그의 의열투쟁에 영향을 받았다.
뿐만 아니라, 님 웨일즈가 쓴『아리랑』의 주인공인 사회주의 계열의 독립운동가 김산(장지락)도 그를 '독립운동의 모델'로 삼았을 정도였다. 그리고 1941년 10월 조선의용대는 제3주년 기념을 맞이하여 특별 간행물에서 그를 '조선혁명투쟁사'의 기원으로 설정하고 있다(『조선의용대』제4기(조선의용대 제3주년 기념 특간)(독립기념관소장)). 이는 안중근의 생애와 사상이 모든 계열의 독립운동을 추동시킨 원동력으로 작동되었음을 의미하는 것이다.
67 러시아 측의 자세한 조사 내용은 신운용 편, 『러시아 관헌 취조문서』(안중근 자료집 2), (사)안중근평화연구원, 2014 참조.

그 때 사진을 찍는 사람이 세 차례 사진을 찍었다. 오후 8~9시경에 러시아 헌병 장관이 나와 함께 마차를 타고 방향도 알 수 없는 곳으로 가서 일본 영사관에 도착[68]하여 나를 넘겨준 뒤 가버렸다. 그 뒤, 이곳 관리가 두 차례 심문을 하였다. 4~5일 뒤에 미조부치(溝淵) 검찰관이 와서 다시 심문하여 전후의 사실을 자세히 공술하자, 미조부치는 또 이토를 가해한 이유를 물었다. 나는 대답하였다.

"첫째 한국의 민황후를 시해한 죄.

둘째 한국 황제를 폐위한 죄.

셋째 5조약과 7조약을 강제로 체결한 죄.

넷째 무고한 한국인을 학살한 죄.

다섯째 정권을 강제로 빼앗은 죄.

여섯째 철도 광산과 산림 하천을 강제로 빼앗은 죄.

일곱째 제일은행권 지폐를 강제로 사용한 죄.

여덟째 군대를 해산한 죄, 아홉째 교육을 방해한 죄.

열째 한인의 외국 유학을 금지한 죄.

열한 번째 교과서를 압수하고 소각한 죄.

열두 번째 한국인이 일본의 보호를 받고자 했다고 말한 죄

열세 번째 현재 한일 간 다툼이 끊이지 않고 살육이 끊이지 않는데도 한국이 무 사 태평한 것처럼 위로 천황을 속인 죄,

열네 번째 동양평화를 파괴한 죄.

열다섯 번째 일본천황의 부친인 태황제를 시역한 죄다."[69]

---

68 하얼빈 총영사관에 안중근이 도착한 시각은 26일 10시 10분이었다(국사편찬위원회, 「전보 제160호」, 『한국독립운동사』 자료 7, 330쪽).

69 미조부치 검찰관에게 진술한 이토처단 15개조는 다음과 같다.
문 이토공작을 왜 원수로 여기는가.
답 그 자를 원수처럼 여기게 된 원인은 많다. 곧 아래와 같다.
첫째, 지금으로부터 10여 년 전 이토의 지휘로 한국 왕비를 살해하였다.
둘째, 지금으로부터 5년 전 이토는 병력으로써 5개조의 조약을 체결하였는데 그것은 모두 한국에 매우 불리한 조항이다.
셋째, 지금으로부터 3년 전 이토가 체결한 12개조의 조약은 한국에 군사상 대단히 불리한 사건이다.
넷째, 이토는 기어이 한국 황제의 폐위를 도모하였다.
다섯째, 이토는 한국 군대를 해산하였다.
여섯째, 조약 체결을 한국민이 분노하여 의병이 일어났는데 이 때문에 이토는 한국의 양민을 다수 살해하였다.
일곱째, 한국의 정치 기타의 권리를 약탈하였다.

검찰관이 듣고 나서 깜짝 놀라 말하였다.

"지금 진술하는 것을 들어보니 동양의 의사라고 할 만하다. 이미 의사라면 반드시 살인죄를 적용할 수 없으니 걱정할 것이 없다."

내가 웃으며 대답하였다.

"나의 생사는 논할 것도 없으니 이 뜻을 빨리 일본의 천황폐하에게 아뢰어 조속히 이토의 나쁜 정략을 고쳐서 동양의 위급한 대세가 유지되도록 간절히 바라오."

말을 마치자 다시 땅굴 감옥에 수감되었다. 다시 4~5일 뒤에

"오늘부터 여순구(旅順口)로 간다."

라고 하였다. 이 때 우덕순·조도선·유동하·정대호(鄭大鎬)·김성옥(金成玉)과 얼굴을 모르는 두세 명이 모두 결박되어 있는 모습을 보았다.

정거장에 이르러 기차에 탑승하고 출발하여 이날 장춘 헌병소에 도착해 밤을 보냈다. 다음날 다시 기차를 타고 어느 정거장에 도착했을 때 갑자기 일본 순사 한 명이 올라와서 순식간에 권총을 휘둘러 내 얼굴을 때렸다. 나는 그에게 욕을 했는데, 이 때 헌병 장교가 옆에 있었다. 그 순사를 이끌어 기차에서 내려 보낸 뒤에 나에게 말하기를, "일본이든 한국이든 이처럼 좋지 못한 사람들이 있으니 화내지 말라."라고 했다. 그 다음날 여순구 감옥으로 인도되어 수감되니, 이 때가 9월 20일[70] 경이었다.

여덟째, 한국의 학교에서 사용한 좋은 교과서를 이토의 지휘 아래 소각하였다.

아홉째, 한국 인민의 신문 구독을 금지하였다.

열째, 전혀 충당할 만한 돈이 없는데도 불구하고 성질이 좋지 못한 한국 관리에게 돈을 주어 한국민에게 알리지 않고 드디어 제일은행권(第一銀行券)을 발행하였다.

열한째, 한국민의 부담으로 돌아갈 국채 2,300만 원을 모집하여 이를 한국민에게 알리지 않고 그 돈을 관리들 사이에서 마음대로 분배했다고도 하고 또는 토지를 약탈하기 위해 사용했다고도 하는데, 이것은 한국에 대단히 불리한 사건이다.

열두째, 이토는 동양의 평화를 교란하였다. 그 까닭을 말하면 즉 러일전쟁 당시부터 동양평화 유지라고 하면서 한국 황제를 폐위하고 당초의 선언과는 모조리 반대의 결과를 낳기에 한국민 2천만은 다 분개하고 있다.

열셋째, 한국이 원하지 않음에도 불구하고 이토는 한국보호라는 명분으로 한국 정부의 일부 인사와 의사를 통하여 한국에 불리한 시정을 펴고 있다.

열넷째, 지금으로부터 42년 전 현 일본 황제의 부친을 이토가 없앤 사실은 한국민이 다 알고 있다.

열다섯째, 이토는 한국민이 분개하고 있음에도 불구하고 일본 황제나 기타 세계 각국에 한국은 무사하다고 속이고 있다.

이상의 죄목에 따라 이토를 살해하였다(신운용 편역, 「안중근 제1회 신문기록」, 『안중근 신문기록』(안중근 자료집 3), (사)안중근평화연구원, 2014, 5~6쪽).

70 1909년 11월 3일(국사편찬위원회, 「전보」, 『한국독립운동사』 자료 7, 1977, 332쪽).

이렇게 감옥에 있게 된 뒤로 날마다 서로 가깝게 되었다. 그러던 중 전옥(典獄)[71]·경수계장과 그 다음 일반 관사가 특별히 후하게 대해주었다. 나는 감동하면서도 마음속으로 의심스럽게 생각하였다.

"이것이 진실일까? 똑같은 일본 사람인데 어떻게 이처럼 크게 다르단 말인가? 한국에 온 일본 사람들은 어찌 그처럼 포악함이 심하고, 여순구에 온 일본 사람들은 무슨 까닭에 이처럼 어질고 온후하단 말인가? 한국에 있는 일본군과 여순구에 있는 일본 사람 종류가 같지 않아서 그렇단 말인가? 풍토가 다르기 때문에 그런 것인가? 한국에 있는 일본인은 주권자인 이토가 극악하기 때문에 그런 것인가? 한국에 있는 일본인은 주권자인 이토가 극악하기 때문에 그 마음을 본받아서 그런 것인가? 여순구에 있는 일본인은 주권 도독(都督)이 인자하기 때문에 그 덕에 상응해서 그런 것인가? 이리저리 생각했지만 그 이유를 깨달을 수 없었다."

그 뒤 미조부치 검찰관이 한국어 통역관인 소노키(園木) 씨와 함께 감옥소 안으로 와서 10여 차례 심문했는데, 두 사람간의 수작은 글로 다하기 어렵고 상세한 이야기는 검찰관의 문서에 기재되어있기 때문에 다시 기록할 필요도 없다.[72]

검찰관은 항상 나를 특별히 후하게 대하였다. 심문 한 뒤에는 늘 이집트산으로 필터에 금칠이 되어 있는 담배를 주고 서로 얘기하며 담배를 피웠다. 그의 평론은 공평하고 반듯해서 느끼는 마음을 그대로 얼굴빛에 드러냈다. 하루는 영국인 변호사 1

---

71 감옥의 우두머리.

72 이에 대해서는 신운용 편역, 『안중근 신문기록』(안중근 자료집 3), (사)안중근평화연구원, 2014 참조. 특히 신문과 공판 기록을 분석한다면 일제의 한국침략 논리와 안중근에게 사형을 선고한 논리의 실상이 무엇인지를 확인할 수 있다. 또한 이에 대한 그의 대응논리도 엿볼 수 있다. 신문(訊問)을 받는 동안 안중근은 미조부치 검찰관과 일제의 한국침략을 둘러싸고 치열한 공방을 전개하였다. 11월 24일 제6회 신문에서 미조부치가 한국의 진보를 위해 일본이 한국을 보호하고 있다는 주장에 대해 안중근은 다음과 같이 반박하였다. ① 일본이 위생·교통시설의 완비, 학교의 설립 등을 내세워 한국의 진보를 돕고 있다고는 하나 이는 일본을 위한 것이지, 한국을 위해 진력한 것이 아니다. ② 명치 초년의 일본은 문명하지도 진보하지도 않았다. 이에 대해 미조부치는 일본이 진보하였으므로 한국을 보호하는 것은 당연하다는 논리로 일관하였다. 그러자 안중근은 "나는 전혀 그렇게 생각하지 않는다"고 단언하여 미조부치의 입을 막아버렸다. 미조부치는 타국이 독립할 능력이 없는 한국을 점령하면 일본은 매우 불리해지므로 청일·러일전쟁을 일으킨 것이며, 또한 청일·러일전쟁은 청러로부터 한국의 독립을 지키기 위한 불가피한 선택이었다는 식민사관을 드러냈다. 이에 대해 안중근은 "수많은 인명을 살상하면서도 이를 한국을 위한 것"이라며 거짓 선전을 일삼고 있다고 일제를 비판하면서 청일·러일전쟁의 성격을 침략전쟁으로 규정하였다. 미조부치는 한국의 독립과 문명개화(진보)를 가능케 한 이토를 죽인 것은 오해에서 비롯된 것이라고 주장하였다. 이에 대해 안중근은 한국의 독립과 동양의 평화를 파괴한 이토를 단죄함으로써 일본을 각성시키고 침략행위를 중지시키려고 하였다는 반침략논리를 내세웠다(신운용, 『안중근과 한국근대사』, 안중근의사기념사업회 안중근연구소, 2009, 200~213쪽).

인과 러시아인 변호사 1인이 면회 와서 나에게 말하였다.

"우리 두 사람은 블라디보스토크에 거주하는 한인 여러 분의 위탁을 받아 그대를 변호하고자 하며, 이곳 법원에서 이미 허가를 받았으니 장차 공판하는 날 다시 오겠소."

그들이 떠나자, 당시 나는 혼자 생각하며 마음속으로 크게 놀라고 조금 이상하게 여기며 몹시 의아해 하였다.

"일본의 문명 수준이 이러한 지경에 이르렀단 말인가? 내가 이전에 생각하지도 못했던 부분이다. 오늘 영국과 러시아의 변호사를 받아들여 허가한 일은 세계 일등 국가의 행동이라고 할 수가 있다. 내가 과연 오해하고 이처럼 과격한 수단으로 경거망동했던 것은 아닐까?"

이 때 한국 내무부의 경시인 일본인 센교(仙境)[73]씨가 왔는데 한국말에 매우 능통하여 말마다 서로 만나 얘기를 나누었다. 비록 한일 두 나라 사람이 상대하며 대화를 했지만, 그 실정은 정략기관과 서로 크게 다르지 않았다. 그러나 인정으로 말하면 점차 친근해져 친구 같은 우의와 다르지 않았다. 하루는 내가 센교씨에게

"일전에 영국과 러시아 양국의 변호사가 이곳에 왔을 때, 이곳 법원의 관리가 정말로 공정한 마음으로 허가한 것이오?"

라고 물었다. 그는

"정말로 진심이었소."

라고 대답하였다. 나는

"만약 그렇다면 동양의 특징이 있을 것이고, 만약 그렇지 않다면 내 사건에 대해서 도리어 해가 되고 보탬이 되지 않는 것이 매우 많을 것이오."

라고 하고 서로 웃으며 헤어졌다.

이 때 전옥 구리하라(栗原) 씨와 경수계장 나카무라(中村) 씨가 특별히 돌보아주어 매주 한 번씩 목욕을 하고, 매일 오전과 오후에 두 차례씩 감방에서 사무실로 나가 각국의 상등품 권련과 서양과자 및 차를 공급해주어 배불리 먹었다.

또 아침 점심 저녁 세끼 밥은 상등품의 쌀밥을 주고, 질 좋은 내복 한 벌로 바꾸어 입게 하고, 비단 이불 네 채를 특별히 주었으며, 귤·사과·배 등의 과일을 날마다 세 차례씩 공급하고, 우유를 매일 한 병씩 주었는데, 이것은 소노키 씨의 특별한 은

---

73 이는 통감부에서 파견된 사카이 요시아키(境喜明)이다.

혜였다. 미조부치 검찰관은 닭과 담배 등을 사서 주었다. 이와 같이 허다한 특별한 대우에 감격한 마음이 드는 것은 모두 말하기가 어렵다.

11월[74]경이 되어 친동생인 정근과 공근 두 사람이 한국 진남포로부터 이곳에 와서 면회를 하였다.[75] 서로 헤어진 지 삼년 만에 처음 대면한 것이라 정말 꿈만 같았다. 이로부터 항상 4~5일 마다 혹은 10여일 간격으로 계속 만나서 얘기를 하며 한국인 변호사를 초청하는 일이라든가 천주교 신부를 초청해서 종부성사를 받는 일 등을 부탁하였다.

그 뒤 하루는 검찰관이 또 와서 심문할 때, 말과 태도가 전날과 크게 달랐다. 어떤 때는 강압적으로 제어하고 어떤 때는 억지소리를 하며, 어떤 경우는 심하게 모욕하는 태도를 보였다. 나는 마음속으로 생각하였다.

"검찰관의 생각이 이렇게 갑자기 바뀐 것은 본심이 아니라 외압이 있었기 때문일 것이다, 이것이 바로 "도심은 은미하고 인심은 위태롭다."[76]라는 말이니 진실로 헛되이 전해진 글이 아니로구나."

나는 분연히 대답하였다.

"일본이 비록 100만의 정예 부대가 있고 천만문의 대포를 구비했다고 해도 안응칠의 목숨을 단지 한 번 죽일 권리 외에 다시 무슨 권리가 있는가? 사람이 이 세상에 태어나 한번 죽으면 다시 죽을 수 없는데 무슨 걱정이 있겠는가? 나는 다시는 대

---

74 안중근이 감옥에 고초를 겪는 동안 국내 부일세력은 반민족 행위를 일삼고 있었다. 특히 11월 8일 고무라, 안중근에게 일본형법을 적용하라고 지시하는 가운데, 부일세력, '대한국민추도회'를 발기하여 특히 한성부민회 제9회 위원회에서 유길준·윤효정·오세창 등이 이토를 추모하기 위해 소위 '대한국민추도회'를 발기하였다. 이 추도회는 관주도로 565원이라는 거금을 들여 같은 날 오후 2시부터 3시 45분경까지 한성부민회의 주최 아래 장충단에서 열렸다. 이토 추도회에 황실·정부·민간 등 각계에서 위원장 한성부민회 부회장 윤효정을 필두로 총리대신 이완용·내부대신 박제순·탁지부대신 고영희·학부대신 이용직·친위부장관 이병무·종원경 윤덕영·내각서기장관 한창수·한성부윤 장헌식·황성신문사 사장 유근 이외에 권중현·이지용·이하영·이근택·임선준·민영기·이근상·윤용열·윤치호·남궁억·이재만·이재원·이재극·이준용 등 당시 기회주의적 부일성향의 인사가 위원으로 대거 참석하였다. 그리고 이토 추도회는 대신과 민간대표의 제문낭독, 군대와 여러 학교의 학생들의 참배 순으로 진행되었다(국사편찬위원회, 「전보」, 『한국독립운동사』 자료 7, 34~35쪽; 정교 저·조광 편·김우철 역주, 『대한계년사』, 49~50쪽).부일세력의 친일행위에 대한 자세한 내용은 신운용, 「안중근의거에 대한 국내의 인식과 반응」, 『안중근과 한국근대사』, 안중근의사기념사업회 안중근연구소, 2009 참조.

75 안중근의거를 접한 두 동생 정근과 공근은 12월 13일에 여순에 도착하였다(『대한매일신보』 1909년 12월 17일자, 「샹면ᄒ랴고」). 이들이 여순감옥에서 안중근을 처음 만난 날은 1910년 1월 7일(음력 1909년 11월 26일)이었다(신운용 편역, 「안중근 공판일」, 『재만 일본 신문 중 안중근기사Ⅱ-만주일일신문』(안중근 자료집 15), (사)안중근평화연구원, 2014, 120~121쪽).

76 『서경』 대우모 편에 나오는 말로 원문은 "人心惟危 道心惟微"이다.

답하지 않을 것이니 마음대로 하시오."

이 때부터 내게 닥칠 일이 앞으로 크게 잘못되고, 공판도 반드시 잘못된 재판으로 바뀔 형세라는 것이 명확하였다. 스스로 헤아려보아도 그것이 분명하였다. 더구나 발언권을 금지시켜 많은 목적이나 의견도 진술하지 못하고, 또 여러 사건의 기밀이나 증거를 숨기고 거짓으로 꾸미려는 태도가 현저하였다.

이것이 무슨 이유인지 유추해서 생각해봐도 다른 이유는 없었다. 이것은 반드시 거짓을 진실로 바꾸고 진실을 거짓으로 바꾼 진실과 까닭이다. 대저 법의 성질은 거울과 같아서 터럭도 용납하지 않는데 지금 내 사건은 시비곡직이 이미 명백하다. 무엇을 가릴 수 있으며, 무엇을 속일 수 있겠는가. 비유컨대, 이 세상의 인정(人情)은 현명하거나 어리석음을 막론하고, 좋고 아름다운 일은 다투어 밖으로 자랑하고, 악하고 더러운 일은 반드시 몰래 감추는데 이것은 타인을 꺼리기 때문이다. 이것으로 미루어보면 알 수 있다. 이 때 나는 큰 분노를 감당할 수 없어서 두통이 심했는데 겨우 며칠이 지난 뒤에야 조금 나아졌다. 그 뒤 한 달 남짓을 아무 일도 없이 보냈는데 이 역시 이상한 일이었다.

하루는 검찰관이 나에게

"공판일은 이미 6~7일 뒤로 정해졌고 영국과 러시아 변호사는 일체 불허하고 다만 이곳의 관선변호사만을 쓸 수 있다."

라고 하였다. 그러므로 나는 속으로

"내가 전날에 가졌던 상·중 두 개의 계책과 소망은 정말로 헛된 믿음이요 지나친 바람이었다. 나의 하찮은 계산을 벗어나지 않았구나."

라고 생각하였다.

그 뒤 공판 첫날, 법원 공판석에 도착하니 정대호·김성옥 등 다섯 명은 이미 모두 무사히 석방되었다. 다만 우덕순·조도선·유동하 세 사람은 나와 같이 피고로 출석했는데 방청인이 300명 정도였다.[77] 당시 한국변호사 안병찬(安秉瓚) 씨와 이미 전에 허

---

77 이때의 정황에 대해 『만주일일신문』은 다음과 같이 전하고 있다. "8시 40분 안중근을 선두로 피고인들은 법정 내 모습을 보였다. 지난 3개월여의 감옥생활도 그들에게는 오히려 너무 관대하였다. 그들이 약간이라도 고통도 느꼈던 것 같은 형적은 없다. 공판 전에 특별히 머리를 깎고 때를 밀어 일동의 면모는 한결 건강하게 보였다. 복장은 어떠한가 하면 안중근은 옷깃을 접은 양복에 두 개의 단추가 달린 것을 입고 있고, 바지는 스카치로 상하 모두 매우 낡았다. 코밑에는 한인 일류의 콧수염을 한 용모는 그다지 흉한 남자로는 보이지 않았다. 우덕순은 깃을 세운 양복, 유동하와 조도선은 검은 색의 깃을 세운 양복을 입고 있고 유는 한 쪽 눈을 다쳤다. 장하여라. 망국의 한에 겨워 독립자유의 넉자에 목숨도 아깝게 여기지 않고 생사를 함께하기로 약속한

가를 받았던 영국인 변호사가 와서 참석했으나 모두 변호권을 허가받지 못했기 때문에 오직 방청만 할 뿐이었다.

이 때 재판관이 출석하여 검찰관이 심문한 문서를 보고 대충 다시 심문을 하였다. 그런데 내가 다시 상세한 의견을 진술하고자 하면 재판관이 항상 회피하고 입을 닫으라고 요구했기 때문에 설명할 수가 없었다. 나는 이미 그 의미를 알고 있었다. 그러므로 어느 날은 기회를 틈타 몇 개의 목적을 설명했는데, 그때 재판관은 크게 놀라 자리에서 벌떡 일어나 방청을 금지시킨 뒤에 물러가 다른 방으로 들어가 버렸다. 이 때 나는 속으로 생각하였다.

"내 말 속에 칼이 있어 그런 것인가, 총포가 있어서 그런 것인가? 비유컨대, 맑은 바람이 한 번 불면 쌓인 먼지가 모두 흩어지는 것과 비슷한 일이다. 이것은 다른 까닭이 아니라 내가 이토의 죄를 설명할 때, 일본 효명(孝明)천황을 시해했다고 말하는 데에 이르자 이처럼 자리를 박차고 일어난 것이다."[78]

애국우세(愛國憂世)의 지사의 용모가 어떠한지 기대한 수백의 방청인은 지금 눈앞에 초라한 복장태도를 보고 상당히 의외로 느끼는 사람도 있었다. 그 중에는 낮은 목소리로 개죽음이라고 하는 사람도 있었다"(신운용 편역, 「피고인의 입정」, 『재만 일본 신문 중 안중근기사Ⅱ-만주일일신문』(안중근 자료집 16), (사)안중근평화연구원, 2014, 120~121쪽).

78 이에 대한 자세한 내용은 다음과 같다.
안중근 그래서 나의 목적에 대하여 대강은 말해 두었지만 지금 말한 대로 이토를 죽인다는 것은 일개인을 위한 것이 아니고 동양평화를 위하여 한 것이다. 러일전쟁 개전당시 일본 천황폐하의 선전조칙에 의하면 동양의 평화를 유지하고 한국의 독립을 공고히 한다는 선언이 있었다. 그 후, 러일전쟁이 강화가 되어서 일본이 개선할 때에 조선 사람은 마치 자국이 개선한 것처럼 감격하여 대단히 환영하였다.
그런데 이토가 통감이 되어 한국에 주재하게 되어 5개조의 조약을 체결한 것은 한국 상하의 인민을 속이고 일본 천황폐하의 성려를 거스르며 한 짓이다. 때문에 한국 상하의 인민은 대단히 이토을 증오하였으며 이것에 반대를 주창하였다. 그 후 또 7개조의 조약을 체결시켰다. 이에 따라 이토 통감의 방약무인한 태도는 한국을 위해서 불이익한 것뿐이라는 것을 점점 절감하였다. 이토 통감은 강제로 전 황제를 폐위시키고 더욱 방약무인한 행위를 하였기에 한국인민은 통감을 마치 구적과 같이 생각하고 있었다. 때문에 나도 도처에서 유세를 하였으며, 가는 곳마다 싸웠고 의병 참모중장으로서 각지의 전쟁에도 나갔다.
따라서 오늘 이토를 하얼빈에서 살해한 것은 한국 독립전쟁의 의병 참모중장의 자격으로 한 것이다. 그러므로 오늘 이 법정에 끌려나온 것은 전쟁에 나가 포로가 되었기 때문이라고 생각한다. 자객으로서 심문을 받을 이유가 없다고 생각한다. 내가 의견을 진술하고 싶은 것은 4가지 있다. 지금 말한 것이 첫째이고 둘째는 오늘날 한일양국관계라는 것은 일본신민이 한국에 와서 관계(官界)에서 일하고 있으며 또 조선 신민도 일본의 관리가 되어 행정에 종사하고 있는 것과 같은 상황이기 때문에 전적으로 한나라 사람 같이 되었다.
그러므로 조선 사람이 일본 천황폐하를 위하여 충의를 다할 수 없다는 것도 있을 수 없다. 또 일본 국민으로 한국 황제를 위하여 충의를 다할 수 없다는 것은 있을 수 없다. 그럼에도 불구하고 이토가 한국의 통감이 된 이래 체결한 5개조의 조약, 7개조의 조약과 같은 것을 모두 무력을 앞세워 강제로 한국 황제를 협박하여 체결한 것이다. 원래 이토 그 자는 한국에 와 있는 이상 한국 황제폐하의 외신으로서 처신해야 하는 것이다. 그러나 무엄하게도 황제폐하를 억류하고 폐제(廢帝)까지도 하였다. 무릇 세상에서 존귀한 이는 누구인가 하면 인간으로서는 천황폐하이다. 그 범해서는 안 될 분을 자기 멋대로 범한다는 것은 천황폐하보다 더 높은 분이

잠시 후 재판관이 다시 출석한 뒤 나에게

"다시는 이런 말을 하지마라."

라고 하였다. 이 때 나는 오랫동안 말없이 혼자 생각하며 속으로 말하였다.

"마나베 판사가 법률을 알지 못하는 것이 이와 같단 말인가? 천황의 명을 중시하지 않음이 이와 같단 말인가? 이토가 세운 판사라서 이와 같단 말인가? 무엇 때문에 이러한가? 가을바람에 크게 취해서 그런가? 내가 오늘 당한 일이 진짜인가 꿈인가? 나는 당당한 대한의 국민인데 무슨 이유로 오늘 일본 감옥에 수감되고, 하물며 일본 법률의 심판을 받는가? 이것이 도대체 무슨 까닭인가? 내가 언제 일본인으로 귀화했단 말인가? 판사도 일본인이고, 검사도 일본인이며, 변호사도 일본인, 통역관도 일본인, 방청객도 일본인이었다. 이것은 이른바 벙어리가 연설하는 자리에 귀머거리가 방청하는 것과 마찬가지가 아니고 무엇이겠는가. 정말 꿈이라면 빨리 깨어나라. 빨리 깨어나라. 이런 상황에서는 설명도 소용없고 공판도 무익하다."

나는 웃으며

"재판관이 알아서하시오. 나는 더 이상 달리 할 말이 없소."

라고 대답하였다.

라고 하지 않으면 안 됩니다. 이토의 소위는 국민으로서의 행위가 아니다. 순량한 충신이 아니라는 것을 알기 때문에 한국에서 의병이 일어나 싸우고 있다. 그것을 일본 군대가 진압하려 하고 있다. 이것이야말로 일본과 한국의 전쟁이라 하지 않을 수 없다. 이런 일은 동양의 평화를 유지하고 한국의 독립을 공고히 한다는 일본 천황의 성지에 반하는 것이다.

그리고 이토가 일본 천황폐하의 성지에 반하는 이유는 외부·공부·법부·통신기관을 일본이 장악하고 있기 때문이다. 이런 것으로 한국독립을 공고히 할 수 없다는 것이 명백하다. 또 지금 말한 바와 같이 이토는 일본에도 한국에도 역적이라는 것을 충분히 알 수 있다. 그리고 갑오년에 한국에 커다란 불행이 있었다. 그것은 무엇인가하면 황후를 이토 통감 그 자가 일본의 많은 병력으로 살해한 음모이다. 또 더 나아가 일본에도 역적이라는 이유가 있다.

재판관 그렇게 깊이 나아간다면 공개를 정지할 수밖에 없다.

안중근 그러나 이것은 오늘날까지 신문 기타에서 세상에 이미 발표된 것이다. 지금 새삼스럽게 여기서 말하기 때문에 방청을 금지할 이유는 없다고 생각한다.

재판관 경우에 따라서는 정지할지도 모른다.

안중근 조선 사람인 나는 이토가 일본에 대단히 공로가 있는 사람이라고 익히 듣고 있다. 또 한편으로는 일본의 황제에게는 대단한 역적이라고 듣고 있다. 우리 황실에 역적이라 함은 현황제의 전황제를……

이때 소노키 통역생 통역하다.

재판관 피고의 진술은 공공의 질서에 방해가 되는 것으로 인정되기에 공개를 정지한다. 방청인은 모두 퇴정……

때는 오후 4시 25분

(신운용 편역, 「셋째날의 공판」, 『안중근·우덕순·조도선·유동하 공판기-안중근사건 공판속기록』(안중근 자료집 10), (사)안중근평화연구원, 2014, 162~164쪽).

다음날, 검찰관이 피고의 죄상을 설명했는데 종일토록 이어졌다.[79] 입술과 혀가 닳고 기진해서야 끝냈다. 그리고 종국에 요청한 것은 나를 사형시키자는 것에 불과하였다. 사형을 요청한 이유는 이런 사람이 만약 이 세상에 생존하면 많은 한인들이 그의 행동을 본받아 일본인들이 두려워하여 지켜낼 수가 없다는 이유였다. 이 때 나는 혼자 생각하며 냉소를 지었다. 그리고 스스로에게 말하였다.

"예나 지금이나 온 세상 각 나라에는 협객과 의사가 끊일 날이 없었는데, 이것이 모두 나를 본받아 그런 것이란 말인가? 속담에 이르기를 "누구를 막론하고 반드시 10명의 재판관과 친할 필요가 없고, 다만 한 가지 죄라도 결코 없기를 마음에 새겨야 한다."라고 했으니, 이 말이 과연 맞는 말이다. 만약 일본인이 죄가 없으면 어찌 한국인을 두려워하겠는가? 그렇게 많은 일본인 가운데 하필이면 이토가 한 사람만 해를 입었단 말인가? 오늘날 한국인을 겁내는 일본인이 있다면 이토와 목적이 같아서 그런 것이 아니겠는가?

하물며 나를 사사로운 혐의로써 이토에게 해를 입혔다고 말한다면 나는 본래 이토를 알지 못하는데 무슨 사사로운 혐의가 있으며, 만약 내가 이토에게 사사로운 혐의가 있어 이렇게 했다고 말한다면 검찰관은 내게 무슨 사사로운 혐의가 있어 이렇게 한단 말인가? 만약 검찰관이 말한 것과 같다면 부득이하게 세상에는 공법과 공사가 없으니 모두 사사로운 정과 사사로운 혐의에서 나온다고 말하는 것이 옳단 말인가? 그렇다면 반드시 미조부치 검찰관이 사사로운 혐의로써 사형의 죄를 청구한 것에 대해서 다른 검찰관이 미조부치의 죄를 심사한 뒤에 형벌을 청구하는 것이 이치에 합당할 것이다.

그렇게 된다면 세상 일이 어찌 끝나는 날이 있겠는가? 이토는 일본 천지에서 가장 높고 큰 인물인 까닭에 4천여만의 일본 백성이 몹시 외경하는 자이므로 내 죄 또한 가장 큰 형벌을 청구할 것이라고 생각했다. 그런데 무슨 이유로 단지 겨우 사형을 청구하는 것인가? 일본인들이 재주가 없어서 사형 이외에 더 이상 가는 극히 중대한 형법을 마련하지 못해서 그런 것인가? 정상을 참작하여 감경해 주어서 그런 것인가? 내가 아무리 천 번 만 번 생각해봐도 그 이유와 시비를 말하기 어려우니 의아하고 또 의아한 일이구나."

----

79 이에 대해서는 신운용 편역, 「넷째날의 공판」, 『안중근·우덕순·조도선·유동하 공판기록-안중근사건 공판속기록』(안중근 자료집 10), (사)안중근평화연구원, 2014, 165~182쪽에 자세히 나와 있다.

그 다음날, 미즈노와 스키다(鋤田)[80] 두 사람의 변호사가 변론하여 말하였다.[81]

"피고의 범죄는 매우 분명하여 의심할 여지가 없습니다. 그러나 이것은 오해에서 나온 것이므로 그 죄가 무겁지 않습니다. 하물며 한국 국민은 일본의 사법관이 관할할 권리가 없습니다."

이에 내가 분명히 말하였다.

이토의 죄상은 하늘과 사람이 모두 아는데 내가 무엇을 오해했단 말인가? 하물며 나는 개인적으로 모살한 범인이 아니다. 나는 대한국의 의병 참모중장의 의무로 임무를 띠고 하얼빈에 이르러 잠복 습격한 뒤에 포로가 되어 이곳에 왔다. 여순구 지방재판소와는 아무런 관계가 없으니 마땅히 만국공법과 국제공법으로 판결해야 할 것이다."

이에 시간이 다 되어 재판관이

"이틀 뒤에 재판을 재개하여 선고하겠다."

라고 하였다. 이 때 나는 속으로

"모레가 일본국 4700만 국민의 인격에 대한 무게를 계산하는 날이 되겠구나. 마땅히 경중(輕重)과 고하(高下)를 보겠다."

라고 생각하였다.

이날 법원에 도착하자, 마나베 재판관이 선고하여 말하였다.[82]

"안중근을 사형에 처한다.[83] 우덕순은 징역 3년, 조도선과 유동하를 각 1년 반의

----

80 카마타(鎌田).

81 이에 대한 제세한 내용은 신운용 편역, 「다섯째날의 공판」, 『안중근·우덕순·조도선·유동하 공판기록-안중근 사건 공판속기록』(안중근 자료집 10), (사)안중근평화연구원, 2014, 183~221쪽에서 확인할 수 있다. 그리고 일제는 안중근 사형공작을 전개하였다. 이에 대한 자세한 내용은 신운용, 「일제의 국외한인에 대한 사법권침탈과 안중근재판」, 『안중근과 한국근대사』, 안중근의사기념사업회 안중근연구소, 2009 참조.

82 이에 대한 것은 신운용 편역, 「여섯째 날의 공판」, 『안중근·우덕순·조도선·유동하 공판기록-안중근사건 공판속기록』(안중근 자료집 10), (사)안중근평화연구원, 2014, 222~232쪽에서 자세히 엿볼 수 있다.

83 대개의 사람들은 사형선고를 받은 후, 죽음에 대한 불안감으로 몸무게가 현저하게 주는 것이 일반적인 현상이다. 그러나 안중근은 입감될 당시 14관(寬) 400양(兩, 54.5kg)이었는데, 사형선고를 받은 이후 14관(寬) 940양(兩, 56.5kg)으로 540양(兩, 2kg)이나 체중이 증가하였다. 이를 『만주일일신문(滿洲日日新聞)』(신운용 편역, 「1910년 2월 23일」, 『재만 일본 신문 중 안중근 기사Ⅱ-만주일일신문』(안중근 자료집 16), (사)안중근평화연구원, 2014, 200쪽)은 특이한 일로 보도까지 하였다. 이처럼 그의 체중이 증가한 것은 무엇보다 죽음을 앞두고서도 그의 심리상태가 안정되었음을 의미하는 것이다. 이는 한국의 독립과 동양의 평화를 지키라는 '천명'을 수행하였기 때문에 죽어 반드시 천당에 갈 것이라는 믿음에 기인하는 것으로 보인다. 이러한 의미에서 그가 유언장을 한결같이 "천당에서 만나자."라는 말로 마무리한 이유를 이해할 수 있다. 안중근의 종교관과 의거의 상관성에 대한 자세한 내용은 신운용, 「안중근의거의 사상적 배경」, 『안중근과 한국근대

징역에 처한다."

검찰관과 같이 한목소리를 내고, 항소일자는 5일내로 다시 정한다고 이르고 다시 말하지 않고 서둘러서 재판을 끝내고 흩어졌다. 이때가 1910년 경술년 정월 초 3일이었다.

돌아와 감옥에 수감되어 혼자 생각하며 말하였다.

"내가 생각한 것에서 벗어나지 않는구나. 예로부터 지금까지 많은 충의지사(忠義志士)들이 죽음을 무릅쓰고 충성스럽게 간언하고 계책을 마련하면 뒷날의 일에 반드시 적중하지 않은 적이 없었다.

오늘 나는 동양의 대세를 몹시 걱정하여 정성을 다해 헌신하며 계책을 준비했고, 마침내 죽게 되었지만 어찌 통탄하고 어쩔 줄 몰라 하겠는가? 그러나 일본국 4천만 국민이 크게 안중근을 부를 날이 머지않을 것이다.

동양 평화의 형국이 이렇게 결렬되었는데 백년의 풍운은 언제나 그치겠는가? 현재 일본의 당국자가 조금이라도 지식이 있다면 반드시 이런 정략은 행하지 않을 것이다. 더구나 염치와 공정하고 곧은 마음이 있다면 어찌 이와 같은 행동을 하겠는가?"

지난 1895년(을미년)에 주한 일본 공사인 미우라(三浦)가 군대를 몰고 궁궐에 침입해 한국의 명성황후 민 씨를 시해했지만 일본 정부는 미우라를 별도로 처벌하지 않고 석방하였다. 그 내용은 반드시 명령을 내린 자가 있었기 때문에 이와 같이 한 것이 명백하다.

그러나 오늘에 이르러 내 사건을 가지고 논하자면 비록 개인 간의 살인죄라고 말하고 있지만 미우라의 죄와 내가 행한 죄[84] 가운데 누가 더 무겁고 누가 더 가벼운 것인가? 뇌가 부서지고 쓸개가 찢어지는 것이라고 할 수가 있다. 나에게 무슨 죄가 있고 내가 무슨 잘못을 범했단 말인가?"[85]

사』, 안중근의사기념사업회 안중근연구소, 2009 참조.

84 여기에서 안중근이 명성황후 '시해'를 주도한 자가 일본 공사 미우라는 것을 정확히 알고 있음을 확인할 수 있다. 안중근이 이토처단 15개조의 제1조에 명성황후 시해를 든 것도 일정한 공부를 했기에 가능한 것으로 보인다.

85 안중근재판의 불법성에 대해 『上海週報』는 다음과 같이 지적하였다. "수회의 선언에 의해 한국의 지위는 명확하게 되었음에도 불구하고 한국은 이미 일본의 속국이 되었다. 그의 이토공암살사건의 경우는 분명히 이를 예증하는 것이다. 대저 암살이 행해진 장소는 러청 어디냐는 명백하다. 그리고 일본은 한국의 외교권을 갖고 있으므로 재청하위의 재판은 일본영사관에서 관할할 수 있다하더라도 일본영사관은 살인죄와 같은 중대한 사건을 관할할 수 없다는 것은 사실로 상해의 예에 비추어 보아도 명백하다. 고로 본건은 범인의 본국 즉 한국재판소에 이송하지 않으면 안 되는데도 일본은 이를 행하지 않고 여순으로 이첩하였다. 이러한 처리는

천만 번 생각할 무렵, 홀연히 크게 깨달은 뒤에 박장대소하며

"나는 정말 큰 죄인이다. 내 죄는 다른 죄가 아니라 어질고 나약한 한국 백성이 된 죄이다."

라고 생각하였다. 이에 의심을 사라지고 마음이 편안해졌다.[86]

그 뒤 전옥 구리하라(栗原) 씨가 특별히 소개해준 고등법원장 히라이시(平石) 씨가 면회 와서 얘기를 나눌 때[87], 나는 사형판결에 불복하는 이유를 대강 설명하였다. 그런 뒤에 동양의 세력 관계와 평화에 대한 정치적 의견을 진술하자, 고등법원장이 듣고 나서 탄식하며,

"내가 그대와 똑같은 심정이 비록 크지만 정부가 주관하는 기관은 고치기가 어려우니 어떻게 하겠습니까? 마땅히 그대가 진술한 의견을 정부에 전달하겠습니다."[88]

라고 말하였다. 내가 듣고 나서 가만히 잘됐다고 여기고,

"이와 같은 공정한 이야기와 바른 논리는 우레가 귀를 울리 듯 평생 다시 듣기 어려운 이야기입니다. 이렇게 공적인 정의 앞에서는 비록 목석이라 할지라도 감복할 것입니다."

라고 하였다.

나는 다시

한인을 일본인과 같이 취급하고 요동반도를 일본영토시하는 요구의 예증을 구성하는 것이다. 그러나 이는 모두 근거 없는 부당한 요구인 것은 이를 각 조약에 비추어 보아도 명백하다"(日本 外交史料館, 『上海週報』(문서번호 : 1.3.2, 30)).

안중근 재판의 불법성에 대한 자세한 내용은 신운용, 「일제의 국외한인에 대한 사법권침탈고 안중근재판」, 『안중근과 한국근대사』, 안중근의사기념사업회 안중근연구소, 2009 참조.

86 찰리 머리모 기자는 1910년 4월 16일자 영국 신문 『더그래픽(The Graphic)』의 기사에서 이 불법적인 재판에 대해 "세계적인 재판의 승리자는 안중근이었으며 그의 입을 통하여 이토 히로부미는 한낱 파렴치한 독재자로 전락하였다"고 하였다.

87 2월 17일 안중근은 오후 3시 히라이시 고등법원장과 면담하고 동양평화론을 설파하였는데, 그 내용은 다음과 같다. 첫째, 재판의 불법성을 항의하는 것이었다. 둘째, 「동양평화론」을 완성시키기 위한 시간을 벌기 위해서였다. 셋째, 재판의 부당성을 항의하면서 동양평화론의 내용을 일제의 상층부에 알려 대한정책을 수정시키기 위한 최후 수단이었다. 그리고 안중근은 2월 7일 공판이 시작되기 전에 이미 상고를 포기할 뜻을 갖고 있었으나, 이때 히라이시에게 상고를 하지 않겠다는 뜻을 공식적으로 알리면서 3월 25일 예수 승천일에 자신의 사형집행을 하도록 요청하였다(국가보훈처·광복회, 「청취서」, 『21世紀와 東洋平和論』, 1996. 51~71쪽).

88 기록(국가보훈처·광복회, 「청취서」, 『21世紀와 東洋平和論』, 1996. 57쪽)에는 "이에 고등법원장은피고의 주장이 그러하지만 법원으로서는 하나의 살인범으로 취급하지 않을 수 없다. 피고의 주장이 통하도록 뱌려 할 수도, 그 주장을 받아들이는 특별한 절차를 밟을 수도 없다며 친절을 베푸는 가운데 누우이 설명하여 피고도 이를 이해하였다."라고 되어 있다. 이로 판단하면 이는 사실이 아니다. 하지만 기록과 달리 히라이시가 안중근의 지적대로 말하였을 개연성이 전혀 없는 것은 아니다.

"만약 허가해 준다면 동양평화론 한 권을 저술하고자 하니 집행 날짜를 한 달 남 짓 연기해 주는 것이 어떻겠습니까?"

라고 말하였다. 고등법원장이 대답하기를

"한 달 남짓만이 아니고 비록 수개월 남짓이라도 특별히 허가하겠습니다. 마음에 두지 마십시오."[89]

라고 하였다. 이에 감사해 마지않으며 돌아왔다. 이에 항소권 포기를 청하였다. 만 약 다시 항소를 하면 아무런 이익이 없을 것이 명약관화할 뿐 아니라, 고등법원장이 말한 것이 과연 진담이라면 생각을 고쳐야 했다.

이에 동양평화론을 저술하기 시작했고, 이 때 법원장과 감옥서의 일반 관리들은 내가 손으로 쓴 서적을 기념으로 삼으려고 하였다. 그래서 비단과 종이 수백 매를 보 내와 요청했기 때문에 부득이 내 필법이 능하지 못한 것을 생각하지 않고 남의 웃음 거리가 되는 것도 돌아보지 않은 채 매일 몇 시간씩 글을 썼다.

감옥에 있은 뒤로 특별히 친한 벗 두 사람이 있었다. 한 사람은 부장 아오키(靑木) 와 간수 타나카(田中) 씨였다. 아오키 씨는 성품이 어질고 공평했으며, 타나카 씨는 한국 언어에 능통하였다. 나의 일거수일투족을 두 사람이 돌봐주지 않는 것이 없어 서 나와 두 사람은 정이 형제와 같았다.

이 무렵 천주교회의 전교(傳敎) 스승인 홍신부가 내게 낙원영생의 성사를 주기 위해 서 한국으로부터 이곳에 도착하였다.[90] 나와 상봉하여 면회를 하니 꿈인 듯 술에 취

----

89 이도 2월 17일 안중근·히라이시 면담기록(국가보훈처·광복회, 「청취서」, 『21世紀와 東洋平和論』, 1996) 에는 보이지 않는다.

90 안중근은 빌렘 신부로부터 죽기 전에 천주교 최후 의식인 '종부성사(終傅聖事)'를 꼭 받고 싶었다. 그래서 두 동생으로부터 이러한 뜻을 전달받은 빌렘 신부는 최후의 미사집전을 위해 여순행 허가를 뮈텔 주교에게 요 청하였다. 그러나 정교분리의 원칙에 집착한 뮈텔 주교는 이를 허락하지 않았다. 그러자 빌렘 신부는 결단을 내려 대련을 거쳐 1910년 3월 7일 10시에 여순에 도착하였다.
안중근은 3월 8일부터 11일까지 총 4회에 걸쳐 빌렘 신부를 면회했다. 그는 3월 8일 오후 2시 여순감옥에 서 구리하라(栗原) 전옥(典獄)과 소노키(園木) 통역관의 입회 아래 빌렘 신부와 첫 면회를 하였다. 이때 빌렘 신부는 자신이 여순감옥에 온 이유를 다음과 같이 들고 있다. 즉, 첫째, 교자(敎子)인 그를 끝까지 인도하는 것이고, 둘째는 그의 이토 처단을 '뉘우치도록' 하는 것이며, 셋째는 그를 선량한 교도로 복귀시키기 위해서 였다. 이처럼 이때까지만 해도 빌렘 신부는 안중근의거를 부정적으로 보고 있었다. 특히 그는 안중근이 간도 로 떠날 때 "국가 앞에서는 종교도 없다"고 한 말을 교리에 반한 행동이라고 단정하면서, 안중근이 자신의 말 을 들었다면 이와 같은 어려움에 처하지 않았을 것이라고 책망하였다. 그러면서 빌렘 신부는 안중근에게 "일 각이라도 빨리 선량한 교도로 귀복한다면 하느님은 반드시 너의 대죄를 용서해 주실 것"이라고까지 하였다. 3월 9일 빌렘 신부는 안중근과 두 번째 면회를 하였다. 면회에 앞서 빌렘 신부는 법원 측에 천주교의 관례에 따라 두 사람만의 만남을 요청하였다. 그러나 여순법원 측은 이를 거절하였다. 전날과 마찬가지로 구리하라

한 듯 기쁨에서 깨어나기가 어려웠다. 홍신부는 본래 프랑스 사람으로 파리의 동양전
교회 신품학교를 졸업한 뒤에 동정을 지키고 신품성사를 허가받아 신부가 되었다.

홍신부는 재주가 출중하고 견문이 넓고 박학하여 영어·프랑스어·독일어·라틴어
에 모두 능통하였다. 1895~6년경 한국에 와서 서울과 인천항에서 몇 년간 살았다.
그 뒤 1895~6년 경[91] 다시 해서인 황해도로 등지로 내려와서 전교할 때, 내가 입교
하여 세례를 받고 그 뒤는 앞에서 말한 것과 같다. 오늘 이 곳에서 다시 상봉하게 될
줄이야 누군들 생각했겠는가? 홍신부는 당시 53세였다.

이 때 홍신부는 나에게 성교(聖敎)의 도리를 훈계한 뒤에 다음날 고해성사를 해주
셨다. 또 다음 날 아침에 감옥으로 와서 성수를 뿌리고 성체성사를 거행하였다. 당시
나는 성체성사와 고해성사를 받았다. 천주의 파격적인 특별한 은혜를 받았으니 감사
한 마음이 얼마나 지극한 일인가? 이 때 감옥서의 일반 관리들도 와서 참관하였다.
그리고 그 다음날 오후 2시경에 다시 와서 내게

"오늘 한국으로 돌아가기 때문에 작별 차 왔다."

라고 하였다. 서로 한 시간 넘게 얘기를 한 뒤에 악수를 하고 서로 작별할 때에 나

와 소노키 등이 입회하였다. 이때 안중근은 빌렘 신부에게 의병전쟁에 투신한 그날 밤의 기몽(奇夢)을 소개하
였다. 즉, "성모마리아가 나타나 그의 흉간(胸間)을 위무하면서 놀라지 말라 염려해서는 안 된다"는 분부를 남
기고 사라졌다는 것이다. 이는 그가 의병전쟁을 앞두고 느낄 수 있는 두려움을 종교의 힘에 의해 극복하고 있
음을 의미하는 것이다. 이 날의 면회에서 빌렘 신부는 '영성체식(領聖體式)'을 베풀고 3시 15분에 헤어졌다.
3월 10일 오전 9시부터 안중근은 그 전과 달리 수갑과 오랏줄을 풀고서 빌렘 신부를 만났다. 이 날 빌렘 신
부는 접견실 한구석에 임시제단을 설치하고서 '종부성사'를 행하였다. 그는 이로부터 매일 아침 식사도 하지
않고 오로지 기도하며 돌아갈 준비를 하였다.
3월 11일 두 동생도 빌렘 신부와 함께 형을 면회하였다. 안중근은 정근에게 자신의 유해를 하얼빈에 묻어달
라고 유언하였다. 빌렘 신부가 1907년 출국한 이후의 일들을 말해 줄 것을 청하였다. 이에 그는 기뻐하며 의
거에 이르기까지의 과정을 고백성사하듯이 풀어놓았다. 그의 이야기를 다 듣고 난 후, 빌렘 신부는 크게 탄식
하며 "국사를 우려한 나머지 나온 거사라면 왜 흉행에 앞서 나 또는 다른 신부와 일단 상의하지 않았느냐"며
안중근의거를 일면 이해하는 태도를 보였다. 이는 그가 1912년 "이토가 죽은 것은 잘된 일이다."라고 하여
안중근의거를 적극 옹호하는 발언을 할 수 있었던 단서가 된다는 면에서 주목되는 대목이다.
이러한 맥락에서 빌렘 신부가 안중근의거를 지지하기 시작한 시점은 바로 이 무렵으로 보인다. 말하자면 이
때부터 빌렘 신부는 안중근이 국권회복운동에 투신하게 된 이유가 한국 독립과 동양 평화 유지라는 천명을
실현하기 위한 것임을 이해하기 시작한 것으로 보인다. 이처럼 그는 정교분리의 원칙에 따라 안중근의거를
긍정하지 않았던 빌렘 신부의 마음을 바꾸어 놓았던 것이다.
이때 그는 교우에게 전하는 말이라고 하여 "인생이 있는 이상 죽음 또한 면치 못하는 바이라. 교자(敎子)는
먼저 성단에 오르니 교우의 힘에 의해 한국독립의 길보를 가져다주기를 기다릴 뿐"이라는 최후의 유언을 남
기었다. 그리고 안정근에게 한복을 넣어줄 것을 청하였다. 이후 빌렘 신부는 1909년 3월 12일에 여순을 출
발하여 한국으로 향하였다. 안중근과 홍신부가 여순감옥에서 만난 자세한 내용은 국사편찬위원회, 「보고
서」, 『한국독립운동사』 자료 7, 533~550쪽 참조.
91 아마도 이 부분의 연도가 잘못된 것 같다.

에게 말하기를, "인자하신 천주께서는 그대를 버리지 않고 반드시 거두어 주실 것이니 걱정하지 말고 편안히 있으시오."라고 했다. 드디어 손을 들어 나를 행해 복을 내린 뒤에 작별하고 떠났다. 이때가 1910년 경술 2월 초하루 오후 4시경이었다.

이상이 안중근의 32년간 역사의 줄거리다.

1910년 경술 음력 2월 초닷새, 양력 3월 15일 여순감옥에서
대한국인 안중근이 쓰기를 마친다.

서문

대저 합하면 성공하고 흩어지면 패한다는 것은 만고에 정해진 분명한 이치이다. 지금 세계는 동서로 나눠져 있고 인종도 각각 달라 서로 경쟁하고 있다. 일상생활의 이기(利器)연구와 같은 것을 보더라도 농업이 상업보다 대단하며 새발명인 전기포·비행선·침수정(浸水艇)은 모두 사람과 사물을 해치는 기계이다.

청년들을 훈련하여 전쟁터로 몰아넣어 수많은 귀중한 생령들을 희생처럼 버리고 날마다 피가 냇물을 이루고 인육이 땅에 널려져 있는 날이 없는 날이 없다. 삶을 좋아하고 죽음을 싫어하는 것은 모든 사람의 상정이거늘 밝은 세계에 이 무슨 광경이란 말인가. 말과 생각이 이에 미치면 뼈가 시리고 마음이 서늘해진다.

그 본말을 따져보면 예로부터 동양 민족은 다만 문학에 힘쓰고 제 나라만 삼가 지켰을 뿐으로 5대주의 땅 한치도 침입해 빼앗은 일은 전혀 없었다. 이는 5대주 사람이나 짐승 초목까지 다 알고 있는 바이다.

그런데 가까이 수백 년 이래로 구주의 여러 나라들은 도덕을 까맣게 잊고 날로 무력을 일삼으며 경쟁하는 마음을 길러서 조금도 꺼리는 바가 없었다. 그중 「러시아」가 더욱 심하다. 그 폭행과 잔해(殘害)함이 동서양 미치지 않는 곳이 없으니 죄악이 차고 넘쳐 신(神)과 사람 모두 노하고 있다. 그런 까닭에 하늘이 동해 가운데 조그만 섬나라 일본에 기회 한번을 주어 이와 같은 강대국 러시아를 만주대륙에서 한주먹으로 때려눕히게 하였으니, 누가 능히 이런 일을 헤아렸겠는가.

이것은 하늘에 순하고 땅의 배려를 얻은 것이며 사람의 마음을 따른 이치이다. 당시 만일 한청양국 인민은 상하 일치하여 전날의 원수를 갚고자 해서 일본을 배척하고 러시아를 도왔다면 큰 승리를 거둘 수 없었을 것이니 어찌 족히 예상을 했겠는가.

그러나 한청양국 인민은 그와 같이 행동하지 않았을 뿐만 아니라 오히려 일본군대를 환영하고 운수·치도(治道)·정탐 등 일에 수고로움을 잊고 힘을 기울였다. 이것은 무슨 이유인가 하면 큰 두가지 이유가 있었다. 하나는 일본과 러시아가 개전할 때 일본천황의 선전서(宣戰書)에 "동양평화 유지와 대한독립을 공고히 한다."운운했으니 이와 같은 대의는 청천백일의 빛보다 더 밝은 것이다. 그렇기 때문에 한청인사는 지혜로운 이나 어리석은 이를 막론하고 일치동심해서 감화하여 복종한 것이다. 다른 하나는 일러 개전이 황백인종의 경쟁이라 할 수 있다. 그러므로 지난 날의 원수진 심정이 하루 아침에 사라져 버리고 오히려 하나의 큰 같은 인종을 사랑하는 무리를 이루었다. 이는 또한 인정(人情)의 순서라 가히 합리적인 이유의 또 하나이다.

쾌하도다. 장하도다. 수백 년 이래 행악을 행한 백인종의 선봉을 북 한소리로 대파하였으니 가히 천고에 없는 일이며 만방이 기념할 표적(表蹟)이다.

당시 한청 양국의 뜻있는 이들이 함께 기뻐해 마지않는 것은 일본의 정략(政畧)과 일의 순서가 동서양 천지가 열린 이래 가장 위대한 대사업이며 통쾌한 일이라고 스스로 여겼기 때문이었다.

슬프다! 천번 만번 의외로 승리하여 개선한 후로 가장 가깝고 가장 친하며 어질지만 약한 같은 인종(同種) 한국을 억압하여 조약을 맺고 조차를 빙자하여 만주 장춘을 이남을 점거하였으므로 세계 일반인의 머릿속에 의심이 구름처럼 홀연히 일어났다. 일본의 위대한 성명(聲明)과 정대한 공훈이 하루아침에 바뀜은 만행을 일삼는 러시아보다 더 심하였다.

아! 용과 호항이의 위세로 어찌 뱀과 고양이의 행동을 한단말인가? 이처럼 만나기 힘든 좋은 기회를 다시 구한들 어찌 얻을 수 있겠는가? 너무나 애석하고 통탄스러운 일이다.

동양평화·한국독립이라는 말을 들은 천하만국인이 금석(金石)처럼 믿게 되었고, 이는 한청양국 사람들의 간뇌(肝腦)에 도장을 찍은 것과 같은 것이다.

이와 같은 문자사상[1]은 비록 천신(天神)의 능력으로서도 마침내 소멸시키기 어려운데 하물며 한 두 사람의 지모(智謀)로써 어찌 능히 말살할 수 있겠는가?

지금 서세동점(西勢東漸)의 환난을 동양인종이 일치단결해서 극력 방어해야 함이 첫째가는 상책임은 비록 어린아이일지라도 익히 아는 일이다. 그런데도 무슨 이유로 일본은 이러한 순연한 형세를 돌아보지 않고 같은 인종인 이웃나라의 가죽을 벗기고 살을 베며 우의를 끊어 방휼(蚌鷸)의 형세를 스스로 만들어 어부를 이롭게 하는

---

1 동양평화와 한국독립.

가. 한청 양국인은 희망을 완전히 잃게 되었다.

만약 정략을 고치지 않고 핍박이 날로 심해진다면 차라리 다른 인종에게 어쩔 수 없이 망할지라도 차마 같은 인종에게 욕을 당하지 않겠다는 의론이 한청양국인의 폐부에서 용솟음쳐 위아래가 하나 되어 스스로 백인의 앞잡이가 될 것이 명약관화한 형세이다.

그렇게 되면 동양의 몇 억 황인종 중의 허다한 뜻이 있고 강개한 남아들이 어찌 수수방관하고 동양전체가 까맣게 타죽은 참상을 앉아서 기다릴 것이며 또 그것이 옳겠는가. 그래서 동양평화를 위한 의전을 하얼빈에서 벌리고 담판하는 자리를 여순구에 정하였다. 이어 동양평화문제에 관한 의견을 제출하는 바이니 여러분은 눈으로 깊이 살필지어다.

1910년 경술 2월
대한국인 안중근 여순옥중에서 쓰다.

동양평화론 목록

전감 1
현상 2
복선 3
문답 4

동양평화론

안중근 저

전감[2]
예로부터 지금에 이르기까지 동서남북의 어디를 막론하고 헤아리기 어려운 것은

---

2 앞사람이 한일을 거울삼아 스스로를 경계함.

대세의 번복이고, 알 수 없는 것은 인심의 변천이다. 지난(갑오년, 1894년) 일청전쟁을 보더라도 그때 조선의 쥐도적과 같은 동학당의 소요로 인연해서 청일양국의 병사를 움직여 바다를 건너와 이유 없이 개전해서 서로 충동하였다. 일본이 이기고 청국이 패해 승승장구하여 요동의 반을 점령하였다. 요지인 여순을 함락시키고 황해함대를 격파하였다. 그 후 시모노세키(馬關)에서 담판을 하여 조약을 체결하여 대만 일도(一島)을 할양받고 배상금으로 2억원을 받기로 하였다. 이는 일본의 유신 후 하나의 큰 기념으로 기록할 만한 공적이다. 청국은 일본에 비하면 물자가 풍부하고 땅이 넓어 수십배는 족히 되는데 어떻게 이와 같이 패하였는가.

예로부터 청국인은 스스로 중화대국이라 하고서 다른 나라를 오랑캐(夷狄)라 여기어 교만이 극심하였다. 더구나 권신척족이 국권을 농단하고 신민 상하가 원수를 맺으며 상하가 불화했기 때문에 이와 같이 욕을 강한 것이다.

일본은 유신이래로 민족이 화목하지 못하고 다툼이 끊임이 없었으나 그 외교 경쟁이 생겨난 후로는 집안싸움이 하루아침에 화해가 되어 단결하여 한 덩어리로 애국하여 이와 같이 개가를 올리게 된 것이다. 이는 친절한 바깥사람이 다투는 형제보다 못하다고 할 만한 것이다.

이때의 러시아 행동을 기억할 지어다. 당일에 동양함대가 조직되고 프랑스·독일 양국이 연합하여 요코하마(橫濱) 해상에서 크게 항의하니 요동반도가 청국에 환부되고 배상금이 감액되었다. 그 외면적인 형세를 보면 가히 천하의 공법이고 정의라 할 수 있다. 그러나 그 내용을 들여다보면 호랑의 심술보다 더 심하다.

불과 수년 동안에 민첩하고 교활한 수단으로 여순구를 조차한 후에 군항을 확장하고 철도를 건설하였다. 이런 일의 근본을 생각해 보면 러시아 사람들이 수십 년 이래로 봉천이남 대련·여순·우장(牛莊) 등 부동항 한 곳을 억지로라도 가지고 싶은 욕심이 불과 밀물 같았다. 하지만 감히 그렇게 하지 못한 것은 청국이 한번 영국과 프랑스 양국이 천진을 한 이후로 관동의 각진(鎭)에 신식병마를 많이 두었기 때문이다. 그러므로 감히 마음을 먹지 못하고 단지 끊임없이 침만 흘리면서 오랫동안 기회를 기다리고 있었다. 이때에 그 책략이 들어맞은 것이다.

이때에 식견이 있고 뜻이 있는 일본 사람 누구라도 창자가 갈기갈기 찢어지지 않겠는가. 그러나 그 이유를 살펴보면 이 모두가 일본의 과실이다. 이것이 이른바 구멍이 있으면 바람이 생기는 법이요, 자기가 치니까 남도 친다는 격이다. 만일 일본이 먼저 청국을 침범하지 않았다면 러시아가 어찌 감히 이와 같이 행동했겠는가! 자기도끼로 자기 발을 찍은 것이라고 할 수 있는 것이다.

이로부터 중국의 모든 사회 언론이 들끓었으므로 자연히 무술개변이 이루어지고 의화단이 들고 일어나, 일본과 서양을 배척하는 난이 크게 일어났다. 그래서 8개국 연합군이 발해해상에 구름 같이 모여 천진을 함락하고 북경을 침입을 받아 청국황제가 서안부(西安府)로 파천하는가 하면 군민 모두 상해를 입은 자가 수백만 명에 이르고 금은재화의 손해는 얼마인지 헤아릴 수 없었다. 이와 같은 참화는 세계 역사상 드문 일로 동양의 일대 수치일 뿐만 아니라 장래 황인종과 백인종 사이의 분열경쟁이 시작되는 징조이니 어찌 경계하고 탄식하지 않을 것인가!

이때 러시아 군대는 11만이 철도를 보호를 면목으로 만주경계상에 주둔하고 끝내 종내 철수하지 않았다. 그래서 러시아 주재 일본공사 구리노(栗野)씨가 혀가 닳고 입술이 부르텄지만 러시아 정부는 들은 체도 않을 뿐 아니라 오히려 군사를 증원하였다. 슬프다! 일러 양국 간의 대참화를 결국 피하지 못하였다. 그 근본을 따져보면 필경 어디로 돌아갈 것인가? 이것이야말로 동양의 일대전철(前轍)이다.

당시 일러 양국이 각각 만주에 출병할 때 러시아는 단지 시베리아 철도로 80만 군비를 실어보냈으나 일본은 바다를 건너고 남의 나라를 지나 4·5군단의 군수품과 군량을 바다와 육지를 거쳐 요하일대로 보냈으니 비록 계획이 있었다고는 하지만 어찌 위험하지 않았겠는가? 결코 만전지책이 아니요 참으로 헛된 전쟁이라 할 수밖에 없다.

그 육군이 간 길을 보면 한국의 각 해구(海口)와 성경(興盛)·금주만(金州灣)등지로 상륙하여 4~5천리를 지나온 터이니 수륙의 괴로움은 말하지 않아도 알 수가 있다. 이때 일본군이 다행히 계속 이겼지만 함경도를 아직 지나지 못하였고 여순구를 격파하지 못하였으며, 봉천에서 아직 이기지 못하였을 때 만약 한국의 관민이 한 목소리로 을미년(1895년)에 일본이 한국의 명성황후 민씨를 이유 없이 시해한 원수를 이때 갚아야 한다며 격문을 사방에 띄웠더라면, 함경·평안 양도 사이에서 러시아 군대가 교통의 허점을 찌르고 왕래하는 길에서 공격하였더라면, 청국도 또한 상하가 협동해서 지난날 의화단 때처럼 들고 일어나 갑오년(청일전쟁)의 묵은 원수를 갚겠다며 북청일대의 인민이 폭동을 일으키고 약한 곳과 실한 곳을 잘 살펴보고 그 대비가 없는 약한 곳을 공격하며 개평(蓋平)·요양(遼陽) 방면으로 가서 기습을 벌여 나아가 싸우고 물러가 지켰더라면 일본군의 대세는 남북이 분열되고 등과 배 앞 뒤로 적을 만나 포위를 당하는 비탄을 피하기 어려웠을 것이다.

만일 이런 지경에 이르렀다면 여순·봉천 등지의 러시아 장졸들이 예기(銳氣)가 등등하고 기세가 배가 되어 앞에서 가로막고 뒤에서 호응하여 좌충우돌하였을 것이다. 그렇게 되었다면 일본군의 세력의 머리와 꼬리가 이어지지 못하여 군수품과 군량미를 계속 공급할 방책이 없었을 것이다. 그렇게 되었다면 야마가카 아리토모(山縣有朋)·노기 마레스케(乃木希典) 씨의 책략도 반드시 헛되이 되었을 것이다. 하물며 이러할 진대 이때 청국정부와 주권자들의 야심이 폭발하여 지난 원한을 갚았을 것이고 때도 놓치지 않았을 것이다.

만국공법또는 엄정중립 등의 말들은 모두 근래 외교가의 교활한 술책이므로 족히 말할 바가 못 된다. 병불염사(兵不厭詐)[3], 출기불의(出其不意)[4], 병가묘산(兵家妙算)[5] 따위를 운운하면서 관민이 일체가 되어 명분 없이 군사를 출동시키고 일본을 배척하는 상태가 극렬 심하였다면 동양 전체에 닥칠 백년풍운은 어떻게 되었을 것인가.

만약 이와 같은 지경이 되었다면 구주열강은 다행히 좋은 기회를 얻었다며 모두 앞을 다투어 군대를 출동시켰을 것이다. 또한 그때 영국은 인도·홍콩 등지에 주둔하고 있는 육해군을 아울러 출동시켜 위해위(威海衛) 방면으로 보내어 필시 강경수단으로 청국정부와 교섭하고 질책하였을 것이다. 그리고 프랑스는 사이공·가달마도(加達馬島)에 있는 육군과 군함을 일시에 지휘해서 하면(廈門)[6] 등지로 모이게 하였을 것이다. 아울러 미국·독일·벨기에·오스트리아·포르투칼·그리스 등의 동양순양함대는 발해 해상에서 연합하여 합동조약을 미리 준비하여 이익 균점을 희망했을 것이다.

그렇게 되면 일본은 어쩔 수없이 전국의 군비와 국가재정을 기울여고 밤새워 조직한 뒤에 만주·한국 등지로 곧바로 수송하였을 것이다. 청국은 격문을 사방으로 띄워 만주·산동·하남 형양(荊襄) 등지의 군대와 의용병을 급히 소집해서 용전호투(龍戰虎鬪)의 형세로 일대풍운을 자아냈을 것이다. 만약 이러한 일이 벌어졌다면 동양의 참상은 말하지 않아도 상상할 수 있다. 이때 한청양국은 오히려 그렇게 하지 않았을 뿐만 아니라 조약을 준수하고 털끝만큼도 움직이지 않았기 때문에 일본이 만주 땅 위에 위대한 공훈을 세울 수 있었던 것이다.

------

3 전쟁에서 적을 속이는 것을 꺼리지 않다.
4 허점을 찌르고 나가다.
5 군사가의 교묘한 수법.
6 샤먼. 아모이(Amoy)(푸젠(福建)성 동남 아모이 섬의 항구 도시).

이러한 점에서 한청양국 인사의 개명(開明) 정도와 동양평화를 바라는 정신을 족히 알 수 있다. 그러하니 동양 일반의 뜻이 있는 사람들의 생각하고 헤아림은 뒷날의 경계가 될 것이다. 이 때 일러전쟁이 결국 마지막 단판이 있었을 무렵 강화조약[7]을 전후해서 한청 양국의 뜻 있는 많은 사람들은 희망을 잃어버렸다.

당시 일러 양국의 전세를 논한다면 한번 개전한 이후로 크고 작은 교전이 수백차례 있었으나 러시아 군대는 연전연패해서 상심 낙담하여 멀리서 보고서는 바람과 같이 달아났다. 일본 군대는 백전백승하고 승승장구하여 동으로는 블라디보스토크 근방에, 북으로는 하얼빈에 이르렀다. 사세가 여기까지 이른 바에야 기회를 놓쳐서는 안 될 일이었다. 이왕 벌인 춤판이었으므로 비록 전국력을 다 소비하여서라도 한두달 동안 사력을 다하였더라면 동으로 블라디보스토크를 점령하고 북으로 하얼빈을 격파할 수 있었음은 명약관화한 형세였다.

만약 그렇게 되었다면 러시아의 백년대계는 하루아침에 필시 토붕와해(土崩瓦解)[8]의 형세가 되었을 것이다. 어찌하여 그렇게 하지 않고 오히려 구차하고 은밀하게 먼저 강화를 청해 참초제근지책(斬草除根[9]之策)를 이루지 않았는지 한탄스럽고 애석하다 할 만하다.

하물며 일러담판을 보더라도 이왕 강화 담판할 곳을 의논하여 정할 것이라면 천하에 어찌하여 워싱톤이었단 말인가! 그늘의 형세로 말한다면 미국이 비록 중립으로 치우친 마음이 없다고는 하지만 짐승들의 다툼에도 오히려 주객이 있는데 하물며 인종간의 다툼에서야 말해무엇하랴. 일본은 전승국이고 러시아 패전국이다. 일본이 어찌 자시의 뜻대로 정하지 않았는가? 동양에는 족히 합당한 곳이 없어서 그랬단 말인가.

고무라 타로(小村壽太郎) 외상이 구차하게 수만리 밖 워싱톤까지 가서 그것을 체결할 때에 화태도(樺太島)의 반 부분을 벌칙조항에 넣은 일은 혹 받아들여도 전혀 이상한 일이 아니다. 하지만 한국을 그 가운데 넣어서 우월권을 갖는다고 운운하는 것은 근거도 없고 타당하지도 않는 일이다.

지난 날 시모노세키 조약 때는 본래 한국은 청국의 속방이므로 그 조약문에 간섭

---

7 러·일 전쟁의 강화조약(포츠머스 조약).
8 흙이 무너지고 기와가 깨지다.
9 풀을 뽑으려면 뿌리채 뽑아야 한다.

이 반드시 있게 마련이지만, 한러 양국간에는 처음부터 아무런 관계가 없는데 무슨 이유로 그 조약문에 들어갔단 말인가!

일본이 한국에 이미 큰 욕심을 가지고 있다면 어찌 자신의 수단으로 자유로이 스스로 행동하지 못하고 이와 같이 구라파 백인종과의 조약 중에 집어넣어 영원토록 문제로 만들었단 말인가! 도대체 이 얼마나 대책이 없는 일인가! 또한 미국 대통령이 이미 중재를 맡았으니 한국인 구미의 사이에 있는 것처럼 되었으니 중재주가 필시 크게 놀라서 조금은 괴상하게 여겼을 것이다. 같은 인종을 사랑하는 의리로서는 만에 하나도 따를 수 없는 것이다.

또한 노련하고 교묘한 수단으로 고무라 외상을 농락하여 약간의 바다에 있는 섬과 땅 조작 그리고 파선(破船)·철도 등 가치가 없는 것을 배상으로 나열하고 거액의 벌금은 전폐시켜 버렸었다. 만일 이때 일본이 패하고 러시아가 승리하여 담판하는 자리가 워싱톤에서 열리었다면 일본에 대한 배상요구가 어찌 이처럼 약소하였겠는가.

그러하므로 세상의 공평과 불공평함은 여기에서 보아도 알 수 있을 것이다. 이는 다른 이유는 없는 것으로 지난 날 러시아가 동으로 침략하고 서쪽으로 정벌을 한 것이 분통하고 가증스러운 일이기 때문이다. 구미열강이 각자 엄중 중립을 지켰지만 서로 돕지 않았지만 이미 이처럼 황인종에게 진 뒤이고 일이 끝난 마당에 어찌 같은 인종으로서의 우의가 없었겠는가. 이것은 인정상의 세태이고 자연스런 형세이다.

슬프도다! 그러므로 자연스런 형세를 돌아보지 않고 같은 인종인 이웃나라를 해치는 자는 마침내 폭군이 되는 환란을 벗어나지 못할 것이다.

3 기서

안응칠

귀보의 논설에 인심이 단합하여야 국권을 흥복하겠다는 구절을 읽으매 격절한 사연과 고상한 의미를 깊이 감복하여 천견박식으로 한 장 글을 부치나이다.

대저 사람이 천지만물 중에 가장 귀한 것은 다름이 아니라 삼강오륜을 아는 까닭이라. 그런고로 사람이 세상에 처함에 제일 먼저 행할 것은 자기가 자기를 단합하는 것이오, 둘째는 자기 집을 단합하는 것이오, 셋째는 자기 국가를 단합하는 것이니 그러한 즉 사람마다 마음과 육신이 연합하여야 능히 생활할 것이오. 집으로 말하면 부모처자가 화합하여야 능히 유지할 것이오. 국가는 국민상하가 상합하여야 마땅히 보전할지라.

슬프다. 우리나라가 오늘날 이 참혹한 지경에 이른 것은 다름이 아니라 불합병이 깊이 든 연고로다.

불합병의 근원은 교오병이니 교만은 만악의 뿌리라. 설혹 도적놈이 몇이 합심하여야 타인의 재산을 탈취하고 잡기군도 동류가 있어야 남의 돈을 빼앗나니 소위 교만한 사람은 그렇지 못하여 자기보다 나은 자를 시기하고 약한 자를 능모하고 같이 하면 다투나니 어찌 합할 수 있으리오. 그러나 교오병에 약은 겸손이니 만일 개개인이 다 겸손을 주장하여 항상 자기를 낮추고 타인을 존경하며 책망함을 참고 잘 못한 이를 용서하고 자기의 공을 타인에게 돌리면 금수가 아니거늘 어찌 서로 감화하지 않으리오.

옛날에 어떤 국왕이 죽을 때에 그 자손을 불러 모아 회초리나무 한 묶음을 헤쳐주며 각각 한 개씩 꺾게 함에 모두 잘 부러지는지라 다시 분부하여 합하여 묶어놓고 꺾으라 함에 아무도 능히 꺾지 못하는지라. 왕이 가로대, "저것을 보라. 너희가 만일 나 죽음 후에 형제간 산심(散心)되면 남에게 용이하게 꺾일 것이오, 합심하면 어찌 꺾일 것이오."라고 하였다 하니 어찌 우리 동포는 이 말을 깊이 생각하지 않으리오.

오늘날 우리 동포가 불합한 탓으로 삼천리강산을 왜놈에게 빼앗기고 이 지경 되었도다. 오히려 무엇이 부족하여 어떤 동포는 무슨 심정으로 내정을 정탐하여 왜적에게 주며 충의의 동포의 머리를 베어 왜적에 받치는가.

통재 통재라 분함이 철천(徹天)하여 공중에 솟아 고국산천 바라보니 애매한 동포가 죽는 것과 무죄한 조선의 백골을 파는 소리를 참아 듣고 볼 수 없네. 여보 강동 계신 우리 동포 잠을 깨고 정신 차려 본국 소식 들어보오. 당신의 일가친척이 대한 땅에 다 계시고 당신의 조상 백골 본국강산에 아니 있소. 나무뿌리 끊어지면 가지를 잃게 되며 조상 친척 욕을 보니 이내몸이 영화될가 비나이다.

여보시오 우리 동포 지금 이후 시작하여 불합 두 자 파괴하고 단합 두 자 급성하여 유치자질 교육하고 노인들은 뒷배보며 청년형제 결사하여 우리 국권 어서 빨리 회복하고 태극기를 높이 단 후에 처자권속 거느리고 독립관에 재회하여 대한제국 만만세를 육대부주 혼동하게 일심단체 불러보세.[1]

----

1 「긔서」,『해조신문』1908년 3월 21일.
「긔서」는 안중근이 스스로 남긴 몇 안 되는 사료라는 측면에서 의미가 깊지만, 이 시기 안중근의 시대인식과 그 해결책을 다음과 같이 엿볼 수 있는 중요한 사료이다. 첫째, 안중근의 현실인식이다. 즉, 그는 대한제국이 일제의 침략을 당하는 이유를 개인·가족·국가의 단결력 부족과 교만함에 있다고 진단하고 있다. 결국 그는 대한제국이 단결된 일본을 이기기 위해서는 '불합' 두 자를 거두어내고 단합할 때만이 가능하다고 판단하고 있는 것이다. 이러한 인식은 미국 한인사회의 운동노선과도 일정한 관련성이 있는 것으로 보인다. 이를테면 공립협회는 국권회복운동의 선결과제로 '국민단합론'을 제기하면서 한인단체의 '통일연합론'을 주장하는 등 한인사회의 통합운동을 전개하였다. 이러한 운동방략은 러시아 한인사회와 연동되어 있었고 미주에서 발행된 한인신문을 읽고 있던 안중근도 이에 공감하는 위에서 '인심단합론'을 주장하였던 것으로 보인다. 둘째, 러시아 한인사회를 어떻게 바라보고 있는가 하는 문제를 엿볼 수 있다. 그는 한인사회의 분열양상을 정확히 인식하였고 그 해결책으로 단합론을 제시했다. 러시아 한인사회는 지방색에 따른 분열양상을 보이고 있었다. 특히 의병세력은 최재형 등을 중심으로 토착세력과 이범윤 등을 중심으로 한 이주세력으로 양분되어 있었다. 이는 대일투쟁의 걸림돌로 작동되었다. 따라서 그의 인심단합론은 본토와의 관계를 깊이 생각하지 못하고 분열되어 있는 러시아 한인사회에 대한 안중근의 안타까움의 표현이며 단결을 촉구한 호소문이라고 할 수 있다. 이러한 주장은 「동의회 취지서」의 단합론과 맥락을 같이 하는 것이다. 셋째, 「동양평화론」의 근간이 이미 이 무렵에 성립되었음을 알 수 있다. 즉, 그는 「동양평화론」에서 일본이 러일전쟁에서 승리한 원인을 단결에 있다고 보았다. 반면 청국이 청일전쟁에서 패한 이유를 교만에 있다고 주장하였다. 또한 죽음을 앞둔 국왕의 왕자들처럼 단결해야 한다는 논리는 서양세력의 침략을 막기 위해 한·청·일 삼국의 단결이 절대적이라는 「동양평화론」과 궤를 같이하는 것이다. 넷째, 안중근이 러시아 한인사회의 여론형성에 일정한 역할을 하고 있다는 사실을 이를 통해 알 수 있다. 뿐만 아니라 이는 안중근이 한인사회의 지도자로 성장하였음을 보여주는 증거이다. 이러한 면에서 안중근이 동의회 참여와 국내진입작전을 이끌 수 있었던 배경을 이해할 수 있다.

安重根 遺稿

-安應七 歷史·東洋平和輪·그서

脫草本

安應七 歷史(漢文本, 日本 國會圖書館本 · 長崎本 合本)

一千八百七十九年 己卯 七月 十六日 大韓國 黃海道 海州府 首陽山下 生一男子 姓安 名重根 字應七(性質近於輕急故 名曰重根 胸腹有七介黑子故 字應七).

其祖父 名仁壽 姓質仁厚 家産豊富 以慈善家 著名於道內 曾前叙任於鎭海(郡名) 縣監(郡守) 生六男 三女 第一名曰泰鎭 二泰鉉 三泰勳(私父) 四泰健 五泰敏 六泰純 合六兄弟 皆文翰有餘 其中 私父 才慧英俊 八九歲 通達四書三經.

十三四歲 科文六體卒業 讀習通鑑冊時 教師開卷 指示一字 問曰 自此字 十張之下底字 何文字 能知否 暗思答曰 能知 彼必天字矣 散見則 果若其言天字 教師奇異之 更問曰 此冊翻逆推上能知否 答曰 能知 如此試問 十餘次 順逆一般 都無錯誤 聞見者 無不稱善 謂之仙童 自此名譽 播著遠近 中年登科進士 娶趙氏作配 生三男一女 一曰重根(自分) 二定根 三恭根也.

一千八百七十四年 (甲申)間 往留於京城矣 時 樸泳孝氏 深慮國勢之危亂 欲爲革新政府 開明國民 選定英俊 靑年七十人 將欲派遣外國遊學 (私父)亦爲被選矣.

嗚呼 政府奸臣輩 搆誣朴氏 欲爲反逆 發兵捕捉 時 朴氏 逃走於日本 同志者與學生等 或被殺戮 或被捉遠謫 (私父) 避身逃躱 歸隱於鄕第 與其父親相議曰 國事將日非矣 富貴功名 不足圖也.

一日 都不如早歸棲山 耕雲釣月 以終此世 盡賣家産 整理財政 準備馬車 統率家眷 凡七八十人口 移居於信川郡淸溪洞山中 地形險俊 田踏俱脩 山明水麗 可謂別有天地也 (自分) 時年六七歲也 依賴祖父母之愛育 入於漢文學校 八九年間 纔習普通學文 至十四歲頃 祖父仁壽棄世長逝 (自分) 不忘愛育之情 甚切哀痛 沈病半年以後蘇復耳.

自幼時 特性所好狩獵也 常隨獵者 遊獵山野之間 漸長 擔銃登山 狩獵禽獸 不務學文故 父母與教師 重噴之 終不服從 親友學生 相謂勸勉曰 汝之父親 以文章著名於現世 汝何故 將欲以無識下等之人自處乎 曰汝之言是也 然試聽我言 昔楚

霸王項羽曰 書足以記姓名云云 而萬古英雄 楚霸王之名譽 尙遺傳於千秋也 我不
願以學文著世 彼丈夫我丈夫 汝等更勿勸我 一日 此時 三月春節 與學生等 登山翫
景 臨於層巖絶壁之上 貪花欲折 失足滑倒 顚沛墮下數十尺 勢無奈何 勵精思量之
際 忽逢一株柯木 展手把扼 奮身勇起 回顧四面 若過數三尺墮落則 數百尺層巖之
下 碎骨粉身 更無餘望之地 群兒立於山上 面土色而已矣 見其得活 取索引上 別
無傷處 汗出沾背 握手相賀 感謝天命 下山歸家 危境免死之第一回也.

一千八百九十四年 (甲午) (自分) 年十六歲 娶妻金氏 現生二男一女 時 韓國各地方
所謂東學(現今一進會之本祖也)黨 處處蜂起 稱托外國人排斥 橫行郡縣 殺害官吏 掠
奪民財(此時韓國將危之基礎 日淸露開戰之源因 (自分)所遭之菌) 官軍不能鎭壓故 淸國動
兵渡來 日本亦動兵渡來 日淸兩國 互相衝突 必成大戰爭.

伊時 (私父)難耐東學黨之暴行 團結同志 飛檄擧義 召集狩獵者 妻子編於行伍 精
兵凡七十餘員 陳於淸溪山中 抗拒東學黨 時 東學魁首元容日 領率徒黨二萬餘名
長驅大進以來 旗幟槍釰 蔽於日光 鼓角喊聲 振動天地 義兵數 不過七十餘名 强
弱之勢 比如以卵擊石也 衆心喫怵 不知方法矣.

時 十二月冬天 東風忽吹 大雨暴注 咫尺難辨 敵兵衣甲盡濕 冷氣觸身 勢無奈何
故 退陣於十里許村中留宿 是夜 (私父)與諸將相議曰 若明日 坐受敵兵之包圍功擊
則 小不賊大 必然之勢也 不如今夜 先進襲擊敵兵 乃傳令 鷄鳴早飯 選精兵四十
名進發 餘兵守備本洞 時(自分)與同志六人 自願先鋒 兼爲偵探獨立隊 前進搜索 臨
於敵兵大將所咫尺之地 隱伏於林間 觀察陣勢動定 旗幅隨風翩翩飛 火光衝天如
白晝 人馬喧鬧 都無紀律 顧謂同志者曰 今若襲擊敵陣則 必建大功 衆曰 以小小
殘兵 豈能當賊數萬大軍乎 答曰 不然 兵法云 知彼知己 百戰百勝 我觀敵勢 烏合
亂衆 吾輩七人 同心合力則 如彼亂黨 雖百萬之衆 不足畏也 姑未天明 出其不意
勢如破竹矣 公等勿疑 聽從我計 衆應諾之 運籌已畢耳.

一聲號令 七人一齊向敵陣大將所 沒放射擊 砲聲如雷 震動天地 彈丸與雨雹一
般 敵兵 別無預備 措手不及 身不着衣甲 手不執機械 自相踐踏 滿山遍野以走 乘
勝追擊矣.

少頃 東天已明耳 敵兵 始覺我勢之孤弱 四面還圍攻擊 危勢甚急 左衝右突 都
無脫身之策矣 忽然背後 砲聲大振 一枝軍 趕來衝突 敵兵敗走 解圍得脫 此乃本
陣後援兵 來到接應也 兩陣合勢追擊 敵兵 四散遠逃 收拾戰利品 軍器彈藥 數十
駄馬匹不計其數 軍量千餘包 敵兵死傷者 數十餘名 義兵 都無損害一人 感謝天恩

三呼萬歲 凱旋本洞 馳報勝捷於本道觀察府 此時 日本尉官鈴木 領軍過去 送交書信 以表賀情矣 自此 敵兵 聞風以走 更無交鋒 漸次沈息 國內泰平耳 戰役以後 (自分)罹於重症 苦痛數三朔 免死回生 自伊到今 十五年間 都無一次輕癢也.

噫 狡免死 走狗烹 越川之杖 棄於沙場 其翌年(未乙)夏間 何許兩個客來訪(私父) 謂曰 昨年戰爭時 輸來千餘包糧米 此非東學黨之所物 本是其牛 今度支部大臣 魚允仲氏之貿置穀 其牛 前惠堂 閔泳俊氏之農莊秋收穀矣 勿爲至滯 依數還報焉 私父笑以答曰 魚閔 兩氏之米 我非所知 卽接奪取於東學 陣中之物 公等 更勿發如此無理之說 兩人 無答以去矣.

一日 自京城 緊急書信一度來到 坼見則云 現今度大 魚允仲 與閔泳俊兩氏 以所失穀包 推覓之慾 誣陷上奏皇帝陛下曰 安某 莫重國庫金 所貿之米千餘包 無端盜食故 使人探查則 以此米養兵數千 將有陰謀 若不發兵鎭壓 國家大患云云故 方欲發兵派遣爲計 如是諒之 火速上來 以圖善後方針 (金宗漢書信 前判書) 看罷 (私父)卽發程 到於京城則 果若其言 擧實呼訴於法官 數三次 裁判 終未判決 金宗漢氏 提議於政府曰 安某 本非賊類 擧義討匪 國家一大功臣 當表其功勳 而反以不近不當之說 構陷可乎 然 魚允仲 終不聽矣 不意魚氏 逢民亂 以作亂民石下之憊魂 魚謀於是休矣 毒蛇已退 猛獸更進也 時 閔泳俊 更爲擧事謀害.

閔氏勢力家 事機危迫 計窮力盡 勢無奈何 避身投入於法國人天主教堂 隱跡數月 幸賴法人之顧助 閔事永爲出末無事妥帖焉 這間 久留敎堂內 多聞講論 博覽聖書 感於眞理 許身入敎後 將欲播傳福音 與敎中博學士李保祿 多數經書 輸歸本鄉.

時 (自分) 年十七八歲頃 年富力强 氣骨淸秀 不下於衆 平生 特性好嗜者有四 一曰 親友結交 二 飮酒歌舞 三 銃砲狩獵 四 騎馳駿馬 無論遠近 若聞義俠好漢 居留之說則 常携帶銃砲 馳馬尋訪 果若同志 談論慷慨之說 痛飮快好之酒 醉後 或歌 或舞 或遊戱於花柳房 謂妓女曰 以汝之絶妙之色態 與豪男子 作配偕老 豈不美哉 汝輩不然 若聞金錢之聲則 流涎失性 不顧廉恥 今日張夫 明日李夫 甘作禽獸之行耶 言亂如是 娥女不肯 疾憎之色 不恭之態 現於外則 或詬辱毆打故 朋友稱別號曰 電口也.

一日 與同誌六七人 入山鹿獵 巧哉 彈丸罹於銃穴(舊式六連砲) 不能拔不能入 以鐵杖貫穴 無忌猛刺矣 不意 轟轟一聲 魂飛魄散 不知頭部 在不在 不覺生命 死不死 少頃 聚精會神 詳細檢査則 彈丸爆發 鐵杖與丸子 穿右手以飛上天 卽往病院

93

治療得差 自此迄今十年之間 雖夢想中 念到此時驚狀則 常毛骨悚然耳 其後 一次 橫被他人之誤射獵銃 霰彈二個 中於背後 然別無重傷 卽地發丸得差耳.

伊時 (私父)廣播福音 勸勉遠近 入敎者 日加月增 一般家眷 渾入信奉天主敎 (自 分) 亦入敎 受洗於法國人宣敎師洪神父若瑟 作聖名曰 多默 講習經文 討論道理 已過多月 信德漸固 篤信無疑 崇拜天主耶蘇基督也 日去月來 已過數年 時 敎會事 務擴張 (自分) 與洪敎師 往來各處 勸人傳敎 對衆演說曰 兄弟乎 兄弟乎 我有一言 請試聞之 若有一人 獨食美饌 不給家眷 抱藏才藝 不敎他人則 是可曰 同胞之情理 乎 我今有異饌奇才 此饌 一飽則 能長生不死之饌 此才一通則 能飛上天之才故 欲 爲敎授 願僉同胞 傾耳聽之乎.

夫天地之間 萬物之中 唯人最貴者 以其魂之靈也 魂有三別 一曰生魂 此草木之 魂 能生長之魂 二曰覺魂 此禽獸之魂 能知覺之魂 三曰靈魂 此人之魂 能生長 能 知覺 能分辨是非 能推論道理 能管轄萬物故 唯人最貴者 魂之靈也 人若無靈魂 則 但肉體 不如禽獸 何故 禽獸不衣以溫 不業以飽 能飛能走 才藝勇猛 過於人類 然許多動物 受人所制者 其魂之不靈所致矣 故靈魂之貴重 推此可知 而卽所謂天 命之性 此至尊天主 賦畀於胎中 永遠無窮 不死不滅者也.

天主誰耶 曰 一家之中 有家主 一國之中 有國主 天地之上 有天主 無始無終 三 位一體 (聖父 聖子 聖神也 其意 深大未解) 全能 全知 全善 至公 至義 造成天地萬物 日 月星辰 償罰善惡 獨一無二之大主宰是也 若一家中 主父 建築家屋 辨備産業 給 其子 亨用 其子 肆然自大 不知事親之道則 不孝莫甚 其罪重矣 一國中 君主 施政 至公 保護各業 與臣民 共亨太平 臣民 不服命令 都無忠愛之性則 其罪最重 天地 之間 大父大君天主 造天以覆我 造地以載我 造日月星辰 光照我 造萬物 以亨用我 終終洪恩 知是莫大 而若人類 妄自尊大 不盡忠孝 頓忘報本之義則 其罪尤極無比 可不懼哉 可不愼哉 故孔子曰 獲罪於天 無所禱也.

天主 至公 無善不報 無惡不罰 功罪之判 卽身死之日也 善者靈魂 升天堂 受永 遠無窮之樂 惡者 靈魂 入地獄 受永遠無盡之苦 一國之君 尙有償罰之權 況天地 大君乎 若曰何故 天主 人生 現世 何不報復償罰善惡乎 曰不然 此世償罰有限 善 惡無限 若有一人 殺一人則 判其是非 無罰則已 然有罪則 當一身代之足矣 若有一 人 殺幾千萬人之罰則 以一身 豈能代之 若有一人 活幾千萬人功則 以暫世之榮 豈 能盡其償 況人心 時日變更 或今時爲善 後時作惡 或今日作惡 明日爲善 若欲隨其 善惡 報其償罰則 此世人類 難報明矣 又世罰 但治其身 不治其心 天主之償罰 不

然 全能 全知 全善 至公 至義故 寬待人命 終世之日 審判善惡之輕重 然後 使不死不滅之靈魂 受永遠無窮之償罰 賞者 天堂之永福 罰者 地獄之永苦也 升降一定 更無移易.

嗚呼 人壽 多不過百年 無論賢愚貴賤 以赤身 生於此世 以赤身 歸於後世 此所謂 空手來空手去 世事如是虛幻 已可知 然而何故 汨於利慾場中 作惡不覺 後悔何及 若無天主之賞罰 靈魂 亦身死隨滅則 暫世暫榮 容或可圖 而靈魂之不死不滅 天主之至尊權能 明若觀火也.

昔 堯曰 乘彼白雲 之于帝鄉 何念之有 禹曰 生 寄也 死 歸也 又曰 魂升魄降云 此足爲靈魂不滅之明證也 若人 不見天主之堂獄 不信有之則 是何異於遺腹子 不見其父 不信其有父也 瞽者 不見天 而不信天有日也 見其華麗家屋 而不見建築之時故 不信有所做之工匠則 豈不笑哉.

今夫天地日月星辰之廣大 飛走動植之奇奇妙妙之萬物 豈無作者 以自然生成乎 若果自然生成則 日月星辰 何以不違其轉次 春夏秋冬 何以不違其代序乎 雖一間屋 一個器 若無作者 都無成造之理 水陸間 許多機械 若無主管之人則 豈有自然運轉之理哉 故可信 與不可信 不係於見不見 而惟係於合理 與不合理而已 舉此幾證 至尊天主之恩威 確信無疑 沒身奉事 以答萬一 吾儕人類 當然之本分也.

於今 一千八百餘年前 至仁天主 矜憐此世 將欲救贖萬民之罪惡 天主第二位聖子 降孕于童貞女瑪利亞腹中 誕生于猶太國 伯利恒邑 名曰 耶穌基督 在世三十三年間 周遊四方 觀人改過 多行靈跡 瞽者見 啞者言 聾者聽 跛者行 癩者愈 死者甦 遠近聞者 無不服從 擇選十二人 爲宗徒 十二人中 又特選一人 名伯多祿 爲敎宗 將代其位 任權定規 設立敎會 現今意太利國 羅馬府 在位敎皇 自伯多祿 傳來之位 今世界名國 天主敎人 皆崇奉也.

時 猶太國 耶路撒冷城中 古敎人等 憎惡耶穌之策善 嫌疑權能 誣陷捕捉 無數惡刑 加千苦萬難後 釘于十字架 懸於空中 耶穌 向天祈禱 救赦萬民之罪惡 大呼一聲 遂氣絕 時 天地振動 日色晦冥 人皆恐懼 稱上帝子云 宗徒取其屍 葬之矣 三日後 耶穌 復活出墓 現於宗徒 同處四十日 以傳赦罪之權 離衆升天 宗徒 向天拜謝而歸 周行世界 播傳天主敎 迄今二千年間 信敎者 不知幾億萬名 欲證天主敎之眞理 爲主致命者 亦幾百萬人 現今世界 文明國 博學紳士 無不信奉天主耶穌基督 然現世 僞善之敎 甚多 此 耶穌 豫言於宗徒曰 後世必有僞善者 依我名惑衆 愼勿陷 非 入天國之門 但天主敎會 一門而已云 願我大韓僉同胞 兄弟姊妹 猛醒勇進

痛悔前日之罪過 以爲天主之義子 現世以作道德時代 共亨太平 死後升天 以受賞
同樂無窮之永福 千萬伏望耳.

如是說明 往往有之 然聞者 或信 或不信也 時 敎會 漸次擴張 敎人近於數萬名
宣敎師八位 來留於黃海道內 (自分) 伊時 洪神父前 學習法語 幾個月矣 與洪神父
相議曰 現今韓國敎人 曚昧於學文 傳敎上損害不小 況來頭國家大勢 不言可想 棄
於閔主敎前 西洋修士會中 博學士幾員 請來 設立大學校後 敎育國內英俊子弟則
不出數十年 必有大効矣 計定後 與洪神父 卽上京 會見閔主敎 提出此議 主敎曰
韓人 若有學文則 不善於信敎 更勿提出如此之議焉 再三勸告 終不聽故 事勢不得
已 回還本鄕 自此不勝憤慨心 盟曰 敎之眞理 可信 然外人之心情 不可信也 敎受
法語 弊之不學 友人問曰 緣何弊之 答曰 學日語者 爲日奴 學英語者 爲英奴 我若
學習法語則 難免法奴 故弊之 若我韓國威振於世界則 世界人 通用韓語矣 君須勿
慮 客無辭以退.

時 所謂金鑛監理 朱哥爲名人 毁謗天主敎 被害不小云故 (自分)選定總代 派遣朱
哥處 擧理質問之際 金鑛役夫 四五百名 各持杖石 不問曲直 打將下來 此所謂 法
遠拳近也 危急如此 勢無奈何 (自分) 右手 拔腰間之短刀 左手 把朱哥之右手 大呼
叱之曰 汝雖有百萬之衆 汝之命 懸於我手 自量爲之 朱哥大怵 叱退左右 不能犯
手 乃執朱哥之右手 牽出門外 同行十餘里後放還 朱哥 乃得脫歸焉.

其後 (自分) 被選萬人稧(彩票會社)社長 臨出票式擧行日 遠近來參之人 數萬餘名
列立於稧場前後左右 無異於人山人海 稧所 在於中央 各任員 一般居處 四間 巡檢
把守保護矣 時 出票機械 不利有傷 票卵 五六個(票卵 每次一個式出規)一番出來 觀
光者數萬人 不分是非曲直 稱以挾雜所做 高喊一聲 石塊亂杖 如雨下來 把守巡檢
四散紛走 一般任員 被傷者無數 各自圖生 以逃躱 但所存者 (自分)一個人而已 衆
人大呼曰 社長打殺 一齊打杖投石以來 危勢甚急 命在時刻.

卒然自量則 若爲社長者 一次逃之 會社事務 更無餘顧 況後日 名譽之何如 不言
可想也 然勢無奈何 急探行李中 搜索一柄銃砲(十二連放新式銃) 執於右手 以大踏步
上於稧壇 向衆大呼曰 何故 何故 暫聽我言 何故欲殺我乎 公等 不辨是非曲直 起鬧
作亂 世 豈有如此野蠻之行耶 公等雖欲害我 然我無罪 豈肯無故棄命可乎 我決不
無罪以死矣 若有與我 爭命者 快先前進 說破 衆皆喫怵 退後壞散 更無喧鬧者矣.

少頃 一人自外面 超越數萬人圍上以來 疾如飛鳥 當立於面前 向我叱呼曰 汝爲
社長 請數萬人來到 而如是欲爲殺害耶 乍觀其人 身體健長 氣骨淸秀 聲如洪鐘

可謂一大偉雄 (自分) 遂下壇 握其手 敬禮諭之曰 兄長 兄長 息怒聽言 今之事勢 到
此者 此非我之本意也 事機 若此若彼 而亂類輩 空起惹鬧之事矣 幸須兄長 活我
危命焉 古書云 殺害無罪之一人則 其殃及於千世 救活無罪之一人則 陰榮及於萬代
聖人能知聖人 英雄能交英雄 兄我間 自此 以作百年之交 若何 答曰 諾諾 遂向衆
人 大呼曰 社長 都無罪過 若有欲害社長者 我以一拳 打殺乃已 說破 以左右手 排
坼衆圍 形如水波 一般壞散.

時 (自分) 始纔放心 更上稧壇 大呼衆人 會集安定後 曉諭說明曰 今日所遭之事
於此於彼 別無過失 而此巧機械之不利所致也 願僉公 恕容思之若何 衆皆諾諾 又
曰 然則 今日出票式擧行 當始終如一然後 可免他人之恥笑矣 從速更爲擧行 出末
若何 衆皆拍手應諾耳 於是 遂續式擧行 無事畢了 散歸.

時 與其恩人 相通姓名 姓許名鳳 咸鏡北道人 感賀大恩後 結約兄弟之誼 置酒
宴樂 能飲毒酒百餘碗 都無醉痕 試其膂力則 或榛子栢子 數三十個 置於掌中 以兩
掌合磨則 如石磨壓磨 破碎作粉 見者 無不驚嘆 又有一別才 以左右手 向背抱圍柱
棟後 以繩索 緊縛兩手則 柱棟 自然在於兩臂之間 身與柱棟一體 若不解其手之縛
繩則 都無拔身之策必矣 如是作之後 衆人回立少頃 一分間 顧見則 兩手緊縛 如
前有之 小無變更 然柱棟 拔於兩譬之間 如前完立 其身不係於柱棟 以脫焉 見者
無不稱善曰 酒量 勝於李太白 膂力 不下於項羽 術法 可比於佐左[1]云云 同樂幾日
後 分手相別 迄今幾年間 未知何落耳.

時 有兩件事 一甕津郡民 錢五千兩 被奪於京城居 前參判 金仲煥處事 一李景
周事 氏本籍 平安道 永柔郡 人 業醫士 來留於黃海道 海州府 與柳秀吉 (本賤人財
政家) 女息 作配 同居數三年之間 生一女 秀吉 李氏許家舍田畓財産奴婢 多數分給
矣 時 海州府地方隊兵營尉官 韓元校 爲名人 乘李氏上京之隙 誘引其妻 通姦 威
脅秀吉 奪其家舍什物後 完然居生耳 時 李氏 聞其言 自京城還到本家則 韓哥使兵
丁 亂打李氏毆逐 頭骨破傷 流血狼藉 目不忍見 然李氏 孤跡他鄕 勢無奈何 逃躲
保命後 卽上京呼訴于陸軍法院 與韓哥裁判七八次 韓哥 免其官職 然李氏妻與家
産 不能推尋(此韓哥勢力家所致) 韓哥與其女 收拾家産 上京居佳也.

時 甕津郡民與李氏 皆敎會人故 (自分)被選總代 偕兩人 上京 幹護兩件事 先往

---

1 삼국지에 나오는 술사 좌자(左慈)의 오기(誤記)

見金仲煥 時 金玉賓客 滿堂以坐 與主人 相禮 通姓名後 坐定 金仲煥問曰 緣何事 以來訪乎 (自分) 答曰 我 本居下鄕愚氓 不知世上規則法律故 問議次 來訪 金曰 有 何問事 答曰 若有京城一大官 勒討下鄕民財 幾千兩 都不還給則 此何律法 治之 可乎 金暗思少頃曰 此非我事否 答曰 然公何故 甕律民財五千兩 勒奪不報乎 金曰 我今無錢不報 當後日 還報爲計也 答曰 不然 如此高大廣室 許多什物豊備居生 而若無五千金云云則 何人 可信之乎.

如此相詰之際 傍聽一官人 高聲叱我曰 金參判 年老大官 君 少年鄕民 何敢發 如此不恭之說話乎 (自分) 笑以問曰 公誰耶 客曰 我之姓名 丁明燮也 (現時漢城府裁 判所檢査官) 我答曰 公不讀古書也 自古及今 賢君良相 以民爲天 暗君貪官 以民爲 食故 民富則國富 民弱則國弱 當此叐業時代 公等 爲國家輔弼之臣 不受皇上之聖 意 如是虐民則 國家前途 豈不痛嘆哉 況此房 非裁判所也 公若有五千金 報給之 義務則 與我 相詰可也 丁哥 都無答辭 金仲煥曰 兩公 幸勿相詰焉 我當幾日後 還 報五千金矣 公須寬恕 哀乞四五次故 事勢不得 退限定約以歸.

伊時 李景周 探知韓元校之住所 相議曰 韓哥 勢力家 自法官 稱托逃躱 都不捉 致公判 我等 先當探捉韓哥夫妻然後 偕往法司 公判可也 李氏 與同志幾人 偕住 韓哥住在家 搜索則 韓哥夫妻 知機先避故 未能捉得 空還矣 韓哥誣訴于漢城府曰 李景周 來到於本人家 突入內庭 老母毆打云故 自韓城府 捉致李景周 檢查之場 問 其證人則 李氏指名 (自分) 姓名故 亦爲被招 到於檢查所 觀之則 檢查官 丁明燮也.

丁氏一見 (自分) 怒色現於外面 (自分)內念暗思 自笑曰 今日 必受丁哥之前嫌矣(金 仲煥家相詰之嫌) 然無罪之我 孰能害之 思畢 檢查問我曰 汝證見於李韓兩人之事乎 答曰 然 又問曰 何故毆打韓哥之母乎 答曰 不然 初無如此行動也 此所謂 己所不 欲 勿施於人 豈有他人之老母 毆打之理乎 又問曰 何故他人之內庭 無故突入乎 答 曰 我本無他人內庭 突入之事 但有李景周家內庭 出入之事矣 又問曰 何故 李哥內 庭云乎 答曰 此家則 以李哥之錢 買得之家 房內器具 皆李哥之前日 所持之物 奴 婢 亦李哥所使之奴婢 其妻 卽李哥所愛之妻也 此非李哥之家庭 何人之家庭乎 檢 查 默默無言耳.

忽見則 韓元校 立於面前 (自分)急呼韓哥 謂之曰 韓哥 汝聽我言 夫軍人者 國家 之重任也 培養忠義之心 討外賊 守護疆土 保安人民 堂堂軍人之職分 汝況爲尉官 者 勒奪良民之妻 討索財産 然恃其勢力 無所忌憚 若京城 如爾之賊漢 多有居生則 但京漢輩等 能生子生孫 保家安業 下鄕殘民 其妻其財 被奪於京漢輩 盡滅乃已

世豈有無民之國乎 如爾之京漢輩 萬死無惜也 言未畢 檢查 搏床大叱曰 此漢(辱也)
京漢輩 京城何如人 居生而 (皇帝大官云云 前嫌所發) 汝敢發如此之言乎 (自分)笑以答
曰 公 何故 如是發怒耶 我言韓哥云曰 若如爾之賊漢 多有於京城則 但京漢輩 保
生 鄉民 盡滅云云 若如韓哥者 當受此辱 不如韓哥之人 有何關係乎 公 誤聞解也
丁曰 汝言足以飾非也 答曰 不然 雖善言足以飾非 若指水謂火則 誰可信之乎 檢查
不能答辭 令下人 李景周捉因 監獄後 謂(自分)曰 汝亦捉因 我怒以答曰 何故 捉因
乎 今日我之來此者 但證人招待者 非被告 捉致者也 況雖有千萬條之法律 都無捉
因無罪人之法律 雖有百千間之監獄 都無捉因無罪人之監獄矣 當此文明時代 公
何故 豈敢私行野蠻法律乎 快快向前 出門以歸舘 檢查 無如何之說矣.

時 自本家 書信來到 親患危重云故 歸心如矢 卽地束裝 從陸發程 時嚴冬寒天耳
白雪滿天下 寒風吹空來 行過獨立門外 回顧思之 心膽如裂 如是親友 無罪囚獄 不
見得脫 冬天寒獄 豈能受 苦 況乎 何日 如彼惡政府 當一擧 打破改革後 掃滅亂臣
賊子之輩 成立堂堂文明獨立國 快得民權自由乎 言念及此 血淚勇出 眞難旋踵也.

然事勢不得 竹杖麻鞋 獨行千里以來 行之中路 適逢鄉邑親友 李成龍氏 李氏騎
馬以來 謂我曰 幸矣 作伴歸鄉則 甚好也 我答曰 騎步不同 豈能同行 李曰 不然 此
馬自京城 定價得稅之馬 日氣甚寒 不能久騎 與公數時間式 分排騎步則 當路速消寂
矣 幸勿嫌讓焉 說破 作伴同行 數日後 至延安邑 近地方面 是年天旱不雨 年形大歉.

時 (自分)騎馬以去 李氏從後以來 馬夫(索馬者) 扶馬以行 相與談話之際 馬夫 指
電線木 辱之曰 現今外國人 設置電報後 空中電氣 沒數收獲 囚置電報桶故 空中
都無電氣 不能成雨 如是大歉矣 (自分)笑以諭之曰 豈有如此之理乎 君久居京城之
人 如是無識乎 言未畢 馬夫 以馬鞭打我之頭部 再三猛打 辱之曰 汝何人 謂我無
識之人乎 我自思之 莫知其故 況此地 無人之境 其漢之行動 兇惡如是 (自分)坐於
馬上 不下不言 仰天大笑而已 李氏 盡力挽執 幸免大害 然我之衣冠 盡被破傷矣.

少頃 至延安城中 此處 自分親友等 見我之形容 驚怪問之 說明其故 諸人忿怒
馬夫 捉因法官 欲爲懲罰 我挽諭曰 此漢 失精狂人矣 勿爲犯手 卽爲還送焉 衆皆
爲然 無事於送 (自分)還鄉到家 親患漸次得差 數月後 蘇復焉 其後 李景周 被司法
官之抑勒法律 處三年懲役矣 一年後 蒙赦得放 時 韓元校 行賂萬金 使宋哥朴哥
兩人 誘引李氏於無人之境 韓哥拔釖刺殺李氏(噫 以財色 濫殺人命 可爲後人之戒哉)後
逃走 時 自司法 發捕 捉得宋朴兩人與厥女 依律處刑 韓哥 終不得捕捉 痛哉 李氏
惡作永世之怨魂也.

時 各地方官吏 濫用虐政 吮民膏血 官民間 視若仇讎 對之如賊 但天主敎人等
抗拒暴令 不受討索故 官吏輩 嫉憎敎人 無異於外賊 然彼直我曲 勢無奈何 (好事
多魔 一魚濁海) 時 亂類輩 稱托敎人 挾雜之事 間或有之故 官吏等 乘此機隙 與政
府大官 秘密相議 誣陷敎人云 黃海道 因敎人之行悖 不能行政司法 自政府 特派
査覈使 李應翼 到于海州府 派送巡檢兵丁於各郡 天主敎會頭領之人 不問曲直 沒
數押上 敎會中 一大窘亂也 私父 亦欲捉得 巡檢兵丁二三次來到 然終爲抗拒不拿
避身他處 痛憤官吏輩之惡行 長嘆不息 晝夜飮酒 成心火病 罹於重症 數月後 還
歸本宅 治療無效也 時 敎中事 因法國宣敎師之保護 漸次平息焉.

其後年 自分 有所關事 出遊於他處矣 (文化郡也) 得聞則 私父 來到於李敞淳家云
(安嶽邑咫近也) (自分) 卽往於其家則 私父 已歸本宅 與李友 相對飮酒談話之際 李曰
今番 公之父親 巧逢重辱以歸矣 我大驚問曰 何故 李答曰 公父 以身病治療次 來
到我家 與我父 偕往於安嶽邑 尋訪淸國醫師舒哥 對症後 飮酒談話矣 淸醫 緣何
事故 而足踢公父之胸腹 被傷故 下人等 執淸醫欲爲毆打則 公父挽諭曰 今日 我等
來此者 以治病次 訪醫而來 若打醫師則 是非勿論 難免他人笑柄矣 幸愼名譽的關
系若何 云云故 衆皆忍忿以歸矣.

(自分)曰 我父 雖守大人之行動 然爲子之道 豈可忍過乎 當往該處 詳探曲直然後
呼訴法司 懲其悖習若何 李曰 然 卽地兩人同行 尋往舒哥 問其事實 語不過數話
噫 彼蠻淸 突起拔釖 向我頭部 打將下來 (自分)大驚急起 以左手 拒彼下手 右手索
腰間短銃 向舒哥之胸腹上 形如欲射 舒哥喫㤼 不能犯手 如此之際 同行 李敞淳
見其危急之勢 亦取自己之短銃 向空中 放抱兩次 舒哥 知我之放銃 大驚失色 我
亦莫知其故 大驚 李氏趨來 奪舒哥之釖 着石折半 兩人 分持半片釖 打下舒哥之膝
足 舒哥 倒地 時 (自分)卽往法官訴其前後事實 法官曰 外國人之事 不能判決云故
更到舒哥處則 邑中人 會集挽諭故 抛棄舒哥 與李友 各歸本家矣.

第五六日後 夜半 何許七八人 突入於李敞淳家 其父親 亂打捉去 李敞淳 宿外房
度其火賊來劫 手執短銃 追去則 厥漢等 向李氏放銃 李氏 亦放銃 不顧死生以突
擊 彼等 抛棄李氏父親 逃走以去 其明日 詳探則 舒哥 往訴於鎭南浦淸國領事故
淸國巡査二名 韓國巡檢二名 派送安哥 捉待指令 而彼等 不往安哥之家 如是 空
侵李家者也.

如此書信來到 (自分) 卽地發程 往於鎭南浦 探知則 淸領事 以此事 報告于京城
公使 照會韓國外部云故 (自分) 卽往京城 擧其前後事實 請願于外部 幸得公決回題

還付鎭南浦裁判所後 與舒哥 公判之時 舒哥之前後蠻行 現露故 舒曲安直 如是公決出來 後有淸人紹介者 與舒哥 相逢 彼此謝過 平和維持焉.

這間 (自分)與洪神父 有一大競走之事 洪神父 常有壓制敎人之弊故 我與諸敎人相議曰 聖敎會中 豈有如是之道理乎 我等 當往京城 請願于閔主敎前 若主敎不聽則 當往稟于羅馬府敎皇前 期於以杜如此之習 若何 衆皆諾從耳 時 洪神父 聞此言 大發憤怒 (自分)我無數揮打故 我含忿忍辱矣 其後 洪神父 諭我曰 暫時憤怒 肉情所發矣 相恕悔改若何云云故 (自分)亦答謝 修好以復前日之情也.

歲去月來 當於一千九百五年(乙巳) 仁川港灣 日露兩國 砲聲轟振 東洋 一大問題突起之初 如此通信來到 洪神父 嘆曰 韓國將危矣 (自分) 問曰 何故 洪曰 露國勝捷則 露主韓國 日本勝捷則 日本欲爲管轄韓國矣 豈不危哉.

時 (自分) 日日考覽新聞雜誌 與各國歷史 推測已往現在未來之事矣 日露戰爭 媾和休息後 伊藤博文 渡來韓國 威脅政府 勒定五條約 三千里江山 二千萬人心 撓亂如坐針盤 時 私父 心神欝憤 病氣尤重耳 (自分)與父親 秘密相議曰 日露開戰時 日本宣戰書中 東洋平和維持 韓國獨立鞏固云矣 今日本 不守如此之大義 呑行野心的侵略 此都日本大政治家伊藤之政略也 先定勒約 次滅有志黨 後呑疆土 現世滅國新法矣 若不速圖之 難免大禍 豈肯束手無策 坐以待死乎.

今欲擧義 反對於伊藤政策則 强弱不同 徒死無益矣 現聞淸國山東上海等地 韓人多數居留云 我之一般家眷 移接於該處然後 以圖善後方策若何 然則 我當先往該處 視察後歸來矣 父親這間 秘密束裝後 率家眷 往於鎭南浦 待之我還到之日 當更議行之矣 父子 計定已畢 (自分)卽地發程 遊歷山東等地後 到于上海 尋訪閔泳翊 守門下人 閉門不納云曰 大監 不見韓人矣 伊日退歸 後日二三次尋訪 亦然前日不許會見故 (自分)大叱曰 公爲韓國人 不見韓人 而何國人見之乎 況公爲韓國世代國祿之臣 當此岌業之時 都無愛人下士之心 高枕安臥 頓忘祖國之興亡 世豈有如此之義乎 今日 國家之危急 其罪 都在於公等大官 不係於民族之過失故 面愧以不見耶 詬辱良久 以歸 更不尋訪.

其後 尋訪徐相根 面會談話曰 現今韓國之勢 危在朝夕 何爲則好耶 計將安出 徐答曰 公 韓國之事 向我勿言 我 一個商民 幾十萬元財政 見奪於政府大官輩 如是避身到此 而況乎國家政治 民人等 有何關係乎 我笑以答曰 不然 公 但知其一未知其二也 若人民無之則 國家 何以有之 況國家 非幾個大官之國家 堂堂二千萬民族之國家 而若國民 不行國民之義務 豈得民權自由之理乎 現今 民族世界 而何故 獨

韓民族 甘作魚肉 坐待滅亡可乎 徐答曰 公言雖然 我 但以商業 糊口而已矣 更勿
發政治談話 我再三發論 都無應諾 此所謂 牛耳誦經一般也 仰天長嘆自思曰 我韓
民志 皆如是則 國家前道 不言可想也 歸臥客榻 左思右想 慷慨之懷 難禁耳 一日
適往天主敎堂 祈禱良久以後 出門望見之際 忽一位神父 過去前路 回首望我 相見
相驚曰 汝何故 到此耶 握手相禮 此乃郭神父(此神父 法國人 多年來留韓國 傳敎于黃海
道地方故 與我切親 而方自香港 歸韓之路) 可謂眞夢難醒也 兩人 同歸旅館談話 郭曰 汝
何故到此 我答曰 先生 現今 韓國之慘狀不聞乎 郭曰 聞之已久 我曰 現狀如此 勢
無奈何故 不得已 家眷搬移于外國安接後 連絡在外同胞 周還列國 說明抑冤之狀
得其同感情後 待時到機至 一次擧事 豈不達目的乎 郭 默然良久 答曰 我宗敎家
傳敎師也 都無關於政治界 然今聞汝言則 不勝感發之情 欲爲汝設一方法 幸須試
聽 若合於理則 卽隨行之 不然則 自意爲之 我曰 願聞其計.

　　郭曰 汝言 雖如是 然此但知其一 未知其二也 家眷移外 誤計也 二千萬人族 皆如
汝則 國內 將虛矣 此直致讎之所欲 我法國 與德國戰爭時 割與兩道 汝亦所知者
迄今 四十年間 其地回復之機 數次有之 然此境有志黨 沒避外邦故 未達目的者矣
此可爲前轍也 在外同胞言則 比於在內同胞 思想倍加 不謨以同矣 不足慮也 以列強
動定 言之則 若聞汝之抑冤說明 皆曰 矜憐云 然必無爲韓 動兵聲討者 明矣 今各
國 已知韓國之慘狀 然各自 紛忙於自國之事 都無顧護他國之暇 而若後日 運到時
至 或有聲討日本不法行爲之機矣 今日 汝之說明 別無效力矣 古書云 自助者 天助
汝速歸國 先務汝事焉 一曰 敎育發達 二曰 社會擴張 三曰 民志團合 四曰 實力養
成 此四件確實成立則 二千萬心力 堅如盤石 雖千萬門大抱 攻擊 不能破壞矣 此所
謂匹夫之心 不可奪云 況二千萬夫之心力乎 然則 所奪疆土 形式狀而已 勒定條約
紙上空文 歸於虛地矣 如此之日 快成事業 必達目的 此策 萬國通行之例也 如此諭
之 自量爲之 聽罷 答曰 先生之言 善 願從行之 卽地束裝 搭乘汽船 還到鎭南浦.

　　一千九百五年 十二月 自上海 還到於鎭南浦 探聞家信則 這間家眷齊發淸溪洞
到於鎭南浦 而但私父 中路病勢尤重 別世長逝故 家眷 更還反私父靈柩 葬於淸溪
洞云 聽罷 痛哭氣絶數次 翌日 發程 還到淸溪洞 設喪守齊 幾日後禮畢 與家眷過
其冬節 此時 心盟斷酒曰 當大韓獨立之日 開飮爲限.

　　明年春三月 率家眷 離淸溪洞 移居鎭南浦 建築洋屋一座 安業後 傾家産 設立
學校二處 一曰三興學校 一曰敦義學校也 擔任校務 敎育靑年英俊矣 其翌年春 何
許一人來訪 察其氣像則 偉儀軒昂 頗有道人之風 通其姓名則 金進士也 客曰 我素

與君父 親厚故 特來尋訪 我曰 先生 自遠方來 有何高見 客曰 以君之氣慨 當此國
勢危亂之時 何其坐以待死乎 我曰 計將安出 客曰 現今白頭山後 西北墾島與露領
海三葳等地 韓人百餘萬人口居留 而物産豊富 可謂用武之地 以君之才 往於該處
則 後日必成大事業 我曰 當謹守所敎矣 言畢 客相別以去.

　此時 我欲辦財政之計 往於平壤 開採石炭鑛矣 因日人之阻戲 見害數千元好銀
耳 時 一般韓人 發起國債報償會 雲集公議 時 日本別巡査一名 來到探査矣 巡査
問曰 會員幾何 財政幾收合乎 我答曰 會員二千萬人 財政一千三百萬圓 收合然後
報償矣 日人辱之曰 韓人下等之人 有何做事 我曰 負債者報償 而給債者捧債則 有
何不美之事 如是嫉妬辱之乎 該日人 發怒打我以來 我曰 如此無理受辱則 大韓
二千萬人族 將未免大多壓制矣 豈肯甘受國恥 乃發憤相打無數時 傍觀者 盡力挽
執 解決以散歸 時 一千九百七年 伊藤博文 來到韓國 勒定七條約 廢光武皇帝 解
散兵丁 時 二千萬民人 一齊忿發 義旅 處處蜂起 三千里江山 砲聲大振 時 我急急
束裝後 離別家眷 向北墾島 到著則 此處 亦日兵 方今來到駐屯 而都無接足處故
數三朔 視察各地方後 更離此處 投露領來過煙秋 到於海三葳 此港內 韓人四五千
人口居留 而學校有數處 又有靑年會 伊時 我 往叅靑年會矣 被選臨時查察 時 何
許一人 無許私談故 我 依規禁止則 其人 發怒打我耳邊數次 時 諸員挽執勸解 我
笑謂其人曰 今日 所謂社會 在以合衆力爲主 而如是相鬪則 豈非他人所恥耶 勿論
是非 以和爲主 若何 衆皆稱善廢會 其後 得耳痛症 重痛 月餘得差.

　此等地 有一人 姓名李範允 此人日露戰爭前 被任北墾島管理使 與淸兵 多數交
戰矣 日露開戰時 與露兵 合力相助 而露兵敗歸時 一伴渡來露領 于今居留此處中
也 往見其人後 談論曰 閣下 日露戰役時 助露討日 此可曰 逆天也 何故 此時 日本
擧東洋之大義.

　以東洋平和維持 大韓獨立鞏固之意 宣言世界後 聲討露國 此所謂順天故 幸得
大捷也 若今閣下更擧義旅 聲討日本則 是可曰 順天也 何故 現今伊藤博文 自恃其
功 妄自尊大 傍若無人 驕甚惡極 欺君罔上 濫殺蒼生 斷絶隣國之誼 排却世界之信
義 是所謂逆天矣 豈能久乎.

　諺云 日出露消 理也 日盈必昃 亦合理矣 今閣下 受皇上聖恩 而當此家國危急之
時 袖手傍觀 而可乎 若天與不受 反受其殃 可不醒哉 願閣下 速擧大事 勿違時機
焉 李曰 言雖合理 然財政軍器都無辦備 奈何 我曰 祖國興亡 在於朝夕 而但束手
坐待則 財政軍器將 從天而落之乎 應天順人則 何難之有 今閣下 決心擧事則 某

雖不才 當助萬分之一力矣 李範允 猶預未決也.

此處 有兩個好人 一曰嚴仁燮 一曰金起龍 兩人 頗有膽略 義俠出衆 我與此兩人 結義兄弟 嚴爲長兄 我其次 金爲第三 自此三人 義重情厚 謀議擧義之事 周還各 處地方 尋訪多數韓人 演說曰 譬如一家之中 一人別其父母同生 離居他處 十餘年 矣 這間 其人 家産優足 妻子滿堂 明友相親 安樂無慮則 必忘本家父母兄弟 自然 之勢也 而一日 本家兄弟中 一人來到 告急曰 方今 家有大禍焉 近日 他處強盜來 到 逐出父母 奪居家屋 殺害兄弟 掠取財産 豈不痛哉 願兄弟 速歸救急切望懇請 時 其人答曰 今我居此處 安樂無慮 而本家父母兄弟 有何關係乎 如是云云則 是可 曰 人類乎 禽獸乎 況傍觀者 云曰 此人 不知本家父兄 豈能知友乎 必爲排斥絶誼 矣 排親絶友之人 何面目 立於世乎.

同胞同胞 請詳聞我言 現今我韓慘狀 君等果知否 日本 與露國開戰時 宣書曰 東 洋平和維持 韓國獨立 鞏固云矣 至於今日 不守如此之重義 反以侵略韓國 五條約 七條約勒定後 政權掌握 皇帝廢立 軍隊解散 鐵道鑛産 森林川澤 無所不奪 官衙 各廳 民間廣宅 稱以兵站 沒數奪居 膏沃田畓 古舊墳墓 稱託軍用地 插標拔掘 禍 及白骨 爲其國民者 爲其子孫者 誰有忍忿耐辱者乎 故二千萬民族 一致憤發 三千 里江山 義兵處處蜂起 噫 彼強賊反稱曰 暴徒 發兵討伐 殺戮極慘 兩年之間 被害 韓人 至於數十萬餘 掠奪疆土 殘害生靈者 暴徒乎 自守自邦 防禦外賊者 暴徒乎 此所謂賊反荷杖之格也 對韓政略 如是殘暴之始本 論之則 都是所謂日本大政治 家 老賊伊藤博文之暴行也 稱托韓民二千萬 願受日本保護 現今太平無事 平和日進 之樣 上欺天皇 外罔列強 掩其耳目 擅自弄奸 無所不爲 豈不痛忿哉.

我韓民族 若不誅此賊則 韓國必滅乃已 東洋將亡矣 諸君諸君熟思之 諸君祖國 忘之否 先代之白骨忘之否 親族戚黨忘之否 若不忘之則 當此危急存亡之秋 憤發 猛醒哉 無根之木 從何以生 無國之民 居何以安 若諸君 以居外邦 無關於祖國 頓 不顧助則 俄人知之 必曰 韓人等 不知其祖國 不愛其同族 豈能助外國 可愛異種乎 如此無益之人種 置之無用 言論沸騰 不遠間 必逐出俄國地境 明若觀火矣 當如此 之時 祖國疆土 已失於外賊 外國人一致排斥不受則 負老携幼 去將安之乎 諸君 波 蘭人之虐殺 黑龍江上淸國人之慘狀 不聞否 若亡國人種 與強國人同等則 何憂亡 國 何好強國 勿論何國 亡國人種 如是慘殺虐對 不可避也 然則 今日 我韓人種 當 此危急之時 何爲則好耶 左思右想 都不如一次擧義 討賊之外 更無他法也 何則 現今韓國 內地十三道江山 義兵無處不起 若義兵 見敗之日 噫 彼奸賊輩 無論善

不善 稱托暴徒 人人被殺 家家衝火矣 如此之後 爲韓國民族者 何面目行於世乎 然則 今日 勿論在內在外之韓人 男女老少 擔銃荷釖 一齊擧義 不顧勝敗利鈍 快戰一場 以免天下後世之恥笑可也 若如是惡戰則 世界列强 公論不無 可有獨立之望 況日本 不過五年之間 必與俄淸美三國 開戰矣 此韓國一大期會也 當此時 韓人 若無預備則 日本雖敗 韓國 更入他賊手中矣 不可不 一自今日 義兵 繼續不絶 大期勿失 以自强力 自復國權 可謂健全獨立矣 此所謂不能爲者 萬事之亡本 能爲者 萬事興本也 故自助者 天助云 請諸君 坐以待死 可乎 憤發振力 可乎 於此於彼間 決心警醒 熟思勇進 伏望 如是說明 周還各地方 聞見者 多數服從 或自願出戰 或出機械 或出義金助之 自此 足爲擧義之基礎也.

時 金斗星 李範允等 皆一致擧義 此人等 前日 已爲總督與大將被任者也 我 以參謀中將之任 被選矣 義兵與軍器等 秘密輸送 會集於豆滿江近邊後 謀議大事 伊時 我發論曰 現今我等 不過數三百人則 賊强我弱 不可輕賊 況兵法云 雖百忙中 必有萬全之策然後 大事可圖 今我等 一次擧義 不能成功 時矣 然則 若一次不成則 二次三次 至於十次 百折不屈 今年不成 更圖明年 明年又再明年 至于十年百年 可也 若我代不成目的則 及於子代孫子代 必復大韓國獨立權然後 乃已矣 然則 不得不先進後進急進緩進 預備後備 具備然後 必達目的矣 然則 今日先進出師者 病弱老年等 可合也 其次 靑年等 組織社會 民志團合 幼年敎育 預備後備 一邊 各項實業勤務 實力養成然後 大事容易矣 僉意若何 聞見者 多有不美之論 何故 此處風氣 頑固 第一 有權力者 財政家 第二 强學者 第三 官職最高者 第四 年老者也 此四種之權中 我 都無一條 掌握之權 豈能實施耶 自此 於心不快 雖有退歸之心 然旣爲走坡之勢 莫可奈何 時 領軍諸將校 分隊出師 渡於豆滿江 時 一千九百八年六月 日 晝伏夜行 到于咸鏡北道 與日兵 數次衝突 彼此間 或有死傷 有捕虜者矣 時 日本軍人 與商民 捕虜者 請來問曰 君等 皆日本國臣民也 何故不承天皇之聖旨 日露開戰之時 宣戰書 東洋平和維持 大韓獨立鞏固云 而今日 如是 競爭侵掠 可謂平和獨立乎 此非逆賊强盜而何耶.

其人等 落淚以對曰 此非我等之本然之心 出於不得已者 明矣 人生斯世 好生厭死 人皆常情 而況我等 萬里戰場 慘作無主之冤魂 幾不痛憤哉 今日所遭 非他故也 此都是 伊藤博文之過也 不受皇上之聖旨 擅自弄權 日韓兩國間 無數貴重生靈殺戮 彼輩 安臥享福 我等 雖有憤慨之心 勢無奈何故 至於此境也 然是非春秋 豈可無之 況農商民 渡韓者 尤甚困難 如是國弊民疲 頓不顧念 東洋平和不啻 日本國勢

之安寧 豈敢望也 故 我等 雖死 痛恨不已矣 言畢 痛哭不絶.

我謂曰 我聞 君等之所言則 可謂忠義之士也 君等 今當放還矣 歸去 如此亂臣
賊子掃滅 若又有如此奸黨 無端起戰 同族都邦間 侵害言論 題出者 遂名掃除則
不過十名以前 東洋平和 可圖矣 公等 能行之否 其人等 勇躍應諾故 卽時放送 其人
等曰 我等 軍器銃砲等物 不帶以歸 難免軍律矣 何爲好耶 我曰 然 卽地銃砲等物
還授 謂之曰 公等 速速歸去後 被虜之說 切勿出口 愼圖大事焉 其人等 千謝萬謝
以去矣.

其後 將校等 不穩 謂我曰 何故 捕虜賊放還 我答曰 現今萬國公法 捕虜賊兵 殺
戮之法 都無 因於何處 而後日賠還 況彼等之所言 眞情 所發之義談矣 不放何爲乎
諸人曰 彼賊等 我等義兵捕虜者 無餘慘惡殺戮 況我等 殺賊之目的 來到此處 風
餐露宿者也.

而如是盡力生擒者 沒數放送則 我等 爲何之目的乎 我答曰 不然不然 賊兵之如
是暴行 神人共怒者 而今我等 亦行野蠻之行動 所願耶 況日本四千餘萬人口 盡滅
後 國權 挽回爲計耶 知彼知己 百戰百勝矣 今我弱彼强 不可惡戰不當 以忠行義
擧 聲討伊藤之暴略 廣布世界 得其列强之同憾情 然後 可以雪恨復權矣 此所謂弱
能除强 以仁敵惡之法也 公等 幸勿多言 如是曲折諭之 然衆論沸騰不服 將官中
分隊遠去者 有之矣.

其後 被日兵襲擊 衝突四五時間 日已暮矣 霖雨暴注 咫尺不辨 將卒 彼此分散
死生之多少 亦爲難判也 勢莫奈何 與數十人 宿於林間 其翌日 六七十名相逢 問其
虛實則 各各分隊 離散以去云耳 時 衆人 兩日不食 皆有飢寒之色 各有圖生之心
當此地境 腸斷膽裂 然事勢不得 慰諭衆心後 投去村落 求食麥飯 少免飢寒 然衆
心不服 不從紀律 當此之時 如此 烏合亂衆 雖孫吳諸葛復生 無可奈何也.

更探散衆之際 適逢伏兵 一被狙擊 餘衆分散 難可復合 我 獨坐於山上 自謂自笑
曰 愚哉 我今 如彼之輩 何事可圖乎 誰怨誰仇 更憤發勇進 四處搜探 幸逢二三個
人 相與議曰 何爲則好耶 四人議見 各不同 或曰亡命圖生云 或曰自刎以死云 或曰
自現趣捕於日兵者 有之也 我 左思右想 良久 忽思一首詩 吟謂同志曰 (男兒有志出
洋外 事不入謀難處身 望須同胞誓流血 莫作世間無義神) 吟畢 更謂曰 公等 皆隱意行之 我
當下山 與日兵 一場快戰 以盡大韓國 二千萬人中 一分子之義務 然後 死以無恨矣.

於是 携帶機械 望賊陣以去 其中一人 挺身出來 挽執痛哭曰 公之意見 大誤也
公 但思一個人之義務 不顧許多生靈 及後日之大多事業乎 今日事勢 都死無益 如

重萬金之一身 豈肯棄如草芥耶 今日 當更渡歸江東 (江東 露領地名也) 以待後日之好
期會 更圖大事 十分合理矣 何不深諒乎 我 更回思謂之曰 公言甚善 昔楚霸王項
羽 自刎於烏江者 有二條 一何面目 更見江東父老乎 一江東雖小 亦足以王句語 發
憤自死於烏江 當此之時 項羽一死 天下更無項羽 可不惜哉 今日安應七一死 世界
更無安應七必矣 夫爲英雄者 能屈能伸 目的成就 當從公言.

於是 四人同行 尋路之際 更逢三四人 相謂曰 我等七八人 白晝不能衝過賊陣矣
不如夜行也 其夜 霖雨尚不息暴注 咫尺難辨故 彼此失路離散 但三個人 作伴同行
三人 都不知山川渡路不啻 雲霧滿天覆地 東西不辨 莫可奈何 況山高谷深 人家
都無 如是徧踏四五日間 都不一回喫飯 腹無食米 足不穿鞋故 不勝飢寒苦楚 探草
根以食之 裂襢褲以裏[2]足 相慰相護以行 遠聞鷄犬之聲 我謂二人曰 我當前往村家
乞飯聞路以來矣 隱於林間 以待歸我 遂尋人家以去 此家 日兵派出所也 日兵 舉火
出門以來 我忽見覺之 急急避身 還到山間 更與二人 相議逃走 時 氣力乏盡 精神
眩昏 倒於地上 更勸神後 仰天祝之曰 死則速死 生則速生焉 祝畢 尋川飲水一腹
後 臥於樹下以宿.

其翌日 二人 甚爲苦嘆不息 我諭之曰 幸勿過慮 人命在天矣 何足憂也 人有非常
困難 然後 必成非常事業 陷之死地 然後生矣 如是落心 何益之有 以待天命已而
矣 言雖大談 然左思右量 都無奈何之方法也 自思謂之曰 昔日 美國獨立之主 華盛
頓 七八年風塵之間 許多困難苦楚 豈能忍耐乎 眞萬古無二之英傑也 我 若後日成
事 必當委往美國 特爲華盛頓 追想崇拜 紀念同情矣.

此日 三人不顧死生 白晝尋訪人家 幸逢山間僻村人家 呼其主人乞飯 其主人 一
碗粟飯 給以謂之曰 請君等 勿滯 速去速去 昨日 此下洞 日兵來到 無故良民 五名
捕縛 稱托義兵饋飯 卽時砲殺以去 此處 時時來到搜索 勿咎速歸焉.

於是 更不打話 擁飯上山 三人均一分食 如此別味 人間更難求得之味也 疑是天
上仙店料理矣 此時 絶食已過六日間耳 更越山渡川 不知方向以去 恒晝伏夜行 霖
雨不息 苦楚益甚也 數日後 一夜又逢一座家屋 叩門呼主則 主人出來 謂我曰 汝必
是露國入籍者也 當押送于日本兵站矣 亂棒打下 呼其同類 欲爲捕縛故 勢無奈何
避身逃躲以去 適過一隘口之際 此處 日兵把守矣 黑暗之中 相撞於咫尺故 日兵 向

---

2 裹。

我放銃三四發 然我幸免不中 急與二人 避入山中 更不敢行於大路 但往來於山谷
四五日 復如前 不能得食 飢寒尤甚於前日也.

於是 勤勉二人曰 兩兄 信聽我言 世人 若不奉事天地大君大父天主則 不如禽獸
矣 況今日 我輩 難免死境 速信天主耶蘇之道理 以救靈魂之永生 若何 古書云 朝
聞道夕死可矣 請兄等 速悔改 前日之過 奉事天主 以救永生 若何 於是 天主造成
萬物之道理 至公至義 賞罰善惡之道理 耶蘇基督降生救贖之道 一一勤勉 二人
聽罷 願信奉天主教故 卽作會規 授代洗(此代理洗禮權).

行禮畢 更探人家 幸逢山僻處 一座茅屋 叩門呼主 少頃 一老人出來 接入房中
禮畢 請求飲食 言罷 卽喚童子 盛備饌需以來(山中無別味 葉草兼於果)不顧廉恥 一場
飽喫後 回神思之 大凡十二日之間 但二次喫飯 而救命到此也 乃大多感謝於主翁
前後所遭苦楚 一一說話 老人曰 當此國家危急之秋 如是困難 國民之義務 況謂興
盡悲來 苦盡甘來 幸勿多慮 現今 日兵 處處搜索 眞 難行路 當從我所指 從某至某
無慮便利 豆滿江不遠 速行渡歸 以圖後日之好期會 我問其姓名 老人曰 不必深問
也 但笑以不答矣.

於是 謝別老人 依其所指 幾日後 三人一致無事渡江 時 纔放心 到於一村家 安息
數日之際 始脫衣服以見之 已盡朽腐 難掩赤身 虱族極盛 不計其數也 出師前後 計
日則 凡一個月半 別無舍營 恒露營以宿 霖雨不息暴注 這間 百般苦楚 一筆難記也.

到於露領烟秋方面 親友相見不識 皮骨相接 無復舊時容之故 千思萬量 若非天
命 都無生還之道矣 留此十餘日 治療後 到於海三葳 此處 韓人同胞 設備歡迎會
請我 我固辭曰 敗軍之將 何面目 肯受諸公之歡迎乎 諸人曰 一勝一敗 兵家常事
何愧之有 況如是危險之地 無事生還 豈不歡迎耶云矣.

伊時 更離此處 向河發捕方面 搭乘汽船 視察黑龍江上流數千餘里 或尋訪韓人
有志家後 更還致於水淸等地 或勸勉教育 或組織社會 周行各方面矣.

一日 到于山谷無人之境 忽然何許兇怪輩六七名 突出 捕縛我 一人謂之曰 義兵
大將 捉得矣 此時 同行人數名 逃走以去 彼等 謂我曰 汝何故 自政府嚴禁之義兵
敢行耶 我答曰 現今 所謂我韓政府 形式如有 然內容則 伊藤之一個人之政府矣
爲韓民者 服從政府命令 其實服從伊藤者也 彼輩曰 不再多言 卽打殺 言畢 以手
巾 結縛我項 倒於白雪之中 無數亂打 我高聲叱曰 汝等 若殺我於此地 或如無事
然 向者 我同行二人 逃去矣 此二人 必往告於我同志 汝等 後日 盡滅無餘矣 諒以
行之焉 彼等 聽罷 相附耳細語 此必然 不能殺我之議也 少頃 拿我入於山間草屋之

中 或有毆打者 或有挽執者也 我乃以好和之說 無數勸解 彼等 默然不答矣 相謂
曰 汝金哥 發起之事矣 汝金哥 任意行之 我等 更不相關矣 彼金哥一人 押我下山
以去 我一邊曉諭 一邊抗拒 金哥理勢都無奈何 無辭以退去也 此等 皆一進會之餘
黨 而自本國避亂到此 居生之輩矣 適聞過我之說 如是行動之事件耳 時 我得脫免
死 尋訪親友之家 治療傷所 過其冬節.

其翌年 正月(時卽己酉 一千九百九年) 還到于烟秋方面 與同志十二人 相議曰 我等
前後 都無成事則 難免他人之恥笑不啻 若無特別團體 無論某事 難成目的矣 今日
我等 斷指同盟 以表記跡然後 一心團體 爲國獻身 期於到達目的 若何 衆皆諾從
於是 十二人 各各斷其左手藥指後 以其血 太極旗前面 大書四字 云曰 大韓獨立
書畢 大韓獨立萬歲 一齊三唱後 誓天盟地以散.

其後 往來各處 勸勉敎育 團合民志 購覽新聞爲務 伊時 忽接鄭大鎬書信 卽
往見後 本家消息詳聞 家屬率來之事 付托以歸 且春夏間 與同志幾人 渡韓內
地 欲察許多動靜矣 運動費 辦備無路 未達目的 虛送歲月 已到初秋 九月 時卽
一千九百九年 九月也.

時 適留於烟秋方面矣 一日 忽然無故而心神欝 不勝操悶 自難鎭定 乃謂親友數
人曰 我 今欲往海三葳 其人曰 何故 如是無期卒往乎 我答曰 我 亦莫知其故也 自
然腦心煩惱 都無留此之意故 欲去 其人問曰 今去何還 我無心中 忽發言答曰 不
欲更還 其人 甚怪以思之 我 亦不覺所答之辭意也 於是 相別發程 到於穆口港 適
逢汽船(此港汽船 一週間或 一二次式往來于海港) 塔乘到于海三葳 聞之則 伊藤博文 將
來到于此處云云 港說狼藉矣 於是 詳探裏許 購覽各洋新聞則 日間 哈爾賓到着之
期 眞實無疑也 自思暗喜曰 多年所願目的 今乃到達矣 老賊休於我手 然 到此之說
未詳 必往哈爾賓然後 成事無疑矣.

卽欲起程 然運動費 沒策故 左思右想 適尋訪 此處居留韓國黃海道義兵將李錫
山以去 時 李氏 適往他處次 束裝發程 出門以去 急喚回來 入於密室 請求一百元貸
給云云 李氏 終不肯從 事勢到此 勢無奈何 卽威脅勒奪一百元後 還來 事如半成矣.

於是 請同志人禹德淳 密約擧事之策後 各携帶拳銃 卽地發程 塔乘汽車以行 思
之則 兩人 都不知露國言語故 憂慮不少矣 中路到于綏芬河地方 尋訪柳東夏云曰
現今 我 家眷迎接次 往于哈爾賓 而我 不知露語故 甚悶 君 偕往其處 通辯周旋凡
事 若何 柳曰 我 亦方欲貿藥次 去哈爾賓 爲計之際則 偕往甚好 卽地起程同行 其
翌日 到於哈爾賓金聖伯家留宿 後更得見新聞 詳探伊藤之來期.

109

其翌日 更欲南向長春等地 欲爲擧事 柳東夏 本以年少之人故 卽欲還其本家 更欲得通辯一人 適逢曹道先 以家屬迎接次 同行南向云則 曹氏 卽許諾也 其夜又留宿於金聖伯家 時 運動費 有不足之慮故 托柳東夏 金聖伯許五十元暫貸則 不遠間 卽還報云 柳氏尋訪金氏 以出外也 時 獨坐於客燈寒塔上 暫思將行之事 不勝慷慨之心 偶吟一歌曰(丈夫處世兮 其志大矣 雄視天下兮 何日成業 時造英雄兮 英雄造時 東風漸寒兮 壯士義熱 憤慨一去兮 必成目的 鼠竊伊藤兮 豈肯比命 豈度至此兮 事勢固然 同胞同胞兮 速成大業 萬歲萬歲兮 大韓獨立 萬歲萬萬歲 大韓同胞) 吟罷更書一度書信 欲付海三葳大東其報新聞社 此意則 一 我等 所行目的 公布於新聞上之計 一 柳東夏 若金聖伯處五十元金 貸來則 還報之計 沒策故 將大東其報社支發云云 爲其憑籍 而暫時譎計也 書畢 柳氏還來 貸金之算 不中云故 不得以宿過夜.

其翌日 早朝 與禹曹柳三人 偕往于停車場 乃使曹氏 南淸列車 相交換停車場 何處有之 詳問驛官則 蔡家鉤等地云云故 卽與禹曹兩人 相別柳氏後 塔乘列車 南行發程 到于同方面 下車 定館留宿 問停車場事務人曰 此處汽車 每日機次式 來往乎 答曰 每日三次式 來往矣 今日夜 特別車 自哈爾賓 發送于長春 日本大臣伊藤迎接而再明日 朝六點 到此矣云云 如此分明之通信 前後初聞之確報也 於是 更自深算曰 再明日 上午六點頃 故未天明之時則 伊藤 必不下停車場矣 雖下車視察 黑暗中眞假難辨 況我不知伊藤之面目 豈能擧事 更欲前往長春等地則 路費不足 何爲則好耶 左思右想 心甚悶欝矣 時 適打電於柳東夏曰 我等 但到此下車矣 若該處 有緊事則 打電爲望也云矣 黃昏後 答電來到 而其辭意 都不分明故 更加疑訝不小故 其夜十分深諒 更算良策後 其翌日 與禹氏相議曰 我等 合留此處 沒策矣 一曰財政不足 二曰柳氏答電甚疑 三曰伊藤明朝未明 過此則 事必難行矣 若失明日之期會則 更難圖事也 然則 今日 君留此處 以待明日之期會 見機動作 我 今日 還去哈爾賓 明日 兩處擧事 十分便利也 若君不成事則 我必成事 若我不成事則 君必成事矣 若兩處 都不如意 更辦備運動費後 更相議擧事 此可爲萬全之策矣.

於是 相別 我塔乘列車 還到於哈爾賓 更逢柳東夏 問答電辭意則 柳氏答辯 亦不明故 我發怒嘖之 柳氏 無辭以出門去矣 其夜 留宿金聖伯家.

其明朝 早起 盡脫新鮮衣服後 換着溫厚洋服一件後 携帶短銃 卽向停車場以去 時 午前七點頃也 到於當地則 時 露國將官與軍人 多數來到 準備迎接伊藤節次也 我 坐於賣茶店裡 吃茶二三盃後 待之矣 到九點頃 伊藤塔乘特別汽車來到 時 人山人海也 我 坐於茶店裡 窺其動靜 自思曰 何時狙擊則 好耶 十分思量 未決之際.

少頃 伊藤下車以來 各軍隊敬禮 軍樂之聲 飛空灌耳以來 當時 忿氣突起 三千丈業火 腦裡衝出也 何故 世態如是不公耶 嗚呼 強奪隣邦 殘害人命者 如此欣躍 少無忌憚 無故仁弱之人種 反如是陷困耶 更不打話 卽大踏步勇進 至於軍隊列立之後 見之則 露國一般官人 護衛還來之際 其前面 一個黃面白鬚之小翁 如是沒廉 敢行于天地間耶 想必是伊藤老賊也 卽拔短銃 向其右側 快射四發後 思之則 十分疑訝 起腦者 我 本不知伊藤之面貌者也 若一次誤中則 大事狼狽矣 遂復向後面 日人團體中 偉儀最重 前面先行者 更爲目標 連射三發後 更思則 若誤傷無罪之人則 事必不美故 停止思量之際 露國憲兵來到 捕捉 時 卽一千九百九年 陰九月 十三日 上午 九點半頃也.

時 向天 大呼大韓萬歲三次後 拿入於停車場憲兵分派所 全身 檢查後 少頃 露國檢察官 與韓人通譯 來到 問其姓名 及何國何處居住 從何處以來 因何故 加害於伊藤之故 問之故 大槪說明者 通辯韓人 韓語 不能祥解故也.

伊時 寫眞撮影者 數三次有之矣 午後 八九點頃 露國憲兵將官 與我 塔乘馬車 不知方向以去 到于日本領事舘 交付後去矣 其後 此處官吏 二次 審問 第四五日後 溝淵檢察官來到 更爲審問

前後歷史細細供述 而又問伊藤加害之事故 答曰 一, 韓國閔皇后 弑殺之罪 二, 韓國皇帝 廢位之罪 三, 勒定五條約 與七條約之罪 四, 虐殺無故之韓人之罪 五, 政權勒奪之罪 六, 鐵道礦山 與山林川澤 勒奪之罪 七, 第一銀券紙貨 勒用之罪 八, 軍隊解散之罪 九, 敎育妨害之罪 十, 韓人外國遊學禁止之罪 十一, 敎課書 押收燒火之罪 十二, 韓人欲受日本保護云云 而誣罔世界之罪 十三,現行日韓間 競爭不息 殺戮不絶 韓國以太平無事之樣 上欺 天皇之罪 十四,東洋平和 破壞之罪 十五, 日本天皇陛下 父皇 太皇帝 弑殺之罪 云云則 檢察官 聽罷 愕然謂曰 今聞所述則 可謂東洋義士也 自己 義士必無被死刑之法矣 勿爲憂慮焉 我答曰 我之死生勿論 以此意 速速上奏于日本天皇陛下 速改伊藤之不善政略 以扶東洋危急之大勢 切望矣 言罷 更因地窟獄矣.

更四五日後 謂曰 今日自此 去旅順口云矣 時 見之則 禹德淳 曹道先 柳東夏 鄭大鎬 金成玉 與又面貌不知人 二三人 偕爲結縛 而到于停車場 塔乘汽車發程 此日 到于長春憲兵所 過夜 翌日 更塔乘汽車 行到一處停車場 忽日本巡査一名 上來矣 突地揮拳 打我面部故 我發怒辱之則 時憲兵正校 在則矣 引其巡査 下送汽車後 謂我曰 日韓間 如此不美之人矣 幸勿怒焉 其翌日 到于旅順口監獄署 捉囚 時日

111

九月 二十一日頃也.

自此在監以後 與一般官吏 日日漸次相近中 典獄 警守系長 與其次一般官吏 特別厚特 我不勝感動 或心中 自思疑訝曰 此真耶 夢耶 同一日本之人 何如是大不相同耶 韓國來往日人 何其強惡太甚 旅順口來住日人 何故 如是仁厚耶 韓國與旅順口 日人之種類 不同然耶 水土風氣 不同以然耶 韓國日人 主權者伊藤 極惡故 效其心以然耶 旅順口日人 主權都督 仁慈故 和其德以然耶 左思右想 理由未覺也.

其後 溝淵檢察官 與韓語通譯官園木氏 來到於監獄署內 十餘次審問 而這間酬酌 一筆難記 詳細談話載於檢察官文簿故 不必更記也.

檢察官 常對我特厚 審問後 恒給埃及金口紙捲煙 相對談話吸煙 評論公直 同憫情 現容於色矣 一日 英國辯護士一人 露國辯護士一人 來訪面會 謂我曰 我等兩人 海蔘威居留韓人諸氏 委托委任以來 欲爲辯護 而自此法院 已有許可 將公判之日 更爲來到云以去 時 我自思 心中大驚小怪 謂曰 日本文明程度 至於如此之境耶 我前日之念 不及處也 今日 觀其英露辯護士 能容許可之事 是可謂 世界第一等國之行動也 我果誤解 如是過激手段 妄動否 十分疑訝矣.

時 韓國 內部警視 日本人仙境氏 來到 韓語極善通 而日日相逢談話 雖曰韓兩國人 相對酬酌之 其實政略機關 大相不同然 人情論之則 漸次親近 無異於如舊之誼也 一日 我問於仙境氏曰 日前 英露兩國辯護士 到此之時 自此法院官吏 公平之真心 許可耶 答曰 果真心矣 我曰 若果然則 東洋之特色 有之矣 若不然則 對於我事 反害無益 甚多矣 相笑以散.

伊時 典獄栗原氏 與警守系長中村氏 常顧護待特 每一週日間 沐浴一次式 每日午前後二次式 自監房出於事務室 各國上等紙捲煙 與西洋果子 及茶水厚給 胞吃 又朝午夕三時飯 上等白米飯 饋之 內服品好者 一件換着 綿衾四件特給 柑子與林擒黃梨等果實 日日數三次給之 牛乳每日一瓶式給之 此園木氏特恩也 溝淵檢察官 雜與煙草等物 買給 如此許多特待 感荷不已 難可盡述也.

至於十一月頃 我同生親弟 定根 恭根 二人 自韓國鎮南浦 來到此處 相逢面會 相別三年後 初見之面也 不覺真夢之界矣 自此恒四五日間 或十餘日間 鱗次相逢談話 而 韓國辯護士請來事 與天主教神父請來 受聖事之事 相托.

其後 一日 檢察官又來到審問之際 其言語與形容 與前日 大不相同 或有壓制 或有抑說 或有浚侮之態故 我自思曰 檢察官之思想 如是忽變 此非本情也 客風大侵矣 此所謂 道心惟微 人心惟危之句 真不虛傳之文字也 我憤然答曰 日本 雖有百萬

精兵 又有千萬門大炮俱備 然安應七之一命 但一殺之權外 更無他權矣 人生斯世 一死 都無事 何慮之有 我更不答辭矣 任意行之焉.

自此時 我之來頭事 將爲大非 而公判 必變爲曲判之勢 明確自算以信之 而況言權禁止許多 目的意見 未能進述 又諸般事機 掩跡飾詐之態現著 是何故也 推理思之則 非他故也 此必變曲爲直 變直爲曲之理也 夫法性如鏡 毫髮不容 而今我之事 是非曲直 已爲明白矣 何掩之有 何詐之有 譬如 此世人情 勿論賢愚 善美之事 爭欲現誇於外 惡累之事 必然暗隱以忌他矣 推此則 可知也 此時 我不勝大憤 頭腦甚痛 數日後 漸差焉 其後 月餘無事拖過 此亦一怪點也.

一日 檢察官 謂我曰 公判日 已定六七日後 而英露韓 辯護士 一切不許 但此處官選辯護士 使用云云故 我自思曰 我之前日 上中二等之策 所望 真浪信過慕也 不出於我之下等所料也 其後 公判初日 到於法院公判席 時 鄭大鎬 金成玉等 五人已盡無事放還 但禹曹柳三人 與我同爲被告出席 而傍聽人數三百員 時 韓國人辯護士 安秉瓚氏 與前日已受許可以去 英國人辯護士 亦爲來參 然都不許辯護之權故 但傍聽而已矣.

時 裁判官 出席 依檢察官所審文簿 大概更爲審問 然我欲進述詳細意見則 裁判官 常要避杜口故 未能說明矣 我已知其意故 一日 乘其期會 幾個目的 說明之際 裁判官 大驚起座 卽禁止傍聽後 退入於他房以去也 時 我自思曰 我言中 有刀劍以然耶 銃砲有之以然耶 譬如淸風一次 塵累盡散 一般也 此非他故 我說明伊藤之罪名時 到於日本孝明天皇弑殺之句語 如是破席矣.

少頃 裁判官 更爲出席後 謂我曰 更勿發如此之言 此時 我默然良久 自思自謂曰 真鍋判事 不知法律以如是耶 天皇之命不重以如是耶 伊藤公 所立之官以如是耶 何故 如是耶 大醉於秋風以然耶 我今日之所遭之事 真耶 夢耶 我堂堂 大韓國之國民而何故 今日被囚於日本監獄中 況受當日本法律 是何故耶 我何日 歸化於日本國耶.

判事 日本人 檢查 日本人 辯護士 日本人 通譯官 日本人 傍聽人 日本人 此所謂啞者演說會 聾者傍聽 一般也 真個是夢中世界矣 若夢中 速醒快覺 速醒快覺焉 如此之境 說明無所用 公判 亦無益矣 我乃笑以答曰 裁判官 任意行之 我更別無他言也.

其翌日 檢察官 說明被告之罪狀 而終日不絕 至於唇亡舌弊 氣盡以罷 終末所請者 不過是 處我於死刑而已矣 請死刑之理由則 如此之人 若生存於此世則 許多韓

人 慕範其行 日本人 畏怯 不能持保之理由也 時 我自思 甚爲冷笑自謂曰 自今及古 天下各國 俠客義士 無日不絶 此皆效我以然耶 俗談曰 勿論某人 不必顧親十個裁判官也 但顧全無一個罪狀云 此果諜言也 若日本人 無罪則 何必畏怯韓人耶 許多日本人中 何必伊藤一人被害耶 今日 又畏怯韓人之日本人 此非與伊藤 同目的以然耶.

況我以私嫌 加害於伊藤云 我本不知伊藤 有何私嫌 而若曰 我與伊藤 有私嫌以如是則 檢察官 與我 有何私嫌 以如是耶 若如檢察官所言則 不得不 世無公法 公事 都出於私情私嫌云 可也 然則 必對溝淵檢察官之以私嫌 請死刑之罪 又有他檢察官 審査溝淵氏之罪 然後亦爲請刑 可合於公理也 然則 世事 豈有出末之日耶.

伊藤公 日本天地 第一等高大之人物故 日本四千餘萬人民 甚畏敬服者則 我罪亦極大必有非常極重極大之刑罰 請求之樣 思量矣 何故 但以死刑 請求耶 日本人無才 死刑之外 上之上 極爲重大之刑法 末能辦備以然耶 酌量減輕以然耶 我雖千思萬量 難辦理由曲直 可訝可訝也.

其翌日 水野 鋤田 兩氏辯護士 辯論曰 被告之犯罪 現明無疑然 此出於誤解之故則 其罪不重矣 況韓國人民 日本司法官管轄之權 頓無云云 而我更爲辨明曰 伊藤公之罪狀 天地神人皆知 而我何誤解耶 況我非個人謀殺犯罪人也 我則 大韓國義兵 參謀中將之義務 帶任而到于哈爾賓 開伏襲擊後 被虜到此矣 旅順口地方裁判所 都無關係則 當以萬國公法 與國際公法判決 可也 於是 時間已盡 而裁判官曰再明日 來聞宣告焉 時 我自思曰 再明日則 日本國 四千七百萬之人格 算斥之日也 當觀輕重高下矣.

此日 到于法院則 真鍋裁判官 宣告曰 安重根 處於死刑 禹德淳 三年懲役 曹道先 柳東夏 各一年半處役云云 而與檢察官 如出一口 而拱訴日字 限五日內更定云後 不更不打話 紛紛終判以散 時 一千九百十年 庚戌 正月 初三日也.

還囚監獄中 乃自思自謂曰 不出於我之所料也 自古及今 許多忠意誌士 以死爲限 忠諫設略 無不必中於後日之事矣 今我 特憂平洋大勢 竭盡赤誠 獻身設策 而終歸烏有痛嘆奈何 然 日本國 四千萬人族 大呼安重根之日 應不遠矣 東洋平和局 如是缺裂 百年風雲 何時可息乎 現今 日本當局者 少有知識則 必不行如此政略也 況若有廉恥公直之心 豈能行如此之行動耶.

去一千八百九十五年 (乙未) 住韓日本公使三浦 驅兵犯闕 韓國 明聖皇後閔氏 弑殺 而日本政府 三浦別無處刑以放釋 其內容則 必有使命者故 如是者明矣 然, 至於令日 我事論之則 雖曰個人間 殺人罪, 雲之三浦之罪 與我之罪 誰輕誰重乎 可謂腦

唓膽裂處也 我有何罪 我犯何過耶 千思萬量之際 忽然大覺後 搏掌大笑曰 我果大罪人也 我非他罪 我爲仁弱 韓國人民之罪也 乃解疑安心焉.

其後 典獄栗原氏 特別給介 高等法院長 平石氏面會 談話之際 我對死刑判決不服之理由大槪說明後 東洋大勢之關係 與平和政略意見 進述則 高等法院長 聽罷慨然答曰 我與君 同情雖厚 然政府主權之機關 難改奈何 當君之所述之意見 稟達於政府矣 我聽罷 暗暗稱善曰 如此公談正論 如雷灌耳 一生 難得再聞之說也 如此公義之前 雖木石 可爲感服矣.

我更請曰 若爲許可則 東洋平和論一卷 欲爲著述 執行日字 限月餘寬宥若何 高等法院長答曰 不必月餘寬限 雖數個月之餘 特別許可矣 勿慮焉 於是 感謝不已而還 自此拱訴權 拋棄請願 若更爲拱訴則 都無利益明若觀火不啻 高等法院長之所言 果是眞談則 更念矣.

於是 東洋平和論 著述爲始 而時 法院 與本署一般官吏 我手寫之書籍 欲爲紀跡次 絹疋紙張數百枚 買送請求故 事勢不得 不思自己之筆法不能 不顧他人之戲笑 每日數時間式 寫書焉 一自在監以後 特有所親之友二人 一部長靑木氏 與看守田中氏也 靑木氏 性情仁厚公平 田中氏 能通韓國言語 而我之一動一足之事 兩氏不無顧護 我與兩氏 情若兄弟矣.

時 天主教會 傳敎老師洪神父 欲數授我之永生樂之聖事次 自韓國來到此處 與我相逢面會 如夢如醉 難覺喜樂也 氏 本佛蘭西國人 巴里京 東洋傳敎會 神品學校 卒業後 守童眞許願受神品聖事 外爲神父 氏 才藝出衆 多聞博學 而英法德 與羅瑪古語 無不達通也 一千八百九十五六年頃 來到韓國 京城與仁川港 幾年間居留矣 其後 一千八百十五六年頃 更下來於海西黃海道等地 傳敎之時 我入敎領洗 其後 同也 今日此地 更爲相逢 孰能思量乎 氏 年歲五十三矣.

時 洪神父 對我訓誡聖敎道理後 翌日 授告解聖事 又翌朝 來到監獄署中 擧行撒聖祭大體 時 我服事聖祭領聖解聖事 受天主之格外特恩感謝何極 時 監獄署一般官吏 來參焉 其翌日 午後二點頃 又來到 謂我曰 今日 復歸於韓國故 作別次來到云 相對談話時間後 握手相別之際 謂我曰 仁慈天主 不棄汝而必收之矣 勿慮安心在 遂擧手 向我降福以後 相別一去 時 一千九百十年 庚戌 二月 初一日 下午 四點頃也 以上 安重根之三十二年間之歷史 大槪耳

一千九百十年 庚戌 陰 二月 初五日 陽 三月十五日 旅順獄中

大韓國人 安重根 畢書

安重根自傳(日本語本, 日本 公文書館本)

緒言

一, 本書ハ客年十月二十六日午前九時哈爾賓ニ於テ前統監伊藤公爵ヲ暗殺シタル 兇漢安重根(應七事)カ旅順獄中執筆セシ自傳ニシテ仝年十二月十三日起稿シ本年三 月十五日ニ到リ脱稿セシモノナリ

一, 本書ヲ直譯ニセシハ原文ノ意味ヲ變セサラシメンカ爲メナリ

一千八百七十九年己卯七月十六日大韓國黃海道海州府首陽山下ニ一男子生ル姓 ハ安名ハ重根字應七(性質輕急ニ近ク故ニ名ケテ重根トヨフ胸腹七介ノ黑子有リ故ニ應七ト字 ス)其祖父名ハ仁壽性質仁厚ニシテ家產豊富慈善家ヲ以テ道內ニ名アリ曾テ鎮海縣 監ニ叙仕ス六男三女ヲ生ム弟アリ一ヲ泰鎮二ヲ泰鉉三ヲ泰勳(私父)四ヲ泰健五ヲ泰 敏六ヲ泰純ト云フ皆文翰余アリ其中私父才慧英俊八九歲ニシテ四書三經ニ通達シ 十三四歲ニシテ文ヲ科シ六体卒業シ通鑑ヲ讀ム時ニ教師卷ヲ開キ一字ヲ指示シ問 フテ曰ク此字ヨリ十枚ノ下何ノ文字カ能ク知ルヤ否ヤト暗思シテ答ヘテ曰ク其字必 ス天ナラント散見スレハ果シテ其言ノ如ク天字ナリシ教師之ヲ奇異トシ更ニ問フテ曰 ク此冊ヲ逆マニ推上シテ能ク知ルヤ否ヤト答ヘテ曰ク知ルト此ノ如ク試問スルコト 十余次都テ錯誤ナシ之ヲ見聞スル者稱シテ仙童ト云ヘリ此ヨリ名譽遠近ニ播著ス中 年登科進士トナリ趙氏ヲ娶リテ配ヲ作ス三男一女ヲ生ム一ヲ重根(自分)二ヲ定根三ヲ 恭根トヨフ一千八百七十四年(甲申)ノ間住テ京城ニ留ル時ニ朴泳孝氏深ク國勢ノ危 乱ヲ慮リ政府ヲ革新シ國民ヲ開明セント欲シ英俊青年七十人ヲ選定シ將ニ外國ニ 派遣シ以テ遊學セシメントシ私父亦選ハル嗚呼政府奸臣輩朴氏ヲ構誣スルニ反逆 ヲ爲サントスルヲ以テシ兵ヲ發シテ捕捉ス時ニ朴氏日本ニ逃走シ同志者ハ學生等ト 或ハ殺戮セラレ或ハ遠謫セラル私父身ヲ避ケ逃レテ鄉第ニ歸隱ス其父ト共ニ相議 シテ曰ク國事日ニ將ニ非ナラントシ富貴功名圖ルニ足ラサルナリ早ク歸ツテ山ニ棲 ミ雲ニ耕シ月ニ釣リ以テ此世ヲ終ルニ如カスト盡ク家產ヲ賣リ財政ヲ整理シ車馬ヲ準 備シ家眷ヲ統率スル凡ソ七八十口居ヲ信川郡清洞山中ニ移ス地形險峻ニシテ田査 俱備シ山明カニ水麗シク別ニ大地アリト謂フ可キナリ(自分)時ニ年六七才祖父母ノ愛

育ニ依賴シ漢文學校ニ入リ八九年間纔ニ普通學文ヲ習フ十四歲ノ頃ニ至リ祖父仁
壽世ヲ棄テ長逝ス(自分)ハ其愛育ノ情ヲ忘レス甚夕哀痛シ病ニ沈ムコト半年後漸ク平
常ニ復ス幼時ヨリ特性トシテ好ム所ノモノハ狩獵ナリ常ニ獵者ニ隨ツテ山野ノ間ニ
遊獵ス漸ク長シテ銃ヲ担ヒ山ニ登リ禽獸ヲ狩獵シ學文ヲ務メス故ニ父母ハ敎師ト共
ニ之ヲ重責スルモ終ニ服從セス親友學生亦勤勉セヨト謂フテ曰ク汝ノ父ハ文章ヲ以
テ名ヲ現世ニ著ハセリ汝何カ故ニ無識下等ノ人ヲ以テ自ラ処セントスルカト答ヘテ曰
ク汝ノ言ヲ所是ナリ然レトモ試ニ我言ヲ聽ケ昔楚ノ霸王項羽ノ曰ク書ハ以テ姓名ヲ
記スルニ足ル云々ト萬古英雄楚霸王ノ名譽ハ尙ホ千秋ニ傳フ可キナリ我學問ヲ以テ
世ニ著ハルルヲ願ハス彼モ丈夫ナリ我モ丈夫ナリ汝等更ニ我ニ勸ムル勿レト

一日(此時三月春節)學生等ト登山シ景ヲ翫フ層崑絕壁ノ上ニ臨ミ花ヲ貪リ之ヲ折ラント
欲シ足ヲ矢ツテ滑倒シ遂ニ数十尺ノ下ニ顚墮シ勢奈何トモスルナシ勵精思量ノ際
忽チ一株ノ柯木ニ逢ヒ手ヲ展ヘテ把扼シ奮身勇起シ四面ヲ回顧スルニ若シ過ツテ猶
三尺ヲ墮落セハ則チ数百尺層崑ノ下碎骨粉身シ更ニ余望ノ地ナシ群児ハ山上ニ立チ
テ面色土ノ如クナリシカ而モ其活ヲ得ルヲ見索ヲ取リ引キ上ク別ニ傷所ナク汗出テ
背ヲ沾スノミ手ヲ振ツテ相賀シ天命ヲ感謝シ下山シテ家ニ歸ル之レ危境死ヲ免ルノ
第一回ナリ

一千八百九十四年甲午(自分)年十六歲妻ヲ金氏ニ娶ル現ニ二男一女ヲ生ム時ニ韓
國名地方ニ所謂東學(現今一進會ノ本祖ナリ)党ナルモノ蜂起シ稱シテ外國人排斥ヲ以
テシ郡縣ヲ橫行シ官吏ヲ殺害シ民財ヲ掠奪ス官軍之ヲ鎭壓スル能ハス故ニ淸國兵
ヲ動シテ渡來シ日本亦兵ヲ動カシテ渡來シ日淸両國互ニ相衝突シ大戰爭ヲ必成セ
リ此時(私父)ハ東學党ノ暴行ニ耐ヘ難ク同志シ團結シ檄ヲ飛ハシ義ヲ擧ケ狩獵者ヲ
召集シ妻子亦行伍ニ編シ精兵凡七十余員淸溪山中ニ陳シ東學党ニ抗拒ス時ニ東學
党ノ首魁元容日徒党二万余名ヲ領率シ長驅大進シ旗幟槍劍日光ヲ蔽ヒ鼓角喊声天
地ヲ振動ス然ルニ義兵ハ其数七十余名ニ過キス強弱ノ勢卵ヲ以テ石ヲ擊ツカ如ク
衆心喫驚其爲ス所ヲ知ラス時ニ十二月冬天東風忽チ起リ大雨暴カニ注キ咫尺弁シ
難ク敵兵ノ衣甲盡ク湿ヒ冷気身ニ觸レ勢奈何トモスルナシ故ニ十里許ノ村中ニ退陣
シ留宿ス是夜(私父)諸將ト相議シテ曰ク若シ明日ニシテ坐ナカラ敵兵ノ包圍功擊ヲ受
クレハ則チ小大ニ敵セス之必然ノ勢ナリ今夜先ツ進シテ敵兵ヲ襲擊スルニ如カスト
乃チ令ヲ傳ヘテ鷄鳴早飯シ精兵四十名ヲ選シテ進發シ余兵ハ本洞ヲ守備ス時ニ(自
分)ハ同志六人ト自ラ願フテ先鋒兼偵探ノ獨立隊ト爲リ前進搜索シ敵兵大將所ヲ咫

尺ニ臨ミ林間ニ隱伏シ陣勢動定ヲ観察スルニ旗幅風ニ隨ツテ翩飛シ火光天ヲ衝テ
白晝ノ如ク人馬喧鬧シテ都テ紀律ナシ顧テ同志者ニ謂ツテ曰ク今若シ敵陣ヲ襲撃
セハ則チ必ス大功ヲ建テント衆曰ク小々ノ残兵ヲ以テ豈能ク賊ノ数万大軍ニ當ランヤ
ト答テ曰ク然ラス兵法ニ云フ彼ヲ知リ己ヲ知レハ百戰百勝スト我レ敵勢ヲ観ルニ烏合
ノ乱衆ナリ吾輩七人ニシテ同心合力スレハ則チ彼ノ乱党ノ如キ百万ノ衆ト雖モ畏ル
ルニ足ラサルナリ姑ラク未タ天明ナラス其不意ニ出ツレハ勢破竹ノ如クナラン公等
疑フ勿レ聽テ我計ニ從ヘト衆之ヲ應諾シ運籌已ニ定マル一声ノ號令ト共ニ七人一斉
ニ敵陣大將所ニ向ヒ射撃ス砲声雷ノ如ク天地ヲ振動シ彈丸ハ雨霆ト一般敵兵ハ別
ニ豫備ナキヲ以テ身ニ衣甲ヲ着ケス手ニ機械ヲ執ラス自ラ相践踏シ満山偏野以テ走
リ勝ニ乗シテ之ヲ追撃ス少時ニシテ東天已ニ明ク敵兵始メテ我勢ノ孤弱ヲ覺リ四面
ヨリ我ヲ囲ンテ攻撃シ危勢甚タ急ナリ則チ左衝右突スルモ都テ脱身ノ策ナシ忽然背
後ニ當リ砲声大ニ振フ一枝軍趕來衝突シ爲メニ敵兵敗走シ囲ヲ解テ脱スルヲ得タ
リ此乃チ本陣後援ノ兵來ツテ接應スルニアリキ玆ヲ以テ相合シテ追撃シ敵兵四散遠
ク逃ル戰利品ヲ収拾スルニ軍器彈薬数十駄馬匹亦其数ヲ計ラス軍糧千余包敵兵
死傷者数十名而シテ義兵ハ一人ノ損害ナシ天恩ヲ感謝シテ万歳ヲ三呼シ本洞ニ凱
旋シ馳セテ勝捷ヲ本道観察府ニ報ス此時日本尉官鈴木ナル者軍ヲ領シテ過キ去ル
迭ニ書信ヲ交ヘ以テ賀情ヲ表ス此ヨリ敵兵風ヲ聞テ以テ走リ更ニ鋒ヲ交ユルナク漸
次沈息シ國内泰平ニ歸ス

　戰役以後(自分)ハ重症ニ罹リ苦痛スルコト数三朔死ヲ免レテ回生ス之ヨリ今ニ到ル
十五年間復タ一タヒ軽症ニ侵サルルナシ噫狡兎死シテ走狗烹ラル越川ノ杖沙場ニ
棄ツト其翌年(乙未)夏両人ノ客來リ訪ハル何許ノ人ナルヲ知ラス私父ニ謂テ曰ク昨年
戰爭ノ時輸シ來ル千余包ノ糧米ハ此レ東學党ノ所有物ニアラスシテ其半ハ現ニ度
支部大臣タル魚允仲氏ノ貿置数其半ハ前惠堂閔永俊氏ノ農作穀ナリ乞フ遲滯ナク
還付スルコトヲト私父之ヲ聞キ笑テ以テ答テ曰ク魚閔両氏ノ米我カ知ル所ニ非ラス
即チ東學陣中ノ物ヲ奪取スルナリ公等更ニ此ノ如キ無理ノ説ヲ発スル勿レト両人答
フルナクシテ以テ去ル一日京城ヨリ緊急ノ書信來ル折キ見ルニ則チ云フ現今度大魚
允仲閔永俊ト共ニ失フ所ノ穀包ニ付テ皇帝陛下ニ上奏スルモノアリ曰ク安某國庫金
ヲ重スルナク貿スル所ノ米千余包端ナク盗食ス故ニ人ヲシテ探査セシムルニ此米ヲ
以テ兵数千ヲ養ヒ將ニ陰謀アラントス若シ兵ヲ発シテ鎮壓セスンハ國家ノ大患ナリ
云々故ニ方サニ兵ヲ派遣スルノ計ヲ爲セハ火速ニ來ツテ以テ善後ノ方針ヲ図レト(金

宗漢書信前判書)私父之ヲ見了ツテ即チ発程シテ京城ニ到レハ則チ果シテ其言ノ如シ
實ヲ擧ケ法官ニ訴ヘ三タヒ裁判ヲナスモ終ニ未タ判決セス金宗漢氏政府ニ提議シテ
曰ク安某ハ本ト賊類ニ非ラス義ヲ擧ケ匪ヲ討ツ國家ノ一大功臣ナリ當サニ其功勳ヲ
表スヘク而モ他ノ不當ノ説ヲ信シテ之ヲ構陷スルナカレ然ルニ魚允仲終ニ之ヲ聽
カス料ラサリキ魚氏ハ民乱ニ逢ヒ以テ乱民石下ノ慙魂トナリ其謀是ニ於テカ休ム然
リト虽モ毒蛇已ニ退キ猛獸更ニ進ムカ如ク更ニ閔永俊ハ事ヲ擧ケテ害ヲ謀ル閔氏ハ
勢力家ナリ此ニ於テ事機危ニ迫リ計窮シ力盡キ勢奈何トモスルナク身ヲ避ケ佛國人
天主教堂ニ投入シ跡ヲ隱スコト数月幸ニ佛人ノ顧助ニ頼リ無事ナルヲ得タリ這間久
シク教堂ニ留リ多ク講論ヲ聞キ博ク聖書ヲ覽其真理ニ感シ身ヲ許シテ教ニ入ルノ後
將サニ福音ヲ播傳セントシ教中ノ博學士李保祿ト多數ノ經書ヲ携ヘテ郷里ニ歸ル時
ニ(自分)ハ年十七八歳年富ミ力強ク氣骨清秀衆ニ下ラス平生好テ嗜ムモノ四アリ一ニ
親友結義二ニ余酒歌舞三ニ銃砲狩猟四ニ騎シテ駿馬ヲ馳スルニアリ遠近ニ論ナク
若シ義俠好漢ノアルヲ聞カハ則チ銃砲ヲ携帶シ馬ヲ馳セ之ヲ尋訪ス若シ果シテ志ヲ
同フセハ慷慨ノ説ヲ談論シ快好ノ酒ヲ痛余シ醉後或ハ歌ヒ或ハ舞ヒ或ハ花柳ノ房
ニ遊戲シ妓女ニ謂ツテ曰ク汝ノ絶妙ノ色態ヲ以テ豪男子ト配ヲ作レ老ユルコトナケレ
ハ豈ニ美ナラスヤ汝輩然ラスシテ若シ金錢ノ声ヲ聞ケハ則チ流涎性ヲ失ヒ廉恥ヲ顧
ミス今日ノ張夫ハ明日ノ李夫甘ンシテ禽戰ノ行ヲナスカ言辞是ノ如ク娥女肯セス疾
憎之色不恭ノ態外ニ現ハルレハ則チ或ハ詬辱シ歐打ス故ニ朋友ハ別號ヲ称シテ電
口ト曰フ一日同志六七人ト山ニ入リ鹿ヲ猟セシニ弾丸銃穴(旧式六連発)ニ罹リ拔ク能ハ
ス又入ルル能ハス鉄杖ヲ以テ穴ヲ貫ク不意ニ裏々一声魂飛ヒ魄散シ頭部ノ在ト不在
ヲ知ラス生命ノ死ト不死トヲ覺ラス少時ニシテ精神旧ニ復シ詳細ニ檢査スレハ則チ
弾丸爆発シ鉄杖ハ丸子ト石手ヲ穿ツテ以テ飛ンテ天ニ上リシナリシ卽チ病院ニ往キ
治療ヲナセリ此ヨリ今ニ至ル迄十年ノ間夢想中ト虽モ念フテ此時ノ驚狀ニ至レハ則
チ常ニ毛骨悚然タルノミ其後一タヒ他人ノ射猟銃ニ誤ラレ霰弾二ケ背後ニ中リシモ
而モ別ニ重傷ナク卽地ニ丸ヲ発シテ治ヲ得タリ

　此時我父ハ廣ク福音ヲ播メ遠近入教スル者日ニ加ハリ月ニ增シ一般家眷渾テ入ツ
テ天主教ヲ信奉ス(自分)モ亦入教シ洗ヲ佛國人宣教師洪神父ニ受ケ聖名ヲ作ツテ多
默ト曰フ経文ヲ講習シ道理ヲ討論スルコト旣ニ多月ヲ過ク信德漸ク固ク篤信疑ナク
天主耶蘇基督ヲ崇拜シ已ニ數年ヲ過ク時ニ教會ノ事務ヲ擴張スルカ為メニ(自分)ハ
洪教師ト共ニ名処ニ往來シ人ヲ勸メテ教ヲ傳ヘ衆ニ対シテ演說シテ曰ク兄弟ヨ兄弟

ヲ我ニ一言アリ請フ試ニ之ヲ聞ケ若シ一人アリ獨リ美饌ヲ食ヒテ之ヲ家眷ニ給セス
才藝ヲ抱藏シテ他人ニ敎エサレハ則チ是レ全胞ノ情理ト曰フ可ケンヤ我今異饌ト奇
才トアリ此ノ饌一タヒ飽カハ則チ長生不死ノ饌ヲ能クシ此才一タヒ通セハ則チ飛上
天ノ才ヲ能クス故ニ之カ敎授ヲ爲サント欲ス願クハ諸全胞ヨ耳ヲ傾ケ之ヲ聽ケ夫レ
天地ノ間万物ノ中惟人最貴キ者ハ其魂ノ靈ナルヲ以テナリ魂ニ三別アリ一ニ生魂ト
曰フ此レ草木ノ魂能ク生長スルノ魂ナリ二ニ覺魂ト曰フ此レ禽獸ノ魂能ク知覺スル
ノ魂ナリ三ニ靈魂ト曰フ此レ人ノ魂能ク生長シ能ク知覺シ能ク是非ヲ分弁シ能ク道
理ヲ推論シ能ク万物ヲ管轄ス故ニ惟人最貴キ者ハ魂ノ靈ナルナリ人若シ靈魂ナケレ
ハ則チ但ニ肉体ノミニシテ禽獸ニ如カス何カ故ニ禽獸ハ衣以テ溫メス業以テ飽カス
能ク飛ヒ能ク走リ才藝ノ勇猛ナル人類ニ過クルモ而モ許多ノ動物人ノ制スル所トナ
ルモノ其魂ノ不靈ノ致ストコロナリ故ニ靈魂ノ貴重ナルコト此ヲ推シテ知ル可シ而
シテ卽チ所謂天命ノ性ナルモノハ此テ至尊ノ天主ニシテ永遠無窮不死不滅ノモノナリ
天主ハ誰カ曰ク一家ノ中ニ家主アリ一國ノ中ニ國主アリ天地ノ上ニ天主アリ始メナ
ク終リナク三位一体(聖父聖子ハ聖神ナリ其意深大ニシテ未タ解セス)全能, 全和[3], 全善至公,
至義天地萬物日月星辰ヲ造成シ善惡ヲ償罰スル獨一無二ノ大主宰是レナリ若シ一
家ノ中ノ主父ハ家屋ヲ建築シ產業ヲ弁シ其子ニ給シテ亨用セシム其子肆然自大ニシ
テ親ニ事フルノ道ヲ知ラサレハ則チ不孝之ヨリ甚シキハナクシテ其罪重シ一國ノ君主
ノ施政至公ニシテ各業ヲ保護シ臣民ト太平ヲ共亨スルニ臣民其命令ニ服セス都テ忠
愛ノ性ナクンハ則チ其罪最モ重シ天地ノ間大父大君天主ハ天ヲ造リテ以テ我ヲ覆ヒ
地ヲ造リテ以テ我ヲ光照シ万物ヲ造リテ以テ我ニ亨用セシム終ニ洪恩是ノ如ク大ナ
ルハナシ若シ人類ニシテ妄リニ自ラ尊大ニシテ忠孝ヲ盡サス頓ニ報本ノ義ヲ忘ルレ
ハ則チ其罪尤モ無比ヲ極ム懼レサル可ケンヤ愼マサル可ケンヤ故ニ孔子曰ク罪ヲ天
ニ獲レハ禱ルトコロナキナリ天主ハ至公ニシテ善トシテ報ヒサルナク惡トシテ罰セサ
ルナシ功罰ノ判ハ卽チ身死スルノ日ナリ善者ノ靈魂ハ天堂ニ升リ永遠無窮ノ樂ヲ受
ケ惡者ノ靈魂ハ地獄ニ入リ永遠無尽ノ苦ヲ受ク一國ノ君尙ホ償罰ノ權アリ況ンヤ天
地ノ大君ヲヤ若シ何カ故ニ天主ハ人生ノ現世ニ於テ善惡ヲ償罰スルノ報ヲナササル
カト問フモノアラハ曰ク此ノ世ノ償罰ハ限リアリテ善惡ハ限ナシ若シ一人ノ一人ヲ殺

---

3 全知。

スアラハ則チ其是非ヲ判シ罪ナケレハ則チ己ム然レトモ罪アレハ則チ當サニ一身ヲ
以テ之ニ代ハレハ足ルヘシ若シ一人ニテ幾千万人ヲ殺スノ罪アラハ則チ一身ヲ以テ
豈ニ能ク之ニ代ハラン若シ一人ニシテ幾千万人ヲ活スノ功アラハ則チ暫世ノ榮ヲ以
テ豈ニ能ク其償ヲ尽サン況ンヤ人心ノ時日ニ変更スルヲヤ或ハ今時ニ善ヲ爲シテ後
時ニ惡ヲ作シ或ハ今日ニ惡ヲ作シテ明日ニ善ヲ爲シ若シ其善惡ニ隨ヒ其償罰ヲ報ヒ
ント欲セハ則チ此世ノ人類保明シ難シ又世罰ハ但ニ其身ヲ治スルモ其心ヲ治セス天
主ノ償罰ハ然ラス全能全知全善至公至義ニシテ人命ヲ寬待シ終世ノ日善惡ノ輕重
ヲ審判シ然ル後不死不滅ノ靈魂ヲシテ永遠無窮ノ賞罰ヲ受ケシム賞ハ天堂ノ永福ニ
シテ罰ハ地獄ノ永苦ナリ升降一定シテ更ニ移易ナシ嗚呼人壽ハ多クシテ百年ヲ過キ
ス賢愚ト貴賤ノ論ナク赤身ヲ以テ此世ニ生レ赤身ヲ以テ後世ニ歸ル此レ所謂空手ニ
シテ來リ空手ニシテ去ルモノ世事是ノ如ク虛幻ナルコトヲ知ルヘシ然リ而シテ何故
ニ利慾場中ニ洞シ惡ヲ作シテ後悔ヲ覺ラス若シ天主ノ賞罰ナク靈魂モ亦身ノ死ト全
シク滅スレハ則チ暫世暫榮或ハ圖ル可キナシ而モ靈魂ノ不死不滅ト天主ノ至尊權
能ハ明ナルコト火ヲ觀ルカ如シ昔堯曰ク彼ノ白雲ニ乘シテ帝郷ニ之ク何ノ念カ之有
ラント禹曰ク生ハ寄ナリ死ハ歸ナリト又曰ク魂ハ升リ魂[4]ハ降ルト云フ此レ靈魂不滅
ノ明證トナスニ足ルナリ若シ人ニシテ天主ノ堂獄ヲ見スシテ之アルヲ信セサレハ則チ
是レ遺腹子ノ其父ヲ見スシテ其父アルヲ信セス瞽者ノ天ヲ見スシテ而モ天ニ日アルヲ
信セサルニ何ソ異ナランヤ其華麗ノ家屋ヲ見テ而シテ建築ノ時ヲ見ス故ニ有ル所ヲ
信セス則チ豈ニ笑ハサランヤ今夫レ天地日月星辰ノ廣大ナル飛走動植ノ奇々妙々ノ
万物豈ニ作ル者ナクシテ以テ自然ニ生成センヤ若シ果シテ自然ニ生成セハ則チ日月
星辰何ヲ以テ其轉次ヲ違ハサル春夏秋冬何ヲ以テ其代序ヲ違ハサルカ一間ノ屋一個
ノ器ト雖モ若シ作ル者ナクンハ都テ成造ノ理ナシ水陸ノ間幾多ノ機械若シ主管ノ人
ナクンハ則チ豈ニ自然運轉ノ理アランヤ故ニ信ス可キト信ス可カラストハ見ト不見ト
ニ係ハラスシテ惟タ合理ト不合理ニ係ルノミ此數證ヲ擧クレハ至尊天主ノ恩威ハ確
信疑ヒナシ身ヲ沒シテ事ニ奉シ以テ万一ニ答フハ吾儕人類タルモノ當然ノ本分ナリ
今ニ於テ一千八百余年前至仁ナル天主此世ヲ矜憐シ將サニ万民ノ罪惡ヲ救贖セント
欲シ天主ノ第二位聖子ハ降テ童貞女瑪利亞ノ腹中ニ孕ミ猶太國伯利恒邑ニ誕生

4　魄。

ス名ツケテ耶蘇基督ト曰ク世ニ在ルコト二十年間四方ニ周遊シ人ヲ觀テ過ヲ改メ靈
ヲ行フノ跡多ク瞽者ハ見啞者ハ言ヒ聾者ハ聽キ跛者ハ行キ癩者ハ癒ヘ死者ハ甦ヘ
リ遠近之ヲ聞ク者服從セサルハナシ其中十二人ヲ選シテ宗徒トナシ十二人中又一人
ヲ特選シ伯多祿ト名ツケ教宗ト爲シ其位ニ代ツテ權ニ任シ規ヲ定メ教會ヲ設立ス現
今意太利國羅馬府在位ノ教皇ハ伯多祿ヨリ傳來ノ位ニシテ今世界名國天主教ノ人
皆之ヲ崇奉セリ當時猶太國耶路撒冷城中古敎ノ人等耶蘇ノ策善ヲ憎惡シ權能ヲ嫌
疑シ誣陷シ捕捉シ惡刑ニ処セラルルモノ無數耶蘇ハ千苦万難ヲ加ヘタル後十字架
ニ釘シ空中ニ懸ケラル耶蘇天ニ向テ万民ノ罪惡ヲ救赦スルコトヲ祈禱シ大呼一声ノ
後遂ニ氣絶ス時ニ天地振動シ日色晦冥人皆恐懼シ上帝子ト称スト云フ宗徒ハ其屍ヲ
取リ之ヲ葬ル三日ノ後耶蘇復活シテ墓ヲ出テ宗徒ノ中ニ現ハレ同処スルコト四十日
以テ赦罪ノ權ヲ傳ヘ而シテ後衆ヲ離レ天ニ升ル宗徒天ニ向ツテ拜謝シテ歸リ世界ヲ
周行シ天主教ヲ播傳ス今ニ至ル迄二千年間其信徒タル者幾億万人ナルヲ知ラス天
主敎ノ眞理ヲ證シ主ノ爲メニ命ヲ致サンヲ欲スル者亦幾百万人現今世界文明國ノ博
學紳士ニシテ天主耶蘇基督ヲ信奉セサルハナシ然レトモ現世僞善ノ教甚タ多シ此
耶蘇宗徒ニ預言シテ曰ク後世必ス僞善ノ者アリ衆愼シテ非ニ陷ルナク天國ノ門ニ入
レヨト願クハ我大韓僉同胞兄弟姊妹ヨ猛醒勇進シテ前日ノ罪過ヲ痛悔シ以テ天主ノ
義子ト爲リ現世ヲ以テ道德時代トナシ共ニ太平ヲ亨ケ死後天ニ升リ以テ賞ヲ受ケ全シ
ク無窮ノ永福ヲ樂ムコトヲ千万伏テ望ムノミト是ノ如ク説明スルモノ徃々之アリ然レ
トモ聞ク者或ハ信シ或ハ信セサルナリ現時教會漸次ニ擴張シ人ヲ教ヱルコト數万人
ニ近ク宣教師八位來ツテ黃海道內ニ留マル(自分)ハ此時洪神父ノ前ニ法語ヲ學習ス
ルコト幾個月洪神父ト相議シテ曰ク現今韓國人ノ敎人タル者學文ニ矇昧ナルヲ以テ
傳教上ノ損害少ナカラス此ヲ以テ西洋修士會中博學士幾員ヲ聘シ來テ大學校ヲ設
立シ國內ノ英俊子弟ヲ教育セハ則チ數十年ヲ出テスシテ必ス大効アラント計定アル
ノ後洪神父ト共ニ上京シ閔主教ニ會見シ此議ヲ提出セリ主教曰ク韓人若シ學文アラ
ハ則チ信教ニ善ナラス更ニ此ノ如キ議ヲ提出スル勿レト再三勸告スルモ終ニ聽サレ
ス事勢已ムヲ得サルヲ以テ本郷ニ還リ此ヨリ憤慨ニ勝エス心ニ盟テ曰ク敎ノ眞理ハ
然リ信ス可キモ外國人ノ心情ハ信ス可カラスト敎ヲ受クルモ佛語ハ之ヲ學ハス友人
問フテ曰ク何ニ緣テ之ヲ學ハサルカト答ヘテ曰ク日語ヲ學フ者日奴トナリ英語ヲ學フ
者英奴ト爲ル我若シ佛語ヲ學習セハ佛奴タルヲ免レ難シ故ニ之ヲ弊ク若シ我韓國ノ
威ニシテニ世界ニ振ヘハ則チ世界ノ人韓語ヲ通用スルニ至ル君又慮ル勿レト客辞ナ

クシテ退ク時ニ所謂金鑛ノ監理朱哥ナル者天主敎ノ毀謗シ害ヲ被ル少ナカラス故
ニ(自分)ハ總代ニ選定セラレ朱哥ノ処ニ派遣シ理ヲ擧ケ質問ノ際金鑛ノ役夫四五百
名各杖石ヲ持シ曲直ヲ問ハスシテ將サニ打チ來ラントス此レ所謂法遠クシテ拳近キ
モノ其危急ナルコト此ノ如ク勢奈何トモスルナシ(自分)ハ右手ニ腰間ノ短刀ヲ拔キ左
手ニ朱哥ノ右手ヲ把リ大呼之ヲ叱シテ曰ク汝百万ノ衆アリト雖モ汝ノ命ハ我ニ懸レリ
自ラ量ルコトヲ之爲セヨト朱哥大ニ怖レ叱シテ左右ヲ退ケ犯ス能ハサラシム乃チ朱
哥ノ右手ヲ執リ牽テ門外ニ出テ同行スルコト十余里ノ後朱哥ヲ放還シ乃チ脫シ歸ル
ヲ得タリ其後(自分)ハ万人楔(彩票會社)社長ニ選マレ或日出票式擧行ニ臨ム遠近來參
ノ人數万余名楔場ノ前後左右ニ列立シ人山人海ニ異ナルナシ楔所ハ中央ニアリテ各
任員一般ノ居処ナリ四門ハ巡檢之ヲ保護セリ時ニ出票機械場所アリ票印五六ケ(票
印每次一介式出ルヲ規トス)一度ニ出テ來ル觀ル者數万人是非曲直ヲ分タス以テ挾雜ノ
做ス所トナシ高喊一声石塊乱杖雨ノ下ルカ如ク來リ四門ノ巡檢ハ散走シ一般任員ノ
傷ヲ被ムルモノ無數各自生ヲ圖リ次テ逃ル而シテ現場ニ殘リ在ルモノ(自分)一人ノミ
衆人大呼シテ曰ク社長ヲ打殺セヨト一齊ニ杖ヲ打チ石ヲ投ケ危勢甚タ急ニシテ命旦
タニアリ卒然自ラ量ルラク則チ若シ社長タル者一タヒ此処ヲ逃ルレハ會社ノ事務更
ニ顧ルモノナシ況ンヤ後日ノ名譽ヲ如何想ハサル可カラサルナリ然レトモ勢奈何ト
モスルナキヨリ急ニ行李中ヨリ一柄ノ銃砲ヲ搜索シ(十二連ノ新式銃)右手ニ執リ以テ楔
壇ニ上リ衆ニ向ヒ大呼シテ曰ク何故ニ我ヲ殺サントスルカ暫ク我言ヲ廳ケ公等是非
曲直ヲ弁セス起鬧作乱ス世豈ニ此ノ如キ野蠻ノ行アランヤ公等我ヲ害セント欲スト
雖モ然モ我ニ罪ナシ豈肯テ故ナク余ヲ棄ツ可ケンヤ我決シテ無罪ヲ以テ死セス若シ
我ト命ヲ爭フ者アラハ快ク先ツ前進セヨト說破セシ衆皆喫驚シ退テ後チ壞散シ更ニ
喧鬧スル者ナシ時ニ一人アリ外面ヨリ數万人ノ囲上ヲ超越シ來ルコト飛鳥ノ如ク我
カ面前ニ立チ叱呼シ曰ク汝社長ト爲リ數万人ノ來到ヲ請ヒ而シテ是ノ如ク殺害ヲ爲
サント欲スルカト乍チ其人ヲ觀ルニ身体建長ニシテ氣骨淸秀其声洪鐘ノ如シ大偉雄
ト謂フ可シ(自分)ハ遂ニ壇ヲ下リ其手ヲ握リ敬禮シテ之ヲ論シ曰ク兄長ヨ兄長ヨ乞フ
余ノ言ヲ聽ケ今ノ事勢此ニ至ル者此レ我ノ本意ニ非ラサルナリ然ルニ乱類ノ輩空シ
ク惹鬧ノ事ヲ起セリ幸ニ兄長我カ危命ヲ活カセ古書ニ云フ無罪ノ一人ヲ殺害スレハ
則チ其殃千世ニ及ヒ無罪ノ一人ヲ救活スレハ則チ陰榮万代ニ及フ聖人能ク聖人ヲ知
リ英雄能ク英雄ニ交ル兄ト我トノ間此ヨリ以テ百年ノ交ヲナル如何ト答テ曰ク諾々ト
遂ニ衆人ニ向テ大呼シ曰ク社長都テ罪過ナシ若シ社長ヲ害セント欲スル者ハ我一

拳ヲ以テ衆囲ヲ排拆ス其形水波ノ如ク一同散ス此ニ於テ(自分)ハ始メテ纔ニ放心シ
更ニ稷壇ニ上リ衆人ヲ大呼シ其會集安定ヲ待テ曉諭説明シテ曰ク今日遭フ所ノ事別
ニ過失ナシ此レ機械ノ不利ノ致ス所ナリ願クハ諸公之ヲ恕容スル若何ト衆皆諾ス又
曰ク然ラハ則チ今日出票式擧行ハ當サニ始終一ノ如クナシ然ル後他人ノ耻笑ヲ免ル
ヘシ依テ更ニ速カニ之カ擧行ヲ爲ス如何ト衆皆拍手シテ應諾ス是ニ於テ遂ニ式ヲ擧
行シ無事ニ之ヲ畢リ各散歸ス時ニ其恩人トヲ姓名ヲ相通ス姓ハ許名ハ鳳咸鏡北道
ノ人其大恩ヲ感賀シタル後兄弟ノ誼ヲ結約シ酒ヲ置ケ宴樂シ能ク毒酒百余碗ヲ飮ミ
毫モ醉痕ナシ其膂力ヲ試ムレハ則チ或ハ榛子柏子數十個掌中ニ置キ兩掌ヲ以テ合
磨スレハ則チ石ノ磨スル如ク壓磨シ遂ニ破碎シテ粉ヲ作ル見ル者驚嘆セサルハナシ
又一別才アリ左右ノ向背ヲ以テ柱棟ヲ抱囲シ繩索ヲ以テ兩手ヲ緊縛ス則チ柱棟ハ自
然ニ兩臂ノ間ニ在リ身ハ桂棟ト一体ナルカ如ク若シ其手ヲ縛セシ繩ヲ解カスンハ則
チ都テ身ヲ拔クノ策ナキヤ必セリ是ノ如ク之ヲ作スノ後衆人近ク回立シ之ヲ見レハ
一分間ニシテ柱棟ヲ兩臂ノ間ヨリ拔キ前ノ如ク完立ス之レ其身柱棟ニ係ハラスシテ
以テ脱スルモノナリ見ル者称善セサルハナシ曰ク酒量ハ李太白ニ勝リ膂力ハ項羽ニ
下ラス術法亦佐左ニ比ス可シ云々ト同シク樂ムコト幾日ノ後手ヲ分ツテ相別ル今ニ至
ル幾年間

　時ニ兩件事起レリ一ハ甕津郡民カ錢五千兩ヲ京城居前慘判金仲煥ナル者ニ奪ハ
レシ事一ハ李景周ノ事ナリ氏ハ本籍平安道永柔郡ノ人醫ヲ業トシ來テ黄海道海州府
ニ留リ柳秀吉(本賤人財政家)ノ女息ト配ヲ作シ同居スルコト三年一女ヲ生ム秀吉其家
舍田畓財産奴婢ノ多數ヲ李氏ノ許ニ分給ス時ニ海州府地方隊兵營尉官韓元校ナル
者李カ上京ノ隙ニ乗シ其妻ヲ誘引シ姦ヲ通シ秀吉ヲ威脅シ其家舍什物ヲ奪ヒ而シテ
完然全居セリ時ニ李氏其事ヲ聞キ京城ヨリ歸ツテ我家ニ到レハ則チ韓哥ハ兵丁ヲシ
テ李氏ヲ毆打セシメテ之ヲ逐フ李氏ハ頭骨破傷シ流血浪籍タリ然モ李氏ハ他郷ニ
孤跡ノ身ヲ以テ勢亦奈何トモスルナク躲ヲ逃レ命ヲ保チ卽チ上京シテ訴ヲ陸軍法院
ニ呼ヒ韓哥ト裁判ヲ爭フコト七八回韓哥ハ其官職ヲ免セラルレトモ李氏ハ其妻ト家
産トヲ推尋スルコト能ハス之韓哥カ其女ト共ニ家産ヲ收收シテ上京シ以テ居住スルカ
故ナリ當時甕津郡民ハ李氏ト皆教會ノ人ナルカ故ニ(自分)ハ總代ニ選ハレ李氏ト共ニ
上京シ兩件事ノ爲メニ盡力シ先ツ徃テ金仲煥ヲ見ル時ニ金玉ノ賓客堂ニ滿ツ主人ト
相礼シヲ姓名ヲ通シタル後坐定マル金仲煥問テ曰ク何事ニ緣リテ以テ來リ訪フカ(自
分)答テ曰ク我本居下郷ニ居ルノ愚氓ニシテ世上ノ規則法律ヲ知ラス故ニ問議ス

ヘク來訪セリト金曰ク何ノ問フ事カアル答テ曰ク若シ京城ノ一大官アリ下郷ノ民財幾
千兩ヲ勒討シテ之ヲ還給セサレハ則チ此レ何ノ律法ヲ以テ之ヲ治スルヤト金ハ暗思
スルコト少頃ニシテ曰ク此レ我事ニ非スヤ否ヤト答テ曰ク然リ公何カ故ニ甕律民ノ財
五千兩ヲ勒奪シテ報ヒサルカト金曰ク我今錢ナシ報ヒス當サニ後日ヲ以テ還報スル
ノ計ヲ為スヘシト答テ曰ク此ノ如キ高大ノ廣室許多ノ什物豊備シテ以テ居住ス若シ
五千金云之ナシト曰フモ卽チ何人カ之ヲ信ス可ケンヤト此ノ如キ相詰ルノ際傍聽セ
ル一官人高声ニ我ヲ叱シ曰ク金參判ハ年老ノ大官ナリ君ハ少年ノ郷民ナリ何ソ敢テ
此ノ如キ不恭ノ說話ヲ發スルカト(自分)笑テ以テ問フテ曰ク公ハ誰カ客曰ク我姓名ハ
丁明燮ナリ(現時漢城府才判所[5]檢查官)我答テ曰ク公ハ古書ヲ讀マサルナリ古ヨリ今ニ及
ンテ賢君良相ハ民ヲ以テ天トナシ暗君貪官ハ民ヲ以テ食ト為スト故ニ民富メハ則チ
國富ミ民弱ケレハ則チ國弱シ此ノ爱業時代ニ當リ公等國家輔弼ノ臣トナリ皇上ノ聖
意ヲ受ケス是ノ如ク民ヲ虐クルハ則チ國家ノ前途豈ニ痛嘆セサランヤ況ンヤ此房ハ
才判所[6]ニ非サルナリ公若シ五千金報給ノ義務アラハ則チ我ト相詰スル可ナリト丁哥
遂ニ答辭ナシ金仲煥曰ク兩公幸ニ相詰ムル勿レ我當サニ幾日ノ後五千金ヲ還報ス
ヘシ公須ラク寬恕スヘシト哀ヲ乞フコト四五回ニ及フ事勢此ニ至ル已ムヲ得サルヲ以
テ定約シテ以テ退キ歸ル此ノ時李景周ハ韓元校ノ住所ヲ探知シ相議シテ曰ク韓哥
ハ勢力家ナリ法官ヨリ呼出サシメハ彼レ躱ヲ逃レテ公判ヲ為スヲ得ス我等先ツ當サ
ニ韓哥夫妻ヲ捉ヘテ然ル後偕ニ法司ニ徃キ公判ヲ乞フ可ナルヘキナリト李氏同志幾
人ト偕ニ韓哥ノ住家ニ徃キ搜索スレハ則チ韓哥夫妻ハ已ニ機ヲ知リ先ツ避ケショリ
之ヲ捉ルヲ得スシテ空シク還ル韓哥ハ漢城府ニ誣訴シテ曰ク李景周ナル者我カ家ニ
來リ內庭ニ突入シ老母ヲ毆打スト故ヲ以テ漢城府ハ李景周ヲ捉フ而シテ其證人ヲ問
フ則チ李氏ハ(自分)ノ姓名ヲ指名ス故ニ亦捉ヘラレ檢查所ニ至リ之ヲ觀レハ則チ檢查
官ハ丁明燮ナリ丁氏ハ(自分)我ヲ一見スルヤ怒色外面ニ現ハル(自分)ハ暗思自ラ笑テ
曰ク今日必ス丁哥ノ前嫌ヲ受ケシ(金仲煥ノ家ニテ相詰スルノ嫌)然レトモ無罪ノ我孰カ能
ク之ヲ害セント已ニシテ檢查官ニ問フテ曰ク汝李韓双方ノ事ヲ證見スルカト答テ曰
ク然リ又問テ曰ク何カ故ニ汝韓哥ノ母ヲ毆打スルカ答テ曰ク然ラス初メ此ノ如キ行動
ナシ此レ所謂己レノ欲セサルトコロ人ニ施ス勿レト豈他人ノ老母ヲ毆打スル理アラン

---

5 裁判所。
6 裁判所。

ヤ又問フテ曰ク何カ故ニ他人ノ内庭ニ故ナク突入スルカ答テ曰ク我本ト他人ノ内庭
ニ突入シタル事ナシ但タ有李景周家ノ内庭ニ突入シタルコトアルノミト又問テ曰ク何
カ故ニ李哥ノ内庭ト云フカ答テ曰ク此家ハ則チ李哥ノ錢ヲ以テ買得タルノ家ニシテ房
内ノ器具皆李哥ノ前日所持スルトコロノ物奴婢亦李哥ノ使フトコロノ奴婢其妻卽チ
李哥愛スル所ノ妻ナリ此レ李哥ノ家庭ニアラスシテ何人ノ家庭ソト檢査默々トシテ言
ナシ忽チ見レハ則チ韓元校我カ面前ニ立ツ(自分)ハ急ニ之ヲ呼ヒ謂テ曰ク汝我言ヲ聴
テ夫レ軍人ナル者ハ國家ノ重任ナリ忠義ノ心ヲ培養シ外賊ヲ防禦シ疆土ヲ守護シ人
民ヲ保安スル堂々タルノ職分ナリ汝況ンヤ尉官タル者良 m民ノ妻ヲ勒奪シ財産ヲ討
索シ然シテ其勢力ヲ恃シテ忌憚スルトコロナシ若シ京城ニ爾ノ如キ賊漢ノ多ク居住
スルアラハ則チ下郷ノ殘民ハ其妻其財ヲ此等ノ輩ニ奪ハレ而シテ盡滅スルノミ世豈
ニ民ナキノ國アランヤ爾ノ如キ京漢輩ハ万死惜ムナキナリト言未タ畢ラサルニ檢査官
床ヲ搏ツテ大叱シテ曰ク此漢(辱ナリ)京漢輩々々輩ト京城ハ何如ナル人ノ居住スル処
ソ汝敢テ此ノ如キ言ヲ発スルヤト(自分)ハ笑テ以テ答テ曰ク公ハ何カ故ニ是ノ如クヲ
怒ヲ発スルヤ我今云フトコロハ韓哥ニ向ツテ云フノミト丁曰ク汝ノ言ハ以テ非ヲ飾ル
ニ足ルナリト答テ曰ク然ラス善言ト雖モ以テ非ヲ飾ルニ足ル若シ水ヲ指シテ火ト謂ハ
ハ則チ誰カ之ヲ信ス可ケンヤト檢査官答辭ナシ下人ヲシテ李景周ヲ監獄ニ囚セシメタ
ル後(自分)ニ謂テ我曰ク汝亦囚スヘシト我怒テ以テ答テ曰ク何カ故ニ囚スルカ今日我
ノ此ニ來ルモノ但證人ノミ若シ之ヲ囚センカ千万条ノ法律アリト雖モ無罪ノ人ヲ捉囚
スルノ法律ナシ百千間ノ監獄ニアリト雖モ無罪ノ人ヲ捉囚スルノ監獄ナシ此文明時
代ニ當リ公ハ何カ故ニ豈敢テ野蠻ノ法律ヲ私行セシトスルヤト快々門ヲ出テテ以テ歸
舘ス

　偶鄕里ヨリ書信來到ス親患危重ナリト故ニ歸心矢ノ如ク卽地束裝シ陸路発程ス
時ニ嚴冬寒白雪天ニ滿チ寒風空ヲ吹ク來テ獨立門外ヲ過クル時回顧シテ罪ナキ親
友カ獄ニ囚セラレテ脱スルヲ得ス冬天寒獄其苦ヲ受クルヲ思ヘハ心膽裂クカ如シ況
ンヤ何ノ日カ彼ノ惡政府ヲ一擧ニ打破シテ之ヲ改革シ乱臣賊子輩ヲ掃滅シ堂々タル
文明獨立國ヲ成立シ快ク民權自由ヲ得ンカト言念此ニ及ヘハ血涙勇出シテ眞ニ踵ヲ
旋シ難キナリ然レトモ事勢已ヲ得ス竹杖麻鞋獨行千里中路ニシテ偶鄰鄕邑ノ親友李
成龍氏騎馬ニテ來ルニ逢フ我ニ謂テ曰ク幸ニ伴フテ鄕ニ歸ルヲ得ハ甚タ好シト我
答テ曰ク騎ト歩ト同カラス豈能ク同行センヤト李曰ク然ラス此馬京城ヨリ價ヲ定メ税
ヲ得ルノ馬ナリ日氣甚タ寒ク久シク騎スル能ハサレハ公ト數時間毎ニ互ニ騎歩スレハ

路當サニ速行ヲ得ヘシト遂ニ伴ヲ作シテ全行ス數日後延安邑ニ至ル此地方ハ玆年天旱雨ナク大ニ歎ス時ニ馬夫ハ電線木ヲ指シ語ツテ曰ク現今外國人電ヲ設置セルヨリ空中ノ電氣甬ニ囚置セラレ為メニ空中ニ電氣ナク從ツテ雨ヲ成ス能ハスシテ是ノ如ク大歎スト(自分)ハ笑テ以テ之ニ諭シテ曰ク豈此ノ如キノ理アランヤ君ハ久シク京城ニ居ルノ人ニシテ是ノ如ク無識ナルカト言未タ畢ラサルニ馬夫ハ馬鞭ヲ以テ我ノ頭部ヲ猛打スルコト再三且ツ罵テ曰ク汝何人ヲ我ヲ無識ノ人ト謂フカト我自ラ之ヲ思フニ其故ヲ知ラス況ンヤ此地ハ無人ノ境ニシテ而モ其漢ノ行動兇惡ナルコト是ノ如シ(自分)ハ馬上ニ坐シ下ス能ハス天ヲ仰ヒテ只タ大笑スルノミ李氏ハ盡力シテ馬夫ヲ制止シ幸ニ大害ヲ免ル然レトモ我ノ衣冠盡ク破傷セラル小頃ニシテ延安城中ニ至ル此地ノ親友我等ノ形容ヲ見テ驚怪シ之ヲ問フ我其故ヲ說明スレハ諸人忿怒シ馬夫ヲ捉囚シテ法官ニ致シ懲罰ヲ為サントセリ我挽テ諭シテ曰ク此漢失精ノ狂人亦如何トモ為シ難ケレハレ卽チ還送スルヲ可トスト衆皆然リト為シ無事放送セリ(自分)ハ郷ニ還リ家ニ至レハ親患漸次快方ニ向ヒ數月ノ後全ク治スルヲ得タリ

其後李景周ハ三年ノ懲役ニ処セラレシモ一年ノ後赦サレ時ニ韓元校ハ万金ヲ行賂シ宋哥朴哥ノ兩人ヲシテ李氏ヲ無人ノ境ニ誘引セシメ釰ヲ拔シ遂ニ李氏ヲ刺殺シ(噫財色ヲ以テ濫リニ人命ヲ殺ス後人ノ戒トナスヘキカ)逃走セリ後宋朴ノ兩人及與其女ト捉囚セラレテシテ刑罰ニ処セラレシモ而モ韓哥ノ捕捉シ得サリシハ痛イ哉

當時各地方官吏濫リニ虐政ヲ用ヰヲ民ノ膏血ヲ唆[7]リ官民ノ間之ヲ視ルコト仇讎ノ如ク之ニ対スルコト賊ノ如シ但天主敎ノ人等ハ暴令ニ抗拒シ其討索ヲ受ケス故ニ官吏輩ハ敎人ヲ疾憎スルコト外賊ニ異ナルナシ然レトモ彼直我曲勢奈何トモスルナク(好事魔多ク一魚海ヲ濁ス)時ニ乱類輩敎人ニ稱托シテ挾雜ノ事徃々之アリ故ニ官吏等ハ此ノ機隙ニニ乘シ政府大官ト秘密相議シ敎人ヲ誣陷セントセリ偶々黃海道敎人ノ行悖ニ因リ政府ハ特ニ査覈使李應翼ヲ派シ海州府ニ到リ巡檢兵丁ヲ各郡ニ派送シ天主敎會頭領ノ人其曲直ヲ問ハス悉ク押上シ敎會中ニ一大窘乱ヲ來セリ我家亦巡檢兵丁二三回來到シ私文ヲ捉ヘントセシモ抗拒ヲナシテ拿セラレス身ヲ他処ニ逃ケ官吏輩ノ惡行ヲ痛憤シテ長嘆息マス晝夜酒ヲ飲ンテ心火病トナリ重症ニ罹ルコト數月ノ後歸郷シ治療スルモ效ナシ當時敎中ノ事ハ佛國宣敎師ノ保護ニ因リ漸次平息

---

7 吮。

ニ歸セリ其後年(自分)ハ事アリ出テテ文化郡ニ遊フ偶私父李敝淳ノ家ニ來到セルヲ
聞クヲ得卽チ其家ニ往ケテハ則チ私親父己ニ鄉里ニ歸レリ依テ李友ト相対シテ酒ヲ
飲ミ談話ノ際李ノ曰ク今回公ノ父親ハ重辱ニ逢ヒテ以テ歸ルト我大ニ驚キ問フテ曰
ク何ノ故ソ李答テ曰ク公ノ父病ヲ治療スルヲ以テ我家ニ來リ我父ト偕ニ安岳邑ニ往
キヲ淸國醫師舒哥ヲ尋訪シ診察ノ後飲酒談話ス淸醫何ノ事故ニ緣リテカ足ヲ以テ
公カ父ノ胸腹ヲ踢リ傷ク故ニ下人等淸醫ヲ執ヘテ毆打セントセシヲ公カ父之ヲ挽諭
シテ曰ク今日我等ノ此ニ來ル者ハ病ヲ治スルカ為メナリ若シ醫師ヲ打テハ則チ是非
ノ論ナク他人ノ笑柄ヲ免レ難シ幸ニ名譽的關係ヲ愼ム若何云々ト故ニ衆皆忿ヲ忍シ
テ以テ歸ルト(自分)曰ク我カ父大人ノ行動ヲ守ルト虽モ然レトモ我ハ子タルノ道トシテ
豈ニ之ヲ忍過ス可ケンヤ當サニ該処ニ往キ曲直ヲ詳探シ然ル後訴ヲ法司ニ呼ヒ其悖
習ヲ徵スハ如何ト李曰ク然リト卽地李ト仝行シ尋ネテ舒哥ノ許ニ往キ其事實ヲ問フ
語未タ數話ニ過キサルニ噫彼ノ蠻淸ハ突トシテ起ツテ釰ヲ拔キ我頭部ヲ打タントセ
リ自分ハ大ニ驚キ急ニ起ツテ左手ニ彼カ下手ヲ拒キ右手ニ腰間ノ短銃ヲ索メ舒哥ノ
胸腹上ニ向ツテ射擊セントスルカ如ク擬セリ舒哥喫驚爲ス処ヲ知ラス仝行ノ李敝淳
ハ其危急ノ勢ヲ見亦タ自己ノ短銃ヲ取リ空中ニ向ツテ放抱スルコト兩回舒哥ハ放銃
ヲ知リ大ニ驚キテ失色シ我亦ヲ其故ヲ知ルナク大ニ驚ク李氏ハ來ツテ舒哥ノ釰ヲ奪
ヒ石ニ著ケテ折半シ我ト共ニ其半片ノ釰ヲ分持シテ舒哥ノ膝足ヲ打チ地ニ到ラシム
而シテ後(自分)ハ卽チ法官ノ下ニ往キ其前後ノ事實ヲ訴フ法官曰ク外國人ノ事判決ス
ルコト能ハスト故ニ更ニ舒哥ノ処ニ到レハ則チ邑中ノ人會集シテ挽テ諭スカ故ニ舒哥
ヲ棄テテ李友ト共ニ各々家ニ歸レリ後數日ヲ經テ或夜半ニ何レノ者カ七八人李敝淳
ノ家ニ突入シ其父親ヲ乱打ノ上捉ヘ去レリ偶李敝淳外房ニ在リ其火賊ノ來惆ヲ知リ
手ニ短銃ヲ執リ之ヲ追ヒハ則チ厥ノ漢等李氏亦放銃シ死生ヲ顧ミス以テ突擊スレハ
彼等ハ李氏ノ父親ヲ棄テテ逃走シ去レリ其明日詳探スレハ則チ舒哥ハ往テ鎭南浦
淸國領事ニ訴フルヲ以テ淸國巡查二名ハ韓國巡檢二名ト派送セラレシニ彼等ハ安
哥ノ家ニ往カスシテ右ノ如ク夜間ニ空シク李家ヲ侵セシコト判明セルヲ以テ自分ハ卽
地ニ発程シテ鎭南浦ニ往キ探知スレハ則チ淸領事ハ此事ヲ以テ京城公城使[8]ニ報告
シ韓國外部ニ照會スト云フカ故ニ自分ハ更ニ京城ニ往キ其前後ノ事實ヲ擧ケテ外部

---

8 京城公使。

ニ請願セシニ該事件ハ鎭南浦裁判所ニ回付セラレ舒哥ト公判スルニ至リシニ舒哥カ前後ノ蠻行現露シ太タ不利ナルヨリ此ニ淸人ニシテ仲裁ニ入ルモノアリ遂ニ互ニ相和スルニ至レリ

此時ニ當ツテ自分ハ洪神父ト一大競爭ノ事ヲ生セリ卽チ洪神父ニ常ニ敎人ヲ壓制スルノ弊アリ故ニ自分ハ諸敎人ト相議シテ曰ク聖敎會中豈ニ此ノ道理アランヤ我等當サニ京城ニ徃キ閔主敎ノ前ニ請願スヘシ若シ主敎ニシテ聽カスンハ則チ當サニ徃テ羅馬府敎皇ノ前ニ稟シ以テ此ノ如キノ弊ノ除クヲ期スヘシト衆皆ナ諾シテ之ニ從フ偶洪神父此ノ言ヲ聞キ大ニ憤怒ヲ發シ自分ハ爲メニ毆打サルルコト無數故ニ我モ亦忿ヲ含ミシモ而モ辱ヲ忍ヘリ其後洪神父ハ我ヲ諭シテ曰ク暫時ノ忿怒ハ肉情ノ發スルトコロ今之ヲ悔改スルヲ以テ相怒スル若何云々ト自分モ亦答謝シ好ヲ修メ以テ前日ノ情ヲ復セリ

歲去リ月來リ一千九百五年乙巳ニ當リ仁川港灣ニ於テ日露兩國カ東洋一大問題突起ノ初メトシテ砲声ヲ轟振セリトノ書信來レリ洪神父歎シテ曰ク韓國將サニ危カラントスト自分ハ問フテ曰ク何カ故ソ洪曰ク露國ニシテ勝捷スレハ則チ露ハ韓國ニ主タリ日本ニシテ勝捷スレハ則チ日本ハ韓國ヲ管轄セント欲ス豈危ナラスヤ時ニ自分ハ日々新聞雜誌ト各國歷史トヲ考覽シ而シテ已徃現在未來ノ事ヲ推測セリ日露戰爭媾和休息ノ後ニ至リ伊藤博文韓國ニ渡來シ政府ヲ威脅シ五余約ヲ勒定シ三千里ノ江山二千万ノ人心撓乱シテ針盤ニ坐スルカ如シ時ニ我父ハ心神欝憤シテ病氣尤モ重ク自分ハ父ト秘密ニ相議シテ曰ク日露開戰ノ時日本カ宣戰書中東洋ノ平和ヲ維持シ韓國ノ獨立ヲ鞏固ニストアリナカラ今日本ハ其大義ヲ守ラス野心的侵略ヲ恣行ス此都テ日本大政治家伊藤ノ政略ニシテ先ニ勒約ヲ定メ次ニ有誌黨ヲ滅シ後ニ壃土ヲ呑ミ現世國ヲ滅シテ法ヲ新ニセリ若シ連ニ之ヲ圖ラスンハ禍愈大ナラン豈肯テ手ヲ束ネテ策ナク坐ナカラ以テ死ヲ待タンヤ然レトモ今義ヲ擧ケ伊藤ノ政策ニ反対セント欲セハ則チ強弱同シカラスシテ徒死益ナシ現ニ聞ク淸國山東上海等ノ地韓人ノ多數居留セリト我ノ一般家眷モ該処ニ移住シ然ル後以テ先後ノ方策ヲ圖ル若何然ラハ則チ我當サニ先ツ該処ニ徃キ視察シ來ルヘシ父親ハ這間秘密ニ束裝シ以テ家眷ヲ率ヰテ鎭南浦ニ徃キ我還ルノ日ヲ待チ當サニ更ニ之ヲ議行スヘシト此ニ於テ父子ノ計已ニ定ル自分ハ卽地ニ発程シ山東等ノ地ヲ遊歷シタル後上海ニ到リ閔泳翼ヲ尋訪ス守門ノ人門ヲ閉チテ入ルヲ許サス依テ云フテ曰ク大監ハ韓人ヲ見サルカト此日空シク走リ後日ニ三回之ヲ尋訪スルニ亦前日ノ如ク會見ヲ許サス故ニ自分ハ叱シテ曰

ク公ハ韓國人トナリテ韓人ヲ見ス而モ何レノ國ノ人ヲカ之ヲ見ノトスル況ンヤ公ハ韓
國世代國祿ノ臣ナリ此發業ノ時ニ當リ下士ヲ愛スルノ心ナク高枕安臥シテ頓ニ祖國
ノ興亡ヲ忘ル世豈此ノ如キノ義アランヤ今日國家ノ危急ナル其罪都テ公等大官ニ在
リテ民族ノ過失ニアラス故ニ面アタリ愧テ而シテ見サルカト詬辱良々久フシテ以テ歸
リ更ニ又タ尋訪セス其後徐相根ナル者ヲ尋訪シ面會ノ上談話シテ曰ク現今韓國ノ形
勢危ナルコト朝夕ニ在リ何爲レソ則チ好カランヤ其計將サニ安クニ出テントス徐答テ
曰ク公ハ韓國ノ事ヲ我ニ向テ言フ勿レ我ハ一個ノ商民ニシテ幾十万元ノ財政ヲ政府
大官輩ニ奪ハレ是ノ如クシテ身ヲ避ケ此ニ至ル故ニ國家ノ政治ト民人等何ノ關係ア
ランヤ我笑テ以テ答テ曰ク然ラス公ハ但其一ヲ知テ未タ其二ヲ知ラサルナリ若シ人
民ニシテ之ナクンハ則チ國家何ヲ以テ之アラン況ンヤ國家ハ幾個大官ノ國家ニ非
シテ堂々タル二千万民族ノ國家ナリ然ルニ若シ國民ニシテ國民ノ義務ヲ行ハスンハ
豈民權自由ノ理ヲ得ンヤ現今民族世界ニシテ而モ何故ニ獨リ韓國ノ民族ハ甘ンシテ
魚肉トナリ坐ナカラ滅亡ヲ待ツ之レ可ナランヤト徐答テ曰ク公ノ言然リト雖モ我ハ只
商業ヲ以テ糊口スルノミ更ニ政治ノ談話ヲ發スル勿レト我再三發論スルモ毫モ應諾
ナシ此所謂牛耳經ヲ誦ムト一般ナリ天ヲ仰テ長嘆シ自ラ思フテ曰ク我カ韓民ノ志皆
是ノ如シ則チ國家ノ前道思フ可キナリト客榻ニ歸臥シ左思右想慷慨ノ懷禁シ難シ
一日適々天主教堂ニ徃キ祈禱良々久フシテ後門ヲ出テ望見セル際忽チ一位神父前
路ヲ過キ去リヲ首ヲ回ラシテ我ヲ望ミ相見テ相驚テ曰ク汝ハ何故ニ此ニ到ルヤト手
ヲ握リテ相禮ス此乃チ郭神父ナリ(此神父ハ佛國人來ツテ韓國ニ留マルコト多年來教ヲ黃海
道地方ニ傳フ故ニ我ト相親ムコト切今方ニ香港ヨリ歸韓ノ道次ナリ)謂フ可シ眞ニ夢ノ如シト共
ニ携ヘテ旅館ニ歸リ談話ス郭曰ク汝何故ニ此ニ到ルト我答テ曰ク先生ヨ現今韓國ノ
慘狀ヲ聞カサルカト郭曰ク之ヲ聞クコト已ニ久シト我曰ク現狀此ノ如シ勢奈何トモス
ルナシ故ニ已ヲ得ス家眷ヲ伴フテ外國ニ移住シ然ル後在外ノ同胞ト連絡シ而シテ周
ク列國ニ至リ抑冤ノ狀ヲ說明シテ其同感情ヲ得タル後時機ノ至ルヲ待チ一タヒ事ヲ
擧ク豈目的ヲ達セサランヤ郭默然良々久フシ答テ曰ク我ハ宗教ノ傳教師ナリ都テ政
治界ニ關スルナシ然レトモ今汝言ヲ聞ケハ則チ感發ノ情ニ勝ヘス汝ノ爲メニ一方法
ヲ說ケント欲ス幸ニ之ヲ試聽セヨ若シ理ニ合スレハ則チ之ニ隨ヒテ行ヘヨ然ラスンハ
則チ自意ノ如ク之ヲ爲セト我曰ク願クハ其計ヲ聞カント郭曰ク汝カ言是ノ如ク然リト
雖モ此レ但タ其一ヲ知テ未タ其二ヲ知ラサルナリ家眷ヲ外ニ移ス誤計ナリ二千万人
族皆汝ノ如クンハ則チ國內將サニ虛ナラントス此レ直チニ讎ノ欲スル所ヲ致スキノナ

リ我佛國カ德國ト戰爭ノ時兩道ヲ割與ス汝モ亦知ルトコロノモノ今ニ至ル迄四十年間其地ヲ回復スルノ機屢々之アルモ然モ此境ノ有誌黨去ツテ外邦ニ避クルカ故ニ未タ其目ヲ達セス此以テ前轍ト爲スヘク在外ノ同胞ノ言フ処則チ在內ノ同胞ニ比スレハ其思想倍加シ以テ同シク謀ラスンハ慮ルニ足ラサルナリ列強ニシテ若シ汝ノ抑冤ノ說明ヲ聞クアルモ皆曰ク憐ムヘキモノナリト云フニ過キスシテ而モ必ス韓ノ爲メニ兵ヲ動シテ声討スルモノノナキヤ明ケシ今各國已ニ韓國ノ慘狀ヲ知ルモ然モ各自國ノ事ニ紛忘シ都テ他國ヲ顧護スルノ暇ナシ然レトモ若シ後日運到リ時至リテ或ハ日本ノ不法行爲ヲ声討スルノ機アラン今日汝ノ說明ハ別ニ效力ナシ古書ニ曰ク自ラ助クルモノハ天モ助クト汝速ニ國ニ歸ル先ツ汝カ事ヲ務メヨ一ニ曰ク教育ノ発達二ニ曰ク社會ノ擴張三ニ曰ク民志ノ團合四ニ曰ク實力ノ養成此四件ニシテ確實ニ成立セハ則チ二千万ノ心力堅キコト盤石ノ如ク千万門ノ大抱アリテ攻擊スルト雖モ破壞スルコト能ハス此レ所謂匹夫ノ心奪フ可カラスト云フモノ況ンヤ二千万夫ノ心力ヲヤ然ラハ則チ奪ハルルトコロノ壇土ハ形式ノミ勒定スルトコロノ余約ハ紙上ノ空文ノミ元ヨリ虚ニ歸ス此ノ如キノ日快ク事業ヲ成セハ必ス目的ヲ達セシ此策ハ万國通行ノ例ナリ此ノ如ク之ヲ諭セハ自ラ量ツテ之ヲ爲セヨト自分ハ之ヲ聽罷シテ答テ曰ク先生ノ言善シ願クハ之ニ從ツテ行ハント卽地ニ束裝シ汽船ニ塔乘シ鎮南浦ニ歸着セリ

一千九百五年十二月上海ヨリ鎮南浦ニ歸着シ家信ヲ探聞スレハ則チ這間ノ家眷ハ已ニヲ淸溪洞ヲ発シテ鎮南浦ニ到ルノ途中ニ於テ私父ハ病勢尤モ重ヲ加ヘ遂ニ別世ニ長逝セルヲ以テ其靈柩ヲ送リテ淸溪洞ニ葬リシト云フ自分ハ之ヲ聽罷テ痛哭シ氣絶スルコト數回翌日発程シ還ツテ淸溪洞ニ至リ喪ニ服シ齊ヲ守ル幾日ノ後礼畢リ家眷ト共ニ其歲ノ冬ヲ過セリ此時ヨリ心ニ盟ツテ日常ノ酒ヲ斷チ其期限ヲ大韓獨立ノ日迄トセリ

明年春三月家眷ヲ率キテ淸溪洞ヲ離レ鎮南浦ニ移居シ洋屋一軒ヲ建築シ業ヲ安ンスルノ後更ニ家産ヲ傾ケテ學校ヲ二ケ処ニ設立シ一ヲ三興學校ト曰ヒ一ヲ敦義學校ト曰フ校務ヲ擔任シ靑年英俊ヲ教育ス其翌年春ニ至リ或一人ノ者來リ訪ハル其氣ヲ察スレハ則チ偉容軒昂頗道人ノ風アリ其姓名ヲ通スレハ則チ金進士ナリ彼曰クヲ教育ス其翌年春ニ至リ或一人ノ者來リ訪ハル其氣象ヲ察スレハ則チ偉容軒昂頗道人ノ風アリ曰ク其姓名ヲ通スレハ則チ金進士ナリ彼曰ク我素ト君カ父親ト親ミ厚カリシ故ニ特ニ來リ尋ネ訪ヘリト我曰ク先生遠方ヨリ來ル何ノ高見アルカ彼曰ク君ノ氣慨ヲ以テシテ此國勢危乱ノ時ニ當リ何ソ其レ坐ナカラ以テ死ヲ待ツヤト我曰ク何

ノ計カアルト彼曰ク現今白頭山後ノ西北ニアル墾島ト露領海三歳等ノ地ト韓人百余
万人口居留シ而シテ物産豊富以テ武ヲ用ヰルノ地ト謂フ可シ君ノ才ヲ以テ該処ニ住
カハ則チ後日必ス大事業ヲ成サント我曰ク當サニ謹シテヲ教ェルトコロ守ルヘシト言
畢ツテ客ハ相別レテ以テ去レリ此時我財政ノ計ヲ弁セント欲シテ平壌ニ住キ石炭鑛
ヲ開採ス偶々日人ノ阻礙ニ因ツテ損害スルコト數千元此時ニ當ツテ一般韓人ノ発起
セル國債報償會ハ爭フテ之ニ出金セル者多ク偶日本別巡査(刑事巡査)一名來ツテ其
状況ヲ探査シ問フテ曰ク會員ハ幾何ソ財政ハ幾何カ收合セルヤト我答テ曰ク會員ハ
二千万人財政ハ一千三百万円收合シタル後報償セン日人曰ク韓人ハ下等ノ人何ノ為
ス事カアラント我曰ク負債ナルモノハ報債ニシテ給債ハ捧債ニ在リ則チ何ノ不美ナ
ル事アラン是ノ如キ嫉妬ヲ為ス勿レト該日人怒ヲ発シテ我ヲ打ツ我曰ク此ノ如キ無
理ヲ以テ而シテ辱ヲ受ケナハ則チ二千万人族將サニ未タ大多ノ壓制ヲ免レサラント
ス豈肯テ國恥ヲ甘受セント乃チ忿ヲ発シテ相打ツコト無數時ニ傍觀スル者中間ニ入
リ和解ヲナスヲ以テ相別レタリ

　此時一千九百七年伊藤博文韓國ニ來リ七余約ヲ勒定シ光武皇帝ヲ廢シ兵丁ヲ解
散スルヲ以テ二千万民人一齊ニ忿発シ義旅処々ニ蜂起シ三千里江山砲声大ニ振フ
時ニ我ハ急々束装シテ家眷ニ離別シ北墾島ニ向ツテ出発シ該地ニ倒着スレハ則チ
此処モ亦日兵來ツテ駐屯シ都テ接足ノ処ナシ故ニ三朔間各地方ヲ視察シタル後更ニ
去ツテ露領ニ投シ來ツテ煙秋ヲ過キ海三歳ニ到ル此ノ港内韓人四五千人口居留シ
而シテ數ケノ學校アリ又青年會アリ我ハ往テ青年會ニ參セシニ臨時査察ニ選マル時
ニ或一人ノ者許ナクシテ私談スルヲ以テ規ニ依リ之ヲ禁止スレハ則チ其人怒ツテ我
カ耳辺ヲ打ツコト數回諸員之ヲ見テ制止ス我笑ツテ其人ニ謂テ曰ク今日所謂社會ハ
衆力ヲ合スルヲ以テ主ト為ス而モ是ノ如ク相闘フハ豈他人ニ対シ恥ツルトコロニ非ス
ヤ是非ヲ論スル勿ク和ヲ主ト為ス若何ト衆皆善ト稱ス其後耳傷太痛ヲ覺ヘシモ月余
ニシテ治癒セリ此地李範允ナル一人アリ此人日露戰爭前北墾島管理使ニ任セラレ清
兵ノ多數ト交戰セリ日露開戰ノ時露兵ト力ヲ合セテ相助ク露兵敗歸ノ時伴フテ露領
ニ來リ今ニ此処ニ居留スルモノナリ往テ其人ヲ見テ談論シテ曰ク閣下ハ日露戰役ノ
時露ヲ助ケテ日ヲ討ツ天ニ逆フト曰フ可キナリ當時日本ハ東洋ノ大義ヲ擧ケ東洋平
和ノ維持ト大韓獨立ノ鞏固トノ意ヲ以テ世界ニ宣言シタル後露國ヲ声討ス此レ所謂
天ニ順フカ故ニ幸ニ大捷ヲ得タリ若シ今閣下更ニ義旅ヲ擧ケ日本ヲ声討スレハ則チ
是レ天ニ順フトヨフ可キナリ現今伊藤博文自ラ其功ヲ恃ミ妄リニ自ラ尊大ニ傍若無

人ノ如ク驕甚シク惡極マリ君ヲ欺キ上ヲ罔シ蒼生ヲ濫殺シ鄰國ノ誼ヲ斷絶シ世界ノ
信義ヲ排却ス是レ所謂天ニ逆フト謂フ可ク豈能ク久シカランヤ諺ニ曰ク日出テ露消
スルハ理ナリ日盈ツレハ必ラ昃スルモ亦合理ナリ今閣下ハ皇上ノ聖恩ヲ受ケナカラ
而モ此ノ家國危急ノ時ニ當リ袖手傍觀スル可ナランヤ願クハ閣下速ニ大事ヲ擧ケ以
テ時機ニ違フ勿レト李曰ク言フトコロ合理ナリト雖モ然モ財政軍器都テ弁備ナキヲ
奈何ン我曰ク祖國ノ亡フル朝夕ニ在リ然ルニ但タ手ヲ束ネテ坐ナカラ待ツハ則チ財
政軍器將サニ天ヨリシテ之ニ落ントスルカ天ニ應シ人ニ順ヘハ則チ何ノ難カ之有ラン
今閣下心ヲ決シ事ヲ擧クレハ則チ某不才ト雖モ常ニ万分一ノ力ヲ助ケント李範允猶
ホ未タ決セサルナリ此地更ニ兩個ノ好人物アリ一ヲ嚴仁爕ト曰ヒ一ヲ金起龍ト曰フ
兩人頗膽略義俠ナリ衆ニ出ツ我此兩人ト義ヲ結シテ兄弟トナリ嚴ヲ長兄トシ我ハ其
次金ハ第三タリ此ヨリ三人義重ク情厚ク義ヲ擧タルノ事ヲ謀議シ各地方ヲ巡回シテ
多數ノ韓人ヲ尋訪シ演說シテ曰ク譬ヘハ一家ノ中ノ一人其父母ニ別レ他処ニ離居ス
ルコト十余年這間其人ノ家産優ニ足リ妻子堂ニ滿チ明友相親ミ安樂ニシテ慮ナケレ
ハ則チ必ス郷里本國ノ父母兄弟ヲ忘ルルハ自然ノ勢ナリ而シテ或日本國兄弟中ノ一
人來リテ急ヲ告ケテ曰ク方今家ニ大禍アリ乃チ他処ヨリ強盗來到シテ父母ヲ逐出シ
家屋ヲ奪居シ兄弟ヲ殺害シ財産ヲ掠取セリト云ハハ豈之レ痛マシカラス願クハ兄弟
速ニ歸ツテ急ヲ救フコトヲ切望墾請スト此時其人答テ曰ク今我此処ニ居リ安樂ニシ
テ慮ナシ而モ本國父母兄弟何ノ關係アランヤト則チ是レ人類ト曰フ可ケンヤ況ンヤ
傍觀スル者云テ曰ク此人本國ノ父兄ヲ知ラス豈能ク友ヲ知ランヤ必ス爲メニ排斥シ
テ誼ヲ絶タント夫レ親ヲ排シ友ヲ絶ツノ人何ノ面目アツテ世ニ立タンヤ同胞ヨ同胞ヨ
請フ詳カニ我言ヲ聞ケ現今我韓ノ慘狀ナルコト君等果シテ知ルヤ否日本ノ露國ト開
戰スルノトキ其宣戰書ニ曰ク東洋平和ノ維持韓國獨立ノ鞏固ト今日ニ至ツテ此ノ如
キノ重義ヲ守ラス反ツテ以テ韓國ヲ侵掠シ五余約七余約ヲ勒定スルノ後政權ノ掌握
皇帝ノ廢立軍隊ノ解散鐵道鑛産森林川澤奪ハサルトコロナシ官衙ノ各廳民間ノ廣
宅稱スルニ兵站ヲ以テシテ之ニ奪居シ膏沃田畓古旧墳墓稱スルニ軍用地ヲ以テシテ
之ヲ拔掘シ禍白骨ニ及フ其國民タル者其子孫タル者誰カ忿ヲ忍ヒ辱ニ堪ェル者アラ
ンヤ故ニ二千万ノ民族一致ニ憤発シ三千里ノ江山義兵処々ニ蜂起ス噫彼ノ強賊反
テ稱シテ暴徒ト曰ヒ兵ヲ発シテ討伐シ殺戮極テ慘タリ兩年ノ間韓人ヲ害ヲ被ムルモ
ノ十万余ニ至ル壃土ヲ掠奪シ生靈ヲ殘害スル者暴徒カ自ラ自邦ヲ守リ外賊ヲ防禦ス
ル者暴徒カ此所謂賊反ツテ荷杖ノ格ナルモノナリ対韓ノ政略是ノ如ク殘暴ナルノ根

本ヲ論スルハ則チ都テ是レ所謂日本大政治家老賊伊藤博文ノ暴行ニシテ韓民
二千万カ日本ノ保護ヲ受ケ現今太平無事平和日進ヲ願フニ称託シテ上ハ天皇ヲ欺キ
外ハ列強ヲ罔キ其耳目ヲ掩フテ擅リニ自ラ奸ヲ弄シテ爲ササルトコロナシ豈痛忿セ
サランヤ我韓ノ民族若シ此賊ヲ誅セスンハ則チ韓國ハ必ラス滅シ東洋将サニ亡ヒン
トス諸君々々之ヲ熟思セヨ諸君ノ祖國之ヲ忘ルルヤ否親族戚黨之ヲ忘ルルヤ否若シ
之ヲ忘レスンハ則チ此危急存亡ノ秋ニ當ツテ憤発猛醒セン哉根ナキノ木ハ何ニ依ツ
テ以テ生セン國ナキノ民ハ何ニ依ツテ以テ安セン若シ諸君カ外邦ニ居ルヲ以テ祖國
ニ關スルナク頓ニ顧助セサルコトヲ我人ニシテ知ラハ必ス曰ハン韓人等ハ其祖國ヲ
知ラス其同族ヲ愛セス豈能ク外國ヲ助ケ異種ヲ愛スヘケンヤ此ノ如キ無益ノ人種ハ
之ヲ直クモ無用ナリトノ言論沸騰シテ遠カラサル間ニ必ス我國ノ地境ヨリ逐ヒ出サル
ルコト火ヲ睹ルヨリ明カナリ此ノ如ノ時ニ當リ祖國ノ疆土已ニ外賊ニ失シ外國人亦
一致ニ排斥シテ受ケサレハ則チ老ヲ負ヒ幼ヲ携ヘ去ツテ将サニ安クニ之カントスルカ
諸君ヲ波蘭人ノ虐殺黒龍江上清國人ノ惨状聞カサルヤ否若シ亡國ノ人鍾強國人ト
同等ナラハ則チ何ソ亡國ヲ憂ヘン何ソ強國ヲ好マン何レノ國ヲ論スルナク亡國ノ人
種是ノ如ク惨殺虐待セラルルハ避クヘカラサルナリ然ラハ則チ今日我韓ノ人種此ノ
危急ノ時ニ當リ何爲レン則チ好キカ左思右想モ都テ如カス一タヒ義ヲ擧ケ賊ヲ討ス
ルノ外更ニ他ニ法ナキナリ何トナレハ則チ現今韓國ノ内地十三道ノ江山義兵処トシ
テ起ラサルハナシ若シ義兵ノ敗ラルノ日トナラハ噫彼ノ奸賊輩ハ善ト不善ヲ論スル
ナク暴徒ニ称託シテ人々殺サレ家々火ヲ衝カン此ノ如キノ後ニ至リ韓國ノ民族タル者
何ノ面目アツテ世ニ行カンヤ然ラハ則チ今日在内在外ノ韓人ヲ論ナク男女老少ハ銃
ヲ擔ヒ劒ヲ荷ヒ一齊ニ義ヲ擧ケ勝敗ヲ顧ミス快戰一場以テ天下後世ノ恥笑ヲ免ルル
可キナリ若シ戰ヲ惡シトサハ則チ世界列強ノ公論獨立ノ望ナキニ非ス況ンヤ日本ハ
五年ヲ過キサルノ間ニ必ス俄清美ノ三國ト戰ヲ開カン此レ韓國ノ一大期會ナリ此時
ニ當ツテ韓人若シ予メ備ナクシハ則チ日本敗ルト虽モ韓國更ニ他賊ノ手中ニ入ラン
今日ヨリ義兵ヲ繼續シテ絶タス大期失フ勿ク以テ自ラ力ヲ強フシ自ラ國權ヲ復シ獨立
ヲ健全ニスヘシ是所謂爲ス能ハサルモノ万事ノ本能ク爲スモノ万事ノ興本ナリ故ニ
自ラ助クルモノハ天モ助クト云フ請フ諸君ヨ坐ナカラ以テ死ヲ待ツ可ナルカ憤発力ヲ
振フ可ナルカ此ニ彼ニ決心警醒シ熟思勇進センコトヲ伏望ス是ノ如ク説明シテ各地
方ヲ周行シ聞見スルモノ多數服従シ或ハ自ラ出戰ヲ願ヒ或ハ機械ヲ出シ或ハ義金ヲ
出シテ之ヲ助ク此ヨリ義ヲ擧クルノ基礎ト爲スニ足レリ時ニ金斗星, 李範允等皆一致

義ヲ擧ク此人等前キニ總督ト爲リ與ニ大ニ任セラレントスル者ナリ我ハ慘謀中將ノ任
ヲ以テ選ハル義兵軍器等ト秘密ニ輸送シ豆万江近辺ニ會集シタル後大事ヲ謀議ス
此時我発論シテ曰ク現今我等三百人ニ過キス則チ賊強ク我弱ク賊ヲ輕ス可カラス況
ンヤ兵法ヲ百忙ノ中ト雖モ必ラス万全ノ策アラン然ル後大事圖ル可シ今我等一タ
ヒ義ヲ擧ケ成功スル能ハサルヤ明ケシ然ラハ則チ若シ一回ニシテ成ラサレハ則チ二
回三回ヨリ十回ニ至リ百折屈セス今年成ラサレハ更ニ明年ヲ圖リ明年又再明年ヨリ
十年百年ニ至ル可ナリ若シ我代ツテ目的ヲ成ササレハ則チ子代リ孫子代リ必ス大韓
國ノ獨立權ヲ復シ然ル後ニ乃チ己マン然ラハ則チ先進シ後進シ急進シ緩進シ予備
シ後備シ具備シ然ル後必ス目的ヲ達セサルヲ得ス然ラス則チ今日ノ先進師ヲ出ス者
病弱小年等ヲモ合ス可キナリ其次ノ青年等ハ社會民志ノ團合ヲ組織シ幼年ノ教育ヲ
予備シ後備シ各項ノ實業ヲ勤務シ實力ヲ養成シ然ル後大事容易ナラント聞見スル
者多ク不美ノ論アリ之何ノ故ソ此地風氣頑固ナルモノ第一ニ權力アル者財政家第
二ニ強學者第三ニ官職最モ高キ者第四ニ年老者ナリ此四種ノ權中我都テ一モ掌握
ノ權ナシ豈能ク實施センヤ此ヨリ心ニ快ナラス退ニ歸ルノ心アリト雖モ然モ既ニ走
坡[9]ノ勢ヲ爲シ奈何トモスヘキナシ時ニ領軍ノ諸將校ハ隊ヲ分チテ師ヲ出シ豆満江ヲ
渡ル是レ一千九百八年六月日ナリ昼伏夜行シテ咸鏡北道ニ至リ日兵ト數回衝突シ彼
我ノ間或ハ死傷アリ或ハ捕虜者アリ時ニ日本軍人ト商民トノ捕虜トナリシ者ヲ請ヒ來
リ間フテ曰ク君等皆ナ日本國ノ臣民ナリ何故ニ天皇ノ聖旨ヲ承ケサルカ日露開戰ノ
時宣戰書中東洋平和維持ト大韓ノ獨立鞏固ト云ヒナカラ而モ今日是ノ如ク競爭侵掠
スルニ至リテハ豈平和獨立ト謂フ可ケンヤ此レ逆賊強盗ニ非スシテ何ソヤト其人等
洛涙シテ以テ答テ曰ク此レ我等本然ノ心ニ非スシテ已ムヲ得サルニ出テタルヤ明ケ
シ人ノ斯世ニ生ルルヤ生ヲ好シテ死ヲ厭フハ人皆常情ニシテ而モ況ンヤ我等ハ万里
ノ戰場慘トシテ無主ノ冤魂ト作ル豈痛憤セサランヤ今日遭フ所ハ他ニ故アルニアラ
スシテ此レ都テ伊藤博文ノ過ナリ皇上ノ聖旨ヲ受ケス擅ニ自ラ權ヲ弄シ日韓兩國ノ
間貴重ナル生靈ヲ殺戮スルコト無數彼輩安臥シテ福ヲ享ク我等憤慨ノ心アリト雖モ
勢奈何トモスルナク故ニ此境ニ至ル者然モ是レ春秋ニ非ス豈之ナカル可ケン況ンヤ
農商民ノ渡韓スル者尤モ甚タ困難セリ是ノ如ク國弊レ民疲レ頓ト顧念セス東洋ノ平

9　破。

和ハ日本國勢ノ安寧豈敢テ望ムヲ得ンヤ我等死スト雖モ痛恨已マスト言畢テ痛哭絶
ェス我謂テ曰ク我聞ク君等ノ言フトコロ則チ忠義ノ士ト謂フ可キナリ君等今當サニ
放還スヘシ歸リ去ッテ此ノ如キ乱臣賊子ヲ掃滅セヨ若シ又此ノ如キ奸黨アリテ端ナ
ク戰ヲ起シ同族鄰邦ノ間侵害ノ言論ヲ題出スル者アラハ悉ク之ヲ掃除セヨ則チ十名
ニ過キスシテ東洋ノ平和圖ルヘシ公等能ク之ヲ行フヤ否ト其人等湧躍シテ之ニ應諾
ス故ニ卽地放送ス其人等曰ク我等軍器銃砲等ヲ帶ヒスシテ以テ歸ラハ軍律ヲ免レ難
シ何爲レソ好カランヤト我曰ク然ラハ卽地ニ銃砲等ヲ還授セン且ツ謂ッテ曰ク公等
速ニ歸リ去レ虜セラルルノ說口ニ出スナク愼テ大事ヲ圖レト其人等千謝万謝シ以テ去
レリ其後將校等之ヲ聞キ穩カナラス我ニ謂テ曰ク何カ故ニ捕虜賊ヲ放還スルカ我答
テ曰ク現今万國公法ニ捕虜賊兵ヲ殺戮ノ法都テ無ク何ノ処ニ囚ルモ而モ後日賠還ス
況ンヤ彼等ノ言フトコロ眞情発スルトコロノ義談之ヲ放サスシテ何ニカセント諸人曰
ク彼等ハ我等義兵ノ捕虜セシモノ余スナク慘惡殺戮セン況ンヤ我等ハ殺賊ノ目的
ヲ以テ此処ニ來リ風饌露宿スルモノナリ而モ是ノ如ク盡力シテ生擒スル者ヲ放送セ
ハ則チ我等何ヲ爲スヲ目的トスルカト我答テ曰ク然ラス然ラス賊兵ノ是ノ如ク暴行ス
ルコトハ神人ノ共ニ怒ルトコロノモノ而モ今我等モ亦野蠻ノ行動ヲ爲スコトヲ願フモ
ノナランヤ況ヤ日本四千余万人口盡ク滅スルノ後國權ヲ挽回スルノ計ヲナリシヤ彼
ヲ知リ己ヲ知レハ百戰百勝ス今我弱ク彼强シ惡戰ス可カラス當ニ忠行義舉ヲ以テス
ルノミナラス伊藤ノ暴略ヲ聲討シテ世界ニ廣布シ其列强ノ同感情ヲ得テ以テ恨ヲ雪
キ權ヲ復ス可シ此所謂弱ニシテ能ク强ヲ除キ仁ヲ以テ惡ニ敵スルノ法ナリ公等幸ニ
多言スル勿レト曲切之ヲ諭セシモ然モ衆論沸騰シテ服セス將軍中隊ヲ分ケテ遠ク去
ル者アリ其後日兵ノ襲擊ヲ被レ衝突四五時間日既ニ暮レ霖雨暴カニ注キ咫尺弁セ
ス將卒各分散シ多少ノ死生亦判シ難ク勢奈何トモスルナク數十人ト林間ニ宿ス其翌
日六七十名ニ相逢フ其方向ヲニ則チ各隊ヲ分ケ離散シ以テ去ルト云フノミト時ニ衆
人兩日食セス皆飢寒ノ色アリ各圖生ノ心アリ此際ニ當ッテ腸斷チ膽裂ク衆心ヲ慰諭
シタル後村落ニ投シテ麥飯ヲ求メ食シ少シク飢寒ヲ免ル然レトモ衆心服セス紀律ニ
從ハス是時ニ當ッテ是ノ如キ烏合ノ乱衆ハ孫吳諸葛復タ生スト雖モ奈何トモスヘキ
ナシ更ニ散衆ヲ探クノ際適ニ伏兵ニ逢ヒ一タヒ狙擊セラレ余衆分散復タ合スヘキ
難我獨リ山上ニ坐シ自ラ笑テ曰ク愚ナル哉我我ノ如キ輩ト共ニ何事ヲ圖ルヘキカ誰
ヲ怨ミ誰ヲ仇トセン更ニ憤発勇進シテ四方捜探ノ末幸ニ二三人ニ逢ヒ相與ニ議シテ
曰ク何爲レソ則チ好キカ四人ノ議見各同シカラス或ハ曰ク生ヲ圖ルト或曰ク自刎シ

テ以テ死セント或曰ク自ラ現ハレテ日兵ニ捕ハレント我左思右想スルコト良々久フシテ忽チ一首ノ詩ヲ思ヒ吟シテ同志ニ謂テ曰ク(男兒有誌出洋外事不入護難处身望須同胞誓流血莫作世間無義神)ト吟畢ツテ更ニ謂テ曰ク公等皆隱意ニ之ヲ行ヒ我當サニ山ヲ下リテ日兵ト一場ノ快戰ヲナシ以テ大韓國二千万人中一分子ノ義務ヲ盡シ然ル後死スルモ以テ恨ナカルヘシト是ニ於テ機械ヲ携帶シ賊陣ヲ望シテ以テ去ル其中一人挺身出テ來テ我ヲ挽キ執ヘテ痛哭シテ曰ク公ノ意見大ニ誤レリ公ハ但タ一個人ノ義務ヲ思フテ許多ノ生靈及後日ノ多大事業ヲ顧ミサルカ今日ノ事勢都テ死スルモ益ナシ万金ノ如ク重キ一身ヲ以テ豈肯テ草芬ノ如ク棄ツヘケンヤ今日當サニ江東(江東ハ露領ノ地名ナリ)ニ渡歸シ以テ後日ノ好期會ヲ待チ更ニ大事ヲ圖ルヘシ之十分ノ合理何ソ深ク諒セサルヤト我更ニ回思シテ之ニ謂テ曰ク公ノ言甚タ善シ昔楚ノ霸王項羽自ラ烏江ニ刎スルモノ二余件アリ一ハ何ノ面目アツテ更ニ江東ノ父老ヲ見ンヤ一ハ江東小ト雖モ亦以テ王タルニ足ルト発憤シテ烏江ニ自死ス此ノ時ニ當リ項羽一タヒ死シテ天下更ニ項羽ナシ惜マサル可ケンヤ今日安應七一タヒ死シテ世界更ニ安應七ナキヤ必セリ夫レ英雄タルモノ能ク屈シ能ク伸ヒ目的成就ス當サニ公ノ言ニ從フヘシト是ニ於テ四人同行路ヲ尋ヌルノ際更ニ三四人ニ逢フ相謂テ曰ク我等七八人白晝賊陣ヲ衝テ過タル能ハサレハ夜行ニ如カサルナリ其夜霖雨尚ホ息マス咫尺弁シ難シ故ニ彼我路ヲ失シテ離散ス但シ人伴ヲ作シテ同行スルニ三人皆川道路ヲ知ラス營ニ雲霧ノ天ニ滿チ地ヲ覆フテ東西弁セスシテ奈何トモスヘカラサルノミナラス況ンヤ山高ク谷深ク人家都テ無シ是ノ如クナシテ編踏スルコト四五日間一回モ喫飯セス腹ニ食米ナク足ニ鞋ヲ穿タス故ニ飢寒苦楚ニ勝ヘス草根ヲ採ツテ以テ之ヲ食ヒ氈褥ヲ裂テ以テ足ヲ裏ミ相慰メ相護シ以テ行クニ遠ク鷄犬ノ声ヲ聞ク我二人ニ謂ツテ曰ク我當サニ前シテ村家ニ往キ飯ヲ乞ヒ路ヲ聞キ來ルヲ以テ林間ニ隱レ以テ我ノ歸ルヲ待ツヘシト遂ニ人家ヲ尋ネテ以テ去ル此家ハ日兵ノ派出所ナリ日兵火ヲ擧ケ門ヲ出テ來ル我忽チ見テ之ヲ覺リ急ニ身ヲ避ケ還テ山間ニ至リ更ニ二人ト相議シテ逃走ス時ニ氣力乏盡シ精神眩昏シ地上ニ倒ル更ニ神ヲ勵シ天ヲ仰オ祈リテ曰ク死セハ則チ速ニ死セ生クレハ則チ速ニ生クスヘシト祈リ畢テ川ヲ尋ネ水ヲ飲ムコト一腹ノ後樹下ニ臥シ以テ宿ス其翌日二人ハ甚タ苦歎ヲナシテ息マス我之ヲ諭シテ曰ク幸ニ過慮スル勿レ人命ハ天ニ在リ何ソ憂フニ足ランヤ人ニ非常ノ困難アリ然ル後必ス非常ノ事業ヲ爲シ之カ死地ニ陷リ然ル後生ク是ノ如ク心ヲ落スト雖モ何カ益カアラン以テ天命ヲ待ツノミ言大ト雖モ談ハ然リ左右思量スルモ都テ之ヲ奈何トモスルノ方法ナキナク自思之ニ

謂ツテ曰ク昔日美國獨立ノ主華盛頓ハ七八年風塵ノ間ニ許多ノ困難苦楚ヲ忍耐セ
ルハ眞ニ万古無二ノ英雄ナリ我若シ後日事ヲ成サハ必ス當サニ美國ニ往キ特ニ華盛
頓ヲ追想崇拜シ同情ヲ紀念スヘシト此日三人死生ヲ顧ミス白昼人家ヲ尋ネ幸ニ山間
僻村ノ人家ニ逢フ其人ヲ呼ヒ飯ヲ乞フ其主人一碗ノ粟飯ヲ給シテ以テ謂フテ曰ク請
フ君等速ニ去レ昨日此下洞ニ日兵來リテ故ナク良民五名ヲ捕縛シ義兵ニ飯ヲ饋リシ
ニ称托シテ卽時ニ砲殺シ去レリ此処ニモ時々捜索ニ來ルコトアリ速ニ去レト云フヲ咎
ムル勿レト是ニ於テ飯ヲ擁シテ山ニ上リ三人均一ニ分食ス此時絶食已ニ六日間ヲ過
クルカ爲メニ此ノ如キ別味ハ人間更ニ求メ得難キノ味ナリ疑フラクハ是レ天上ノ仙店
ノ料理ナルカト更ニ山ヲ越エ川ヲ渡リ方向ヲ知ラス以テ去リ恒ニ昼伏夜行霖雨息マ
サルヲ以テ苦楚益々甚タシ數日ノ後一夜又一軒ノ人家ニ逢フ門ヲ叩キ主ヲ呼ヘハ主
人出テ來リ我ニ謂曰ク汝ハ必ス是レ露國入籍ノ者ナラン日本兵站ニ押送セント棒ヲ
以テ乱打シ其同類ヲ呼ンテ捕縛セントス此ニ於テ勢奈何トモスルナク身ヲ避ケ躱ヲ
逃レテ以テ去ル適々一隘口ヲ過クルノ際日兵アリ把守セリ黑暗ノ中咫尺ニ相撞ク日
兵我ニ向ツテ放銃三四発然レトモ我幸ヒ免カレテ中ラス急ニ二人ト避ケテ山中ニ入
リ更ニ敢テ大路ヲ行カス但タ山谷ヲ往來スルコト四五日復タ食ヲ得ル能ハス飢寒尤
モ前日ヨリ甚シ是ニ於テ二人ヲ励シテ曰ク兩兄我言ヲ信シ聽ケ世人若シ天地大君大
父天主ニ奉事セスンハ則チ禽獸ミ如カス況ンヤ今日我輩死境ヲ免カレ難シ速ニ天主
耶蘇ノ道ヲ信シ以テ靈魂ノ永生ヲ救フ若何ソ古書ニ云フ朝ニ道ヲ聞キタニ死スルモ
可ナリ請フ兄等速ニ前日ノ過ヲ悔改シ天主ニ奉事シ以テ永生ヲ救フ何是ニ於テ天主
ノ万物ヲ造成スルノ道理至公至義善惡ヲ賞罰スルノ道理耶蘇基督ノ降生救贖ノ道
理ヲ一々說キ且ツ勸メシニ二人ハ之ヲ聽罷シテ願クハ天主教ヲ信奉セント依テ卽チ會
規ニ依リ代洗ヲ授ケ(此レ代理洗禮ノ權)礼ヲ行ヒ畢リテ更ニ人家ヲ探ルニ幸ニ山僻ノ処
ニ一茅屋アリ門ヲ叩キ主ヲ呼フニ少頃ニシテ一老人出テ來リ房中ニ延ヒテ礼畢リ飲
食ヲ求メンコトヲ請フ言罷テ卽チ童子ヲ喚ヒ饌ヲ盛リ來ラシム(山中別味ナシ葉草ト果ヲ
兼ヌ)廉恥ヲ顧ミス飽迠之ヲ喫シタル後神ヲ回シテ之ヲ思フニ大凡十二日ノ間但タ二
回喫飯シテ而シテ命ヲ救フテ此ニ至レリト乃チ主翁ニ向ケ大多ノ感謝ヲナシ前後遭
フトコロノ苦楚一々說話セシニ老人ノ曰ク此國家危急ノ秋ニ當ツテ是ノ如ク困難ス
ルハ國民ノ義務況ンヤ興尽キテ悲來リ苦尽キテ甘來ルト謂フモノ幸ニ多慮スル勿レ
現今日兵処々捜索スル以テ眞ニ道ヲ行キ難シ嘗テ我カ指ス所ニ從ツテ某ヨリ某ニ至
ルハ無慮便利ニシテ豆滿江遠カラス速ニ行テ渡歸シ以テ後日ノ好期會ヲ圖レト我其

姓名ヲ問フニ老人曰ク必スシモ深ク問フ勿レト但タ笑テ以テ答ヘス是ニ於テ老人ニ
謝シテ別レ其指ス所ニ依リ幾日ノ後三人一致ニ無事江ヲ渡リ此ニ纔ニ放心シ一村家
ニ至リ安息スルコト數日始テ衣服ヲ脱シテ以テ之ヲ見ルニ己ニ盡ク朽腐シテ赤身ヲ
掩ヒ難ク虱族極メテ盛ニ其數ヲ計ラス師ヲ出シテヨリ前後日ヲ計レハ則チ凡一個月
半別ニ舍營ナク恒ニ露營シ霖雨息マス這間百般苦楚一々筆ヲ以テ記シ難シ露領烟
秋方面ニ至レハ親友相見ルモ識ラス之復タ旧時ノ容ナキヲ以テナリ故ニ千思万畢シ
若シ天命ニ非サレハ都テ生還ノ道ナシト此ニ留マルコト十數日漸ク治療ノ後海三蔵
ニ至ルニ此地ノ韓人同胞ハ歡迎會ヲ設備シ我ヲ招待ス我固テ辞シテ曰ク敗軍ノ將
何ノ面目アツテ肯レ諸公ノ歡迎ヲ受ケンヤト諸人曰ク一勝一敗ハ兵家ノ常時ナリ何
ノ愧カ之有ラン況ンヤ是ノ如キ危險ノ地ヨリ無事ニ生還ス豈歡迎セサランヤト云フ
更ニ此地ヲ離レテ河発捕方面ニ向ヒ汽船ニ塔乗シ黑龍江ノ上流數千余里ヲ視察シ
或ハ韓人有志家ヲ尋訪シタル後更ニ還テ水淸等ノ地ニ至リ或ハ敎育ヲ勧勉シ或ハ
社會ヲ組織シ而シテ各方面ヲ周行シ一日山谷無人ノ境ニ至ル忽然六七名ノ兇漢輩
突出シ我ヲ捕縛シ其一人謂テ曰ク義兵大將捉ヘ得タリト此時同行セシ數名ノ者ハ逃
走シ去レリ彼等我ニ謂テ曰ク汝何カ故ニ政府ヨリ嚴禁スルノ義兵ヲ敢テ行ヒシカト
我答テ曰ク現今所謂我韓政府ハ形式有ルカ如クナルモ內容ハ則チ伊藤一個人ノ政
府ナリ韓民タル者政府ノ命令ニ服從スルモ其實ハ伊藤ニ服從スルナリト彼輩曰ク再
ヒ多言セハ卽チ打チ殺スヘシト言畢テ手巾ヲ以テ我項ヲ結縛シ白雪ノ中ニ倒シ乱打
スルコト無數我高声ニ叱シテ曰ク汝等若シ我ヲ此地ニ殺セハ或ハ無事ノ如クナルモ
然モ向キニ我全行二人ノ逃レ去ルアレハ此二人必ス徃テ我同志ニ告ケン汝等後日尽
滅シテ余スナシ之ヲ諒シテ以テ行ヘヨト彼等聽罷テ相附耳シテ細語ス此レ必ス我ヲ
殺ス能ハサルノ議ナリト少頃ニシテ我ヲ拿シテ山間茅屋ノ中ニ入リ或ハ毆打スル者
アリ或ハ挽執スル者アリ我乃チ好和ノ説ヲ以テ勧解スルコト無數彼等默然トシテ答
ヘス相謂テ曰ク汝金哥発起ノ事ナレハ汝金哥任意ニ之ヲ行ヒ我等更ニ相關セスト彼
金哥一人我ヲ押シテ山ヲ下リ去ル我一タヒ曉諭シ一タヒ抗拒スルニ金哥ハ理ニ於テ
都テ奈何トモスルナク辞ナクシテ以テ退キ去レリ此等皆一進會ノ余党ニシテ本國ヨ
リ乱ヲ避ケ此ニ來テ居住スルノ輩ナリ適々我カ過クルコトヲ聞キ是ノ如ク行動セル
ニ在リキ我ハ脱シテ死ヲ免ルルコトヲ得親友ノ家ヲ尋訪シテ傷処ヲ治療シ其歳ノ冬
期ヲ過セリ

　其翌年正月(己酉一千九百九年)還テ烟秋方面ニ至リ同志十二人ト相議シテ曰ク我等

前後都テ事ヲ成スナリ則チ他人ノ耻笑ヲ免レ難シ思フニ特別ノ團体ナクンハ何事ヲ
論セス目的ヲ達シ難シ今日我等断指同盟シ以テ跡ヲ表シ然ル後一心團体國ノ爲メ
ニ身ヲ献シ目的ヲ到達スルコトヲ期ス若何ト衆皆諾從ス是ニ於テ十二人各々其左手
ノ薬指ヲ断チ其血ヲ以テ太極旗ノ前面ニ四字ヲ大書シテ曰ク大韓獨立ト書シ畢テ大
韓獨立万歳ヲ一斉ニ三唱シ天ニ誓ヒ地ニ盟ヒ以テ散ス其後各処ニ徃來シ教育ヲ勧
勉シ民志ヲ團合シ新聞ヲ購覧スルヲ以テ務ト爲セリ此時忽チ鄭大鎬ノ書信ニ接ス即
チ徃テ見テ郷里ノ消息ヲ詳聞スルヲ得且ツ家屬率來ノ事ヲ付托シテ以テ歸ル而シテ
春秋ノ間同志幾人ト韓内地ニ渡リ許多ノ動静ヲ察セント欲セシモ運動費ノ弁備路ナ
ク未タ目的ヲ達セス虚シク歳月ヲ送リ已ニシテ初秋九月(即チ一千九百九年九月)ニ到リ
適々烟秋方面ニ留マル一日忽然トシテ故ナク心神憤欝悶々トシテ自ラ鎮定シ難シ乃
チ親友数人ニ謂テ曰ク我今海三葳ニ徃カント欲スト其人曰ク何カ故ニ是ノ如ク期ナ
クシテ卒ニ徃クカ我答テ曰ク我モ亦其故ヲ知ルナシ自然心ヲ腦[10]シ都テ此ニ留マル
ノ意ナシ故ニ去ラント欲ス其人問フテ曰ク今去リテ何レノ日カ還ラントスルカ我無心
ノ中ニ忽チ発言シテ答テ曰ク更ニ還ルヲ欲セスト其人甚タ怪テ以テ之ヲ思ヘハ我亦
答フルトコロノ辞意ヲ覺エサルナリ是ニ於テ相別テ発程シ穆口港ニ至リ適々汽船ニ逢
ヒ(此港汽船一週間或ハ一二回海港ヲ徃來ス)塔乘シテ海三葳ニ至リ聞クニ則チ伊藤博文
將サニ此処ニ來到セントス云々ト巷説浪藉[11]タリ是ニ於テ其事實ヲ確メントシ各様ノ
新文[12]ヲ購覧スレハ則チ哈爾賓到着ノ期眞實ニシテ疑ナキナリ自ラ思フテ暗ニ喜シ
テ曰ク多年願フトコロノ目的今乃チ到達シ老賊我手ニ休セリト然レトモ此ニ至ルノ説
未タ詳カナラス必ス哈爾賓ニ徃キ然ル後事ヲ成セハ疑ナシト即チ程ヲ起サント欲ス
ルモ然モ運動費ヲ得ルノ策ナシ故ニ左思右想ノ上此地ニ居留スル韓國黃海道義兵
將李錫山ヲ尋訪セシニ李氏適々他ニ徃カント束裝門ヲ発セシヲ以テ急ニ之ヲ喚ヒ回
ヘシ來ツテ密室ニ人リ一百元ヲ貸給センコトヲ請フ李氏終ニ肯從セス事此ニ至ル勢
奈何トモスルナク即チ威脅ヲ以テ一百元ヲ勒奪シテ還リ來ル事半ハ成ルカ如シ是ニ
於テ同志人禹德淳ト密ニ事ヲ擧クルノ策ヲ約シ各拳銃ヲ携帯シ即地発程シテ汽車
ニ塔乘シ以テ行ク行ク之ヲ思フニ則チ両人都テ露國ノ言語ヲ知ラス故ニ憂慮スルコ

------

10 惱。
11 狼藉。
12 新聞。

ト少ナカラス途中綏芬河地方ニ到リ柳東夏ヲ訪フテ云フテ曰ク現今我家眷ヲ迎フル
カ爲メニ哈爾賓ニ徃カントスルモ而モ我ハ露語ヲ知ラス故ニ甚タ悶ス君偕ニ徃テ通
弁周旋スル若何[13]ト柳曰ク我モ亦方サニ薬ヲ貿スルカ爲メニ哈爾賓ニ徃カント欲セ
ル際ナレハ則チ偕ニ徃クコト甚タ好シト即地ニ程ヲ起シテ全行シ其翌日哈爾賓ニ至
リ金成白ノ家ニ留宿シ更ニ新聞ヲ見テ伊藤ノ來期ヲ詳知スルコトヲ得タリ其翌日更ニ
南長春等ノ地ニ向ヒ事ヲ擧ケント欲セシニ柳東夏本ト年少ナルヲ以テ即チ其家ニ還
ランコトヲ欲セリ依テ更ニ通弁一人ヲ得ント欲セシニ適々曹道先[14]ニ逢フ家族ヲ迎フ
ルカ爲メニ共ニ南行セヨト云ヘハ則チ曹[15]氏ハ之ヲ許諾セリ其夜又金成白ノ家ニ留
宿ス時ニ運費不足ノ慮アリ故ニ柳東夏ニ托シテ金聖伯ヨリ五十元ヲ貸ラシム柳氏ハ
爲メニ外出中ノ金氏ヲ尋ネテ去レリ我ハ客燈寒塔ノ上ニ獨坐シ暫ラク將サニ行ハント
スルノ事ヲ思ヒ慷慨ノ心ニ勝エス偶一歌ヲ吟シテ曰ク「丈夫処世兮其志大矣雄視天
下兮何日成業時造英雄兮英雄造時東風漸寒兮壯士義熱憤慨一去兮必成目的鼠窃
伊藤兮豈肯比命豈度至此兮事勢固然同胞同胞兮速成大業万歳万歳兮大韓獨立万
歳万々歳大韓同胞」ト吟罷テ更ニ一通ノ書信ヲ認メ海三葳ナル大東共報新聞社ニ付
セント欲ス此ノ意ハ則チ一ハ我等行フトコロノ目的ヲ新聞上ニ公佈スルノ計一ハ柳
東夏カ金成伯ノ許ヨリ五十元金ヲ借リ來ラハ則チ之ヲ還報スルノ計ナリシ書シ終ルト
キ柳氏還リ來レリ而シテ金円借入レノ事成ラサルヲ以テ留宿スルヲ得ス其翌日早朝
禹曹[16]柳ノ三人ト偕ニ停車場ニ徃キ乃チ曹[17]氏ヲシテ南清列車ノ交換スル停車場ハ
何レナリヤヲ駅官ニ詳問セシムレハ則チ蔡家溝ノ地ナリト云フ故ニ禹、曹[18]両人ト柳
氏ニ相別レ列車ニ搭乗シ南向シテ全方面ニ至リ下車シ館ヲ定メテ留宿シ停車場ノ事
務員ニ問フテ曰ク列車毎日幾回來徃スルカ答テ曰ク毎日三回來徃ス今夜特別車哈
爾賓ヨリ長春ニ発送シ日本大臣伊藤ヲ迎フテ再明日朝六時此ニ至ルト云フ此ノ如キ
分明ノ通信ハ前後ニ於テ初メテ聞クノ確報ナリ是ニ於テ更ニ自ラ深算シテ曰ク再明日
上午六時頃ハ姑ラク未タ天明ナラサレハ則チ伊藤ハ必ス停車場ニ下ラス若シ下車ス

---

13 如何。
14 曹道先。
15 曹。
16 曹。
17 曹。
18 曹。

ト虽モ黒暗中ノ視察ハ其眞偽ヲ弁シ難シ況ヤ我ハ伊藤ノ面目ヲ知ラス豈能ク事ヲ挙
ケン更ニ前ンテ長春等ノ地ニ往カント欲スルモ則チ路費足ラス何爲レソ則チ好キカ
左思右想心甚タ悶欝タリ適々柳東夏ニ打電シテ曰ヘラク我等此処ニ下車セリ若シ緊
急ノ事アラハ則チ打電センコトヲ望ムト黄昏ニ至リ答電來到セルモ其文意分明ナラ
ス故ニ更ニ疑訝ヲ加フルコト少ナカラス其夜十分深諒シ更ニ良策ヲ算シ其翌日禹氏
ト共ニ相議シテ曰ク我等ノ此処ニ合宿スルハ策ニアラス一ハ曰ク財政不足二ハ曰ク
柳氏ノ答電甚タ疑ハシ三ハ曰ク伊藤明朝未明ニ此ヲ過ク則チ事必ス行ヒ難シ若シ明
日ノ期會ニ失セハ則チ更ニ事ヲ圖リ難シ然ラハ則チ今日君ハ此処ニ留リ以テ明日ノ
期会ヲ待チ機ヲ見テ動作セヨ我ハ哈爾賓ニ還リ去リ以テ両処ニ事ヲ擧クレハ十分便
利ナリ若シ君ニシテ事成ラサレハ則チ我必ス事ヲ成サン若我ニシテ事成ラサレハ則
チ君必ス事ヲ成セ若シ両処ニ於テ都テ意ノ如クナラサレハ更ニ運動費ヲ弁備シ更ニ
相議シテ事ヲ擧ク此ノ万全ノ策ト爲ス可シ是ニ於テ相別レ或ハ列車ニ塔乘シ哈爾賓
ニ還リ更ニ柳東夏ニ逢フテ曩キノ答電ノ文意ヲ問フニ其答辞モ亦明カナラス故ニ我
ハ怒シテ之ヲ責メシニ柳氏ハ抗セスシテ門ヲ出テ去レリ其夜聖伯ノ家ニ留宿シ其明
朝早起盡ク新鮮ノ衣服ヲ脱シ温厚ナル洋服ニ換ヘ短銃ヲ携帶シ即チ停車場ニ向テ
去ル時ニ午前七時頃ナリシ時ニ停車場ニハ露國將官,軍人ト多数來テ伊藤ヲ迎フル
ノ準備ヲナシツツアリ或ハ賣茶店中ニ坐シ茶ヲ喫スルコト二三杯ニシテ之ヲ待ツ已
ニシテ九時頃ニ至リ伊藤ノ塔乘セル特別汽車來着セリ我ハ茶店ニ坐シテ其動靜ヲ
窺ヒ自ラ思フテ曰ク何ノ時ニ狙擊セハ則チ好キカト未タ十分ニ思量ノ決セサル際少
時ニシテ伊藤ハ下車シタルヲ以テ各軍隊敬礼軍樂ノ声空ニ飛ヒ耳ニ灌ク此時ニ當ツ
テ忿気突起シ三千丈ノ業火ハ脳裏ヲ衝テ出テタリ何カ故ニ世態ハ是ノ如ク公ナラサ
ルカ嗚呼隣邦ヲ強奪シテ人名ヲ殘害スル者ニ対シテ此ノ如ク欣躍シテ少シモ忌憚ナ
ク故ナク仁弱ノ人種ハ反ツテ是ノ如ク困ニ陥ルカト即チ踏步湧進シテ軍隊列立ノ後
ニ至リ之ヲ見レハ則チ露國一般ノ官人護衛シ來ルノ際ニシテ其前面ナル一個黄面白
鬚ノ小翁ハ是ノ如ク沒廉ニシテ敢テ天地ノ間ヲ行クハ想フニ必ス是レ伊藤ノ老賊ナラ
ント即チ短銃ヲ拔キ其右側ニ向ヒ快射スルコト四発ノ後之ヲ思ヘハ則チ十分疑訝ノ
脳ニ起ル者アリ乃チ我本ト伊藤ノ面貌ヲ知ラサレハナリ若シ一タヒ誤中セハ則チ大
事狼狽セント遂ニ復タ後面ノ日人團体中偉容最モ重キ前面ノ先行者ニ向ツテ更ニ目
表ヲ爲シ連射スルコト三発ノ後更ニ思フニ若シ誤ツテ無罪ノ人ヲ傷ケナハ則チ事必
ス美ナラスト停止思量スルノ際露國憲兵來ツテ捕捉セラル時ニ一千九百九年陰九

142

月十三日上午九時半頃ナリキ其時卽チ天ニ向ツテ大韓万歳ヲ大呼スルコト三タヒノ
後拿シテ停車場憲兵分派所ニ入リ全身檢査ノ後小時ニシテ露國檢察官ハ韓人通訳
ト來リテ其姓名及何ノ國何ノ処ニ居住シ何ノ処ヨリ來リテ何ニ因ツテ害ヲ伊藤ニ加
ヘタルカノ故ヲ問フモ其通弁韓人ノ韓語ハ詳解ナル能ハサリシ此時此時写真撮影ス
ル者三四回アリテ午後八九時頃露國憲兵將官ハ我ト馬車ニ搭乗シ不知ノ方向ニ去
リシカ遂ニ日本領事舘ニ到交付シテ去レリ其後二回フ審問ヲ受ケ第四五日ノ後溝淵
檢察官來到シテ更ニ審問ヲ爲ス前後ノ歴史細々供述ニアリ以下略ス

一千九百十年庚陰二月初五日

戌陽三月十五日旅順獄中

大韓國人安重根

143

東洋平和輪序

夫合成散敗, 萬古常安之理也, 現今世界東西分球, 人種各殊, 互相競爭, 如行茶飯研究利器, 甚於農商, 新發明, 電器砲飛行船, 浸水艇皆是, 傷人害物之機械也, 訓練青年, 驅入于戰役之場, 無數貴重生靈, 棄犧牲血川肉地, 無日不絶, 好生厭死, 人皆常情, 清明世界, 是何光景, 言念及此骨寒心冷, 究其末本則, 自古, 東洋民族但務文學而, 謹守自邦而已, 都無侵奪毆洲寸土尺地五大洲上, 人獸草木, 所共知者地而, 挽近數百年以來, 歐洲列邦, 頓忘道德之心, 日事武力, 養成競爭之心小無忌憚中, 俄國大極甚焉, 其暴行殘害, 西歐東亞, 無處不及, 惡盈罪溢, 神人, 共怒故天賜一期使東海中, 小島日本, 如此強大之露國, 一擧打倒於滿洲大陸之上, 孰就能度量乎此順天得地, 應人之理也.當此之時, 若韓清兩國人民, 上下一致, 欲報前日之仇讐, 排日助俄則, 無大捷, 豈能足算哉, 然而韓清兩國人民, 考無如此之行動不啻反以歡迎日兵, 運輸治道, 偵探, 等事, 忘努專力者, 何故, 有二大件事, 日露開戰之時, 日皇宣戰書, 東洋平和由持, 大韓独立, 鞏固云, 如此大義, 勝於青天白日之光線, 故, 韓清人士, 勿論智愚, 一致同心, 感和服從者, 一也, 況, 日露開伏, 可謂, 黃白人種之競爭故, 前日仇讐心情, 一朝, 消散, 反成一大愛種黨, 此亦人情之順序矣, 可謂合理之一也, 快哉, 壯哉, 數百年來, 行惡, 白人種之先鋒, 一鼓大破, 可謂, 千古稀罕事業, 滿邦紀念表蹟也, 時, 韓請兩國有志家, 不謀以同以同樣表不自勝者, 日本政畧, 順序, 就緒東西球天地肇判後, 第一等魁傑之大事業, 快違之樣, 自度矣, 噫, 千千萬萬料外, 勝捷凱旋之後, 最近最親, 仁弱同種韓國靭壓定約, 滿洲長春以南, 托借곳居故, 世界一般人腦疑雲忽起, 日本之偉大聲名正大功勳, 一朝變遷尤甚於蠻行之露國也, 嗚呼, 以龍虎之威勢, 豈作蛇描之行動乎, 如此, 難逢之好期會, 更求何得, 可惜可痛也, 至於東洋平和, 韓國獨立之句語, 已經過於天下萬國人之耳目, 信如金石, 韓清兩國人, 捺章於肝腦者矣, 如此之文字思想, 雖天神之能力, 卒難消滅, 況一二個人智謀, 豈能抹殺耶, 現今西勢東漸之禍患,

東洋人種一致團結, 極力防禦, 可爲第一上策, 雖尺童瞭知者也.而何故, 日本, 如此順然之勢, 不顧, 同種鄰邦, 剝割, 友誼頓絶自作蚌鷸之勢, 若待溧人耶, 韓清兩國人之, 所望, 大絶且斷矣, 若政略不改, 逼迫, 日甚則, 不得已, 寧亡於異族, 不忍受辱于同種, 議論湧出於韓清兩國人之肺腑, 上下一體, 自爲白人之前驅, 明若觀火之勢矣.然則, 惡東幾億萬, 黃人種中, 許多有志家, 慷慨男兒, 豈肯袖手傍觀, 坐待東洋一局之, 黑死慘, 狀可乎, 故東洋平和義戰開伏於哈爾賓, 談判席, 定于旅順口後東洋平和問題, 意見, 提出, 諸公眼, 深察哉。

一千九百十年庚戌二月
大韓國人安重根言于旅順獄中

東洋平和論目錄

東洋平和論

安重根著

前鑑

自古及今, 無論東西南北之洲, 難測者大勢之飜覆也, 不知者人心之変遷也, 向者甲午年, 日清戰役. 論之則, 其時朝鮮國鼠竊輩, 東學黨之騷擾, 因緣, 日清兩國動兵渡來, 無端開戰, 互相衝突, 日勝清敗乘勝長驅, 遼東半都, 兵領, 要險旅順陷落, 黃海艦隊, 擊破後, 馬関, 談判, 開設, 條約締結, 臺灣一島, 割讓, 二億賠金, 定欵, 此謂日本維新後, 一大紀蹟也, 清國, 物里地大, 比於日本, 足可爲數十倍而, 何故, 如是見敗耶, 自古, 清國人, 自称中華大國, 外邦, 謂之夷狄, 驕傲極甚, 況權臣

戚族, 擅弄國權, 臣民結讐, 上下不知, 故如是逢辱者也, 日本, 維新以來, 民族, 不睦, 競爭不息矣, 及其外交競爭, 既生之後, 同室操戈之変, 一朝和解混成聯合, 作成一塊愛國黨故, 如是奏凱者矣, 此死謂, 親切之外人, 不如競爭之兄弟也, 此時, 露國行動, 記憶哉, 當日, 東洋艦隊, 組織, 法德兩國, 聯合, 横濱海上, 大抗論, 提出, 遼東半島, 還付於淸國, 賠金除減觀其外面的擧措, 可謂天下之公法, 正義, 然, 究其內容則, 甚於偉狼之心術也, 不過數年, 敏滑手段, 旅順口, 租借後, 軍港, 擴張, 鐵道, 建築, 推想事根則, 露人, 數十年以來, 奉天以南, 大連旅順牛莊等地, 溫港一處, 勤取之欲, 如火如潮, 然莫敢下手者, 淸國, 一自英法兩國, 來侵天津以後, 關東各鎭, 新式兵馬, 多大設備故, 不敢生心但流涎不息久待期會矣, 伊時, 通中其業也, 當此時, 日本人, 其眼有志者, 孰不傷肚, 盡裂哉, 然, 究其理由則, 此都是, 日本之過失也, 此所謂有孔生風, 自伐以後, 他人伐之, 若, 日本不先侵犯于淸國則, 露國, 安敢如是行動耶, 可謂自斧傷足矣, 自此以後, 中原一局, 各般社會, 言論沸騰, 故戊戌改變, 自然釀成, 義和團猖起, 排日斥樣之禍, 大熾故, 八國聯合軍, 雲集于渤海之上, 天津陷落, 北京侵入, 淸帝, 播遷于西安府, 軍民間傷害, 至於數百餘萬人, 金財貨之換害, 不計其數, 如此之慘禍, 世界上, 罕有之却会, 東洋一大羞恥, 不管, 將來, 黃白人種, 分裂競爭, 不息之始兆也, 豈不警歎哉.此時, 露國軍隊十一萬, 稱托鐵道保護, 駐屯於滿洲上, 終不撤還.故, 駐俄京日本公使栗野氏唇舌, 盡弊然, 露國政府, 聽若不聞, 不啻, 反以, 添兵矣, 噫, 日露兩國間, 大慘禍, 終不免之, 論其根固則, 究竟何歸于, 是足爲東洋, 一大前轍也, 當時, 日露兩國, 各出師於滿洲之際, 露國, 但以西伯利亞鐵道八十萬軍備輪出, 日本渡海越國, 四五軍輜重粮拘水陸兼進, 入送于遼河一帶, 雖有定算云, 然豈不危險哉, 決非萬全之策, 眞可謂浪戰也, 觀其陸軍之作路則, 韓國各海口, 與盛京金州灣等地, 下陸則, 這間四五千里, 水陸之困苦, 不言可知也.此時, 日兵辛有連勝之利, 然鹹鏡道猶未過, 旅順口如不破, 奉天尚未捷之際, 若韓國官民間, 一致同聲, 乙未年日本人, 韓國明聖皇後閔氏, 無故弑殺之仇讐, 當此可報飛檄西方, 鹹鏡平安兩道之間, 露國兵馬, 交通出其不意, 往來衝突, 淸國亦上下協同, 前日義和團時行動如一甲午年之舊讐, 不可不報, 北淸一帶, 人民暴動, 窺察虛實, 攻其無備之說, 提出, 蓋平, 遼陽方面, 遊才襲擊進戰退守則, 日兵大勢, 南北分裂服背侵敵, 困忘垓心之款難免矣, 若到如此之境則, 旅順奉天等地, 露國將卒, 銳氣騰騰, 氣勢倍加前邊後應, 左沖右突則, 日兵之勢力, 首尾不及, 輜重粮拘從給之策, 尤極罔涯矣, 然則, 山縣乃木氏

之謀署必作爲有之境矣, 況是此之時, 淸國政府, 主權這等野心, 暴發, 舊仇不可報
酬而, 時不可失也, 可謂萬國公法, 與嚴正中立等說, 皆是挽近外交家之狡猾巫術
則, 不足可道, 兵不厭詐, 出其不意, 兵家妙算等云云, 官民一體無名出師, 排日之
狀熊, 極烈慘毒則, 東洋全局, 百年風雲當, 何如哉.若如此之境, 歐洲列強, 可謂辛
得機械會, 各其爭先出師矣, 時英國, 當印度香港, 等地所駐, 水陸兵馬, 并進, 來
集于威海衛方面, 必以強勁手段, 淸國政府, 交涉質問矣, 法國, 西貢, 加達馬島, 陸
軍與軍船, 一時, 指揮会留, 於廈門等地矣, 美德義澳葡希等國, 東洋巡洋船隊, 聯
合于渤海上, 合同條約, 預備, 均霑利益, 希望矣, 然則, 日本, 不得不全國軍額與
傾國財政, 罔夜租錢後, 滿韓等地, 道向輪送矣, 淸國, 飛檄四方, 滿洲與山東河南
荊襄等地, 軍律己, 義勇兵, 急急召集, 龍戰虎鬪之勢, 一大風雲, 做出矣, 若如此
之勢, 當之則東洋之慘狀, 不言可想業, 此時, 韓淸兩國, 反不如, 是, 不啻遵守約
長, 毫發不動, 乃使日本, 偉大功勳, 建立于滿洲之上, 由此觀之則, 韓靑兩國, 人土
之開明成都, 與東洋平和之希望的精神, 於足可知矣, 然則, 東洋一般有志家, 一大
思量, 可誠後日也, 伊時, 日露戰役, 結局末判之講和條約, 成立之前後, 韓淸兩國,
有志人之, 許多所望, 大絶且段矣, 當時, 日露兩國之戰勢, 論之則, 一自開伏以後,
大小交鋒數百次, 露兵連戰連敗, 傷心若膽望風以走, 日兵, 百戰百勝, 橙生長驅動
近浦塩斯德, 北臨哈爾賓, 事勢到此不可失機也, 既是舞場之勢則, 雖蕩盡全國之
力, 若一二個月間, 死力進攻澤, 東拔浦塩斯德, 北破哈爾賓, 明若觀火之勢矣, 若
然之則, 露國之百年大計, 一朝, 必作土崩瓦解之勢矣, 何故, 不此之爲, 反以區區
密密, 先請媾和, 而不成斬草除根之策, 可謂歎惜之處業, 況日露談判論之則, 既是
媾和談判之地, 議定, 天下何當華盛頓, 客乎, 当日形勢言之, 美國, 雖日中立而, 無
偏僻之心云, 然禽獸競爭, 悠有主客之勢, 況人種競爭乎, 日本戰勝之國, 露國戰敗
之國, 則日本, 何不從我素志以定之矣, 東洋, 足無可合之地然耶, 小村外相, 苟且
委往于數萬裏外華盛頓, 合約結定之時, 樺太島半部, 入于罰欵之事, 容或無怪然,
至於韓國, 添入于其中, 名稱優越勸有之云, 可謂無據失当者.昔日, 馬關之時, 本是
韓國淸國之屬邦故, 談約章中, 干涉必有矣.然, 韓露兩國間, 初無関系而, 何故, 挪
入扵談約章中乎, 日本, 對扵韓國, 既有大欲則, 何不自己手段, 自由自行而, 如是添
入于, 歐羅巴, 白人種之約章之中, 以作永世之問題乎, 都是沒策之事也.且美國大統
領, 已爲仲裁之主則, 若韓國, 處在於歐美之間, 仲裁主, 必是大警小怪, 以愛種之
義萬無應從之理矣, 且以狡猾手段, 籠酪小村外相, 但以若干海島地段, 與破船鐵

道等, 殘物, 排列賠償而鋸額, 罰金, 全廢矣, 若此時, 日敗, 露勝, 談判席, 開催於
華盛頓則, 對扵日本徵出賠償, 豈可如此畧小乎, 然則, 世事之公不公, 推此可知而,
此無他故.昔日, 露國, 東侵西伐, 行爲痛憎故, 歐美列強, 各自嚴正中立, 相不救助
矣.既是, 逢敗扵黃人種後, 事過結局之地, 豈無同種之誼哉, 此人情世能, 自然之
勢也, 噫故, 不顧自然之刑勢, 刹害同種鄰邦者, 終爲独夫之環, 必不免矣.

안응칠

귀보의 논설에 인심이 단흡ᄒ여야 국권을 흥복ᄒ겠다는 귀절을 닑으믹 격절흔 ᄉ연과 고상흔 의미를 깁히 감복ᄒ여 쳔견박식으로 흔ᄌ글을 부치나이다

대뎌 ᄉ름이 텬디만물 즁에 가장 귀흔 것은 다름아니라 삼강오륜을 아는 ᄭ둙이라. 그런고로 ᄉ름이 셰상에 쳐ᄒ믹 뎨일 몬져 힝홀 것은 ᄌ긔가 ᄌ긔를 단흡ᄒ는 것이오

둘재는 ᄌ긔 집을 단흡ᄒ는 것이오, 셋재는 ᄌ긔 국가를 단흡ᄒ는 것이니 그러흔즉 ᄉ름마다 ᄆ음과 육신이 련흡ᄒ여야 능히 싱활홀 것이오. 집으로 말ᄒ면 부모쳐자가 화흡ᄒ여야 능히 유지홀 것이오. 국가는 국민상하가 샹흡ᄒ여야 맛당히 보전홀지라

슯흐다. 우리나라가 오늘날 이 참혹흔 디경에 니른 것은 다름 아니라 불흡 병이 깁히 든 연고로다

불흡 병의 근원은 교오병이니 교만은 만악의 ᄲ리라. 셜혹 도적놈도 멧치 흡심ᄒ여야 타인의 지산을 탈취ᄒ고 잡긔군도 동류가 잇서야 남의 돈을 ᄶ앗ᄂ니 소위 교만흔 ᄉ름은 그러치 못ᄒ여 ᄌ긔보다 나은 쟈를 싀긔ᄒ고 약흔 쟈를 릉모ᄒ고 긋ᄒ면 다토ᄂ니 엇지 흡홀 수 잇스리오 그러나 교오병에 약은 겸손이니 만일 긔긔인이 다 겸손을 쥬쟝ᄒ여 흥ᄉ ᄌ긔를 낫쵸고 타인을 존경ᄒ며 쳑ᄆ훔을 참아밧고 잘 못흔 이를 용셔ᄒ고 ᄌ긔의 공을 타인에게 돌니면 금수가 아니어든 엇지 셔로 감화치 안으리오 옛날에 엇든 국왕이 죽을 ᄭ에 그 ᄌ손을 불너 모흐고 회ᄎ리나무 흔뭇을 헤쳐주며 각각 흔 긔식 ᄭ게ᄒ믹 긔긔히 잘 부러지는지라 다시 분부ᄒ여 흡ᄒ여 묵거노코 ᄭ그라ᄒ믹 아모도 능히 ᄭ지 못ᄒᄂ지라 왕이 굴ᄋ딕, "뎌것을 보와라 너희가 만일 나 죽은 후에 형뎨간 산심되면 ᄂᆷ에게 용이히 ᄭ길것이오 흡심ᄒ면 엇지 ᄭ길길빅 되리오 ᄒ엿다ᄒ니 엇지 우리동포는 이 말을 깁이 싱각지 안으리오 오늘날 우리동포가 불흡 흔 탓으로 삼쳔리강산을 왜놈에게 ᄶ앗기고 이 디경 되엿도다 오히려 무엇이 부족ᄒ여 엇더한 동포는 무삼심쟝으로 닉졍을 졍탐ᄒ여 왜적에게 쥬며 충

의흔 동포의 머리를 버혀 왜적에 받치는고 통지 통지라 분홈이 쳘뎐흐여 공즁에 소사 고국 산쳔 바라보니 익미흔 동포의 죽는 것과 무죄흔 조션의 빅골파는 쇼리 참아 듯고볼 수 업네 여보 강동 계신 우리 동포 쟘을 쎄고 졍신 차려 본국 소식 드러보오 당신의 일가 친쳑 대흔쌍에 다 계시고 당신의 조상 복골 본국강산 아니잇소 나무쌕리 싣어지면 가지가 셩실흐며 조상 친쳑 욕을 보니 이 늄몸이 영화될가 비나니다 여보시오 우리 동포 즈금이후 시쟉흐여 불흅 이즈 파괴흐고 단흅 이즈 급셩흐여유치즈 질 교육흐고 로인들은 뒤ㅅ빅보며 쳥년형뎨에 결ㅅ흐여 우리국권 어셔 봇비 회복흐고 태극긔를 놉이 돈후에 쳐자권쇽 거나리고 독립관에 재회흐여 대흔뎨국 만만셰를 륙딗부쥬 혼동흐게 일심단톄 불너보세.[1]

---

1 「긔서」, 『해조신문』1908년 3월 21일.

(三) 第三十一號　隆熙二年戊申二月十九日　海朝·新報　大韓每日二年三月二十一日

◎긔셔 寄書

안응칠

국가 들 단합 홍 것 이니 그히 잘 부러지 는지라 다시 단합 이 굿 금 셕 ㅎ 여 유치 ㅈ 려 홍 쥬 사 돈이나 ㅁ 용 과 부 부 ㅎ 여 홍 곤 ㅎ 고 노 로 잇 둔 온 뒤 ㅅ 빅 신 이 런 홍 ㅎ 여 야 슈히 셕 그 랑 ㅎ 니 아 모 도 눗히 비 보 며 쳥 년 형 뎨 결 ㅅ 홍 ㅎ 면 셩 츙 심 이 오 집 이 ㅁ 난 ㅎ 여 진 ㅈ 못 홍 눈 ㅈ 라 왕 이 갈 오 우리 국 권 어 셔 빗 비 회 복 ㅎ 능 히 유지 홍 것 이 오 국 가 ㅁ 난 이 나 죳 온 후 에 형 뎨 ㅊ 조 션 이 ㅁ 안 ㅎ 여 야 ㅅ 산 심 되 면 눔 ㅎ 여 져 회 ㅎ 며 대 ㅎ 독 립 관 ㅎ 여 독 립 관

당 히 보 젼 홍 지 라 셕 길 긔 이 오 홈 심 홍 여 엇 지 을 튜 더 부 쥬 혼 동 ㅎ 게 일 잇 츅 홍 다 우 리 나 라 가 오 눌 날 녀 ㅎ 는 것 엇 지 우 리 동 포 는 심 단 데 붓 녀 보 셰

이 참 혹 혼 디 경 에 너 르 는 것 되 온 다 음 아 나 라 봉 홍 병 의 심 각 ㅈ 안 으 리 오

봉 홍 병 의 군 원 은 교 오 병 으 로 삼 쳔 리 강 산 을 왜 놈 의 핍 만 은 단 약 외 쌔 앗 기 고 이 디 경 되 니 리 에 게 오 ㅎ 려 무 엇 이 부

온 자 든 시 긔 흐 고 약 자 꿈 홍 이 로 다 로 소 사 고 국 산 천 바 라 보 니 ㅎ 야 다 인 외 지 산 을 락 ㅈ 스 여 엇 다 혼 동 포 는 무 ㅊ 흥 고 다 인 외 지 산 을 등 포 의 쥭 눈 것 과 ㅊ 먼 고 ㅊ 인 은 낫 초 고 인 은 무 퇴 되 ㅁ 민 초

잇 써 야 남 의 돈 을 쌔 앗 느 녀 왜 젹 에 게 쥬 며 춍 의 혼 쎔 ㅎ 여 잡 기 군 도 못 ㅎ 야 삼 신 ㅈ 으 로 니 젼 ㅎ 쟁 압 홍 ㅎ 며 ㅊ 혼 고 교 오 병 에 그 동 포 의 머 리 들 버 히 ㅎ 여 가 쳘 홍 ㅎ 녀 쳑 가 아 니 여 든 엇 지 ㄴ 러 치 못 ㅎ 야 ㅈ 기 보 다 너 소 위 교 민 혼 사 룸 은 그 동 포 의 머 리 들 버 히 ㅁ 러 홍

귀 모 돈 션 에 인 신 이 단 ㅎ 음 은 ㅎ 여 국 권 을 홍 복 홍 겟 다 는 혼 자 든 시 긔 흐 고 약 자 는 ㄴ 러 치 못 ㅎ 야 ㅈ 기 보 다 너

여 국 권 을 홍 복 홍 겟 다 는 귀 졀 은 남 의 겨 젼 홍 소 ㅎ 여 로 졍 혼 홍 ㅎ 음 은 혼 엇 지 혼 동 포 는 아 니 리 오 우 리 동 포 는

언 과 고 샹 홍 외 미 든 김 히 던 연 고 로 다 다 로 소 사 모 도 시 고 잇 스 ㅁ 민 은 감 독 ㅎ 야 쳐 ㅂ 박 심 으 로 훈 김 숙 혼 류 쟝 홍 ㅎ 음 은 감 독 ㅎ 야 쳐 ㅂ 박 심 으 로 훈

대 대 사 둔 이 던 더 민 동 줌 에 오 그 러 나 교 오 병 에 죤 들 세 고 ㅈ 신 차 려 본 국 소 당 히 부 쳐 나 니 다 잇 셔 야 남 의 돈 을 쌔 본 국 소

ㅈ 군 혼 부 ㅊ 나 니 다 ㅈ 긴 홍 홍 며 ㅊ 임 홍 음 으 로 잇 써 야 남 의 돈 을 쌔 일 가 죤 을 세 고 ㅈ 신 차 려 일 가

여 야 국 고 샹 홍 외 미 든 잘 못 홍 이 쯤 용 셔 ㅎ 고 ㅊ 긴 ㅈ 신 의 일 가 룸 은 그 동 포 의 머 리

가 장 귀 혼 것 은 다 ㄴ 아 니 라 나 의 공 을 라 인 에 게 돈 니 며 ㅊ 쳑 대 한 쟉 에 게 시 고 당 신 의 조 상 빗 골 본 국 고 부 슈 업 네 여 대 다 사 둔 이 던 더 민 동 줌 에

그 런 고 로 사 둔 이 ㅂ 어 ㅊ 든 엇 지 당 신 의 조 상 빗 골 본 국 고 부 슈 업 네 여 산 ㅈ 오 혼 것 은 다 ㄴ 아 니 라 로 감 화 ㅎ 며 안 으 로 옛 날 ㅁ 가 이 셩 샹 ㅎ 며 조 샹

쳐 홍 이 ㅁ 일 몬 셔 ㅂ 죵 홍 것 은 쥰 으 쌔 에 쳔 쳑 용 홍 ㅎ 야 우 리 동 포 조 곰 이 라 치 가 ㅈ 긔 룰 ㅂ 죵 홍 눈 긔 그 죠 샹 은 분 닌 모 도 회 영 화 눈 가 ㅂ 나 이 다 너 비 몸 이

이 오 돈 젼 눈 ㅈ 긔 쥬 홍 단 쳔 리 나 무 혼 죵 운 혜 게 슈 며 우 리 동 포 ㅈ 곰 이 ㅎ 후 시 쟉 '홍 홍 눈 것 이 오 셋 져 논 ㅈ 긔 각 각 혼 긔 셕 게 홍 미 기 기 ㅎ 녀 불 홍 이 굿 파 괴 홍 고

(2)

此試向十餘次、順送一般、都無錯誤、南見者、無不稱

善、謂之仙童、自此名譽播著遠近、中年、登科進士娶

趙氏作配、生三男一女、一曰童根(狛)二曰根❌三恭根

世一千八百七十四年(甲)閒、往留於京城矣、時、朴泳

孝廿、深慮國勢之危亂、欲為革新政府、開明國民選定

英俊青年七十人、將欲派遣外國遊學(私文)亦為被

選矣、烏呼、政府奸臣、搆誣朴氏欲為反逆黨、兵捕

捉時、朴氏逃走於本國、同志者張學生等、或被殺戮、

或被捉遠謫(私文遷身逃躱、歸隱於鄉末、與其父、相

議曰、國事、將日非矣、富貴功名、不足圖也、一日、都不

如、早歸棲山、晰雲釣月、以終身世、盡賣家產、整理錢財、

政準備車馬、統率家眷、凡七八十人口、移居于信川

2

郡清溪洞山中地形險俊、田畓倶備、山明水麗、可謂
別有天地也、(3)時年六七歲也、依賴祖父母之愛育、
入於漢文學校、八九年間縆習普通學文至十四歲、
頃祖父仁壽棄世長逝(3)不忘愛育之情甚切哀痛、
沉痾半年以後蘇復耳、自幼時特性所好狩獵也、常
隨獵者遊獵山野之間、漸長擔銃登山、狩獵禽獸、不
勢學文、故、父母共敎師重噴之、終不服從、就友學生、
相謂勸勉曰、汝之又親以文章著名於現世、汝何故、
將欲以無識下尋之人、自處乎、答曰、汝之言、是也、然、
試聽我言、昔楚霸王項羽曰、書、足以記姓名、云己而
萬古英雄、楚霸王之名、遺傳於千秋也、我不願、
以學文著世、彼大夫、我大夫、汝尋、更勿勸我、一曰、此

(4)

時、三月春節、與學生等、登山、翫景、臨於層巖絕壁之
上、貪花欲折、失足、謂倒、顛沛、臨下、數十尺、勢無奈何、
勵精、思量之際、忽逢一株柯木、展手把扼、奮身勇起、
回顧四面、若過數三尺墜落則、致百尺層巖之下、碎
骨粉身、更無餘望之地、群兒立於山上、面土色、而已
矣、見其得活、取索列上、別無傷處、許出泚指、握手相
賀感謝天命、下山歸家危境、免死之才一個也、一千
八百九十四年(甲)(午)年十六歲娶妻金氏現生二男
一女、時韓國各地方、所謂東學之現今一進会、黨與乙
蜂起、弥扢外國人排拓横行郡縣、殺害官吏、掠奪民
財、此時、韓國將遭官軍不能鎮壓故、清國
國動兵渡來、日本亦動兵渡来、請清兩國互相衝突、必

4

(5)

成大戰爭、伊時(私父)難耐東學黨之暴行、團結同志飛
檄擧義、召集伕獵者、妻子編於行伍、精兵凡七十餘
員陳於淸溪山中、抗拒東學黨、時、東學魁首元容四
領率徒黨二萬餘名、長驅大進以來、旗幟槍釖、蔽於
日光、鼓角喊聲振動天地、義兵勢不過七十餘名、強
弱之勢比如以卵擊石也、衆心喫惻、不知方法矣、時、
十二月冬天、東風忽吹、大雨暴注、咫尺難辨、敵兵衣
甲盡濕冷氣觸身、勢無奈何故退陳于十里許村中、
當宿、是夜(私父)與諸將、相議曰、若明日坐受敵兵之
圍圍攻擊則、小不賊大、必然之勢也、不知々今夜先進
襲擊敵兵、乃傳令、鷄鳴早飯、選精兵四十名、進發餘
兵守備本洞時(趙)與同志大人、自願先鋒、無論爲偵探

(6)

獨立隊、前進搜索、臨於敵兵大將、所恐尺之地、隱伏
於林間、觀察陳勢動靜、旗幅隨風飄々、飛火光衝天
如白晝、人馬喧鬧、却無紀律、顧謂同志者曰、今若襲
擊敵陳則、必建大功、衆曰以小々、殘兵豈能當賊數
萬大軍乎、答曰、不然、兵法云、知彼知己、百戰百勝、我
觀敵勢鳥合亂象、吾輩七人、同心合力、則如彼亂黨、
雖百万之象、不足畏也、姑未天明、出其不意、勢如破
竹矣、公等勿疑、聽從我計、衆應諾之、運籌已畢耳、一
聲號令、七人一齊、向敵陳大將、放射擊砲聲如
雷振動天地、彈丸煥雨電一般、敵兵、別無預備措手
不及、身不着衣甲、手不執械、跍跍滿山徧野
以走、乘勝追擊矣、小項東天已明、其敵兵、始覺我勢

(ク)

之孤弱、四面還圍攻擊、危勢甚急、左衝右突、都無脫
身之策矣、忽然背後砲声大振、一枝軍趕来衝突敵
兵敗走、解圍得脱、此乃本、陳後援兵、未到接應也、而
陳合勢進擊、敵兵四散遠逃、收拾戰利品、軍器彈藥、
敵十餘匹不計其數、軍糧千餘包、敵兵死傷者數
十餘名美兵、都無損害一人、感謝天恩、三呼萬歳凱
施本洞馳報勝捷于本道觀察府、此時日本尉官鈴
木頴軍過去、送文書信以表賀情矣、自此敵聞風
以走、更無交鋒、漸次况息、國内養兵耳、戰役以後(廻)
罷於軍症若痛歎三朔、免死田生、自伊到今十五年
間都無一次輕症也、憶狡兔死走狗烹、越川之杖棄
於沙塲其望〔年紅〕夏間何許兩個客来訪(私这)謂曰、

昨年戰爭時、輸来千餘包糧来、此非東學黨之所物

本是其半今度支部大豆、奧允仲氏之貿置糓、其半

前惠堂、閔泳俊氏之農庄秋收糓矣、勿為至讒依教

還報曰、私父笑以答曰、奧閔兩氏之来、我非所知、即

接奪取於東學黨、陳中之物、公平更勿叢如此、無理之

說、兩人、無答以去矣、一日、自京城緊急書信一度来

到、拆見則云、現今度大、奧允仲與閔泳俊兩氏、以所

失糓包、推覓之怨、誣陷上奏皇帝陛下曰、安某、莫重

国庫金、所貿之来千餘包、無端盗食故、使人探査則

以此米養兵數千、將有陰謀、若不発兵鎮壓国家大

患云々、故方欲盡兵派遣為計、如是謀是火速上来

以圖善後方針、前金判書漢書信、看罷、(私父)即発程、到於

8

⑺

京城則果若其言舉實呼訴于法官、教三次裁判、終
未判决、全宗漢岱、提議於政府曰、安某本非賊類舉
義討匪國家一大功臣、當表其功勳、而反以不近不
當之說構陷可乎、然、奧允仲終不聽矣、不意奧氏、逢
民乱以作乱民石下之惡魂奧謀、於是休矣、毒蛇已
退、猛獸更進也、時閔泳俊更爲舉事謀害閔氏勢力
家事横危迫、計窮力盡势無奈何、避身投入於法國
人天主教堂隱跡数月、幸賴法人之顧助閔事永爲
出未無事妥帖焉、久困敎堂内多閱講論博覽
聖書感於真理、許身入敎後將欲播傳福音與敎中
博學士李保禄多敎経書、輪歸本郷、時(逌)年十七八
歲頃、年富力强、氣骨清秀、不不於衆、平生、特性好嗜

(10)

者有四、一曰、親友結交、二、飲酒歌舞、三、銃砲將獵、四、
騎馳駿馬、無論遠近、若聞義俠好漢居留之說則常
携帶銃砲、馳馬尋訪、異若同志、談論慷慨之說、痛飲
快好之酒、醉後或歌或舞或遊戲於花柳房、謂妓女
曰、以汝之絶妙之色態、豈豪男子、作配老豈不美
哉、汝輩不然、若聞金銭之聲則流涎失性、不顧廉恥、
今日張夫、明日李夫、甘作禽獸之行耶、言乱如是嫦
女不肯、疾憎之色恭之態、現於外則或詬辱、或打
敬朋友、称別號曰電口也、一曰、與同志天七人、入山
鹿獵、巧哉、弾丸、罹於銃穴、六日連式砲、不能拔、不能入、以
鉄杖、貫穴、無忌猛刺矢、不意裏々一聲、魂飛魄散、不
知頭部、在不左、不覚生氣、死不死、小頭、聚精會神詳

(11)

細檢查則、彈丸、爆裝、鉄杖與丸子、窒右手以飛上天、
即往病院、治療得差、自此近今十年之間、艉夢想中、
念到此時驚狀則常毛骨悚然耳、其後一次橫被他
人之誤射猟銃、霰彈二介、中於背後然、別無重傷即
地殼丸得差耳、伊時（私父）廣播福音、勸勉遠（짐）近入敎
者、日加月增一般家眷、蹕入信奉天主敎（짐）亦入敎、
受于法國人宣敎師洪神父若瑟、作聖名曰多默講
習經丈、討論道理、已過多月、信德漸固篤信無疑崇
耕天主耶穌基督也、日去月來、已過数年、時敎会事
務擴張（짐）與諸敎師、往来各處、勸人傳敎對衆演說
曰、兄弟乎、試有一言、請試聞之、若有一人独
食美饌、不給家眷、抱藏才藝、不敎他人、則是可曰同

11

胞之情理乎、或今有異饌奇才此饌、一上天之才故、

欲為敎授、願僉同胞、傾耳聽之哉、夫天地之間萬物

之中、惟人最貴者、以其魂之靈也、魂有三別、一曰生

12

(12)

胞之情理乎、誠今有異饌奇才、此饌、一飽則能長生
不死之饌、此、才一通則能飛上天之才、故欲營教授
顏貪同胞、傾耳聽之哉、夫天地之間萬物之中、惟人最
貴者、以其魂之靈也、魂有三別、一曰生魂此草木之
魂、能生長之魂、二曰覺魂、此禽獸之魂、能知覺之魂、
三曰靈魂、此人之魂、能生長、能知覺、能分辨是非、能
推論道理、能管轄萬物故、惟人最貴者、魂之靈也、人
若無靈魂、則但內臟不如禽獸、何故、禽獸不衣以溫
不業以飽、能飛能走、才藝勇猛、過於人類、然、許多動
物、受人所制者、其魂之不靈所致矣、故、靈魂之貴重
推此可知而、即所謂天命之惟性、此、至尊天主、賦畀于
永遠無窮、不死不滅者也、天主、誰耶、曰一家之中、有

13

家主、一国之中、有国主、天地之上、有天主、無始無終、
三位一體、其意深未解、全能、全智、全善、至公至
義、造於天地萬物、日月星辰、賞罰善惡、獨一、無二之
大主寧是也、若一家中主又、建築家屋、辨備産業給
其子、亨用其子、肆然自大、不知事親之道則不孝莫
甚、其罪重矣、一国中、君主、施政至公、保護各業、與臣
民共亨太平、臣民、不服令命、都無忠愛之性則其罪
最重、天地之間、大又大、君天主、造天以覆我、造地以
載我、造日月星辰、光照我、造萬物、以事用我、終々決
恩、知是莫大而、若人類、自尊大、不盡忠孝、頓忘報
本之義則、其罪尤極無比、可不懼哉、可不慎哉、孔
子曰、獲罪於天、無所禱也、天主、至公、無善不報無惡

14

(14)

不罰、切罪之判、即身死之日也、善者、靈魂、升地天堂受

永遠無窮之樂、惡者、靈魂入地獄、受永遠無盡之若、

一國之君、尚有償罰之權、況天地大君乎、若曰何故、

天主、人生、現世、何不報復償罰善惡乎曰、不然、此世

償罰、有限、善惡無限、若有一人、殺一人則判其是非、若有一人殺

無罰則已、然、有罪則當一身代之足矣、若有一人、詐幾

千萬人之切則、以暫世之榮、豈能盡其償、況人心時

日妻更或今時為善、後時作惡、或今日、作惡、明日為

善、若欲隨其善惡、報其償罰則、此世人類、難保明矣、

又世罰、但治其身、不論其心、天主之賞罰、不然、全能、

全知、全善、至公、至義、寬待人余終世之日、審判善

(15)

惡之輕重、然後、使不死不滅之靈魂受永遠之

賞罰、賞善者、天堂之永福、罰惡者、地獄之永苦也、升降一

定、更無移易、烏呼、人壽多不過百年無論賢愚貴賤、

以赤身生於此世、以赤身歸於後世、此所謂空手來、

空手去也、如是靈魂、已可知、然而何故、汨於利慾、

場中作惡、不覺後悔何及、若無天主之賞罰、靈魂尓

身死隨滅則、暫世、暫榮、客或可回而靈魂之不死不

滅天主之主權能、明若觀火也、昔堯曰棄彼白雲、

帝鄉何念之有禹曰生寄也、死歸也、又曰、魂升魄降

云、此豈爲靈魂不滅之明證也、若人不見其父、不見

獄、不信有之、則是何異於遺腹子、不見其父、不信其

有父也、瞽者、不見天而不信天有日也、見其華麗家

家屋而、不見建築之時、故、不信有所做之工匠、則豈
不笑哉、今夫天地日月星辰之廣大、飛走動植之、
奇奇妙妙之萬物、豈無作者、以、自然生成乎、若果自
然生成、則日月星辰、何以不違其次、春夏秋冬、何
以不違其代序乎、雖一間屋、一個器、若無作者、都無
成造之理、水陸間、許多機械、若無主管之人、則豈有
自然運轉之理哉、故可信與、不可信、不係於見、不見
彌惟係於合理與、不合理而已、舉此幾證、至尊天主
之恩、確信無疑、没身奉事、以千八百餘年前軍作
以答萬一、吾儕人類、當然之本分也、今一千八百餘
年前、至仁、天主、矜憐此世、将欲救贖萬民之罪惡、天
主第二位聖子、降孕于童貞女瑪利亞腹中、誕生于

17

猶太國伯利恒邑、名曰耶穌基督在世三十三年間、
周遊四方、勸人改過、尋行靈跡、瞽者見、啞者言、聾者
聽、跛者行、癲者愈、死者甦、遠近聞者、無不服從、擇選
十二人、爲宗徒、十二人中、又特選一人、名、伯多祿、爲
教宗、將代其位、任權定規、設立教會、現今世界各國、
羅馬府、在位、教皇、自伯多祿傳來之位、現今意太利國、
天主教人、皆崇奉也、時、猶太國、耶路撒冷城中古教
人等、憎惡耶穌之策善嫌疑權能、誣陷捕捉、無故惡
刑加千苦萬難、後、釘于十字架、懸於空中、耶穌向天、
祈禱、概赦萬民之罪惡、大呼一聲、遂氣絶、時天地振
動日色晦冥、人皆恐懼、彌上帝子云、宗徒、取其屍葬
之矣、三日後、耶穌、復活出舊現於宗徒同處四十日、

18

(18)

以傳赦罪之權、離眾升天、宗徒、向天拜謝而歸、圓行
世界、播傳天主教、迄今二千年間、敎信者、不知幾億
萬名、欲證天主敎之眞理、爲主致命者、亦幾百萬人、
現今世界文明國博學紳士、無不信奉天主耶蘇基
督、然現世、僞善之敎、甚多、此、耶蘇預言曰後
世、必有僞善者、依我名、惑眾、愼勿陷入天國之門、
但天主敎會一門而已云、願我大韓僉同胞兄弟姊
妹醒猛勇進痛悔前日之罪過以爲天主之義子、現
世以作道德時代共亨太平死後升天、以受賞同樂
無窮之永福千萬伏望耳、如是說明、往々有之、然聞
者或信或不信也、時、敎會漸次擴張、敎人近於敎萬
名宣敎師八位、来留於黃海道內、(追)伊時洪神父前、

19

學習法語、幾個月矣、與洪神父、相議曰現今韓國教
人、曚昧於學文、傳教上、損害不小、況未頭國家大勢、
不言可想、稟於閔主教前、西洋修士會中博學士幾
貟、請來設立大學校後、教育國內英俊子弟則不出
教十年、必有大效矣、討定後、與洪神父、即上京、會見
閔主教、提出此議、主教曰、韓人、若有學文則、不善於
信教、更勿提出如此之議焉、再三勸告、終不聽故事
勢不得已、回還本鄉、自此不勝憤慨心、盟曰教之真
理可信然、外人之心情、不可信也、教受法語之不
學、友人、問曰、緣何廢工、答曰、學日語者、爲日奴、學英
語者、爲英奴、我若學習法語則、難免法奴故、廢之若
我韓國威振於世界、則世界人、通韓語矣、君須勿慮、

(20)

客無辭以退、所謂、金礦監理、朱哥爲名人、毀謗天主

敎被害不小、故(殉)選定總代派遣朱哥處、擧理

債尚之際、金礦役夫、四五百名各持杖石不問曲直

打將下來、此所謂、法遠拳近也、危急如此、勢無奈何

(殉)右手接腰間之短刀、左手把朱哥之右手、大呼此

之旦、汝雖有百萬之眾、汝之命、懸於我手、自量爲之

朱哥大恸、比退左右、不能犯手、乃執朱哥之右手、橐摰

出門外、同行十餘里、後放還朱哥、乃得脫歸焉、其後

(殉)彼選萬人稷、移票社長、臨出票式、拳行日遠近未

參之人、數萬餘名、列立於稷場前後、左右、魅甚於人

山人海稷、所在於中央、各作員、一般屠戲、四間巡棵

把守保護矣、時、出票機械不利有傷票卵五六个卵票

21

每次出現一个

式出現、一番出來、觀光者致萬人、不分是非曲直、

稱以挾雜而做、高喊一聲、石塊亂杖如兩下來、把守以

巡檢四散粉走、一瞭任員、被傷者無數、各自圖生以

逃躱躲、但所存者（迎）一個人而已、衆人大呼曰、社長打

殺、一齊打杖投石以來、危勢甚急、余在時刻卒然自

疊則、若為社長者、一次逃之、会社事務更無餘顧、況

後曰、名譽之何如、不言可想也、然、勢無奈何、急探行

李中搜索一柄銃鉋、新式十二連發執於右手以大踏步、

上於禊壇向衆大呼曰、何故欲殺我、言何故、欲殺我

吴公等不辯是非曲直、起鬧作乱世、豈有如此野蠻

之行耶、公等雖欲害我、然我無罪、豈肯無故棄命可

乎、我決不無罪以死矣、若有殺我、爭命者、快先前進、

(22)

説破、衆皆喫怖、退後壊散、更無喧闹者矣、小頃、一人
自外面起越致萬人圍上以来、疾如飛鳥、盡立於面
前向我叱呼曰汝為社長、請致萬人来到而如是欲
為殺害耶、ふ観其人、身體健長、氣骨清秀、聲如洪鐘
可謂一大偉雄(豪)遂下壇握其手敬禮論之曰、兄長、
兄長、息怒聽言、今之事勢到此者此非我之本意也、
事機若彼而乱類蜂空起惹闹之事矣、幸頼兄
長、活我戒危、金喬古書云、殺害無罪之一人則其殃、
於千世赦活無罪之一人則陰隲榮及於萬代聖人能
知聖人、英雄能交英雄、兄我闻自此以作百年之交、
若何、答曰、諾々、遂向衆人大呼曰、社長都無罪過若
有欲害社長者、我以一拳打殺乃已、説破以左右手、

(21)

排拆象圍、形如水波、一般壞散、時(約)始纏放心、更上
禝壇大呼象人、會集安定後、曉諭說明曰、今日所遭
之事於此於彼、別無過失而此巧械之不利所致
世、願僉公恐容思之若何象皆諾々、又曰然則今日
出票式拳行、當姑終、如一然、可免他人之耻笑矣
從速更為舉行、出末若何、象皆搏手應諾耳、於是遂
續式拳行、無事罷了散歸時與其恩人相通姓名、
許名、鳳咸慶北道人、感賀大恩後、結約兄弟之誼、置
酒宴樂、能飲毒酒百餘梳、都無醉痕、試其膂力則或
橾子栢子敬三十介、置於掌中以兩掌合磨則如石
磨礨磨碎作粉、見者無不驚嘆、又有一塊木以左
右手向背抱圍柱棟後、以繩索緊縛兩手則柱棟自

24

然在於兩臂之間、身如柱楝一體、若不解其手之縛
繩則、都無掉身之策矣、如是作之後、衆人皆立小
頃、一分間、顧見則、兩手緊縛、如前有之、小無變更然
柱楝、挨於兩臂之間、如前完立、其身不倚於柱楝、以
脫焉、見者無不稱善曰、酒量勝於李太白、膂力不下
於項羽、術法、可比於佐左云々、同樂後日後、分手相
別近今幾年間、未知如何落耳、時有兩件事、一甕津郡
民錢周五千兩、被奪於京城居、前參判金仲煥處東一
李景周妻氏、本籍平安道永樂郡人、業醫士、來留於
黃海道海州府、典柳秀吉敗本政贖家人女息、作配同居數
三年之間、生一女、秀吉李氏許家舍田沓財產奴婢、
尋數分給矣、時海州府地方隊兵營尉官、韓元校為

名人、乘李氏、上京之隙、誘引其妻通姦、威脅秀吉、奪
其家舍、什物後、完然居生耳、時李氏、聞其言、自京城
還到本家、則韓哥、使兵丁亂打李氏、疏頭骨破傷、
流血浪籍、目不忍見、然李氏孤跡他鄉、勢無奈何、逃
躲保全後、即上京、呼訴于陸軍法院、與韓哥裁判七
八次、韓哥與其官職、然李氏壽與家產、不能推尋、韓
哥之勢力、其女、收拾家產、上京居住也、時竊
津郡民與李氏皆敬會人故（自）被選揔代、偕兩人、上
京、幹護而件事、先往見金仲燮、時金玉賓客滿堂坐
坐與主人、相禮通姓名、後坐定、金仲燮向曰、緣何事
以來訪乎、（自）答曰我本居下鄉愚氓、不知世上規則
法律故、向議次、來訪金曰、有何問事、答曰、若有京城

(26)

一大官、勤討下鄉民財、幾千兩都不還給則、此何律
法、詗之可乎、釗暗思小頃曰此非我事否、答曰、然、公
何故、壅津民財五千兩勒奪不報乎、釗曰我今無錢
不報、貰後日還報為計也、答曰、不然、如此高大廣室
許多什物豐備居生而若無五千金云則、何人、可信
之乎、如此相詰之際、傍聽一官人、高聲叱我曰金參
判爾老大官、君少年鄉民、何敢發如此不恭之說話
乎、笑以問曰、公誰耶、客曰、我之姓名、丁明燮也、時現時
所謂誠拾查查官、我答曰、公不讀古書也、自古及今、賢君
良相、當以民為天、暗君貪官、以民為食、故民富則國富
民窮則國窮、當此茇業時代、公等、為國家輔弼之臣、不謀皇
上之聖意、如是虐民則國家前途、豈不痛嘆哉況此

27

(27)

房、非裁判所也、公若有五千金、報之[給]義務則、與我、相
諾可也、丁哥、都無答辭、金仲熿曰、兩公、幸勿相詰焉、
戰當發日後、還我五千金矣、公頃寬悲、哀乞四五次、
故事勢不得退限室約以歸、伊時李景周、探知韓元
校之住處、相議曰、韓哥勢力家、自法官、你托逃躲都
不提致公判我尋、先當探捉、韓哥夫妻、然後、偕往法
司、公判可也、李氏與同志幾人、偕往韓哥住在家搜索
則、韓哥夫妻、知機先避故、未能捉得空還矣、韓哥誣
訴于漢城府曰、李景周、束到於本人家突入内庭老
母歐打云故、自漢城府、提致李景周、檢查問其
證人則李氏、指名(緝)姓名故、亦為被招到於檢查所、
觀之則檢查官丁明變也、丁氏、一見(緝)惡色、現於外

魚、(乃自)内念、暗思自笑曰、今日、申受丁哥之前嫌矣、金

煩家相然、無罷之我熟能害之、思畢、檢查、問我曰、汝打韓

黯之嫌、然無罷之我熟能害之、思畢、檢查、問我曰、何故、政打韓

證見於李韓両之事爭、答曰、然、又問曰、何故、政打韓

哥之母乎、答曰不然、初無如此行動也、此所謂已所

不欲、勿施於人、豈有他人之老母、毆打之理乎、又問

何故、他人之内庭、無故突入乎、答曰、我、本無他人

内庭突入之事、但有李景周家内庭、出入之事矣、又

問曰、何故、李哥内庭内、出云、李哥內庭、則以李哥之錢、

買得之家房、故昌俱皆、李哥之前日、所持之物奴婢、

亦李哥所使之奴婢、其妻即李哥、所愛之妻也、此非

李哥之家庭、何人之家庭乎、檢查、默々無言耳、忽見

則、韓元校、立於面前(猶)急呼韓哥、謂之曰、韓哥、汝聽

(29)

我言、夫軍人者、國家之重任也、培養忠勇之心、防禦外
賊、守護壇土、保安人民、堂々、軍人之職分、況為
尉官者、勤奪良民之妻、討索財産、然特其勢力、無所
忌憚、若京城、如爾之賊漢、多有居生則、但京漢輩說屬
生子生孫、保家安業、下鄉殘民、其妻其財、被奪於京
漢輩、盡滅乃巳、世豈有無民之國乎、如爾之京漢輩
萬死無惜也、未畢檢查、搏床大叱曰、此漢、此漢、也屬
京漢輩、京城何如人居生、而云、前嫌而發云、汝
敢發如此之言乎（自）笑、以答曰、公、何故、如是發怒耶
我言韓哥云曰、若爾之賊漢、多有於京城則、但京漢
輩、保生、鄉民、盡滅云々、若如韓哥者、當更此辱、不如
韓哥之人、有何關係乎、公、誤聞誤解也、丁曰、汝言是

以飾非也、答曰、不然、雖善言足以飾非、若措水謂火
則誰可信之乎、搜查不能答辭、令下人、李景周捉囚
監獄後謂（句）曰、汝亦捉囚、我怒以答曰、何故捉囚乎
今日我之來此者、但證人、招待者、非被告、捉致者也、
況雖有千萬條之法律、都無捉囚無罪人之法律、雖
有百千尚三監獄、都無捉囚無罪人之監獄矣、當此
文明時代、公、何故豈敢私行野蠻之法律乎、快々向前、
出門以歸館、檢查、都無如何之說矣、時自日本家、書信
末到、親患危重去、故歸心如矢、即地束裝、從陸發程、
時嚴冬寒天耳、白雪滿天下、寒風吹空束、行過獨立
門外、回顧恩之心膽、如裂如是、親友無罪囚獄、不見
得脫、冬天寒獄、豈能受苦死乎、何日、如彼惡政、存當

一拳、打破政革後、掃滅乱臣賊子之輩、成立堂々文

明獨立國快得民權自由乎、言念及此、血淚湧出、真

難旋踵也、然害勢不得竹杖麻鞋獨行千里以来行

之中路、適逢鄰邑親友李龍氏李氏、騎馬以来謂

我曰、幸矣、作伴歸鄉則、甚好也、我荅曰、騎步不同豈

能同行、李曰、不然、此馬自京城定價得稅之馬日氣

甚寒、不能久騎與公數時間或、分排騎步則當路速

清寂矣、幸勿謙讓焉、說破作伴同行、數日後至延安

邑近地方面、是年天旱不雨、大歉、時（有）騎馬以

去、李氏從後以来、到是者牽馬以扶馬以行、相與談話之

際、馬夫指電線木、辱之曰、現今外國人設置電報後、

空中電氣、浚数收獲因置電報甬、故、空中都無電氣、

不能成而、如是大歎矣、殉笑以諭之曰、豈有如此之

理乎、君久居京城之人、如是無識乎、言未畢馬夫以

馬鞭揮打我之頭部、再三猛打辱之曰、汝何人謂我

無藏之人乎、我自思之、莫知其故、況此地、無人之境、

其漢之行動、兇惡如是、殉坐於馬上、不下不言仰天

大笑而已、李氏盡力挽執、幸兔大害、然我之衣冠盡

被傷矣、小頃、至延安城中、此漢自分親友、見我之

形容驚怪、問之、說明其故、諸人忿怒、馬夫捉因法官、

欲爲懲罰、我挽說曰、此漢失精狂人矣、勿爲犯手、即

爲還送矣、衆皆爲然、無事放送、殉還卿到家、親患漸

次得差、數月後、蘇復矣、其後、李景周、被司法官之抑

勒法律、處三年懲役矣、一年後蒙救、得放、時、韓元校、

(33)

行賂萬金、使宋哥朴哥兩人、誘引李氏於無人之境

韓哥挾釼剌殺李氏、氰以財色濫殺人、或或後、逃走、時、

自法司發捕提得宋朴兩人與厥女依律處刑韓哥、

終不得捕提痛哉李氏憑作永世之怨魂也、時各地

方官吏、謁用厦政、唆民膏血官民間視若仇讎對之、

如賊、但天主教人等抗拒暴令、不受討索故、官吏輩

疾憎教人、無於外賊然彼真我典勢無奈何、好事魔

海濱時亂類輩稱托教人、挾雜之事、間或有之故、官吏

尋乘此機隙陳與政府大官、秘密相議誣陷教人云黃

海道、固教人之行悖不能行政司法、自政府特派查

覈使李應翼、到于海州府、派送巡撿兵丁於各郡、天

主教会頭領之人、不問曲直、沒数押上、教会中、一大

34

(94)

窘乱也、私父、亦欲捉得巡撿兵丁二三次来到、然終
為抚拒不拿、避身他處、痛憤官兵輩之惡行、長嘆不
息、盡夜飲酒、戓心火病罹於重症数月後、還歸本宅、
治療無効也、時、教中秉因法国宣教師之保護漸次
平息焉、其後年自分有所関事、出進於他處焉、郡文化
得聞則、私父未致于李漖家云、安岳邑也（予）即往于
其家則、私父已歸本宅與李友、相對飲酒谈话之際、
李曰李番公之父親巧逢重辱以歸矣我大驚問曰、
何故、李答曰、公父、以身病治療次、末到我家、與我父
偕往于安岳邑、尋访請国医師舒哥、对症後、飲酒谈
诙笑、清医緣何事故而足踢公父之冐腹、被傷故、下
人尋、執清医、欲為改打則公父梡谕曰、今日、我尋末

(35)

此者、以治病次、訪醫而來、若打醫師則、是收、勿論難
免他人笑柄笑、幸慎名醫的關係若何、云々、故衆皆
忍忿以歸笑、(殖)曰、我父離守大人之行動然、為子之
道豈可忍過乎、當往诶霧評探曲直、然後呼訴法司
懲其慱習者何、李曰然、即地、两人同行、尋往錦哥店
其事實語不過取诈憶彼靈清尖妃、接鈑、向我頭部
打將下來、(稍)太驚急妃、以左手、拒彼下手、牽腰間短
銃、向錦哥之脅頤上、形如硬射、錦哥喫惻、不能犯手、
如此之際、同行李敬淳、見其危急之勢、求取自己之
短銃、向空中、放砲而次、錦哥知我之放銃、大驚失色、
我亦莫知其故、大驚、李氏揮來、奪錦哥之鈑著石拆、
半、兩人不持半尤鈑、打下錦哥之膝、是錦哥倒地時、

自分、即往法官訴其前後事実、法官曰、外国人之事、
不能判決云故、更到錦哥屬則邑中人、会集挽諭故、
抛棄錦哥與李友、各歸本家矣、求五六日後夜半何
許七八人、突入于李敬璞家、其父親飢打捉去、李敬
璞、宿外房、夜其火賊未掟手執短銃、追去則顧漢等
向李氏放銃、本氏亦放銃、不顧死生、以突撃彼尋欄于
棄李氏父親逃走以去、甚明日、詳探則錦哥往訴于
鎮南浦清国領事、故請国巡査二名、韓国巡檢二名、
訊送安哥捉待指令而、彼等不往安哥之家、如皇豆之家、
侵奪家舍也、如此書信、来到(3自)即地發程、往于鎮南
浦探知則請領事、以此事、報閣于京城公使照会韓
国外部云故、(3自)即往京城、挙其前後事実、請飭于外

37

(37)

部、幸得公決囙題、還付鎮南浦、裁判所後、與舒哥公
判之時、舒哥之前後變行、現露故舒作安直、如是公
決出來後、這人紹介者、與舒哥、相逢役比、謝退年
和由特晤遷間（絢）與洪神父、有一大競走之事、洪神
父、常有壓制敎人之弊故、自與諸敎人、相議曰、聖敎
會中、豈有如是之通理乎、我等當往京城、請願于閔
主敎前、若不聽、則當往禀于羅馬府敎皇前期
特以杜如此之習、若何衆皆諾往、時洪神父、聞此
言、大發忿怒（絢）無致撑打故、我曾忿忍辱矣、其後洪
神父、論我曰、暫時忿怒、肉情所發矣、相恕悔改佷何
云分故（絢）亦答謝修好、以復前日之情世、歲去月來、
當於一千九百五年乙巳、仁川港灣、日露兩國、砲聲裏振、

38

東洋一大問題、實起之初、如此通信来到、洪神父、歎
日、韓國將危矣（組）問日、何故、洪曰、露國、勝捷則、露
主、韓國、日本、勝捷則日本、欲為管轄韓國矣、豈不危
哉、時（殖）日々考覽、新聞雜誌、與各國歷史推測已往
現在未来之事矣、日露戰爭、講和休息後、伊藤博文
渡来韓國、威脅政府、勤定五條約、三千里、江山二千
萬人心、撓乱、如坐針盤、時、私父心神、欝憤、病勢尤重
耳（維）與父親、鈔宏相議曰、日露開戰時、日本宣戰書
中東洋平和、由持、韓國獨立、鞏固云矣、今日本、不守
如此之大義、恣行野心的侵畧、此師日本大政治家
伊藤之政畧也、先定勒約、次滅有志黨、後吞壇土、現
世滅國新法矣、若不速圖之、難太禍、豈肯束手無策

(39)

坐以待死乎、今欲擧義、反対扵伊藤政策則、祖頭、不
同徒死無益矣、現聞清国山東海等地、韓人多数
居留云、我之一眠家眷移接扵談虜視察後、以回善後
方策若何、然則我當先往談虜視察後、帰來矣、父親、
這間、紗宓東裝後、牽家眷往扵鎮南浦、待之矣、還到
之旦、當更議行之矣、父子、計定已畢（殉）卽地发程迅
歴山東尋地後、到于上海、尋訪閔泳翼守門下人、閉
門不納云、大監、不見韓人矣、伊日退帰後日、二三
次尋訪、亦然、前日、不許会見故（殉）大叱曰、公為韓国
人、不見韓人、而何国人見之乎、況公為韓国世代国
禄之臣、當此艱業之時、都無愛人下士之心、高枕當安
卧頹志祖国之興亡、世豈有如此之義乎、不儀扵国家民家

40

(40)

之危急、其罷都在於公等大官、不係於民族之過失、
故面愧而不見耶、詬辱良久、以歸更不尋訪其後尋
訪徐相根、面会談話曰、現今韓國之勢危在朝夕、何
為則好耶、計將安出、徐答曰、公、韓國之事向我勿言、
我一個商民、黨十萬元財政、見奪於政府大官輩、如
是避身到此、况乎國家政況、民人尋有何關係乎、
我以嗼以答曰、不然、但知其一、未知其二也、若人民、
熙之則國家、何以有之、况、國家非發個大官之國家、
堂々二千萬民族之、國家、而若國民不行國民之義
勢、豈得民權自由之理乎、現今、民族世界而何故獨
韓國民族、甘作奧内坐待誠亡、可乎、徐答曰、公言雖
然、我但以商業糊口而已矣、更勿發政治議論、我再

41

(41)

三發論、都無應諾、此所謂牛耳誦經、一般也、仰天長
嘆自思曰、我韓民志、皆如是則、國家前道、不言可想
也、歸臥客榻、左思右想、懷難蚤耳、一日、適往
天主教堂、祈禱良久、以後、出門望見之際、忽一位神
父、過去前路、回首望我、相見相驚曰、汝何故、到此耶
握手相禮、此乃郭神父、圍傳教于黃海道地方故映
誠切歸韓、而兩人同歸旅館讀
香港歸路、真夢難醒也、而兩人同歸旅館讀
話、郭曰、汝何故到此、我若曰先生、現今韓國之慘狀、
不聞乎、郭曰、聞之已久、我曰、現狀如此、勢無奈何故、
不得已家眷搬移于外國安接後、連絡在在外同胞間、
乃還到本國、說明抑寃之狀、得其同感情後、待時到機至、
一次舉事、豈不達目的矣、郭默然良久、若曰、我宗敎

（42）

家傳敎師也、都無關於政治界、然、今聞汝言則、不勝感
歎之情、欲為試說一方法、幸須試聽、若合於理則、即隨
行之、不然則、自意為之、我曰願聞其計、郭曰汝言雖
如是然、此、但知其一、未知其二也、家眷移於外誤計也、
二千萬人族、皆如汝則國內將虛矣、此直致讎之所
欲、我法國與德國戰爭時、割某而逃、汝亦所知者、造
今四十年間、其地、圖復之機、敷次有之、然比境有志
黨、設避外邦故、求達目的者矣、此、可為前轍也、在外
同胞、言則比於在內同胞、思想倍加、不謀以同矣、不
足慮也、以別離動定言之則若聞汝之柳寬說比皆
曰斧鉞云、然、必無為韓勤兵聲討者明矣、今各國已
知韓國之慘狀然、各自紛忙於自國之事、都無顧護

(43)

他國之暇而、若後日、運到時至、或有聲討日本不法
行為之樣矣、今日、汝之說明別無效力矣、古書云、自
助者、天助、汝速歸國、先務汝事焉、一曰教育發達二
曰社会擴張、三曰民志團合、四曰實力養成此四件、
確實成立則二千萬心力、堅如盤石、雖千萬門大砲、
攻擊、不能破壞矣、此所謂匹夫之心、不可奪云二
千萬夫之心力矣、然則所奪疆土、形式狀而已、勒定
條約、紙上空文、歸於虛地矣、如此之曰、快成事業必
達目的、此策萬國通行之例也、如此論之、自量為之、
聽罷、若曰、先生之言、善、願從行之、即地束裝、搭乘汽
船、還到鎮南浦、

安重根傳

安重根傳

一千九百五年十二月自上海還到于鎮南浦探聞
家信則這間家眷發淸溪洞到於鎮南浦而但私
父病勢尤重別世長逝故家眷更還反私又靈
柩葬于淸溪洞云聽罷痛哭氣絶數次翌日發程還
到淸溪洞設喪守齊幾日後禮畢與家眷過其冬節
此時心盟斷酒曰當大韓獨立之日開飲為限明年
春三月率家眷離淸溪洞移居鎮南浦建築一譯屋一
座安業後倾家産談立学校二處一日三興学校一
日敦義学校也擔任校務教育青年僮僕後頗有道人
春何許一人来訪寮其氣像則金進士也客曰我本興君父親厚
風通其姓名則金進士也客曰我本興君父親厚

45

(2)

故特末尋訪我曰先生自遠方來有何高見客曰以
君之気慨當此圍勢危乱之時何其坐以待死乎我
曰計將安出客曰現今自頭山後西北墾島其露領
海三藏等地韓人幾餘萬人口居留而物產體富可
謂用武之地以君之才往于談屬則後日中或大事
業雖君言誰守所敎矣言畢客相別以去此時我欲
辦財政之計往于平壤開採石炭礦矣因日人之阻
戲見害數千元好銀耳時一般韓人發起國債償
会雲集公議時日本別巡查二名末到探查矣巡查
問曰会負幾何敗政幾收合乎我荅曰会負二千萬
人財政一千三百萬圓收合然後償矣日人曰辱
之曰韓人下等之人有何做事我曰員債者　債郎

46

483

(3)

給債者捧債則有何不美之事如是嫉妬辱之乎談
日人發怒打我以末我日如此無理受辱則大韓二
千萬人族悖末免大多壓制笑置肯甘受圇耻乃羞
愈相打無致時傍觀者盡力挽執解訣以散帰時一
千九百七年伊藤博文末到韓國勒定七條約廢光
武皇帝解散兵丁時二千萬民人一齊怨怒發於旅廬
々蜂起三千里江山砲聲大振時我急々末裝後離
別家眷向北墾島到着則此處亦月兵方今末到住
也而都無接足震故致三朔視察各地方後更離此
震投露領末過烟秋到于海三歲此港內韓人四五
千人口居留而學校有散處文有青年会伊時我往
黎青年会笑被遷임時查察時何許一人無許私談

47

(4)

故我依規禁止則其人憤怒打我耳返敢次時諸負
挽執勸解我笑謂其人曰今日所謂社会者以合衆
力為主而如是相鬪則豈非他人所恥耶勿論是非
以和為主若何衆皆稱善其後得耳痛疣重痛
月餘得美此等地有一人姓名李範先此人日露戰
早前被住北墾島管理使獎淸兵多敗交戰矣日露
開戰時興露兵合力相助而露兵敗歸時一伴渡來
露領于余居留此寰中也徃見其人後读諭曰閣下
日露戰役時助露討日此乎曰遥天也何故此時日
本挙東洋之大義以東洋平和由持大韓獨立翠固
之意宣言世界然後聲討露国此所謂順天故幸得夫
捷也若今閣下更挙義旅聲討日本是可曰順夫也

48

481

(5)

何故現今伊藤博文自恃其功妄自尊大傍若無人
驕其惡極欺君罔上濫殺蒼生斷絶鄰國之誼排却
世界之信義是所謂逆天矢豈能久乎諺云曰出露
請理也日迄亦合理矣今閣下受皇上聖恩而
當此家國危急之時袖手傍觀可乎若天與不受
反受其殃咸可不懼哉閣下速掉大車勿違時機焉
李曰言雖合理然財政軍署却無辦備奈何我曰祖
國興亡在於朝夕而但束手坐待則財政軍署將從
天而落之乎應天順人則何難之有今閣下決心擧
事則其雖不才當助萬分之一力矣李芢兒徧預未
談也此慮有兩個妊人一曰嚴仁一曰金起龍而
人頗有膽畧義俠出衆我與此兩人結義兄弟嚴爲

(6)

長兄我其次金爸弟三自此三人義重情厚謀議舉

義之事圖還水鄉地方尋訪多敎韓人遠說曰譬如

一家之中一人別其父母同生離居他鄉十餘年矣

這間其人家產優足妻子滿堂朋友相親安樂無慮

則必忘本家父母兄弟自然之勢也而一日本家兄

弟中一人來到告急曰方今家有大禍近日他處

強盜來到逐出父母殺害兄弟掠取財產豈不痛哉

豈不痛哉願兄速歸故急切望懇請時其人若曰

今我居此處安樂無慮而本家父母兄弟有何關係

乎如是云 則是可曰人類乎禽獸乎況傍觀者云之何

曰此人不知本家父兄豈能知面目逃在世乎同胞

々々 請詳聞我言觀今我韓慘狀君等果知否日本

興露國開戰時、宣戰書、曰、東洋平和、由持韓國獨立、
竪固云爾、至於今日、不守如此之重義、反以侵掠韓
國、五條約七條約、勤定後政推掌握、皇帝廢立軍隊
解散、鐵道礦產森林川澤無所不奪、官衙各廳民間、
廣宅村落、以兵站謀散奪居膏沃田畓、古舊墳墓、稱托
軍用地、搯標堀堰禍及白骨、爲其國民者爲其子孫
者、誰有忍忿耐辱者乎、故二千萬民族、一致憤發、三
千里江山義兵處々蜂起、噫、彼强賊反稱曰暴徒發
兵討伐殺戮極慘、兩年之間被害韓人、至於數十萬
餘掠奪壇土、殘害生靈者、暴徒乎、自守自邦防禦外
賊者、暴徒乎、此所謂賊反荷杖之格也、對韓政畧如
是峻暴之術、本論之則、都是所謂日本大政治家兒

（引）

賊伊藤博文之、暴行世、稱枇韓民二千萬、願受日本
保護、現今太平無事、平和日進之樣、上欺天皇、外間
列強掩其耳目、擅自弄奸、無所不爲、豈不痛忿哉我
韓民族、若不誅此賊則、韓國必滅乃已、東洋將亡矣、
諸君々々熟思之、諸君祖國志之否、先代之白骨忘
之否、親族戚黨忘之否、若不忘之則、當此危急存亡
之秋、憤發猛醒哉、無根之木、從何以生、無國之民居
何以安若諸君、以居外邦、無關於祖國頓不顧助
則俄人知之、必曰韓人等、不知其祖國、不憂其同族、豈
能助外國可愛異種乎、如此無益之人種、置之無用、
言論沸騰、不遠間、必逐出俄國地境明若觀火矣、當
如此之時、祖國壞土、已失於外賊、外國人、一致排斥

52

(9)

不受則、頁老携幼去將安之手、諸君、波蘭人之虐殺、
黑龍江上、清国人之、慘狀不聞否、若亡国人種與強
国人同等則、何憂亡国、何好張国、勿論何国亡国人
種如是慘殺虐対不可避也、然則今日、我韓人種當
此危急之時、何為則好耶、左思右想、郤不如一次擧
義討賊之外、更無他法也、何則現今、韓国内地十三
道江山、義兵不起、若義兵見敗之日、噫彼好賊
輩、無論善不善、稱批暴徒人々、被殺家々、衛失矣、如
此之後、為韓国民族者、何面目行於世乎、然則今日、
勿論在内、在外之韓人、男女老少携銃荷劍一齊擧
義、不顧勝敗、以銳快戰一場、以免天下後世之恥笑
而也、若如是惡戰則本不過事年之間申與備

53

(10)

世界列強公論不然、可有獨立之望歟日本、不過五年之間必與俄请美三国開戰矣、此韓国一大期会世當此時、韓人若無預備則、日本雖敗韓国、更入他賊手中矣不可不一自今日、義兵維績不絶大期勿失以自强力、自復国權可謂健全獨立矣、此所謂不能為有萬事之亡本、能為有者萬事之興本也、故自助者天助云、請諸君、坐以待死可乎、憤發振力、可手於此於彼、尚淶心警醒熱思勇進伏望、如是説明、週還來地方、聞見者、多致服從、或自願出戰或出機械或出義金助之、自此、足為舉義之基礎也、時、金斗星書範等气等、皆一致舉義、此人等前日、已為總督府大将被任者也、我以參謀中将之任被選矣、義兵擧與軍器等

(//)

秘密、輸送会集、對豆滿江近邊、後謀議大事、伊時我

叢諭曰現今我等不過、教三百人則、賊強我頗不可

輕賊、況兵法云、雖百忙中必有萬全之策然後、大事、

可圖、今我等一次、擧義不能成功時矣、然則若一次、

不成則二次"三次"至于十次、百折不屈、今年不成更

圖明年又明年、至于十年百年可也、若我代、

不成、目的則及于子代孫子代、必復大韓國獨立權

然後、乃已矣、然則不得不先進、後進、急進、後進預備、

後備具備然後"必達目的矣、然則今日先進出師者、

病頹老年等、可合也、其次青年等組織社會、民志團

合、幼年教育預備後備、一邊各項實業勤務、實力養

成然後、大事容易矣、僉意若何、聞見者、多有不美云

(12)

論、何故、此輩風氣頑固才一有權力者、財政家第二、
殘酷者、第三、官職最高者、第四、年老者也、此四種之
權中、我、都無一條、掌握之權豈能實施耶、自此於心、
不快、雖有退歸之心、然、既爲走坡之勢、莫可奈何時、
領軍諸將校、分隊出師、誠于豆滿江時一千九百八
年六月日、畫伏夜行、到于咸鏡北道、與日兵、數次衝
突彼此間、或有死傷、或有捕虜者矣、時日本軍人與
商民、捕虜者、請來問曰、君等、皆日本國臣民也、何故
不奉、天皇之聖旨耶、日露開仗云時、宣戰書、曰東洋
平和、由持大韓獨立、鞏固云而今日、如是競走奪掠、
可謂平和獨立乎、此非逆賊強盜所、何耶其人等落
淚以待曰、此非我等之本然之心、出於不得已者明

473

(13)

矣、人生斯世、好生、厭死、人皆常情、所況我等萬里戰
場、慘作無主之寃魂者、不痛憤哉、今日所遭非他故
也、此都是、伊藤博文之過也、不憂皇上之聖旨壇
自弄擢日韓兩国間、無數貴重生靈殺戮、彼輩安卧
享福、我等雖有憤慨之心勢無奈何故至於此境者、
然、是咋春秋、豈可無之、況農商民波韓者、尤甚困難、
如是国弊民疲頓不顧念東洋平和、不意、日本国勢
之、安寧豈敢望也、故我等雖死、痛恨不已矣、言輩痛
哭不絕、我謂曰、我聞君等之、所言則、可謂忠義之士
也、君等今當放還矣、歸去、如此乱臣、賊子、掃滅若又
有如此好黨無端起戟、同旅鄰邦、間侵害言論、題出
者、遂各掃除則、不過十名、以前、東洋平和、可圖矣、公

(14)

等能行之否、其人等、踊躍應諾、故、即時放送、其人等、
曰、我等軍器銃砲等物、不帶以歸、難免軍律矣、何爲
好耶、我曰、然、即地銃砲等、物、還授、謂之曰、公等速々
歸去後、被虜之說、切勿出口、慎圖大事、其人等、千
謝萬謝以去矣、其後傳校等、不穩、謂我曰、何故捕虜
賊放還乎、我答曰、現今萬國公法、捕虜賊兵殺戮之
法、都無因、於何處而後曰、賠還況彼等之、所言真情、
所發之、義讀矣、不然何爲乎、諸人、曰彼賊等、我等義
兵、捕虜者、無餘慘惡、殺戮光、我等、殺戮之目的、束到
此虜風饌露宿者也、而如是、盡力、生擒者、送致放送
則、我等爲何之目的乎、我答曰、不然、々々、賊兵之、如
是暴行、神人、共怒者而、今我等亦行野蠻行動、所

58

471

(15)

頓耶、況日本四千餘萬人口、盡減後、國權挽回屬計
耶、知彼知己、百戰百勝矣、今我弱彼强、不可惡戰、不
盡以忠行義舉聲、討伊藤之暴惡廣布世界得其
列强之同憾情然後、可以雪恨復權矣、此所謂弱能除
强以仁敵惡之法也、公等幸勿多言、如是曲切諭之
然衆論沸騰、不服、將官中分隊遠去者、有之矣、其後
糧兵龍擊衝突四五時間、日已暮矣、霖雨暴注、咫
尺不辨、將卒彼此、分散死生之号、亦爲難判、勢
莫奈何、與敎十人、宿於林間其翌日、六七十名相逢、兩日
問其虛實則各々分隊、離散以去、云耳、衆人、兩日
不食、皆有飢寒之色、各有圖生之心、當此地境、腸斷
膽裂然、事勢不得、慰諭衆心後、搜去村落求食麥飯

小兔飢寒然、衆心、不服、不從紀律、當此之時、如此、鶉
合亂象雖孫吳諸葛復生、無可奈何也、更探散散之
際、適逢伏兵、一被狙擊、餘衆、分散難可復合、我、獨坐
於山上、自謂自笑曰愚哉、我兮、如彼之輩、何事可圖
乎、誰怨、誰仇、更憤發勇進、四處、搜探、幸逢二三個人、
相與議曰、何爲則好耶、四人議皆不同、或曰亡命者
圖生云、或曰自別以死云、或曰自現趣捕於日兵者
有之也、我、左思右想、良久怨思一首詩、吟謂同志曰、

望頭同胞誓流血
莫作世間無義神

事不入謀難處身、諒外
吟畢、更謂曰公等皆隨意行之、我、當下山、與日兵、一
塲快戰、以盡大韓國二千萬人中一分子之、義務然
後、死以無恨矣、於是、携帶機械、望賊陣以去、其中一

人、挺身出来、摬執痛裘曰公之意見、大誤也。公但想
一個人之義務不顧諸多生靈及後日之大多事業
乎今日事勢都死無益如重萬金之一身豈肯棄如
草芥耶今日當更渡歸江東、江東地名也領以待後日之
好期会更図大事十分合理矣何不深諒乎我更囲
恩謂之曰公言甚善昔楚霸王項羽自刎於烏江者
有二條一何面目更見江東父老乎一江東雖小亦
足以玉句語發憤自死于烏江當此之時項羽一死
天下更無項羽可不惜哉今日安應七一死世界更
慰安應七央矢夫為英雄者能驅能伸目的成就當
從公言於是四人同行尋路之際更逢三四個人相
謂曰我等七八人白晝不能衝過賊陣矣不如夜行

(18)

神從、仰天祝之曰、死則速死、生則速生、況景尋川飲
水一腹後、臥於樹下以宿、其翌日、二人、甚為苦難

人、相議逃走、時気力全盡精神眩眩倒於地上、更勵

出門以來、我忽見覺之、急々避身還到山間、更與二

歸我、遂尋人家以去、此家日兵派出斬也、日兵舉火

曰、我當前往村家乞飯闖路、以來矣、隱於林間、以待

褥以裹足、相慰相護、以行、遠聞鷄犬之聲、我謂二人

米、足不穿鞋、故、不勝飢寒、苦楚、採草根以食之、裂氊以

家都無如是編踏四五日間、都不一回喫飯、腹無食

雲霧滿天覆地、東西不辨、莫可奈何、況山高谷深、人

散、但三個人、作伴同行、三人都不知山川道路、不當、

也、其夜、霖雨、尚不息、暴註、恐尺難辨、故、彼此失路離

(19)

不息、我論之曰、幸勿區區、人命、在天矣、何足憂也、人
有非常困難然後、必成非常事業、陷沒死地然後生
矣、雖如是落心何益之有、以待天命已而矣、言雖大
談然、左右思量、都無奈何之方法也、自思謂曰、昔
日、美國獨立之主華盛頓、七八年風塵之間、許多困
難苦楚、豈能忍耐乎、真萬古無二之英傑也、我若後
日成事、必當委往美國、特為華盛頓、追想崇拜紀念
同情矣、此日三人不顧死生、自盡尋訪人家、幸逢山
間僻村人家、呼其主人、一碗粟飯給以
謂之曰、請君等、勿滯速去々々、昨日、此下洞日兵來
到、無故良民五名、捕縛稱托義兵饋飯、卽時砲殺以
去、此虜時々来到搜索々怒速歸云、校是、更不打話、

(21)

擁飯上山、三人均一分食、如此別味、人間更難求得
之味也、疑是、天上仙店料理矣、此時、絶食已過大日
聞耳、更越山該川、不知方向以去、恒晝夜霖雨不息、
苦楚益甚也、數日後、一夜又逢一座家屋、叩門呼主
則主人出來、謂我曰、汝中是、露國入籍者也、當押
送于日本兵站矣、亂棒打下、呼其同類、欲爲捕捉故、
勢無奈何、避身逃躲以去、適過一隘口之際、此慮日兵
兵把守矣、黑暗之中相撞于咫尺故、日兵向我放銃、
三四發然、我韓免不中、急與二人、避入山中、更不敢
行於大路、但往來于山谷、四五日復如前、不能得食、
飢寒尤甚於前日也、於是勤勉二人曰、兩兄、信聽我
言世人、若不奉事天地大君大父天主、則不如禽獸

465

矣、況今日我輩難免死境、速信天主耶穌之道理、以
救靈魂之永生、若何右書云、朝聞道夕死、可矣、諸兄
速悔改前日之過、奉事天主以救永生若何於是、
天主造成萬物之道理、至公至義賞罰善惡之道理、
耶穌基督隆生救贖之道理、一々勤々二人聽罷頹頗
信奉天主教故、即作会規、授代說洗禮代理行禮畢更
擦人衆華逢山僻處一產茅屋叩門呼主、小頃、一老
人出來接入房中、禮畢、請求飲食、言罷即喚童子盆
備饌需以來菜草兼於菓不顧廉耻一塲飽喫後、囬
神恩之大凡十二日之間、但二次、喫飯、而救兵到此、
地方大多感謝於主翁前後所遭苦楚、一々說話老
人自當此國家危急之秋、如是困難、國民之義務兎

（22）

謂興盡悲來、苦盡甘來、幸勿多慮、現今日、兵寡々慮

索、眞難行踏、當從我所措從某至某照慮、便利豆滿

江不遠、連行渡歸、以圓後日之好期会、我問其姓名、

老人曰、不必深問也、但笑以不答矣、於是、謝別老人、

依其所措幾日後、三人一致無事渡江、時纔放心、敵人

於一村家、寄息致日之際、始脫衣服以見之、已盡朽

弊、難掩赤身、風族、極盛、不計其數也、出師前後討日

則凡一個月宗、別無舍堂、恒露當以宿、霖雨不息暴

注、這間百般苦楚、一筆難記也、到於露頜烟秋方面、

親莫、相見不識、皮骨相撟、無復舊時容之故、千思萬

量、苦作天食、都無生還之道矣、留此十餘日後、療後

到于海三葳此處、韓人同胞、設備歡迎会、請我 固辭

(23)

日敗軍之將、何面目肯受諸公之歡迎乎、諸人曰、
一勝一敗、兵家常事、何愧之有、況好是危險之地然
事生還豈不歡迎耶、云矣、伊時、更離此處、向何蔘浦
方面搭乘汽船、視察黑龍江上流致千餘里、或尋討或
韓人有志家復更還致于水清傳地、或勸勉教育或
組織社會周行各方面矣一日、對于山谷無人之境、
忽然何許党怪輩六七名突出、捕縛我一人謂之曰、
義兵大將提得矣、此時、同行人散名、逃走以去、彼等
謂我曰汝何故、自政府嚴禁之義兵敢行耶、然答曰、
現今所謂我韓政府形式如有然、內容則伊藤之一
個人之政府矣、為韓民者眼從政府命令、其實服從
伊藤者也、彼輩曰不再多言、即打殺言畢以手中搜

(24)

縛我項、倒於白雪之中、無數乱打、我高聲此曰汝等、

若殺我於此地、或如無事然、向者我同行二人、逃去

矣、此二人使徃告于我同志、汝等後日、盡滅無餘矣、

諒以行之晋、彼等聽罷相附耳細語、此少然不能殺

我之議也、小頃、拿我入於山間草屋之中、或有既打

者、或有挽執者也、我乃以好和之說、無數勸解彼等

黙然不答矣、相謂曰汝金哥、發起之事矣、汝金哥、任

意行之、我尋更不相關矣、彼金哥一人、押我下山以

去、我一邊曉諭、一邊抗拒、金哥、理勢都無奈何、無辭

以退去也、此等皆一進會之餘黨、而自本國、避乱到

此居生之輩矣、遍审過我之說、如是行動之事本耳、

時我得脫免死、尋訪親友之家、治療傷處、過其冬節

其翌年正月　時即己酉年千九百九年　一還到于烟秋方面、與同志、
十二人相議曰、我等前後、都無成事、難免他人之
恥笑、不當、若無特別團體、無論某事、難成目的矣、今
日、我等斷指同盟、以表紀跡然後、一心團體、爲國獻
身、期於到達目的、若何、衆皆諾從、於是、十二人各々
斷其左手藥脂後、以其血、太極旗前面、大書四字云
曰、大韓獨立、書畢、大韓獨立萬歲、一齊三唱後、誓天
盟地、以散、其後往來各處、勸勉敎育團合民志購覽
新聞爲務、伊時、忽接鄭大鎬書信、即往見後、本家消
息詳問家屬卒末三事付托以歸旦春夏間與同志
幾人、渡韓內地、欲察許多動靜矣、運動費、辨備無路、
未達目的、盧送歲月、已到初秋九月、時即一千九百

(26)

九年九月也、時、適留於烟秋方面矣、一日、忽然、無故
而心神憤鬱不勝操悶、自難鎮定、乃謂親友致人曰
我今欲往海三葳、其人曰、我亦莫知其故也、自然腦
心、煩惱都無留此之意故、欲去、其人問曰、今去何還、
我無心中忽發言答曰、不欲更還、其人甚怪以想之、
我尔不覺所答之辭意也、於是、相別發程、到于樓口
港、適逢汽船二次式往来于海港、或搭乗到于海三葳、
聞之則、仔藤博文、將末到于此處云々、陸説浪籍矣、
於是、詳探震許購覧各樣新丈則、日間哈尔賓到着
之期、真實無疑也、自思暗喜曰、多年所願目的、今乃
到達矣、老賊休於我手然、到此之說未詳、必往哈尔
賓然後或事無疑矣、即欲起程然運動費浚策故左

70

恩右想、適尋訪此處、居留韓國黃海道義兵將李錫
山、以去時、李氏適往他處次、束裝發程、出門以去、急
嘰回來、入於窓室、請北一百元貸給云々、李氏終不
肯從、事勢到此、勢無奈何、即威脅勒奪一百元後、還
來、事如半成矣、於是請同志人禹德淳、窓約舉事之
策後、各携帶拳銃、即地發程、搭乘汽車行、思之則而
人、都不知露國言語、故憂慮不小矣、中路到于綏芬
河地方、尋訪柳東夏云曰、現今我家眷迎接次、往于
哈再賓、而我不知露話、故甚悶、君偕性其處通辯爲
抛、凡事若何、柳曰、我亦方欲貿藥次、去哈再賓爲計
之際、則偕性甚好、即地起程同行、其望且、到于哈再
賓金聖伯家、留宿後、更得見新聞詳探伊藤之來期

71

其翌日、更欲南向長春尋地、欲為舉事、柳東夏、本以

年少之人、故即欲還其本家、更欲得通辯一人、適逢

曹道先、以家屬迎接次、同行南向轉則、曹氏、即許諾

也、其夜又留宿於金聖伯家時、運動費、有不足之憂、

故托柳東夏、金聖伯許、五十元、曹貸則、不遠回、即還

報云、柳氏尋訪金氏、以出外也、時獨坐於客燈寒榻

上、暫思將行之事、不勝慷慨之心、偶吟一歌曰、

大夫處世兮
其志大矣
時造英雄兮
英雄造時
雄視天下兮
何日成業
東風漸寒兮
壯士義烈

憤慨一去兮
必成目的
鼠竊伊藤兮
豈肯比命
豈度至此兮
事勢固然
同胞同胞兮
速成大業
萬歲萬歲兮
大韓獨立
萬歲萬萬歲
大韓同胞

457

(29)

吟罷、更書一度書信、欲付海三藏大東共報新聞社、

此意則、一我等、所行目的、公布於新聞上之計、一柳

東夏、若金聖伯厦、五十元金貸来則還報之計、议策

故悚大東共報社支發云々、爲其憑藉页暫時諩計

世、書畢柳氏還来、貸金之策不忠云故、不得以宿過

夜、其翌日、早朝與禹曹柳三人、偕往于停車塲、乃便

曹氏南请列車相交搜停車塲、何處有之、詳问驛官

則、蔡家溝等地云々、故即與禹曹而人、相别柳氏後

搭乗列車、南向發程、到于同方面、下車定館留宿、问

停車塲事務人曰、此厦、汽車、每日幾次式、来往乐答

曰、每日、三次式、来徃矣、今日夜、特别車、自哈尔賓發

送于長春日本大臣伊藤迎接而、再明日朝六点到

(30)

此矣、云々、如此分明之通信、前後、初聞之確報也、柞
是、更自謀、籌曰、再明日上午大矣頃、始未天明之時
則伊藤、必不下停車塲矣、雖下車、視察黒暗中、真假、
難辨況、我不知伊藤之面目、豈能舉事、更欲前徃長
春尋地則、路賃不足、何為則好耶、左思右想、心甚悶
欝矣、時、適打電於柳東夏曰、我等、但到此下車矣、若
諒慮有緊事則、打電為望也云、又、黄昏後、答電束到、
而其辞意、都不分明、故更加疑訝不小故、其夜十分
深諒、更籌良策、後其望日、與禹民相議曰、我等合留
此處、設策矣、一日、財政不足、二曰、柳氏答電、甚疑三
曰、伊藤、明朝未明過此則、事甚難行矣、若失明白之
期會則、更難圖事也、然則、今日、君留於此處以待明

455

(31)

特茶興場衣門則搭費成擧日
別店軍以服去柳乘費事束之
汽裡人去後矣氏列後十之期
車、、、攜其荅車更分期會
束吃多時着夜辭、相便會見
到茶數爭溫、亦還議利見機
、二束前垜留不到擧也機動
時三到七洋宿明于事、動作
人盃、矣服金故哈、若作、
山後準、一聖、爾此君、我
人、備頃件伯我賓可不我、
海待迎世後家費、為成今今
也之、、、、恕更萬事日日
、矣接到攜其噴逢全則還還
我、伊於帶明之柳之、去去
坐到藤當短朝、東策我哈哈
於九節地銃、柳夏矣必爾爾
茶矣次則、早氏、、成賓賓
舖、也、即起、問於事、、
裡頃、時向、無答是矣明明
、、露傳盡辭電相、日日
窺伊國車晩以辭別若、、
其藤傳、新出意、我兩兩

(32)

勤靜、自思曰、何時徂擊則好耶、十分思量、未決之際、

小頃、伊藤下車以來各軍隊敎禮軍樂之聲、飛空護

耳、以來當時危氣突起三千丈業火腦裡燃出也、何

故、世態如是不公耶、嗚呼強奪鄰邦殘害人衆者、如

此恢躍小無忌憚、無故仁弱之人種、反如是陷困耶

更不打話、即大踏步論進、至于軍隊列立之後、見之

則露国一般官人、護衛還來之際其前面、一個黃面

白鬚之小翁、如是设廉、敢行乎天地之間耶、想必是

伊藤老賊也、即拔短銃、向其右側快射四發、後思之

則、十分疑訝、起腦者、我本不知伊藤之面貌者也、若

一次誤中則大事退矣、遂復向後面、日人團體中、

偉儀最重、前面先行者、更為目表、連射三發、後更思

則、若誤傷無罪之人則、事必不美故、停止思量之際、
露國憲兵、末到捕捉、時即一千九百九年陰九月十
三日上午九點半頃也、時向天、大呼大韓萬歲、三次
後、拿入於停車場憲兵分派所、全身、檢查後小頃、露
國檢察官與韓人通譯、末到問其姓名及何國何處
居住、從何慮以末、因何故加害於伊藤之故、問之故、
大概說明者通辯韓人韓語、不能詳解故也、伊時寫
真撮影者敢三次有之矣、午后八九點頃、露国憲兵
將官與我、搭乘馬車不知方向以去、到于日本領事
館、交付後去矣、其後、此屬官吏二次、審問葦四五日
後、講詢檢察官、末到、更爲審問前後歷史、細々供述
亦又問伊藤加害之事、故、答曰、一、韓国閔皇后弑殺

(94)

之罪、二、韓國皇帝廢位之罪、三、勒定五條約與七
條約之罪、四、虐殺無故之韓人之罪、五、政權勒奪之
罪、六、鐵道礦山與山林川澤勒奪之罪、七、第一銀券、
紙貨勒用之罪、八、軍隊解散之罪、九、教育防害之罪、
十、韓人外國遊學禁止之罪、十一、教課書押收燒火
之罪、十二、韓人欲受日本保護云々、而誑圖世界之
罪、十三、現行日韓間競爭不息殺戮不絶、然、韓国以
太平無事之樣上欺 天皇 天皇之罪、十四、東洋平和破
壞之罪、十五、日本 天皇陛下、父皇太皇帝弑殺之
罪云々、則檢察官聽罷、愕然謂曰、今聞所述、則可謂
東洋義士也、自已義士也、必無被死刑之法矣、勿為憂
慮焉、我答曰、我之死生勿論、以此意速々上奏于日

78

(35)

本天皇陛下、速改伊藤之不善政畧、以扶東洋危急
之大勢、切望矣、言罷、更囚地屈獄矣、更四五日後謂
曰今日、自此、去旅順口云矣、時見之、則禹德淳曺道
先柳東夏鄭大鎬金成玉與又面貌不知人二三人、
偕為結縛而到于停車場搭乘汽車、發程、此日到于
長春憲兵所、過夜、望日、更搭乘汽車、行到一處停車
場、忽日本巡查一名、上來矣、突地揮拳打我面部故、
我發怒辱之、則時、憲兵正校、在側矣、引其巡查、下送
汽車後、謂我曰、到日日韓間、相有如此不美之人矣、幸勿
怒焉、其翌日、到于旅順口監獄署、拘因時、九月二次
十一日頃也、自此、在監以後、一般官吏特別厚对、
我不勝感動、心中或心中、自思疑訝日、此真耶夢耶同

(36)

十日本之人、何邃惡、太甚旅順口、來住日人、

一日本之人、何如是大不相同耶、韓国、來往、日人、何

其強惡、太甚、旅順口、來住日人、何故如是、仁享耶、韓

国與旅順口、日人之種類、不同、然耶、水土風氣、不同

以然耶、韓国日人、主權者、伊藤、極惡、故、效其心以然

耶、旅順口日人主權都督仁慈故、和其德以然耶、右

思右想、理由、未覚也、其後講阅拎察官、與韓語通譯

官園水氏、末到于監獄署内、十餘次審向、而這宥酬

酌、一韓難記、詳細故談語不少更記也、拎横寀官、於

寀官、常对我、特享、審问後、恒給埃及金口紙捲烟、相對談語、吸烟

評論公直、同憾情現容於色笑、一日、英国弁護士一

人、露国弁護士一人、末訪面会、謂我日我等兩人、謝

80

449

(37)

蔘薮居留、韓人諸氏、委把委任、以束、欲為弁護而自

此法院已有許可、將公判之日、更為束到云以去、時

我自思心中大驚小怪、謂曰、日本文明程度、主於如

此之境耶、我前日之念、不及慮也、今日、觀其英露於

護士、能容許可之事、豈可謂世界、第一等国之行動

也、我果誤解、如是過激手段妄動否、十分疑訝矣、時

時韓國内部警視、日本人、仙境氏、來到韓語、極善通

而日々相逢談話日、韓兩国人、相對酬酌之、其實政

暑機関、犬相不同然、人情論之、則漸次親近、無異於

如舊之誼也、一日、我尚於仙境氏、日日前英露兩国

弁護士、到此之時、自此法院官吏、公平之

真心、許可耶、答曰、果真心矣、我日若果然則、東洋之

(38)

特色、有之矣、若不然則、対於我事、反害、無益甚多矣、

相笑以散、仔時、典獄栗原氏與警守傔長中村氏常

顧護特対、毎一週日間沐浴一次式、毎日午前午後両

二次式自監房出於事務堂、各國上等紙捲烟與西

洋果子及、茶水烹飲喫、又朝午夕三時飯上等白

采飯饌之、内服品好者一件攬着綿衣四件特給柑

子與林檎黃梨等果實、日々飲三次給之、牛乳毎日

一瓶式給之此園木氏之特恩也、講讀檢察官鷄與

烟草等物、買給如此許特対感荷不已、難可盡述

也、至於十一月頃我同生親弟定根恭根二人、自韓

國鎮南浦、末到此處、相逢面會、相別三年後、初見之

面也、不覺真夢之界矣、自此恒四五日間或十餘日

82

447

(29)

間、轔次相逢談話、而、韓國弁護士、請來事與、天主教
神父請來受聖事之事、相托其後一日、檢察官又來
到審問之際、其言語與形容與前日、大不相同、或有
壓制、或有抑說、或有凌侮之態、故、我自思曰、檢察官
之思想、如是忽變此非本情也、客風大侵矣、此所謂
道心惟微人心惟危之句、真不虛傳之文字也、我憤
然苍曰、日本、雖有百萬精兵、又有千萬門、大砲俱備、
然安應七之一食、但一殺之權外更無他、難矣人生
斯世、一死、都無事、何慮之有、我更不答矣、任意行
之焉、自此時、我之末頭事、將爲大非而公判變變爲
曲判之勢、明確自築以信之、而況言然禁止許冥目
的意見、末能進述、又諸般事機掩跡餙詐之態、現著、

83

(40)

是何故也、推理思之則、非他故也、此乃妻曲爲直、妻
直爲曲之理也、夫法性如鏡、毫髮不容、而今我之事、
是非曲直、已爲明白矣、何掩之有、何諱之有、譬如此
世人情勿論賢愚善美之事、爭欲現誇於外、惡累之
事、必然暗隱以忌他矣、推此則可知也、此時、我不勝
大憤、頭腦甚痛、數日後漸差焉、其後月餘無事拖過、
此乃一怪臾也、一日檢察官、謂我曰公判曰、已定六
七日後而英露韓竝護士一體不許、但此處官選某
護士、使用云々故、我自思曰我之前日、上中二等之
策、所望、眞浪信過夢也、不出於我之下等所料也、其
後、公判初日、到于法院公判席、時鄭大鎬金咸玉等
五人、已盡無事放還、但離曹柳三人、與我同爲被告

出席而、傍聽人教、三百員、時韓國人弁護士、安東璜

氏與前日已受許可以去、英國人弁護士、亦為來參

然、都不許弁護權故。但傍聽而已矣、時裁判官、出

席依檢察官所審文簿、大概更為審問然、我欲進述

詳細意見、則裁判官、常要避杜口故、末能說明矣、我

已知其意故、一日、乘其期會、幾個目的、說明之際裁

判官、大驚起座即禁止傍聽後、退入于他房、以去也、

時我自思曰、我言中有如銃砲以然也、耶、銃砲有之以然

耶、譬言如清風、一吹塵累盡散、一般也、此咋他故我說

明伊藤之罪狀時、到於日本、孝明天皇、弑殺之句

語、如是破席矣、小頃裁判官、更為出席後、謂我曰更

勿發言如此之言、此時、我默然良久、自思自謂曰真鍋

(42)

判事、不知、法律以如是耶、天皇之命、亦當以如是
耶、伊藤公、所立之官以如是耶、何故如是耶、大醉於
秋風以然耶、我今日之所遭之事、真耶夢耶、我堂々
大韓國之國民、而何故今日被圍於日本監獄中況
受當日本法律、是何故耶、我何日、歸化於
日本國耶、判事日本人、此所謂啞者懚說会、
通譯官、日本人、傍聽人日本人、檢查日本人、弁護士日本人、
聾者傍聽、一般也、真個是夢中世界矣、若夢則速醒、
快覺、速醒、快覺焉、如此之境、說明無所用、公談、亦無
益矣、我乃笑以各曰、裁判官任意行之、我更別無他
言也、其翌日、檢察官、說明被告之罪状、而終日不絕、
至於唇亡、求舌繁、氣盡以罷、終末所謂請者、不過是、虜

86

443

（43）

我扵死刑而已矣、請死刑之理由則、如此之人、若生存
扵此世則、許多韓人慕範其行、日本人畏慯不能持
保之理由也、時我自思甚爲冷笑自謂曰自今及古、
天下各國俠客義士、無日不絶、此皆効我以然耶倘
談、曰勿論其人、不少頗親十個裁判官也、但頗全無
一個罪状云、此皆譟言也、若日本人、無罪則、何必畏
懺、韓人耶、許多日本人中、何必伊藤一人被害耶今
日又畏懺韓人之日本人、此非與伊藤同目的以然
耶、况我以私嫌、加害扵伊藤、有私嫌云、我本不知伊藤、有何
私嫌而若曰我與伊藤、有私嫌、以如是則檢察官與
我、有何私嫌、以如是耶、若如檢察官所言、則、不得不
世無公誒、公素都出扵精情私嫌云、可也、然則史對

87

(449)

講通檢察官之以私嫌請死刑之罪又有他檢察官

審查講通氏之罪然後亦為請刑可合於公理也然

則世事豈有出末之日耶伊藤公日本天地尊一等

高大之人物故日本四千餘萬人民甚畏敬服者則

我罪亦極大必有非常極重極大之刑罰請此之樣

思量矣何故但以死刑請此耶日本人於死刑之

外上之上極為重大之刑法末能辨備以然耶酌量

減輕以然耶我雖千思萬量難辨理由曲直可試可

許也其翌日水野鋤田兩氏弁護出辯論被被告之

犯罪現明無疑然此出於誤解之故則其罪不重矣

光韓國人民日本司法官管轄之權頓無云々而我何

更為辨明日伊藤公之罪狀天地神人皆知而我何

(45)

誤解耶、況我作個人謀殺犯罪人也、我則大韓國義
兵參謀中將之義務、帶任而到于哈爾賓、襲擊
後、被擄到此矣、旅順口地方裁判所、都無關係則當
以萬國公法、與國際公法判決可也、於是時聞已盡
而裁判官曰、再明日、來開宣告云、時於自思日、再明
日本國、四千七百萬之人格、美介之日也、當觀
輕重高下矣、此日、到于法院、則真鍋裁判官宣告曰
安重根、處於死刑、禹德淳三年懲役、遭道先柳東夏
各一年半處役云々、而與檢察官、如出一口、而拱訴
日字限五日內更定云、後來更不打話、紛々終判以
散時一千九百十年庚戌正月初三日也、還囚監獄中、
乃自思自課曰、不出於我之所料也、自古及今、許多

(46)

忠義志士、以死為限、忠諫諛暑、熱不冷中於後日之
事矣、今我特憂乎詳大勢、竭盡赤誠、獻身設策而終
歸烏有、痛難奈何、然、日本國四千萬人族、大呼安童
根之日、豈不遠矣、康詳和局、如是缺裂百年風雲、
何時可息乎、現今日本當局者、小有知識則、必不行如
此政暑也、況若有廉耻公豈之心、豈能行如此之行
勳耶、去一千八百九十五年（起）住韓日本公使三浦、
駆兵犯闕韓国明聖皇后閔氏、弒殺而日本政府、
三浦別無處刑以放釈、其内容則、必有使命者故、如
是者明矣、然、至於今日、我事論之則、雖曰個人聞殺
人罷、云之、三浦之罪、與我之罪、誰軽誰重乎、可調腦
碎膽裂慮也、我有何罪、我犯何過耶、千思萬量之際

(47)

忽然大覺後、搏掌大笑曰、我果大罷人也、我非他罷

我為仁弱韓国人民之罷也、乃解疑安心焉、其後典

獄東原氏、特別紹介、高等法院長平石氏面会、談話

之際、我対死刑判決不服之理由、大概説明後、東洋

大勢之關係、與平和政署意見、進述之、則高等法院長

聽罷、慨然答曰、我與君、同情雖厚、然政府主權之機

關、難改奈何、當君之所述之意見、稟達于政府、我

聽罷、暗々稱善曰如此公議正論、如雷謹耳一生、雖

得再聞之說也、如此公義之前、雖氷糜、可為感服矣、

我更請曰若為許可則、東洋平和論一卷、欲為著

則、東洋平和論十卷、欲為著述、執行日字、限月餘寬

宥若何、高等法院長、答曰不快月餘寬限、雖致個月之

(4ð)

餘、特別許可矣、勿慮寫於是感謝不已而還自此
拱訴權、抛棄請願、若更爲拱訴則都無利益、明若
觀火、不審、高等法院長之所言、果是真談則不必更
念矣、於是東洋平和論、著述爲始而時該院與本署一
般官吏、我手寫之書籍欲爲紀蹟次、絹足紙張致百
枚、買送請求故、事勢不得、不思自己之筆法不能不
能、不顧他人之戲笑、每日致時間式、寫書寫一自在
監以後、特有斯親之友二人、一部長青木氏與守田中
氏世、青木氏、性情、仁厚公平、田中氏能通韓國言語
而我之、一動一忠之事、兩氏、不然顧護我與兩氏情
若兄莘矣、時、天主教会、傳教师诀神父欲教師诀神
永生永樂之聖事次、自韓国来到此屢與我相逢面

92

437

49

會、如夢如醉、難覺喜樂也、氏本佛蘭西國以、巴里京、

東、評傳敎會、神品學校卒業後、守童貞許領受神品

聖事、升爲神父氏、才藝出衆、多聞博學、而英法德與

羅瑪古語、無不達通也、一千八百九十年頃、末到韓

國、京城與仁川港、幾年間春酋矣、其後一千八百九

十五六年頃、更下來于海西黃海道等地傳敎之時、

我入敎領洗、其後同也、今日此地、更爲相逢、就能思

量乎、氏年歲五十三笑、時、諜神父、對我訓誡聖敎道

理後、翌日捷告解聖事、又翌朝末到監獄署中、擧行

彌撒聖祭大禮、時我服事、聖祭領聖軆聖事受天主之

格特恩感謝、何極、時監獄署一般官吏、來參爲、

其翌日午後二時頃、又末到、謂我曰今日、復歸于韓

(50)

國敵、作別次末到云、相對談話欵時間後握手相別

之際、謂我曰仁慈

天主、不棄汝而怡悅之矢、勿慮安心在、遂擧手向我

降福以後相別以去、時、一千九百十年庚戍二月初

一日下午四点頃也以上安重根之三十二年間之

歷史大慨耳

一千九百十年庚戍陰二月初五日
　　　　　　　　陽三月十五日　旅順獄中

・大韓国人安重根畢書

壹千九百九年十二月十一日 始述

安應七歷史

一千八百七十九年卽己二月十六日、大韓國、黃海道、海州

府、首揚山下生、一男子、姓、安、名童根、字應七

性質近於狂急故名曰童根 胸腹有七小黑子故字應七 其祖父名、仁壽、性質左厚家

產豐富、以慈善家、著名於道內曾前、敍任于

鎭海縣監一郡二生、六男三女、第一名曰泰鎭

二泰鉉、三泰勳、四泰健、五泰敏、六泰純、合

六兄弟、皆文翰有餘、其中才慧英俊、八九歲

96

通達四書三經、十三四歲、科文、六體、卒業、讀書、
通鑑、卅時敎師、開卷、指示一字、問曰、自此字、
十張之、下底字、何文字、能知否、暗思答曰能知
彼必、天字矢、散見則、果若其言天字、敎師奇
異之、更問曰此卅、翻逆推上、能知否答曰
能知、如此試問十餘次、順逆一般、都無錯
誤、聞見者、無不稱善、謂之仙童、自此名譽、
播著遠近、中年、登科、進士娶趙氏作配、生

97

432

三男一女一曰重根二定根三恭根地一千八百

十四年一軒間、往留於京城矣、時、朴永孝氏、

深慮國勢之、危乱、欲為革新政府、開明國

民、選定英俊青年七十人、将欲派遣外國、

遊學一私今亦為、被選矣、呼鳴、政府奸臣

輩、構誣朴氏、欲為反逆、発兵捕捉時、朴

氏、逃走於日本、同志者與學生等或被殺、

殺或被捉遠謫、一私今避身逃躲、歸隱於卿

第與其父、相議曰、國事、將日非矣、富貴功名、
不足圖也、一日、都不如、早歸樓山、畊雲、釣月、
以終此世盡賣家産、整理賊政、準備馬車、
統率家眷、凡之个人口、移居于、信川郡、清
溪洞山中、地形險俊、田畓俱備、山明麗水可
謂別有天地也、一分時年六七歲也、依賴祖父
母之愛育、入於漢文學校、八九年間、縱習普
通學文、至十四歲頃、祖父仁壽棄世、長逝

99

願不忘愛育之情、甚切哀痛、沉病半年以
後、蘇復耳、自幼時特性、耽好狩獵也、常隨獵
者、遊獵山野之間、漸長、擔銃登山狩獵禽
獸、不務學文、故父毋與教師、童蒙之終不
服從、視友學生、相謂勸勉曰、汝之父親以
文章、著名於現世、汝何故、將欲以無識下等
人、自處乎、曰汝之言是也、然、試聽我言、昔
楚霸王項羽曰、書、足以記姓名、云、而、萬古英
雄楚霸王之名譽、尚遺傳於千秋也、我不顧

以學文著世、彼大夫、我大夫、汝等更勿、勸我、
一日、此時三月春節、與學生等、登山、觀景、臨
於層巖絕壁之上、貪花欲折、失足滑倒顚
沛墮下數十尺、勢無奈何、勵精思量之際、
忽逢一株柯木、展手把扼、奮身勇起、回顧四
面、若過數三尺墮落則、數百尺層巖之下、
碎骨粉身、更無餘望之地、群兒、立於山上、
面如土色、而已矣見其得活、取索引上、別
無傷處、汗出沾背、握手相賀、感謝天命下

101

428

山歸家、危境、免死之第一面也、一千八百九十四甲

一殖年十六歲娶妻金氏現生二男一女、時韓國各

地方、所謂東學(現今進會之本祖也)黨處處蜂起、稱托外

國人排拆、橫行郡縣、殺害官吏、掠奪民財、

此韓國將危之基礎、日清露開戰之源因、一百分之一所遺之菌、

官軍、不能鎭壓故、清國動兵

渡來、日本亦動兵渡來、日清兩國、互相衝突必成

大戰爭、伊時(一八九五)難耐東學黨之暴行、團結同

志、飛檄擧義、召集狩獵者、妻子編於行伍、

又精兵凡七十餘員陳於靑溪山中、抗拒東學黨、

102

時、東學魁首、元容曰、領率徒黨二萬餘名、長驅
大進以來、旗幟槍釰敵於日光鼓角喊聲振動
天地、義兵、數不過七餘名、强弱之勢、比如以卵
擊石也、衆心嗟惻、不知方法矣時、十二月冬天東
風忽吹、大雨暴注、咫尺難辨、敵兵衣甲畫濕
冷氣觸身、勢無奈何故、退陳于十里許村中留
宿、是夜一我與諸將、相議曰、若明月坐受敵兵
之圍圍攻擊則、小不敵大必然之勢也、不如今
夜先進襲擊、敵兵、乃傳令、雞鳴早飯、選精

103

兵四名、進襲、餘兵守備本洞時、一飽與同志六人
自願先鋒、兼爲偵探獨立隊、前進搜索臨
於敵兵火將所恶尺之地、隱伏於林間觀察陳勢
勤定、旗幅隨風翻飛、火光衝天如白晝、人馬
喧開、都無紀律、顧謂同志者曰、今若襲擊敵
陣則、必建大功衆曰以少少殘兵豈能當賊數萬
大軍乎、答曰、不然兵法云、知彼、知己、百戰百勝、
戟觀敵勢、鳥合乱衆、吾輩七人、同恙合力則如
今彼乱黨、雖百萬之衆、不足畏也、姑未天明出

其不意、勢如破竹矣、公等勿疑、聽從我計、衆應
諾之、運籌已畢耳、一聲砲號令、七八人一齊、向
敵陣大將處、沒放射擊、砲聲、如雷、槭動天地、
彈丸、與兩雹一般、敵兵、別無預備、措手不及身
不着衣甲、手不執機械、自相踐踏、滿山徧
野以走、乘勝追擊矣、小頃、東天已明耳、敵兵
始覺我孤弱、四面還圍攻擊、危勢甚急、
左衝右突、都無脱身之策矣、忽然背後、砲聲
大振、一枝軍趕來衝突、敵兵敗走、解圍得

脱此乃本陣後援兵、來到接應也、兩陣合勢追
擊、敵兵四散逃走、收拾戰利品、軍器彈藥、
数十駄馬匹不計其数、軍糧千餘包、敵兵死
傷者数十餘名、義兵都無損害一人感謝天
恩、三呼萬歲凱旋本洞、馳報勝捷于、本道
觀察府此時日本尉官鈴木頒軍過去、送交書信、
以表賀情矣、自此敵兵聞風以走、更無交鋒漸
次況息、國内恭平、耳戰役以後痼疾罹於重症
苦痛、数三朔、免死回生、自伊到今十五年間都

無一次輕症也、噫、筷、兔死、走狗烹、越川之杖、棄
於沙場其翌年一乵夏間、何許兩個客、來訪、一乵
謂曰、昨年戰爭時、輸來千餘包糧米、此非東學
堂之所物、本是其半、今度支部大臣、奧元仲
氏之貿置穀、其半、前惠堂閔永駿氏之、
農庄秋收穀矣、勿為至滯、依數還報焉、乵
笑以答曰、奧閔兩氏之米、我非所知、即接奪取
於東學陳中之物、公等、更勿發如此、無理之說、
兩人、無答以去矣、一日、自京城、緊急書信一度

107

來到圻見、則云、現今度大象兒仲與閔永後西氏

以所失殼包、推覓之態、誣陷上秦皇帝陛下

曰、安其、莫重國庫金、所貿之米千餘包、無

端盜食故、使人探查則、以此米養兵數千將

有陰謀、若不發兵鎮壓、國家太患云云、故方欲

發兵派遣為計、如是諒之火速上來、以圖善

後方針、一金宗漢書信前判決一看罷一即發程到

於京城則、果若其言、舉實、呼訴于法官數

三次裁判終未判決、金宗漢氏、提議於政府曰、

安某、本非賊類、舉義討匪、國家一大功臣、當表
其功勳而、又以不近不當之說、構陷可乎、然、
臾免仲、終不聽矣、不意臾氏、逢民乱以作
乱民石下之悲魂、臾謀、於是休矣、毒蛇、
已退、猛獸、更進也時、閔永駿、更為舉事
謀害閔氏、執力家事機危迫、討窮力盡勢
無奈何、避身、投入於法國人天主教堂、隱跡
数月、牽賴法人之顧助、閔事、永為出末、無
事妥帖焉、這間、久留教堂内、多聞講論博

覽聖書、感於眞理、許身、入教後、將欲播
傳福音、與教中博學士李保禄、多數經書、
輸歸本鄉、時、領一年十七八歲頃、年富力强氣
骨清秀、不下於衆、平生、特性、好嗜者有四、一曰、
親友結、二飲酒歌舞、三銃砲狩獵、四騎馳駿
馬、無論遠近、若聞義俠好漢、居留之說則、
常攜帶銃砲、馳馬尋訪、果若同志、談論、或
慷慨之說、痛飲快好之酒、醉俊、或歌或
'舞、或遊戲、於花柳房、謂妓女曰、以汝之

110

絶妙之色態、與豪男子、作配鮮老、豈不美哉

汝輩、不然、若聞金錢之聲則、流誕失性、不顧

廉耻、今日張夫、明日李夫、甘作禽獸之行耶、

言辞如是、娥女不肯、疾憎之色、不恭之態、

現於外則、或詬辱、毆打、故朋友、稱別號曰、

電口也、一日同老六七人入山鹿獵、巧哉、彈丸、

羅於銃咆、遇獸不能援、不能入以鐵杖、貫穴、無

忌、猛賴矣、不意、轟々一聲、魂飛魄散不知

頭部、在不在、不覺生命、死不死、小頃、聚精

會神、詳細檢查則、彈丸、爆裂、鐵杖與丸子、穿右手以飛上天、即往兩院、治療得差、自此近今十年之間、雖夢想中、念到此時驚恐則、常毛骨悚然耳、其後、一次橫被他人之誤射、獵銃霰彈二次、中於背後、然別無重傷、即地玆九得差耳、伊時、廣播福音、勸勉遠近、入教者、日加月增、一般家眷、渾入信奉天主教一領亦入教、受洗于法國人宣教師洪神父若瑟、作聖名曰、多默講習經文、討論

道理、已過多月、信德斷固、篤信無疑、崇
拜天主、耶穌基督、也日去月來、已過數年、
時、教會事務、擴張一領與洪教師、徃來各
處、勸人傳教、對衆演說曰、兄弟乎我有一
言、請試聞之、若有一人獨食美饌、不給家
眷、抱藏才藝、不教他人則、是可曰、同胞
之情理乎、我今有異饌奇才、此饌一飽則、
能長生不死之饌、此才一通則、能飛上天之才
故、欲爲教授、願食同胞、傾耳聽之乎夫天

113

地之間、萬物之中、惟人、最貴者、以其、魂之靈
也、魂有三別、一曰、生魂、此、草木之魂、能生長
之魂、二曰、覺魂、此、禽獸之魂、能知覺之
魂三曰、靈魂此人之魂、能生長、能知覺、能
分辨是非、能推論道理、能管轄萬物故惟
人、最貴者、魂之靈也、人若無靈魂、則、但
肉體不如禽獸、何故、禽獸、不衣以温、不業
以飽、能飛能走、才藝勇猛、過於人類、然
"許多動物、受人制者、其魂之不靈所致矣

故、靈魂之貴靈、推此可知而、即所謂天命
之性、此、至尊天主、賦卑于胎中永遠無窮、
不死不滅者也天主、誰耶曰一家之中、有家主、
一國之中、有國主、天地之上、有天主、無始無終、
三位一体、其意深大未餅 全能全知、全善、至公、
至義、造成天地萬物、日月星辰償罰善
惡、獨一無二之大主宰是也、若一家中主父
建築家屋、辨備産業、給其子、享用其
子、肆然自大、不知尊親之道則、不孝莫甚

其罪重矣、一國中、君主、施政至公、保護各業、與臣民、共享太平、臣民不服命令、都無忠愛之性則、其罪最重、天地之間、大父大君天主、造天以覆我、造地以載我、造日月星辰光照我、造萬物以享用我、終々洪恩、如是莫大而、若人類、妄自尊大、不盡忠孝、頃忘報本之義則、其罪尤極無此、可不懼或、可不懷哉、故、孔子曰、護罪於天、無所禱也、天主、至公、無善不報、無惡不罰、功

罪之判、即身死之日也、善者、靈魂、升天堂、
受永遠無窮之樂、惡者靈魂、入地獄、受永
遠無盡之苦、一國之君、尚有償罰之權、況天
地大君乎、若曰何故、天主人生、現世、何不報
復償罰善惡、乎、曰不然、此世償罰、有限、
善惡無限、若有一人、殺一人則判其是非無
罪則、已、然、有罪則、當一身、代之足矣若
有人、殺幾千萬人之罪則、以一身、豈能代之、
若有一人、活幾千萬人之切則、以暫世之榮、豈

117

能盡其償、況人心、時時或忝時為善、後
時作惡、或今日、作惡若欲隨其
善惡、報其償罰則此世人類、難保明矣、又世
罰、但治其身、不治其心、天主之償罰、不然、全
能、全知、全善、至公至義、故、寬待人命終
世之日、審判善惡之輕重、然後、使不死不
滅之靈魂、復永遠無窮之償罰、賞者、天
堂之永福、罰者地獄之永苦也、升降一定
更無移易、嗚呼、人壽、多不過百年無論賢

12

愚貴賤、以赤身、生於此世以赤身、歸於後世、此所謂、空手來、空手去、世事如是虛幻、已可知然而何故、汨於利慾場中、作惡不覺後悔何及若無天主之賞罰靈魂、亦身死隨滅則暫榮、容或可圖而、靈魂之不死不滅、天主之至尊權能、明若觀火也、昔売、旦來彼白雲、之于帝鄉、何念之有、剫曰生寧也、死歸也、又曰魂升魄降云此足爲靈魂不滅之明證也、若人、不見天主之堂獄、不信

有之則、是何異於、遺腹子、不見其父、不信
其有父也、瞽者、不見天而不信天有日也、見
其華麗家屋而、不見建築之時故、不信有所
故之工匠則、豈不笑哉、今夫天地日月星辰之
廣大、飛走動植之、奇々妙々之萬物、豈無作
者以、自然生成乎、若果自然生成則、日月星
辰、何以不違其轉次、春夏秋冬、何以不違其
代序乎、雖一間屋、若無作者、都無成
乃造之理、水陸間、許多機械若無主管之人則、

120

409

豈有自然運轉之理哉故何信、與不信、不係於見
不見而、惟係於、合理與、不合理而已、舉此幾
證、至尊天主之恩威、確信無疑、沒身奉事、
以答萬一、吾儕人類、當然之本分也、於今一千
八百餘年前、至仁、天主、矜憐此世、將欲救贖
萬民之罪惡、天主第二位聖子、降孕于童貞
女瑪利亞腹中、誕生于猶太國伯利恒邑名
曰、耶穌基督、在世三十三年間、周遊四方、觀人
改過、多行靈跡、瞎者見啞者言、聾者聽、

殷者行、癲者愈、死者甦逺、近聞者、無不服
從、擇選十二人、爲宗徒十二人中、又特選一人、
名、伯多祿、爲教宗、將代其位、任權定規、設立
教會、現今意太利國羅馬府、在位、教皇、
自伯多祿傳來之位、今世界各國天主教人皆
崇奉也、時、猶太國、耶路撒冷城中古教人等、
憎是耶穌之策善、嫌疑權能、誣陷捕捉、
無數惡刑、加千苦萬難後、釘于十字架、懸
″於笠中、耶穌向天祈禱、救救萬民之罪惡

122

407

大呼一聲、遂氣絶、時天地、振動、日色、晦冥、
人皆恐懼、稱上帝子云、宗徒取其屍、葬之
矣、三日後、耶穌、復活出基、現於宗徒同
處四日、以傳赦罪之權、離衆升天、宗徒向
天拜謝而歸、周行世界、播傳天主教迨今
二千年間、信教者、不知幾億萬名、欲證天
主教之眞理、爲主致命者亦幾百萬人、現今
世界文明國博學紳士、無不信奉天主耶穌
基督、然現世、僞善之教、甚多、此耶穌預

亮於宗徒曰、後世必有僞善者、依我名惑衆
愼勿陷非、天國之門、但天主教會一門而
已、願我大韓僉同胞兄弟姉妹猛醒勇進
痛悔前日之罪過以爲天主之義子、現世以作道
德時代、共享太平、死後升天以受賞、同樂無窮
之永福、千萬伏望耳如是、說明、徃徃有之然聞
者或信、或不信也、時敎會漸次擴張、敎人近
於數萬名、宣敎師八位、來留於黃海道內、頗
15 伊時、洪神父前、學習法語、幾個月矣、與洪神父

124

405

相議曰、現今韓國敎人、曚眛於學文、傳敎上損害
不少、況來頭國家大勢、不言可想、禀於閔主敎前、
西洋修士會中博學士幾員請來、設立大學
校後、敎育國內、英俊子弟則、不出數十年必
有大効矣、計定後與神父、即上京會見閔主敎、
提出此議主敎曰、韓人若有學文則、不善於
信敎、更勿提出如此之議焉、再三勤告、終不
聽故、事勢不得已、思還本鄉、自此不勝憤慨
心盟曰、敎之眞理、可信然、外人之心情、不可信

125

也、教授法語、獎之不學、友人、問曰、緣何獎若

答曰、學日讀者、為日奴、學英語者、為英奴、我

若學習法語則、難免法奴、故、獎之、若我韓

國威振於世界則、世界人、通用韓語矣、君

順勿慮、寔、無辭以退時所謂、金礦、監理、

朱哥為各人、毀謗天主教、被害不小云故、一頭、

選定總代、派遣朱哥處、舉理質問之際、金

礦役夫、四五百名、各持杖召不問曲直打將下

來、此所謂法遠拳近也、危急如此、勢無奈

126

何一頷、右手、扶腰間之短刀、左手、把朱哥之左手、
大呼叱之曰、汝雖有百萬之衆、汝之命、懸於我
乎、自量爲之、朱哥大㤼、比退左右、不能把手、
乃執朱哥之左手、率出門外同行十餘里後、放
還朱哥乃得脫歸焉、其後頷、被選萬人㔉
社長、臨出票式擧行日、遠近來參之人、數
萬餘名、列立於㔉場前後左右、無異於人山
人海、㔉所、在於中央、各任員、一般居處、四門巡
橃、把守保護矣、時、出票機械、不利有傷、票

127

印、五六尺、_{票印盖次 一升武出然}一番出來、觀光者、数萬人不分是非曲直、稱以挾雜所做、高喊一聲、石魂乱杖、如兩下來、把守巡檢、四散粉走、一般任員被傷者、無数、各自圖生以逃躲、但所存者、頋一個人而已、眾人大呼曰、社長打殺一齊打杖投石以來危勢甚急、命在時刻、卒然自量則、若為社長者、一次逃之、會社事務、更無餘顧況後日、各輩之何如、不言不想也、然勢無奈何是採行李中、搜索一柄銃砲、_{十連我 新武銃}執於右手、以

128

蹈步、上於穰檀、向衆大呼曰、何故、暫聽
我言、何故欲殺我乎、公等不辨是非曲直、起鬧作
乱、世豈有如此野蠻之行耶、公等雖欲害我然我
無罪、豈肯無故棄命可乎、我決不無罪以死
矣、若有與我、爭余者、快先前進、說破衆皆
噯懶、退後壞散、更無喧鬧者矣、小頃一人自
外面、起身数萬人圍上以來、疾如飛鳥、當
立於面前、向我此呼曰、汝爲社長、請数萬人來
到而、如是、欲爲殺害耶、下觀其人、身体建

長、氣骨淸秀、聲如洪鐘、可謂一大偉雄、頭
遂下壇、握其手、敬禮謝之曰。兄長兄長、息怒
聽言、今之事勢到此者、此非我之本意也、事機若
此若彼而、乱類單空起慈開之事矣、奉順兄
長活我危命焉、古書云、殺袞無罪之一人則、
其殃、及於千世、救活無罪之一人則、陰傑及
於萬代聖人、能知聖人、英雄、能交英雄、兄我
間自此、以作百年之交、若何、答曰、諾々、遂向衆
18人大呼曰、社長都無罪過、若有欲害社長者、

狀以一拳、打殺乃已、說破、以左右手、排拆衆圍形
如水波、一般壤散時、頭、始饞放心、更上稧壇、
大呼衆人、會集安定後、曉諭曰、今日所遭
斬致也、願貪公、怨容思之若何、衆皆諾欠、
之事於此於彼、別無過失而此巧機械之不利
又曰、然則、今日出票式拳行、當姓、終如一然後、
可免他人之耻笑矣、從速更爲擧行、出末若
何、衆皆博手應、讓耳、於是、逐續式擧行無
事畢了、散歸時、與其恩人相通姓名、姓許名

131

鳳咸慶北道人、感賀大恩後、結約兄弟之誼、

置酒宴嚟、能飲毒酒百餘碗、都無醉痕、試

其膂力則、或桥子、数三寸朾、置於掌中、

以兩掌、合磨則、如石磨、壓磨、破碎作粉見者、

無不驚嘆、又有一則才、以左右手、向背抱圍柱

棟後、以繩索、噴縛兩手則、柱棟、自然在於兩

臂之間、身如柱棟一体、若不解其手之縛繩

則、都無按身之策必矣、如是作之後、衆人田

立小頃、一分間顧見則、兩手順縛、如前有之、小

132

397

無變更、然柱棟、援於兩臂之間、如前完立、其身
不係於柱棟、以股馬、見者無不稱善曰、酒量
勝於李太白膂力、不下於項羽、術法、可比
於佐左亏、同樂錢日後、分手相別、迨今幾年
間、未知何蔬耳時、有兩件事、一甕津郡民、
錢五千両、被奪於京城居、前恭判、金仲煥處
惠一、李景園事氏、本籍平安道永柔郡
人業、醫師來留於黃海道、海州府與柳秀
崑[本瞆財政家] 女息、作配、同居数三年之間生一女、李

吉、李氏許、家田畓賊產奴婢、多數分給矣、
時、海州府地方隊兵營尉官、韓元校爲名人、
乘李氏上京之際、誘引其妻通姦、威賀秀
吉、奪其家舍什物後、完然居生耳時、李氏、
聞其言、自京城還到本家則、韓哥使兵丁、
乱打、李氏毆遂、頭骨破傷、流血浪藉、目不忍
見、然李氏、孤跡他鄉、勢無奈何逃躲保命
後、即上京呼訴于、陸軍法院、與韓哥、裁判七
八次、韓哥、免其職然李氏、妻與家產、不能

20

推尋、韓哥、與其女、收拾家産、上京居住

也時、甕津郡民與李氏皆教會人故一頷、被選

總代偕兩人、上京、韓護兩件事、先徃見金仲燨、

時、金玉賓客滿堂以坐、與主人、相禮、通姓名、

後坐定、金仲燨問曰、緣何事以來訪乎一頷、

答曰、我本居下鄉愚眠、不知世上規則法律故

問議次來訪、金曰、有何問事、答曰、若有京

城一大官、勒討下鄉民賊、幾千兩、都不還

給則此何律法、治之可乎、針、暗思小頃曰、此

非我事否、答曰、然、公何故、雍津民賦五千兩、

勒奪不報乎、金曰、我今無錢不報、當後日還

報、為計也、答曰、不然、如此高大廣室、許多

什物豊備居生而、若無五千金云之則、何人

可信之乎、如此相絲之際、傍聽一官人、高聲

叱我曰、金栽判、年老大官、君少年鄉民何敢

發如此不恭之説誇乎、慫以問曰、公誰耶

客曰、我々姓名、丁期愛也 現時漢城在裁判所擔管 我答曰、公不

21讀古書也、自古及今、賢君良相、以民為天

136

393

暗君貪官以民爲食、故、民富則、國富民弱
則、國弱、當此茇業時代、公等、爲國家捕彌
之臣、不受皇上之聖意、如是虐民則、國家
前道、豈不痛嘆哉、況此房非裁判所也、公
若有五千金、報給之義務則與我相詰可也、丁
哥、都無答辞、金仲燮曰、兩公、奉勿相詰焉、丁
我當幾日後、還報五千金矣、公須寬恕哀
乞四五次故、事勢不得、退限定約以歸、伊時、李
景周、探知韓元校之佳所、相議曰、韓哥、勢

137

力家、自法官、稍托逃躲、都不捉致公判、我等、
先當探捉韓哥夫妻然後、偕往法司、公判可
也、李氏與同志幾人偕往韓哥住在家搜索
則、韓哥夫妻知機先避故、未能捉得空還
矣、韓哥、誣訴于漢城府曰、李景周、來到於
本人家、突入內庭、老毋、毆打去故自漢城府捉
致李景周、檢查之場、問其證人則、李氏指名
䭾姓名故、亦爲被招、到於檢查所、覩之則檢
查官、丁明燮也、丁氏一見䭾怒色、現於外面

138

391

領、内念、暗思自笑曰、今日、因受丁哥之前嫌矣、

金仲煥家相結之嫌 然、無罪之我孰能害之、思畢、檢查、問我曰、

汝、證見於李韓西之事乎、答曰、然、又問曰、何故

毆打韓哥之母乎、答曰、不然、初無如此行動也、此

所謂、已所不欲、勿施於人豈有他人之老母、毆

打之理乎、又問曰、何故他人之内庭、無故突入

答曰、我本無他人内庭突入之事、但有李景闊

家内庭、出入之事矣、又問曰、何故、李哥内庭云

乎、答曰此家則、以李哥之鐵、買得之家、房内

器俱、皆李哥之前日、所持之物、奴婢、亦李哥前

使之奴婢、其妻即李哥、所愛之妻也、此非李

哥之家庭、何人之家乎、檢查黙々無言畢忽

見則、韓元校立於面前、頷急呼韓哥、謂之

曰、韓哥、汝聽我言、夫軍人者、國家之重任也、

培養建義之心、防禦外賊、守護壇土保安

人民、堂々軍人之職分、汝、況為尉官者、勒奮

良民之妻、討索財産、然、特其勢力、無所

忌憚、若京城、如圅之賊漢、多有居生則、但

京漢輩厚說生子生孫、保家安業、下鄉殘民、

其妻其賦被奪於京漢輩、盡滅乃已、世豈

有無民之國乎、如爾之京漢輩、萬死無惜也、

言未畢、校査博床大叱曰、此漢、嚇京漢輩、（皇帝大官云 前嶺所發）汝敢發

如此之言乎、頜笑以答曰、公、何故如是發怒

京漢輩、京城何人、居生而、

耶、我言韓哥去曰、若如爾之賊漢、多有於京城

則、但京漢輩、保生鄉民、盡滅去兮、若如韓哥

者、當受此辱、不如韓哥之人、有何關係乎、

141

24

公、誤聞、誤鮮也、丁曰、汝言足以篩非也、答曰、
不然、雖善言足以篩非若指水謂火則、誰可
信之乎、檢查不能答辞、令下人、李景周、捉囚、
監獄後、謂一頷曰、汝亦捉囚我怒以答曰、何故、
捉囚乎、今日我之來此者、但證人、招待者、非被
告捉致者也、況雖有千萬條之法律、都無捉囚
無罪人之法律、雖有百千間之監獄、都無捉囚
無罪人之監獄矣、當此文明時代、公、何故、豈敢
私行野蠻法律乎、快〃向前、出門以歸館、檢查無

142

如何之說矣、時、自本家、書信來到、親患、危重云

故歸心如矢、即地束裝、從陸發程、時、嚴冬寒

天耳、白雲滿天下、寒風吹空裏行、過獨立門外

回顧思之心膽、如裂如是親友、無罪因獄不見

得脫、冬天寒獄、豈能反苦、況乎何日如彼惡

政府、當一擧、打破改革後、掃滅亂臣賊子之

輩、成立堂々文明獨立國快得民權自由乎、

言念及此血淚湧出、真難旋踵也然事勢不

得、竹杖麻鞋、獨行千里以來、行之中路、適逢

25

鄰邑親友、李成龍氏、李氏、騎馬以來、謂我

曰、奉氏、作伴歸鄕則、甚好也、我笑曰、騎步、

不同、豈能同行、李曰、不然、此馬自京城定價

得稅之馬、日氣甚寒、不能久騎、與公數時間

式、分排騎步則、當路遞消寂矣、牽勿謙讓

馬、說破、作伴同行、數日後、至延安邑、近地方

面、是年、天旱不雨、年形大歉時、領騎馬以

去、李氏、從後以來、馬夫者牽馬、扶馬以行、相與談

話之際、馬夫、指電線木、辱之曰、現今外國人、

144

385

設置電報後、空中電氣、沒数收獲、凶置電報
用故、空中、爍然電氣、不能成雨、如是大欺、
矣、領一笑以諭之曰、豈有如此之理乎、君久居、
京城之人如是無識乎言未畢、馬夫以馬、
鞭打我之頭部、再三猛打辱之曰、汝何人
謂我無識之人乎、我自思之、莫知其故況
此地、無人之境、其漢之行動、兇惡如是、頭
坐於馬上不下不言、仰天大笑而已、李氏盡力
挽執、牽免大害、然我之衣冠、盡被破傷

145

384

矣、小頃、至延安城中、此處一殖一親友等、見我之
形容、驚怪問之、說明其故、諸人念怒馬夫、
提因法官、欲為懲罰、我挽諭曰、此漢、失精、
狂人矣、勿為犯手、即為還送焉、衆皆為然、
無車放送一殖、還御到家、親患、漸次得差、
數月後、躰復焉其後、李景周被司法官之
柳勒法律、處三年懲役矣、一年後、蒙救得
放時、韓元校、行賂萬金、使宋哥朴哥兩人
誘引李氏於無人之境、韓哥、按鋼刺殺李氏、

146

383

噫、以賊色濫殺人命、可爲後忍之哉哉

後、逃走時、自司法、發捕、捉得宋朴

兩人與厥女依律處刑、然韓哥終不得捕捉、

痛哉、李氏魁作永世之怨魂也、時、各地方官

吏、濫用虐政、唆民膏血官民間、視若仇讎、

對之如賊、但天主教人等、抗拒暴令、不受討

索故、官吏輩、疾憎教人、無異於外賊然、彼

直戒曲、勢無奈何、一妖童多湳海時乱類輩、稱托

教人、挾雜之事、間或有之故、官吏等、乘此機

隙、與政府大官、秘密相議、誣陷教人云、黃海道

147

因敎人之行悖、不能行政司法、自政府特派查覈
使、李應翼、到于海州府、派送巡檢兵丁於各
郡、天主敎會頭領之人不問曲直、沒數押上、
敎會中、一大窖乱也、敎、亦欲挺得、巡檢兵丁二
三次來到、然終爲抗拒不拿、避身他處、痛
憤官吏輩之惡行、長嘆不息、晝夜飲酒成
心火病、罹於重症、数月後、還歸本宅、治療
無効也、時、敎中事、因法國宣敎師之保護、漸
27 次平息焉、其後年餘有旷關事、出遊於他處

矣、郡也〔文化〕得聞則、娑來到于李敞灣家云、〔安岳邑相近也一頷〕

即往于其家則、〔私炎〕已歸本宅與李友、相對飲

酒談話之際、李曰、今番、公之父親、巧逢重辱

以歸矣、我大驚問曰、何故、李答曰、公父以身病

治療次、來到我家、與我父偕往于、安岳邑、尋

訪清國醫師、舒哥、對症後、飲酒談話矣、

清醫、緣何事故而、足踢公文之肩復被

傷故、下人等、執清醫、欲爲毆打則、公父挽

諭曰、今日我等、來此者、以治病次、訪醫而來

149

若打醫師則、是非勿論、難免他人笑柄矣奉
慎名譽的關係、若何、云云故衆皆忍忿以
歸矣、殆一日我父、雖守大人之行動然、爲子之
道豈可忍過乎、當徃談處、詳探曲直然
後呼訴法司懲其恃習若何、李曰、然、即地
兩人同行、尋徃舒哥問其事實、語不過數
話噫彼蠻情突起援鈘、向我頭部打將下
來、餉大驚急起、以左手、拒彼下手、右手索
腰間短銃、向舒哥之胷腹上、形如欲射、舒

28

哥嚇燭、不能犯手、如此之際、同行李敬淳、見
其危急之勢、亦取自巳之短銃、向空中、放砲兩
次、舒哥、知我之放銃、大驚失色、我亦莫知其
故、大驚、李氏、趕來、奪舒哥之釰、著石折半
兩人、分持半片釰、打下舒哥之膝足、舒哥、
到地、時一頒、即往法官、訴其前後、事實法
官曰、外國人之事、不能判決云故、更到舒哥
處則、邑中人、會集、挽諭故、攙挾舒哥、
與李友、各歸本家矣、第五六日後夜半、何許

151

29

七人突入于李敬淳家、其父親、乱打挺去李
敬淳、宿外房、度其火賊來却、手執短銃、追
去則、厥漢等、向李氏放銃、李氏亦放銃、不
顧死生以突擊彼等、擲棄李氏父親逃走以
去其明日、詳探則、舒哥、徃訴于鎭南浦情
國領事、故清國巡查二名、韓國巡檢二名、派送
安哥、挺待指令而彼等、不徃安哥之家、如
是空侵李家者也、如此書信、來到頭、即地
發程、徃于鎭南浦、探知則、清領事、以此事、

報告㕥、京城公使、照會韓國外部云故、頭即往
京城、擧其前後事實、請願于外部、奉得公決回
題、還付鎮南浦裁判所後、與舒哥、公判之時、
舒哥之前後䕣行、現露故、舒非安直、如是、
公決出末、後有清人紹介者、與舒哥、相逢彼
此謝過、平和由持焉、這間、頭、與洪神父、有
大競爭之事、洪神父、常有壓制教人之辭故、
頭與諸教人相議曰、聖教會中、豈有如是之道
理乎、我等當往京城、請願于閔主教前、若、主

敎、不聽則、當徒禀于、羅馬府敎皇前、期於
以杜如此之習、若何、衆皆諾從耳時、洪神父聞
此言大發忿怒、一頓、無數揮打故、我含念忍辱
矣、其後、洪神父、諭我曰、暫時忿怒、肉情所發
矣、相怒悔改若何云云故、一頓、亦答謝修好以、
復前日之情也、歲去月來、當於一千九百五年已、
仁川港灣、日露兩國、砲聲轟振、東洋一大問
題、突起之初、如此通信、來到、洪神父、歎曰、
韓國、將危矣、一頓一問曰、何故、洪日露國勝捷

則、露主韓國、日本、勝捷則、日本欲爲管轄韓國矣、豈不危哉、時一旦日考覽新聞雜誌、與各國歷史、推測已徃現在未來之事矣、日露戰爭媾和休息後、伊藤博文渡來韓國、威脅政府、勒定五條約、三千里江山、二千萬人心撓乱如坐針盤、時父心神憤憤病氣尤重耳、餉與父親秘密相議曰日露開戰之時、日本宣戰書中東洋平和、由持、韓國獨立、鞏固云矣、今日本不守如此之大義、恣行野心的侵畧、此都日本大政治

155

家、伊藤之政暴也、光定勒約、次滅有志黨、後
吞壇土、現世滅國新法矣、若不速圖之、難犬禍
豈肯束手無策、坐以待死乎、今欲擧義、反對
於伊藤政策則、强弱不同、徒死無益矣、現聞
清國山東上海等地、韓人多數居留矣、我之一
般家眷、移接於談處然後、以圖善後方策、
若何、然則、我當先往談處、視察後、歸來矣、
父親遷間、秘密束裝後、率家眷、徃于鎮南浦、
31 待之我還到之日、當更讓行之矣、父子、計定已

156

373

畢、一頓即地發程、遊歷山東等地後、到于上海、
尋訪閔泳翼、守門下人、開門不納云曰、大監
不見韓人矣、伊日退歸、後日二三次尋訪、亦然前
日、不許會見故、一頓大叱、公為韓國人、不見韓
人而、何國人見之乎、況公為韓國世代國祿之
臣、當此芨業之時、都無愛人下士之心、高枕安
卧頓忘祖國之興亡、世豈有如此之義乎、今日、
國家之危急、其罪、都在於公等大官、不係於
民族之過失故、面樻而不見耶、詬辱良久、以

歸、更不尋訪、其後、尋訪、徐相根、面會謀話

曰、現今韓國之勢危在朝夕、何為則好耶討將

安出、孫答曰、公韓國之事、向我勿言、我一個商

民、幾十萬元賊政見奪於政府大官輩、如是

避身到此而、況乎國家政治、民人等有何関係

乎、我笑以答曰、不然、公但知其一未知其二也、若人

民無之則、國家、何以有之、況國家非幾個大官

之國家、堂々二千萬民族之國家、而若國民、

32 不行國民之義務、豈得民權自由之理乎、現今

158

371

民族世界而、何故、獨韓國民族、甘作魚肉、坐待
滅亡、可乎、徐答曰公言雖然我、但以商業、糊口
而已矣、更勿發政治談話我再三發論、都無
應諾、此所謂牛耳、誦經一般也、仰天長嘆自思
曰我韓民志皆如是則、國家前道、不言可想
也、歸卧客榻、左思右想、慷慨之懷、難禁耳
一日、適往天主教堂、祈禱良久、以後、出門望
見之際、忽一位神父、過去前路、囬首望我相
見相驚曰、汝何故、到此耶、握手相禮、此乃郭

33

神父、此神父法國人〇年來留韓國傳敎于黄海道地方政與狀切親而方自香港歸幕之路 可謂眞夢

難醒也、兩人同歸旅館、談話、郭曰、汝何故到此

釈答曰、先生、現今韓國之慘狀、不聞乎、郭曰、聞

之已久、我曰、現狀如此、執無奈何故不得已、家眷、

搬移于外國安接後、連絡在外同胞、周還列國、

設明柳寬之狀、得其同感情後、待時到機至、

一次擧事、豈不達目的乎、郭、默然良久、答曰、

釈宗敎家傳敎師也、都無関於政治界、然今聞

汝言則、不勝感發之情、欲爲汝、設一方法奉頃

試聽若合於理則、即隨行之、不然則、自意為之矣
曰、願聞其計、郭曰、汝言雖如是然、此、但知其一
末知其二也、家眷移外、誤計也、二千萬人族皆如
汝則、國內將虛矣、此直致離之所欲、我法國與
德國戰爭時、割與兩道汝亦所知者、迨今四
年間、其地回復之機、數次有之、然此境有志
黨、沒避外邦故、未達目的者矣、此可為前
轍也、在外同胞、言則、比於在內同胞、思想培
加、不謀以同矣、不足慮也、以列強 動定 言之

161

34

則、若聞汝之抑冤説明、皆曰、矜憐云、然必無
為韓、勤兵聲討者明矣、今各國、已知韓國之
慘狀然各自紛忙於自國之事、都無顧護他
國之暇而、若後日、運到時至或有聲討日本不
法行為之機矣、今日、汝之説明、別無効力矣、
古書云、自助者、天助、汝速歸國、先務汝事焉、
一曰、教育發達、二曰、社會擴張、三曰、民志團合、四
曰、實力養成、此四件、確實成立則、二千萬心力、
堅如盤石、雖千萬門大砲、攻擊不能破壞矣、此所

367

謂、匹夫之心、不可奪云、況、二千萬夫之心力乎、然則、斯奪壞土、形式狀而已、勒定傑約、紙上空文、歸於虛地矣、如此之日、快成事業、必達目的此策、萬國通行之列也、如此論之、自量爲之、聽罷答曰先生之言、善、顧從行之、即地束裝、搭來汽舩還到鎮南浦、

一千九百五年十二月自上海還到于鎮南浦探聞家信則這間家眷萬發清溪洞到於鎮南捕而但弘父中路病藝尤重別世長逝故家眷

163

35

更還反怀父靈柩葬于清溪洞云聽罷痛哭
氣絶數次翌日發程還到清汚洞設喪齋幾日
後禮畢與家眷過其冬節此時心盟斷酒日常大韓
獨立之日開領為限明年春三月寧家眷離清溪
洞移居鎮南浦建築洋屋一座安業後傾家
産設立學校二處一曰三興學校一曰敦義學校
也擔任校務教育青年英俊矣其翌年春
何許一人來訪察其氣像則偉儀軒昂頗有
道兮之風通其姓名則金進士也家曰我素與

君父親厚故特來尋訪我曰先生自遠方來
有何高見家曰以君之氣慨常此國勢危
乱之時何其坐以待死乎我曰計將安出
家曰現今白頭山後西北墾島與露領海
三歲等地韓人百餘萬人口居留而物產
豊富可謂用武之地以君之才淋于談處
則後日必成大事業我曰當謹守所敎矣
言畢客相別以去此時我欲辨獄政之計註
于平壤開採石炭礦矣因日人之阻戱見害

36

数千元好銀耳時一般韓人發起國債報償會
雲集公議時日本別巡查一名來到探查矣
巡查問曰會員幾何賦政幾收合乎我答曰、
會員二千萬人賦政一千三百萬圓收合然後報、
償矣日人曰辱之曰韓人下等之人有何做事
我曰負債者報償而給債在捧債則有何不
美之事如是嫉妬辱之乎誘曰人發怒打扰
以來我曰如此無理受辱則大韓二千萬人族
将末免大多壓制矣豈肯甘受國耻乃發

念相打無數時傍觀在盡力挽執解決以散歸
時一千九百七年伊藤博文來到韓國勒定之條
約廢光武皇帝解散兵丁時二千萬民人一齊
念發義旅處處蜂起三千里江山砲聲大振
時我急急束裝後離別家眷向此墾島到
着則此處亦日兵方今來到住此而都無接
足處故數三朔視察各地方後更離此處
投露領來過烟秋到于海三蔵此港內韓人
四五千人口居留而學校有數處又有青年會

伊時我徃參青年會矣被選臨時查察時
何許人無許私談故我依規禁止則其人甚
怒打我耳邊數次時諸員挽執勤解我矣
謂其人曰今日所謂社會在以合衆力爲主
而如是相鬪則豈非他人所耻耶勿論是
非以和爲主若何衆皆稱善慶會其後得
耳痛症審痛月餘得差此等地有一人姓名
李範允此人曰露戰爭前被任北墾島管理
使與情兵多數交戰矣曰露開戰時與露兵合力

37

168

361

相助而露兵敗歸時一伴渡來露領于今屈留
此處中也使見其人後謀議曰閣下日露戰役時
助露討日此可曰逆天也何故此時日本舉東洋
之大義以東洋平和由特大韓獨立聲固之
意宜言世界後聲討露國此所謂順天故
奉得大捷也若今閣下更舉義旅聲討日
本則是可曰順天也何故現今伊藤博文自
恃其功妄自尊大傍若無人驕甚惡極欺
君罔上濫殺蒼生斷絕鄰國之誼排却世界

之信義是所謂逆天矣豈能久乎諺云日出
露消理也日盈必昃亦合理矣今閣下受皇上
聖恩而當此家國危急之時袖手傍觀而可
乎若天與不受反受其殃可不醒哉願閣下
速舉大事勿違時機焉李曰言雖合理然賊
政軍畧都無辦備奈何哲曰祖國與己在於
都夕而但束手坐待則賊政軍畧將從玆而
蔬之乎應天順人則何難之有今閣下決志舉
車則某雖不才常助萬分之一力矣李範允

170

猶預未決也此處有兩個好人一曰嚴仁燮一曰金
起龍兩人頗有膽畧義俠出衆我與此兩人結
義兄弟嚴爲長兄我其次金爲第三自此三人
義重情厚謀議擧義之事周還各處地方
尋訪多數韓人演說曰譬如一家之中一人別
其父母同生離居他處十餘年矣這間其人
家産優足妻子滿堂朋友相親安樂無慮
則必忘本家父母兄弟自然之勢也而一日本
家兄弟中一人來列告急曰方今家有大禍

171

39

焉近日他處強盜來到逐出父母奪居家屋

殺害兄弟椋取財產豈不痛哉願兄弟

速歸救急切望懇請時其人答曰今我居此

處安樂無慮而本家父母兄弟有何關係

乎如是云々則是可曰人類乎禽獸乎況傍

觀者云曰此人不知本家父兄豈能知友乎必

爲排斥絶誼矣排親絶友之人何面目立於

世乎同胞々々請詳聞我言現今我韓惨狀

君等果知否日本與露國開戰時戰宣書曰

172

東洋平和、由持韓國獨立鞏固云矣、至於今日、
不守如此之軍兼、反以侵掠韓國、五條約七條
約、勒定後、政權掌握、皇帝廢立軍隊解
散、鐵道礦產森林川澤、無所不奪、官衙各
廳、民間廣宅、稱以兵站、沒數奪居、膏沃
田畓、古舊墳墓、稱托軍用地、掘標掘禍
及白骨、爲其國民者、爲其子孫者、誰有忍
忿耐辱者乎、故二千萬民族、一致憤發、三千里
江山、義兵處々蜂起、噫、彼強賊反稱曰暴徒
發兵討伐、殺戮極慘、兩年之間、被害韓人至

殺數十萬餘、掠奪壃土殘害生靈者、暴徒

乎、自守自邦、防禦外賊者、暴徒乎、此所謂

賊反荷杖之格也、對韓政畧、如是殘暴之始本

論之則、都是、所謂日本大政治家老賊伊藤博

文之暴行也、稱托韓民二千萬、願受日本保護

現今太平無事、平和日進之樣、上欺天皇、外

罔列强、掩其耳目、檀自弄奸、無所不爲、豈示

痛念哉、我韓民族、若不誅此賊則、韓國必滅乃

已矣、諸君々々、熟思之、諸君、祖國忠

40之否、先代之白骨、忘之否、親族戚黨、忘之否、若

不忘之則、當此危急存亡之秋、憤發猛醒哉、無根
之木、從何以生、無國之民、居何以安、若諸君、以
居外邦、無關於祖國、頓不顧助則、俄人知之、必
旦、韓人等、不知其祖國、不愛其同族、豈能助外
國、可愛異種乎、如此無益之人種、置之無用矣
當如此之時、祖國強土、已失於外賊、外國人一致
論沸騰、不遠間、必逐出俄國地境、明若觀火矣
排斥不受則、負老携幼、去將安之乎、諸君、波
蘭人之虐殺、黑龍江上、情國人之慘狀、不聞否
若亡國人種、與強國人、同等則、何憂亡國、何

175

好殲國、勿諭何國亡國人種、如是慘殺虐對、不

可避也、然則、今日我韓人種、當此危急之時、尙

爲則、好耶、左思右想、都不如一次舉義、討賊

之外更無他法也、何則、現今韓國、內地十三道

江山、義兵、無處不起、若義兵見敗之日、噫彼

奸賊輩、無論、善不善、稱托暴徒、人々被殺家

々衝火矣、如此之後、爲韓國民族者、何面目、

行於世乎、然則、今日、勿諭、在內在外之韓人男

女老火、擔銃荷釖、一齊舉義、不顧勝敗、以鈍快

41 戰一場、以免天下後世之耻笑可也、若如是惡戰則

世界列强公論不無、可有獨立之望、況日本、不過五
年之間、必與俄情美三國、開戰矣、此韓國、一大期
會也、當此時、韓人若無預備則、日本雖敗、韓國、
更入他賊、手中矣、不可不一自今日、義兵、継續不
絕大期勿失、以自强力、自復國權、可謂健全獨
立矣、此所謂、不能爲者、萬事之亡本、能爲者、
萬事、與本也、故、自助者、天助云、請諸君、坐以
待死可乎、憤發振力、可乎、於此於彼間、決心
警醒、熟思勇進伏望、如是説明、周還各地
方、聞見者、多數服從、或自願出戰、或出機械、

177

或出義金、助之、自此、足為舉義之基礎也、時金
斗星、李範元、等、皆一致舉義、此人等、前日、已為
總揮、與大將被任者也、我以參謀中將之任、被選
矣、義兵共軍器等、秘密、輸送會集于、豆滿江
近邊、後謀議大事、伊時、我發論曰、現今我等、
不過数三百人則、賊强我弱、不可輕賊、況兵法云
雖百忙之中、必有萬全之策然後、大事、可圖今
我等、一次舉義、不能成功、明矣、然則、若一次不成
則、二次三次、至于十次、百折不屈、今年、不成更
似圖明年、明年、又再明年、至于十年、百年可也、

178

若我代、不成、目的則、及于子代、孫子代、必復大
韓國獨立權、然後、乃已矣、然則、不得不先
進、後進、急進、緩進、預備、後備、具備然後、
必達目的矣、然則、今日先進出師者病弱老
年等、可合也、其次青年等、組織社會、民志
團合、紼年教育、預備後備、一邊、各項、實業
勤務、實力養成然後、大事容易矣、愈意
若何、聞見者、多有不美之論、何故此處風氣
頑固、第一有權力者、賦政家、第二強拳者、第三官
職最高者第四年老者也、此四種之權中、我都

179

無一條掌握之權、豈能賞罰雖寶施耶、自此於心

不快、雖有退歸之心、然既為走坡之勢、莫可奈

何時、領軍諸將校、分隊出師、渡于豆滿江時、

一千九百八年六月日、晝伏夜行、到于咸鏡北道與

日兵數次衝突、彼此間、或有死傷或有捕虜者矣

時日本軍人與商民、捕虜者、請來問曰、君等皆

日本國臣民也、何故、不承天皇之聖旨、日露開

伏之時、宣戰書、東洋平和、由持大韓獨立鞏固

去、而今日、如是競爭侵掠、可謂平和獨立乎、

43 此非逆賊強盜而何耶、其人等、落淚以待曰此

非我等之本然之心、出於不得已者明矣、人生斯
世、好生厭死、人皆常情、而況狀等、萬里戰場、
慘作無主之寃魂、豈不痛憤哉、今日所遭非他
故也、此都是、伊藤博文之、過也、不受　皇上之
聖旨、擅自弄權、日韓兩國間、無數貴重生
靈、殺戮、彼輩安臥亨福我等、雖有憤慨之心、
勢無奈何故、至於此境者、然是非春秋、豈可
無之、況農商民、渡韓者、尤甚困難、如是國弊、
民疲、頓不顧念、東洋平和、不啻、日本國勢之
安寧、豈敢望也、故、我等雖死、痛恨不己矣、

181

348

言畢、痛哭不絕、我謂曰、我聞、君等之昕言則可

謂忠義之士也、君等、今當放還矣、歸去、如此乱

臣、賊子、掃滅、若又有如此奸黨、無端起戰同族

鄰邦間侵害言論、題出者、逐名掃除則、不過十

名以前、東洋平和、可圖矣、公等、能行之否、其人等、

湧躍、應諾故、即時放送、其人等、曰、狄等、軍器銃

砲等物不帶以歸、難免軍律矣、何爲好耶、狄曰、

然即地銃砲等物、還授謂之曰、公等、速々歸去、

後、被擄之説、切勿出口、愼圖大事焉、其人等千

44 謝萬謝以去矣、其後、將校等、不穩謂我曰、何故、

捕虜賊、放還乎、我答曰、現今萬國公法、捕虜賊兵殺
戮之法、都無、囚於何處而後日、賠還、況彼等之所言
眞情、所發之義談笑、不放何爲乎、諸人曰、彼賊
等我等義兵捕虜者、無餘惨惡殺戮、況我
等、殺賊之目的、來到此處風餐露宿者也、而
如是盡力生擒者、没数放送則、我等、爲何之目
的乎、然答曰、不然々々賊兵之如是暴行、神人共
怒者爲、今我等、亦行野蜜之行動、所願耶、況日本
四千餘萬人口盡滅後、國權、挽回爲計耶、知
彼知已、百戰百勝矣、今我弱、彼强不可惡戰、不

唐、以忠行義舉、聲討伊藤之暴惡、廣布世
界、得其列強之同感情、然後、可以雪恨復權矣
此所謂、弱能除強、以仁敵惡之法也、公等奉勿
多言、如是曲切、諭之然衆論沸騰、不服、將官中、
分隊、遠去者、有之矣、其後被日兵龍擊、衝突四五時
間、日已暮矣、霖雨暴注、咫尺不辨、將卒、彼此分
散、死生之多少、亦為難判也、勢莫奈何、與數十
人宿於林間、其翌日、六七十名、相逢、問其虛實則
各々分隊離散以去云耳、時、衆人兩日、不食、皆
竹有飢寒之色、各有圖生之心、當此地境、腸斷

膽裂、然事勢不得慰諭、衆心後、投去村落、求
食麥飯、小兔飢寒然、衆心不服、不從紀律、當
此之時、如此、烏合乱衆、雖孫吳諸葛、復生、無可
奈何也、更探散衆之際、適逢伏兵、一被狙擊、
餘衆分散、難可復合、我獨坐於山上、自謂自笑
曰、愚哉、我兮、如彼之輩、何事可圖乎、誰怨誰
仇、更憤發勇進、四處搜探、奉逢二三個人、相
與議曰、何爲則好耶、四人議見、各不同、或曰已命
圖生云、或曰自刎以死或曰、自現趣捕於日兵者有
之也、我左思右想、良久、忽思一首詩、吟謂同志

185

曰、男兒有志出洋外、望須圖腹勝流也 事不入謀難處身、莫作世間無義神 吟罷、更謂曰、公等、

皆隨意行之我當下山、與日兵、一場快戰、以盡大

韓國二千萬人中、一分子之義務、然後、死以無限

吳、於是、攜帶機械、望賊陣以去、其中人挺身

出來、挽執痛哭曰、公之意見、大誤也、公但思一個人

之義務、不顧許多生靈及、後日之大多事業乎、今

日事勢、都死無益如重萬金之一身、豈肯棄如

草芥耶、今日、當更渡歸江東、江東露領地名也 以待後日

之好期會、更圖大事、十分合理矣、何不深諒乎、

狀更回思謂之曰、公言甚善昔楚覇王項羽自

46

186

刎於烏江者、有二條、一何面目、更見江東父老乎、一江東、雖小、亦足以、王、句語、發憤、自死于烏江、當此之時、項羽、一死、天下更無項羽、可不惜哉、今日安應七、一死、世界、更無安應七、必矣、夫爲英雄者、能屈、能伸、目的成就、當從公言、於是四人、同行、尋路之際、更逢三四個人、相謂曰、我等、七八人、白晝、不能衝過賊障矣、不如夜行也、其夜、霖雨、尚不息、暴注、恐尺難辨故、彼此失路、離散、但三個人、作伴同行、三人都不知山川道路、不當、雲霧滿天覆地、東西不辨、莫可奈何、況

山高谷深、人家都無、如是備踏四五日間、都不一回
喫餃、腹無食米、足無穿鞋、故、不勝飢寒、苦楚
採草根、以食之、裂褞褌、以裹足、相慰相護以行、
遠聞鷄犬之聲、戒謂二人曰、汝當前往村家、乞餃聞
路以來矣、隱於林間、以待歸我、遂尋人家以去、此
家、日兵派出所也、日兵舉火出門以來、我忽見覺
之急々避身、還到山間、更與二人相議逃走、時氣
力乏盡、精神眩昏、倒於地上、更勵神後、仰天祝
之曰、死則速死、生則速生焉、祝畢、尋川飲水
之腹、後、臥於樹下、以宿、其翌日二人甚爲苦歎

不息、攻論之曰、奉勿過慮、人命、在天矣、何足憂
也、豈有非常困難、然後、必成非常事業、陷之
死地、然後、生矣、雖如是落心何益之有、以待天命
已而矣、言雖大談然、左思右量、都無奈何之方
法也、自思謂之曰、昔日、美國獨立之主華盛頓、
七八年風塵之間、許多困難苦楚、豈能忍耐
乎、真萬古無二之英傑也、我若後日成事、必當
委徃美國、特爲華盛頓、追想崇拜、紀念、同
情矣、此日三人不顧死生、白晝尋訪人家奉逢山
間僻村人家、呼其主人气䬸、其主人、一碗粟飯、

189

給以謂之曰請君等、勿滯速歸々々、昨日此下洞
日兵來到、無故良民、五名捕縛、稍托義兵饋飯
即睹砲殺、以去此處、時々來到搜索、勿答速歸
焉、於是、更不打話、擁飯上山、三人均一分食、如
此別味、人間、更難求得之味也、疑是、天上仙店
料理矣、此時、絶食已過六日間耳、更越山渡川不
知方向以去、恒畫伏夜霖雨不息苦楚益甚也、数
日後、一夜又逢一座家屋、叩門呼主則、主人出來、謂
我曰汝必是、露國入籍者也、當押送于日本兵站
48 炎、乱棒打下、呼其同類、欲爲捕縛故、勢無奈何、

190

避身逃躲以去、適過一隘口之際、此處日兵把守矣
黑暗之中、相撞于咫尺故、日兵、向我放銃三四發、然
戒奉免不中、急共二人、避入山中、更不敢行於大
路、但徃來于山谷、四五日、復如前不能得食、飢寒
尤甚於前日也、於是勸勉二人曰、兩兄、信聽我言、
世人若不奉事天地大君大父天主則、不如禽獸
矣、況今日、我輩、難免死境、速信天主耶穌之道
理、以救靈魂之永生、若何、古書、云、朝聞道夕
死、可矣、請兄等、速悔改、前日之過、奉事天主、
以救永生若何、於是、天主造成萬物之道理、至

公平義正、常眷顧善慈之道理、邪除基摘、降生
救贖之道理、方勤勉、二人聽罷、願信奉天主教、
故即依會規、授代洗、_{此代理說禮攝} 行禮畢、更操入家、
奉逢山僻處、一産茅屋、叩門呼主、小頃、一老人
出來、接入房中禮畢、請求飲食、言罷即喚童子、
堅備饌需以來、_{出無別味菜草淡飯家景} 不顧羞耻、一場飽噢後、
回神思之、大凡十二日之間、但二次典飯而救命到此
也、乃大多感謝於主翁、前後所遭苦楚、一々説
話、老人曰、當此國家危急之秋、如是困難、國
民之義務、況謂與盡悲來、苦盡甘來、奉勿多

49

慮、現今兵慮々櫻索、真難行路、當從我所指、從其至某、無慮便利、豆滿江、不遠、速行渡歸以圖後日之好期會、我問其姓名、老人曰、不必深問也、八但笑以不答矣、於是、謝別老人、依其所指、幾日後三人一致無、車渡江、時終放心、到於一村家安息數日之際、始脫衣服以見之、已盡朽腐、難梅赤身、風族極盛、不計其數也、出師前後、計日則凡一個月半、別無食營、恒露營以宿、霑雨不息暴汪、這間百般苦楚、一筆難記、也、到於露領、烟秋方面、親友、相見不識、皮

193

骨相接、無復舊時容之狀、千思萬量、若非天
命、都無生還之道矣、留此十餘日治療後、到于
海三藏此處韓人同胞、設備歡迎會、請我、我因
辭曰、敗軍之將、何面目、肯受諸公之歡迎乎、
諸人曰、一勝一敗、兵家常事、何愧之有、況如是危
險之地、無事生還、豈不歡迎耶、云矣、伊時更
離此處、向何斐怖方面、搭乘汽舩、視察、黑龍
江出流数千餘里或、尋訪韓人有志家後、更還
到于水情等地、或勸勉敎育、或組織社會、周
50 行各方面矣、一日、到于山谷無人之境、忽然何許

194

兇怪輩六名、突出、捕縛我一人、謂之曰、義兵大
將、捉得矣、此時、同行人數名、逃走以去、彼等、謂
我曰、汝何故、自政府、嚴禁之義兵、敢行耶、我
答曰、現今所謂我韓政府、形式如有、然內容則
伊藤之一個人之政府矣、爲韓民者、服從政府命
令、其實服從伊藤若也、彼輩曰、不再多言、即
打殺、言畢、以手巾、結縛我項、倒於白雪之中、無
數亂打、我高聲比曰、汝等、若殺我於此地、或
如無事、然、向者、我同行二人、逃去矣、此二人必往
告于我同志、汝等、後日盡滅無餘矣、諒以

195

行之焉、彼等聽羅、相隙耳細語、此必然不能殺之

戒議也、小頃、拿我入於山間草屋之中、或有毆打

者、或有挽執者也、我乃以好和之說、無数勧解、

彼等默然不答矣、相謂曰、汝、金哥、蒙起之事

矣、汝金哥、任意行之、我等更不相關矣、彼金

哥、二人押我下山以去、我一邊曉諭、一邊抚拒、金

哥、理勢都無奈何、無辞以退去也、此等皆一進

會之餘堂而、自本國避乱到此居生之輩矣、遀

聞過戒之説、如是行動之事、本耳、時我得脫免

333

死、尋訪親友之家、治療傷所、過其冬節、其
翌年正月（時即己酉年一千九百九年）還到于烟秋方面、共同志十二人
相議曰、我等、前後、都無成事則、難免他人之
恥笑、不啻、若無特別團體、無論其事、難成
目的矣、今日我等斷脂同盟、以表記跡然後一
心團體、爲國獻身、期於達目的、若何、衆皆
諾從、於是十二人各々斷其左手藥脂後、以其血
大極旗前面、大書四字云曰、大韓國獨立、書畢、
大韓獨立萬歲、一齊三唱後、抵誓天盟地、以散其
後往來各處、勸勉教育、團合、民志、講、覽新

197

52

聞爲務、伊曉忽接鄭大鎬書信、卽往見後李家
消息、詳聞家屬寧來之事、付托以歸、且春夏間
與同志幾人、渡韓同起、欲察許多勤靜美、運動
費、辦備無路、未達目的、虛送歲月、已到初秋
九月、時即一千九百九年九月也、時、適留於烟秋方面
矣、一日、忽然、無故而心神憤欝、不勝操悶自難
鎮定、乃謂親友數人曰、我今欲往海三葳、其人曰、
何故、如是人無期卒往乎、我答曰、我亦莫知其故
也、自然腦心、煩惱、都無留此之意故、欲去其
人、問曰、今去何還、我無心中、忽發言答曰、不欲更

還、其人甚怪以思之狀亦不覺所答之辭意也、

於是、相別、發程、到于穆口港、適逢汽舩、兼

此港汽舩一週間或二次式往来于海港

塔乘到于海三葳、聞之則、伊藤博文

將來到于此處去又、隱說浪藉矣、於是、詳探裏

許購覽各樣新文則、日間、哈爾賓到着之期、

眞寶無疑也、自思暗喜曰、多年所願目的今

乃到違矣、老賊、休於我手、然、到此之説、未詳、

必徃哈爾賓然後、成事無疑矣、即欲起程然、

運動費沒策故、左思右想、適尋訪此處、居

留韓國黃海道義兵將、李錫山、以去時、李

氏、適往他處次東興某要要出門以去、急與面
來、入於密室、請求一百元、貸給去々、李氏、終不肯
從、車執到此、勢魚奈何、即威脅勒奪一百元
後、還來言、如半成矣、於是、請同志八高德淳
密約舉事之策後、各携帶拳銃、即地發程、
塔乘汽車以行、思之則、兩人、都不知露國言
語故、憂慮不小矣、中路、到于綏芬河地方、尋
訪柳東夏去曰現今我家眷、迎接次、往于哈爾
賓而來不知露話故、甚悶、君偕往其處通
辭周旋凡事若何、柳曰我亦方欲貿藥次去哈

83

200

329

函賓、爲計之際、則偕徃甚好、即地起程同行、其翌日、到于哈函賓金聖伯家、留宿後更得見新聞、詳探伊藤之來期、其翌日、更欲南向長春等地、欲爲擧事、柳東夏、本以年少之人故、即欲還其本家、更欲得通辯一人、適逢曹道先、以家屬迎接次、同行南向去則、曹氏、即許諾也、其夜又留宿於金聖伯家、時運動費、有不足之慮故、托柳東夏、金聖伯許五十元暫貸則、不遠間、即還報云柳氏、尋訪金氏、以出外也、時、獨坐於客燈寒塔上、

201

暫恐將行之事、不勝惆慨之心、偶吟一歌曰、

丈夫處世兮、雄視天下兮、何日成業兮、

時造其雄兮、英雄造時兮、東風漸寒兮、壯士義熱兮、憤慨一去兮、必成目的兮、

鼠竊狗偸兮、豈肯比命、李勢固然

同胞同胞兮、速成大業、大韓獨立

萬歲萬歲兮、萬歲萬歲兮、大韓同胞

吟罷、更書一度書信、欲付海三藏大東共報新聞

社、此意則、一、我等、所行目的、公布於新聞上之

計、一、柳東夏、若金聖伯處、五十元金、貸來則

還報之計、沒策故、將大東共報社支發去々、

爲其憑藉而、暫時籌計也、書畢、柳氏還來

54 貸金之算、不中去故、不得以宿過夜、其翌日、

202

早朝、共禹曹柳三人、偕往于停車場、乃使曹氏、南清列車、相交換停車場、何處有之、詳問驛官則、蔡家溝等地去々故、即與禹曹兩人、相別、柳氏後、塔乘列車南行發程、到于同方面、下車定舘留宿、問停車場事務人曰此處汽車、每日、幾次式來往乎、答曰、每日三次式來往矣、今日夜、特別車、自哈爾賓、發送于長春、日本大臣伊藤迎接而、再明日、朝六点、到此矣、云々、如此分明之通信、前後、初聞之確報也、

203

於是、更自深算曰、再明日上午六㸃頃、姑未天
明之時、則、伊藤、必不下停車塲矣、雖下車視察、
黑暗中、眞假、難辯、況我不知伊藤之面目、豈能
擧事、更欲前徃長春等地則、路費不足、何
爲則、好耶、左思右想、心甚悶欝矣、時、適
打電於柳東夏曰、我等、但到此下車矣、若、
諜處、有緊事則、打電爲望也、云矣、黄昏後、
答電來到、而其辭意都不分明故、更加疑訝
不少故、其夜十分深諒、更算良策、後其翌日共

204

禹氏、相議曰、我等、合留此處、沒策矣、一曰、賊政不足、二曰柳氏答電、甚疑、三曰、伊藤、明朝來期過此則、事必難行矣、若失明日之期會則、更難図事也、然則、今、君留於此處、以待明日之期會、見機動作、我、今日還去哈再賓、期日、兩處擧事、十分便利也、若君不成事則、我必成事、若我不成事、則、君必成事矣、若兩處都不如意、更辦備運動資後、更相議擧事此可為萬全之策矣、於是、相別、我搭乘列車

還到于哈兩賓、更逢柳東夏、問、答電辭意則
柳氏答辭、亦不明故、我甚怒噴之、柳氏、無辭以出
門去矣、其夜、留宿金聖伯家、其明朝、早起盡
脱新鮮衣服後、換着溫厚洋服一件後携帶
短銃、即向停車場以去、時午前七点頃也、到
於當地則、時露國將官共軍人、多数來到准
備迎接伊藤節次也、我坐於賣茶店裡吃茶
三盃後、待之矣、到九点頃、伊藤搭乘特別汽
車來到、時人山人海也、我坐於茶店裡、窺其
動靜、自思曰、何時狙擊則、好那、十分思量未

56

206

決之際、小頃、伊藤下車、以來、各軍隊敬禮軍樂
之聲、飛空灑耳以來、當時、忽氣突起、三千
丈業火腦裡、衝出些、何故世態如是不公耶鳴
呼、强奪鄰邦、殘害人命者、如此欣躍小無忌
憚、無故仁弱之人種、反如是陷困耶、更不打話
即大踏步湧進、至于軍隊列立之後、見之則、露
國一般官人、護衛還來之際、其前面、一個黃
面白影鬚之小公翁、如是沒廉、敢行于天地之間耶
想必是伊藤老賊也、即拔短銃、向其右側、快

207

射四發之後、思之則、十分詭譎、起臆者、秋本
不知伊藤之面貌者也、若一次誤中則、大事浪具
矣、遂腹向後面日人團體中、偉儀最重、前面先
行者、更爲目表、連射三發後、更思則、若誤
傷無罪之人則、事必不美故、停止思量之際、
露國憲兵來到、捕捉、時即一千九百九年陰
九月十三日上午九点半頃也、時即向天大呼大韓
萬歲、三次後、拿入於停車塲憲兵分派所、
全身、撿查後、小頃、露國檢察官、與韓人通

321

安重根

自傳

緒言

一、本書ハ客年十月二十六日午前九時哈爾賓ニ於テ前統監伊藤公爵ヲ暗殺シタル兇犯安重根（應七事）カ旅順獄中ニ執筆セシ自傳ニシテ全年十一月十三日起稿シ本年三月十五日ニ到リ脱稿セシモノナリ

一、本書ヲ直譯ニセシハ原文ノ意味ヲ變セサラシメンカ為メナリ

安應七歴史(譯文)

一千八百七十九年己卯七月十六日大

韓國黄海道海州府首陽山下ニ一男子
生ル姓ハ安名ハ重根字應七(性質軽急

近ク故ニ名ケテ重根ト曰フ胸腹七介
ノ黒子有リ故ニ應七ト字ス)其祖父名ハ

仁壽性質仁厚ニシテ家産豊富慈善家
ヲ以テ道内ニ名アリ曾テ鎮海縣監

ニ叙仕ス六男三女ヲ生ム弟アリ一ヲ
泰鎮二ヲ泰鉉三ヲ泰勲(私父)四

ヲ泰健五ヲ泰敏六ヲ泰純ト云フ皆
文翰餘アリ其中私父ハ才慧英俊八九

歳ニシテ四書三経ニ通達シ、十三四歳

ニシテ文ヲ科シ六体卒業シ通鑑ヲ讀

ム時ニ教師巻ヲ開キ一字ヲ指示シ問

フテ曰ク此字ヨリ十枚ノ下何ノ文字

カ能ク知ルヤ否ヤト暗思シテ答ヘテ

曰ク其字必ス天ナラント散見スレハ

果シテ其言ノ如ク天字曰クシ教師之

ヲ奇異トシテ其知ルヤ否ヤト此冊ヲ逆

マニ推上シテ能ニ問フテ知ルヤ否ヤト答ヘ

テ曰ク次都テ錯誤ナシ之ヲ見聞スル者

稱シテ仙童ト云ヘリ此ヨリ名誉遠

近ニ播著ス中年登科進士トナリ趙氏
娶リテ配ト作ス三男一女ヲ生ム曰一氏
ヲ重根（自分）ニ定根三ヲ恭根ト曰京
ラ一千八百七十四年（甲申）ノ間往テ危
ニ留ル時ニ朴泳孝氏深ク國勢ノ
ン應シリ政府ヲ朴革新シ國民ヲ開朋セ
トニ欲シリ英俊青年七十人ヲ選定シト將
レ外國ニ派遣シ以テ遊學セシメ朴氏
ヲ私父亦選ハルニ反逆ヲ為サント奸臣輩朴氏
以テ構誣ス兵ヲ發シテ捕捉スル時ニ或ハ朴氏
氷ニ逃走シ同志者ハ學生等ト二或ハ殺日

斃セシラレテ或ハ遠謫セラルル私父身ヲ相避

樣ク逃レレテ日ク郷國事日ニ歸隱スル其父ト共ニ相

歸シ富貴切山名図國事日ニ将ニ非ナリラント

賣リ此世ヲ終ル棲ミルニ雲ニ足ラサル月ノ釣リ早

ヲ政ヲ終ハ整理シ車馬ロ準備シ家産ヲ家看

清洞統率スル凡ソ七八十口居レシヲ信田川沓郡看

倶脩シ山中ニ移ス地形險峻ニ別ニレテ天地ア

リト謂フ可キナリ水麗シノ(自分)時ニ年六七オ

祖父母ノ愛育ニ依頼シ漢文學校ニ入

213

315

り八九年間終ニ普通學文ヲ習フ十四歳ノ

頃ニ至リ祖父仁壽世ヲ棄テ長逝ス(自分)

ハ其愛育ノ情ヲ忘レス甚タ哀痛シ病ニ

沈ムコト半年後漸ク平常ニ復ス幼時

ヨリ特性トシテ好ム所ノモノハ狩獵

ナリ常ク獵者ニ随ツテ山野ノ間ニ遊

獵ヲ漸ク長シ學文ヲ勤メス故ニ父母

獸師ト共ニ狩獵シ之ヲ重責スルモ終ニ服從

殺ス汝ノ親友學生亦勤勉セヨト謂フテ日

クセ汝ノ父ハ文章ヲ以テ名ヲシ現世ニ著

ハセリ汝何カ故ニ無識下等ノ人ヲ以

214

テ自ラ處セントスハカト答ヘテ曰ク

汝ノ言フ所是ナリ然レトモ試ニ我言

ヲ聴ケ昔楚ノ覇王項羽ノ曰ク書ハ以

テ姓名ヲ記スルニ足ルニ云々ト萬古英

雄楚覇王ノ名誉ハ尚ホ千秋ニ傳フ可

キナリ我學問ヲ以テ世ニ著ハルルヲ

願ハス彼モ文丈夫ナリ我モ文丈夫ナリ汝

等更ニ我ニ勧ムル勿レト

一日此時三月春節學生等ト登山シ景ヲ

翫フ層巌絶壁ノ上ニ臨ミ花ヲ貪リさヲ

折ラント欲シ足ヲ矢ッテ滑倒シ遂ニ数

十尺ノ下ニ顛墮シ勢奈何トモスルナシ

215

勵精思量ノ際忽チ一株ノ柯木ニ逢ヒ手
ヲ展ヘテ把拒シ奮身勇起シ四面ヲ囘
顧スルニ若シ過ッテ猶三尺ヲ墮落セ
ハ則チ数百尺層嵒ノ下碎骨粉身シ更
ニ餘望ノ地ナシ群児ハ山上ニ立チテ
面色土ノ如クナリシカ而モ其活ヲ得
ルヲ見索ヲ取リ引キ上夕別ニ傷所ナ
ク汗出テ背ヲ活スノミ手ヲ振ッテ相
賀シ天命ヲ感謝シ下山シ家ニ歸ル
セシ危境死ヲ免ルノ第一囘ナリ
一千八百九十四年甲午(自分)年十六歳妻
ヲ金氏ニ娶ル現ニ二男一女ヲ生ム時ニ

216

韓國各地方ニ所謂東學(現今一進會ノ本祖
ナリ)党ナルモノ蜂起シ称シテ外國人排、
斥ヲ為シテ官吏ヲ殺害、
ニ民財ヲ掠奪ス官軍之ヲ鎮壓スル能
ハス故ニ清國兵ヲ動シテ渡來シ日本
亦兵ヲ動カシテ渡來シ日清兩國互ニ
相衝突シ大戰爭ヲ必成セリ此時(私父)
ハ東學党ノ暴行ニ耐ヘ難ク同志ヲ團
結シ檄ヲ飛シ義ヲ擧ヶ狩獵者ヲ召
集シ妻子亦行伍ニ編シ精兵凡七十余
負清溪山中ニ陣シ東學党ニ抗拒ス時
ニ東學党ノ首魁元容日徒党ニ萬余名

ヲ領率シ長驅大進シ旗幟槍劔日光ヲ蔽ヒ

鼓角喊声天地ヲ振動ス然ルニ義兵ハ

其数七十餘名ニ過キス強弱ノ勢卵ヲ

以テ石ヲ撃ツカ如ク裹心喫驚其勢為ス

所ヲ知ラス時ニ十二月冬天東風忽チ敵

起リ大雨暴カ濕ニ注キ咫尺ヲ弁シ難ク勢

兵ノ衣甲尽ク濕ヒ故ニ冷氣身ニ觸レ勢奈

何トモスルナシ是夜(私父)諸将ト相議シ

退陣シ留宿ス十里許ノ村中ニ

ノ日クレハ若シ明月ニこハテ坐チ

ノ包圍攻撃ヲ受クレハ則チ小大ニ敵兵

セスノ勢ナリ今夜先ツ進ンテ之必然ノ

218

敵兵ヲ襲撃スハニ如カヽスト乃チ令ヲ

佃ヘテ鶏鳴早飯シ精兵四十名ヲ選シ

テ進発シ餘兵ハ本洞ヲ守備スル時ニ〔自

分ハ同志六人ト爲リ自ラ願フテ先鋒兼ヘ偵

探ノ獨立之隊ト爲シ前進シ敵陣兵大

将所ヲ観察尺ト鷗ニミ林間ニ搜索シ敵陣兵勢

動シ定火光天ヲ衝テ白晝ノ如ク隨ツテ馬翻

飛ニテ都紀律ナシ顧テ同志人ニ馬喧

開日ヲ今若シ敵陣ヲ襲撃セハ則

必ステ大功ヲ建テント衆日ク小々ノ則残ク

兵ヲ以テ豈能ク賊ノ数万大軍ニ當ラ

シヤト答テ曰ク然ラス兵法ニ云フ彼ヲ
知リ己ヲ知レハ百戰百勝スト我レ敵
勢ヲ觀テ同心ノ合力スレハ則チ吾輩七人
ニシテ烏合ノ衆ナリ、彼ニハ乱党
ノ如キ百万心合力スレハ長シ、其足ラ
サルハナキヲ始ハタ夕天明ナルヲ其公不
意ニ出ル勿レ聽テ勢破竹ノ如ク天明
等疑フ運籌已ニテ我計ニ従ヘノ衆令之ト
應ニ諾セシ人一齊ニ定マル將所ニ向ヒ令之ト
共ニ砲声雷ノ如ク敵陣火ヲ振動シ彈丸射
撃スル一般ノ敵兵ハ天地ヲ豫備ナキヲ
ハ両電ト一般敵兵ハ別ニ

220

勝ニ乗シテ自身ニ衣甲ヲ着ケ手ニ機械ヲ執

覺已ニ明ニシテ相之ヲ践踏シ満山遍野以シテ走リ束リ

天甚タ身ノ四面ヲ囲ンテ始メ敵兵ヲ追擊ス少時ニシテ我勢ノ孤弱危勢ヲ

脱身フノ急策ナリ則チ我ヲ囲ンテ攻擊シ我勢ノ孤弱危勢ヲ

敗走振シ一枝ナリ軍シ忽チ然衝右突テ攻擊シモ都兵火ヲ

二本陣後援ノ兵來ツ解テ趨脱ス衝背後ニ為當ル砲声此敵兵

チ鎗ヲ以テ相合シ脱來ス衝突ヲレ為得タメリニ砲声都

リキ本陣後援ノ兵來ル接應シスタルハリ二敵兵ニ四アラ

散遠ク逃ル戰利品ヲ收拾ス追擊シニ敵兵軍器四ア乃

戰利品ヲ收拾ス

彈藥數十駄馬匹亦其數ヲ計ラス軍糧千

余包敵兵死傷者數十名而シテ義兵ハ

一人ノ損害ナシ天恩ヲ感謝シテ萬歲ヲ

本道觀察府ニ報ス此時日本尉官鈴木ヲ

ヲ三呼シ本洞ニ凱旋シ馳セテ勝捷ヲ

ナル者軍領シテ過スキ此ヨリ送ニ書信

ヲ交ヘ以テ賀情ヲ表スル此ヲリ敵兵風

ヲ聞テ以テ走リ更ニ鋒ヲ交ユルナク

漸次沉息シ國內恭平ニ歸ス

戰役以後(自分)ハ重症ニ罹リ苦痛スル之ヨリ

今ニ到ル十九年間復タ一メヒニ輕症ニ

222

侵サルハ、ナレ噫狡兔死シテ走狗烹ラ

ル越川ノ杖沙場ニ棄ツト其聖年(乙未)ナ

夏両人ノ客來リ訪ハレ日ク昨年ノ戦争ノ

ヲ知ラス私父ニ謂テ曰ク昨年戦争ニ學

時ノ所有物ニアラスシテ其半ハ現ニ學

党ノ所有物タル臭名仲氏ノ貿置数其

度ハ支部大臣ノ奥名仲氏ノ農作穀ナリ其

羊ハ前恵堂閔泳俊氏ノ農作穀ナリ

フ歴滞ナク還付スルコトヲト私父ノ

ヲ聞キ笑テ以テ答テ曰ク魚關両氏ノ

米我カ知ル所ニ非ラス即チ東學陣中

ノ物ヲ奪取スルナリ公等更ニ此ノ和ク

キ無理ノ説ヲ発スル勿レト両人答フ

ルナクシテ以テ去ル一日京城ヨリ現緊

急ノ書信來ル拆キ見ルニ則チ云フ所ノ

今度ノ大奥尢閔泳俊ニ上奏スルモノ

殼包付テ皇帝陛下ヲ重ク盗食スル故ニ貿

スアル所ノ米千余包端ナク此米ヲ食スル故テ

人ヲシテ探査セシムルニ此米ト

兵数千ヲ発シ養ヒ將ニ陰謀アラン國家ノ大若

シ兵ヲ云々故ニ鎮壓セスニ兵ヲ派遣スル

患ナリ云々故ニ火速ニ来ッヲ以テ善後

ノ計ヲ為セハ火速ニ来ッヲ以テ善後

224

ノ方針ヲ図レト（金宗漢書信前判書）私父

セヲ見了ッテ即チ発程シテ京城ニ到

レハ則チ果シテ其言ノ如シ寳ヲ挙シ

ニテ未タ判決セス金宗漢氏政府ニ提議

テ法官ニ訴ヘ三タヒ裁判ヲナスモ終

ヲ曰ク安某ハ本ト賊類ニ非ラス

擧シテ其功勲ヲ表ス國家ノ一大功臣

當ノサニ其信シテ終ニ之ヲ構陥スル他ノ當ラ料ラ

當然ノ説ヲ信シテ仲終ニ之ヲ聴カス

トノサリキ奥氏ハ民乱ニ逢ヒス又テ乱民石

下ノ懇魂トナリ其謀是ニ於テカ休ム

225

303

然リト雖モ毒蛇己ニ退キ猛獣更ニ進ヲムカ如ク更ニ閔泳俊ハ事ヲ挙ケテ害ヲ謀ル如ク閔氏ハ勢力家ナリ此ニ於テ事機危ニ迫リ計窮シ力尽キ勢奈何トモスルナク師ヲ隠スコト数月幸ニ佛人ノ投入シテ身ヲ避ケ佛國人天主教堂ニニ顧ク助ニ頼リ無事ナルヲ得タリ這間久ク教ク聖書教堂内ニ留リ多ク講論シ聞キ博ニ入ルノ後将サニ福音ヲ播傳セシテト教ニ入中ノ博學士李保禄ト多数ノ経書ヲ携ヘテ郷里ニ歸ル時ニ（自念）ハ年

226

十七八歳年富ミ力強ク氣骨清秀衆ニ

下ヲススハ親友ヲ結ニ平生好テ嗜ムモ四アリ一四ニ

親友ヲ結ニ生好酒歌舞三ニ銃砲狩猟遠近ニ

論ニ騎シ若シ駿馬ヲ好ミ漠ノ馳馬ヲ馳セ之ヲ聞カハ

則チナク銃砲若シ銃砲ヲ攜帶シ義志ヲ同フセハ馳セハ之ヲ尋訪

ス論シ果シテ快好ノ志酒ヲ痛飲シ懥慨ノ說

歌ヒ談論シ舞ヒ或ハ酒花柳ノ絶妙ノ色態醉後或ハ遊戲ヲナ

妓女ニ或謂ッテ曰ク汝レ老ユルコトナ

スレテ豪男子ト配ヲ作レ老ユルコト

ケレハ豈ニ美ナラスヤ汝輩然ラスレ

テ若シ金錢ノ声ヲ聞ケハ則チ流涎性ヲ
失ヒ廉恥ヲ顧ミス今日ハ明日
ノ李丈甘ンシテ禽獸ノ行ヲナスカ言
辞是ノ如クシ娥女肯セス疾憎ノ色不恭
ノ態外ニ現ハルレハ則チ或ハ詬辱シ
欧打スル故ニ朋友ハ別蹄ヲ稱シテ電口
ト曰フ一日同志六七人ト山ニ入リ鹿
ヲ猟セシニ彈丸銃穴(伯式六連発)ニ羅リ
挍ノ能ハス又入ル、能ハス鉄杖ヲ以
テ穴ヲ賀クモ不意ニ裏々一声魂飛ヒ魄
散シ頭部ノ在ト不在ヲ知ラス生命ノ
死ト不死トヲ覺ラス少時ニシテ精神

228

旧ニ復シ詳細ニ撿査スレハ則ヶ彈丸

爆発シ鉄杖ハ丸子ト右手ヲ穿ッテ以

テ飛ンテ天ニ上リレナリ即チ病院ニ至ル

ニ往キシ治療ヲナセリ此ヨリ今テニ

迫十年ニ間夢想中ト雖モ念フテ然タ

ノ驚状其後レハ則チ常ニ毛骨悚然

ルノミ一タヒ他人ノ射猟銃ニ誤

ラレノ霹靂背後ニ中リシモ而モ別

ニレノ重傷ナク即地ニ丸ヲ発シテ治ヲ得

タリ

此時私父ハ廣ク福音ヲ播メ遠近入教

スル者日ニ加ハリ月ニ増シ一般家眷

渾テ入ツテ天主教ヲ信奉ス（自分）モ亦受

入教シ洗ヲ佛國人宣教師洪神父ニ

習ヶ聖名ヲ作ツテ多默ト曰フ経文ヲ講

過ギシ信德漸ク固ミ篤信疑ヲ為ク過ク時ニ天主耶

蘇基督ノ事務ヲ崇拜シ已ニ篤信疑ヲ数年為シ人ヲ（自分）時日勧

教會教師傳ヘ共ニ衆ニ対シテ演説シ請フテ曰

教洪教師傳ヘ各処ニ徃來シ人ヲ演説シ請フテ試日

メ兄弟教ヲ兄弟ヘ我ニ一言アリ獨リ美饌ヲ試

ニクヲ之ヲ聞ヶ若シ一人アリ獨リ美饌ヲ抱藏

食ヒテ之ヲ家眷ニ給セスオ藝ヲ抱藏

230

ヒテ他人ニ

教ヱサレハ則チ是レ仝胞

オト情理ト曰フ可ケンヤ我今異饌ト奇胞

生則不死ノ飛上天ノ能ク一レタヒ此饌ス一カタヒ則チ長

耳教ヲ授ヲ為サンヽト欲ス願クハ大ニ之ヨ

中惟傾ヶ人最貴キ者ハ其魂天地ノ諸間万物ヲ

以テナリ竟ニ三別クアリ生長スニ生靈魂ト曰フ

此レ草木ノ魂ニ魂能クアリ生長ス能魂ノ魂ト曰ヲナ

リニ覺草木ト曰フ此レ禽獸ノ魂能タ此

知覺スルノ魂ナリ三ニ靈魂ト曰フ此

覺魂ト曰フ

所 コ 致 ノ ル カ カ 但 靈 物 非 レ
謂 ト ス 制 人 ス 故 ニ ヲ ヲ 人 人
天 此 ト ス 類 能 ニ ナ 管 分 ノ ノ
命 ヲ コ ニ ク 肉 ル 轄 弁 蒐 蒐
ノ 推 ロ 所 禽 体 ナ ス シ 能 能
性 シ ナ 過 飛 獸 ノ 故 能 ク ク
ナ テ リ ト 獸 ハ 人 ニ ク 生 生
ル 知 故 ナ ヒ 衣 ニ 惟 道 長 長
モ ル ニ ル 能 以 シ 人 理 シ シ
ノ ニ モ モ ク テ テ 最 ヲ 能 能
ハ 可 靈 ノ 而 走 温 靈 貴 推 ク ク
此 シ 蒐 其 モ リ メ 蒐 キ 論 知 知
シ 而 ノ 蒐 許 オ ス 獸 者 シ 覺 覺
レ シ 貴 ノ 多 藝 業 ニ ハ 能 シ シ
至 テ 重 不 ノ ノ ヲ 如 則 ク 能 能
尊 即 ナ 靈 動 勇 以 カ チ 万 ク ク
ノ チ ル ノ 物 猛 テ ス 飽 ノ 是

天主ニシテ永遠無窮不死不滅ノモノ

ナリ天主ハ誰カ曰ク一家ノ中ニ家主

アリ一國ノ中ニ國主アリ天地ノ上ニ

天主アリ始メナク終リナク三位一體ニシ

（聖父聖子ハ聖神ナリ）其意味深大ニ

テ未タ解セス）全能、全和、全善至公至義

天地萬物日月星辰ヲ造成シ善悪ヲ賞

シ罰スル獨一無二ノ大主宰是レナリ若

シ一家ノ中ノ主父ハ家屋ヲ建築シ其産

業ヲ亡シ其子ニ給シテ享用セシムル道ヲ

子肆然自大ニシテ親ニ事フルノ道ヲ

知ラサレハ則チ不孝之ヨリ甚シキハ

233

ナクシテ其罪重シ一國ノ君主ノ施政

至公ニシテ各業ヲ保護シ臣民ト太平

ヲ共亨スルニ臣民其命令ニ服セス都

シテ忠愛ノ性ナクンハ則チ其罪最モ重

シテ天地ノ間大父大君天主ハ天ヲ造リ

テ以テ我ヲ覆ヒ地ヲ造リテ以テ我ヲ亨用セ

光照シテ万物ヲ造リテ以テ火ナルハナシ

シム終ニ洪恩是ノ如ク自ラ尊大ニシ

若シム人類ニシテ妄リニ自ラ尊大ニシ

テ忠孝ヲ尽サス惻隠ニ報本ノ義ヲ忘レサル

ルレハ則チ其罪尤モ無比ヲ極ム懼レ

ル可ケンヤ傾マサル可ケンヤ故ニ孔

234

子曰ク罪ヲ天ニ獲レハ禱ルトコロナ

キナリ天主ハ至公ニシテ善トシテ報

ヒサルナク惡トシテ罰セサルナシ善者

ノ判ハ即チ身死リ永遠無窮ノ樂ヲ

罪ノ判ハ天堂ニ外リ永遠無窮

愛ケ靈魂ハ地獄ニ入リ永遠無

尽ノ苦ヲ受ク一國ノ君尚ホ賞罰ノ權

故ニ天主ハ人生ノ現世ニ於テ問フ

アリ況ンヤ天地ノ大君ヲヤ若シ何ヲカ

賞罰スルハ日ク此ノ世ノ賞罰ハ限リア

リハアラハルノ日ク此ノ世ノ賞罰ハ限リ

リハテ善惡ハ限リナシ若シ一人ノ一人

235

ヲ殺スアラハ則チ其是非ヲ判シ罪ナ

ケレハ則チ已ム然レトモ罪アレハ則

ルチ當レニ一身ヲ以テ之ニ代ハ足ス

ノヘサ若シニ則チ一人ニテ幾千万人ヲ殺ス

之ニ罪アラハ則チ一身ニシテ豈能ク幾千万

人ヲ活スノ功アラン若シ一人ニテ則チ暫世ノ榮ヲ

以テ豈能ク変更スルヲ其償ヲ尽サン況ンヤ今時ニ

心ノ時日ニ後時ニ悪ヲ作シ或ハ今日ニ

善ヲ為シテ明日ニ善ヲ為シ若シ其

善悪ニ臨ヒ其賞罰ヲ報ヒント欲セハ

236

292

則千此世ノ人類保明シ難シ又世ニ罰ハ

但ニ其身ヲ治スルモ其心ヲ治セス天.

主ノ賞罰ハ然ラス全能全知全善至公

至義ニシテ人命ヲ終世ノ日善

悪ノ軽重ヲ審判シ然ル後不死不滅ノ

靈魂ヲシテ永遠無窮ノ賞罰ヲ受ケシ

ム賞ハ天堂ノ永福ニシテ罰ハ地獄ノ

永苦ナリ升降一定シテ更ニ移易ナシ

鳴呼人壽ハ多クシテ百年ヲ過キス賢

愚貴賤ノ論ナク赤身ヲ以テ此世ニ

生レト赤身ヲ以テ後世ニ歸ル此レ所謂

空手ニシテ來リ空手ニシテ去ルモノ

237

291

世事是ノ如ク虛幻ナルコトヲ知ルヘ
シ然リ而シテ何故ニ利慾場中ニ洞シ
惡ヲ作リシテ後悔ヲ覺ラスル若シ仝シク天主ノ死ト困ル
賞罰ハナク則チ暫世筭或ハ困ル可キナ
シ而モ靈魂ノ不死不滅ト天主ノ至尊
權能ハ明ナル彼ノ白雲ニ乗シテ觀ハカ如シ昔
堯曰ク彼ノ念カ之有ラント又曰ク帝郷ニ之ク昔
何ノ念カ之有ラント又曰ク我日ク休リ魂ハ寄ハナ
降リ死ハ歸ナリト此レ靈魂不滅ノ明證トナ
スニ足ルヘシ人ニシテ天主ノ堂

238

獄ヲ見スシテ之アルヲ信セリレハ則

チ是レヲ信セス遺腹子ノ瞽者ノ其父ヲ見スシテ其父

アルモ是ヲ信セサルヲ見ル賢者ノ天ヲ見シテ異ナ

モ天ニ日アルヲ信セサルヲ見ル日月則建

ランヤ其華麗ノ家屋ヲ見ル所ヲ見テ而シテ信セス日スレソ

築ノ時ヲ見サス故ニ有ル今支ノ植テ天地自砂々月則

竿豈笑ハサラシンヤ飛走動植ノ奇々自

星辰ノ万物豈ニ廣大ニ作ル若シ者果シテ自然

ノ生成物豈ニセンヤ

二則セン日月星辰何ヲ

セハ日月星辰何ヲ

違ハサルル春夏秋冬何ヲ

違ハサルルカ一間ノ屋一個ノ番ト云モ
若シ作ルル者ナクンハ都テ成造ノ理ナク
シ水陸ノ間ニ幾多ノ機械若シ主管ノ人ヲ
ナク故ニ不信スヘカラス自然運轉ノ理アラスト惟フ合
ハン見ト不見トニ係ハ信スヘシテ惟フ合
理ト不合理ニ係ルハミヲ此数證ヲ挙ク
レハ至尊天主ニ係ル恩威ハ確信疑ヒナ
身ヲ没シテ天主ノ事ニ奉シ以テ万一ニ本分ナリ答フ
ハ吾儕人類タルモノ当然ノ万一ニ本分ナリ天
今ニ於テ一千八百余年前至仁ナル天
主此世ヲ矜憐シ将サニ万民ノ罪悪ヲ

救贖セント欲シ天主ノ第二位聖子ハ

降テ童貞女瑪利亜ノ腹中ニ孕ミ猶太

國伯利恒邑ニ誕生スル名ッケテ耶蘇基

督ト曰フ世ニ在ルコト二十年間四方

ニ周遊シ人ヲ観テ過ヲ改メ靈ヲ行フ

ノ跡多ク瞽者ハ見啞者ハ言ヒ聾者ハ

聽キ跛者ハ行キ癩者ハ癒ヘ死者ハ甦

ヘ其中十二人ヲ選ンテ宗徒トナシ十

ニ人中又一人ヲ特選シ伯多禄ト名ッ

シ教宗ト為シ其位ニ代ッテ權ニ任シ

規ヲ定メ教會ヲ設立ス現今意大利國

241

羅馬府在位ノ教皇ハ伯多禄ヨリ傳來

位ニシテ今世界各國天主教ノ人皆

之ヲ崇奉セリ當時猶太國耶路撒冷城

中古教ノ人等耶蘇ノ策善ヲ憎惡シ権

能ヲ嫌疑シ捕捉シ悪刑ニ処セ

ヲルルモノ無数耶蘇ハ千苦万難ニ加

ヘタルル後十字架ニ釘シ空中ニ懸ケ

ハルル耶蘇天ニ向テ万民ノ罪悪ヲ救ヘ氣ヲ

ルルコト後祈禱シ大呼一声ノ後遂ニ救

ル時ニ天地振動シ日色晦冥人皆恐

懼慄シ上帝ノ子ト稱スト云フ宗徒ハ其屍

絶スヲ取リ之ヲ葬ルニ三日ノ後耶蘇復活シ

242

墓ヲ出テ宗徒ノ中ニ現ハレ同処ス
ルコト四十日以テ後衆ヲ離レ天ニ昇リ
世界ニ罪ノ権ヲ傳ヘ而テ宗徒天ニ向ヒ
拝謝シテ離レ天ニ昇ル宗徒天ニ向而
教ヲ傳播シ幾億万人ノ為メニ千年間其信
者亦幾百万ノ為人ノ現今世ニ至ル迄知ラス天主
眞理ヲ證シ今ニ歸リ世界ニ周行シ天主
國ノ博學紳士ニシテ亦幾百万ノ現今世界致サ
明信奉セサルハナシ然レト天主耶蘇基督
善ノ教甚タ多ルハ此耶蘇宗徒ニ豫言シ現世偽
テ日ヲ後世必ス偽善ノ者アリ衆慎ン

243

285

テ非ニ陷ルヽナク天國ノ門ニ入レヨト

願クハ我大韓僉同胞兄弟姉妹ヨ猛醒

勇進シテ前日ノ罪過ヲ痛悔シ以テ天

主ノ義子ト爲リ現世ヲ以テ道德時代

トナシ共ニ太平ヲ亨ケ死後天ニ升リ

以テ賞ヲ受ケ全シク無窮ノ永福ヲ樂

ムコトヲ千万伏テ望ムノミト是ノ如

ク說明スルモノ往々アリ然レトモ

ノ聞ク者或ハ信シ或ハ信セサルル

現時教會漸次ニ擴張シ人ヲ教ユルコ

ト數万人ニ近ク宣教師ハ位來ツテ黃

海道内ニ留マル（自分）ハ此時洪神父ノ

前ニ佛語ヲ学習スルコト幾個月洪神父ト相議シテ曰ク現今韓國人ノ敎人ノタハ者學文ニ曚眛ナルヲ以テ傅敎人上ノ損害少ナカラス此レヲ以テ西洋修士會中博學士幾負ヲ聘シ來テ子弟ヲ敎育セハ則大學校ヲ設立シ數十年ヲ出テスシテ大效ニアラハ則チトシ計定ニマルノ後洪神父ト提出セリ上京シ閲主敎人若シ學文アラハ則チ信敎主敎曰ク韓人若シ此ノ如キハ議ヲ提出ス敎ルニ勿レト再三勧告スルモ終ニ聽サレス

245

還ス事勢已ムヲ得サルヲ以テ本郷里ニ目

敎ノ眞理ハ憤慨ニ勝ヘス可心ニモ外國人

心情ハ之ヲ信ス可然ニ信ス可キニモ盟テ曰ク人

モノク佛語ハ之ヲ學フハカラサル友人ト問フテ敎ヲ受ク曰ク

何ニ緣リテ之ヲ學フ者學ハサルヘカリト問フヘテ曰學

者曰英語ヲ學フ為ル者我月奴トヒト佛語リ答ヘテ學習セ學

佛シ奴タ奴トト為ル我若奴若シ故ニ語之ヲ英語ヲ學習ク

則我韓國ノ人ノ兔レ我ニシテ難若シト佛ニ語リ之ヲ學習弊ハ

又世界ノ人韓語ヲ通用スルニ振ヘ弊ハ

君又愿ル勿レト客辞ナクシヲ退ク時

ニ所謂金礦ノ臨理朱哥ナハ者矢主教

シ毀謗シ害ヲ被ル少ナカラス故ニ(自

分ハ総代ニ選定セラレ朱哥ノ処ニ派

遣シ理ヲ擧ケ質問ノ際金礦ノ役夫四

五百名各杖石ヲ持シ曲直ヲ問ハス此レ

テ将ニ打チ來ランヲトス此レ所謂法

遠ノシニテ拳近キモノ其危急ナルコト

此ノシテ勢奈何トモスルコト(自分)ハ

右手ニ腰間ノ短刀ヲ抜キ左手ニ朱哥

ノ右手ヲ把リ大呼之叱シテ曰ク汝

百万ノ衆アリト雖モ汝ノ命ハ我ニ懸

リ自ラ量ルコトヲ之爲セヨト朱哥

247

281

大ニ悧レ叱レテ左右ヲ退ケ犯ス能ハサ
ラレム乃チ朱哥ノ右手ヲ執リ牽テ
門外ニ出テ同行スルコト十余里ノ後
朱哥ヲ放還シ乃チ脱シ得タリ
其後（自分）ハ万人稧（会社票彩）社長ニ選マレ或ハ
目出票式挙行ニ臨ム遠近来参ノ人山
万余名稧場ノ前後左右ニ列立シアリ
人海ニ異ナルナシ稧所ハ中央ニ
テ各任負一服ノ居処ナリ四門ハ巡検
ヲ保護セリ時ニ出票機械傷所アリ
票印五六ケ（票印毎次一介式出ル各数万人是非曲
一度ニ出テ来ル観ル者数万人是非曲

直ヲ分タス以テ挾雑ノ做ス所トナシ

高喊一声石塊乱杖兩ノ下ルヽカ如クノ傷

リ四門ノ巡檢ハ無数各自生ヲ圖リ次テ來シ

ヲ被ムシ而シ現場ニ残テリ一般任負ノ

一人ノヨトミ一齊ニ大呼シ杖ヲ打チ曰石ヲ投ケ社長ヲ⦅自⦆分テ危打

殺セタルトシテ命シ且タルニ社長ヲ⦅自⦆分打

勢甚タ急ニ則チテ命シ且タルニ社長タル者卒然タ自

ヲ量ル逃ルヽレハ若會社ノ事務者更ニ何顧タ

ヒ此処ヲ逃ルヽ況ルヤ後日ノ名誉ヲ如何何

想ハサルル可カランサルルナリ然レトモ勢

奈何トモスルナキヨリ急ニ行李中ヨ
リ一柄ノ短銃ヲ捜索シ(十二連新式銃)右手
ニ執リクスシテ窣壇ニ上リ裂ニ向テ大呼
シテ曰クテ何故ニ我ヲ殺サントスルカ
ニテ我言ヲ聴ケ公等是非曲直ヲ弁セ
暫ク我言ヲ聴ケ世公等豈ニ此ノ如キ野蛮ノ
行ク起開作乱スヤ公等我ヲ害センテ故ナク余
魚モアラン然モ我ニ罪ナシ豈芸テ無罪ナランスヤ
ラ棄ッ可ケンヤ我決シテ無罪アランテ故ナクテ快
死セス若シ我ト命ヲ争フ者アラハ皆喫
ク先ッテ前進セヨト説破セシニ喧閙スル者
驚ニ退テ後ク壊散シ更ニ喧閙スル者

時ニ一人アリ外面ヨリ数万人ノ我ノ

囲上ヲ超越シ來ルコト飛鳥ノ如ク我ノ

面前ニ立チ叱呼シテ曰ク汝社長ト是ノ如ク長ク

為ニ其人ヲ殺害シ觀ルヲ為サントシテ來到シ欲スルカト

而シテ氣骨清秀声洪鐘ノ如ク身体健長ニシテ

一大偉雄ト謂フ可ク其手ヲ握リ其長兄ヲ敬フ可ク

自分ノ言ニ遂ニ壇ヲ下リ其長兄此ニ至ルヲ

余ノ言ヲ聴キ今ノ事勢此ニ至ルヲ然ルル

气フシテ本意ニ非ラサルナリ然ルリ

者此シ余我ノ言本意ニ非ラサルナリ

乱類ノ輩空シク慈闘ノ事ヲ起セリ

更ニ稷壇ニ上リ衆人ヲ大呼シ其會集
ス此囲ニ於テ（自分）ハ始メテ總テ放心シ
衆害ヲ排拆ス欲ス其形水波ノ如ク一同ニ散シ
ヲセント欲ス其ハ者ハ過ナ我如一挙ヲ以テ
シ曰ク社長ト都テ罪ナレ若シテ
答テ曰ク諾々テ百年ニ衆人ニ向ント以テ社長
問此ヨリ英雄能ク代ニ交人ヲニナ如何大呼ト
知此ニ英雄ニ罪ノ及フ聖人ヲ兄ト
則リ陰榮ニ及ヒ万ノ一人ヲ能ク活スヘシ
千世ニ罪ノ及ヒ一人ヲ救活ス
フ無罪ノ一人ヲ殺害スレハ則チ
幸ニ兄長我カ危命ヲ活カセ古書ニ云
其ノ狭ヲ

252

安定ヲ待テ暁諭説明シ之ヲ曰ク今日遭不

利ノ所ノ事別ニ過失ナリ此レ機械ノ

致ス所ナリ願クハ又曰ク諸公之ヲ怨ハ則審

チ今日出票式挙行ハ當サニ始終一ヘ

ス若何ト衆皆諾ハ當サニ始終ニハ

ルノ後他人ノ恥笑ヲ免スルカ如何

ン如依テ更ニ速カニ之ヲ是ニ於テ遂ニ爲スカ如何

ト衆皆柏手シテ應諾ス是ニ於テ遂ニ

式ヲ皆行シ無事ニ應諾ヲ畢リ各ハ散歸者

時ニ其挙行シ人ト姓名ヲ相通スリ姓ハ許着

ハ鳳感鏡北道ノ人其大恩ヲ感賀シタ

ル後兄弟ノ誼ヲ結約シ酒ヲ置ケ宴楽

253

275

レ能ク毒酒百余碗ヲ飲ミ亳モ醉痕

ナシ其ノ脅力ヲ試ムレハ則チ或ハ榛子

拍シ数十個掌中ノニ置キ両掌ヲ以テ合シ

磨スレハ則チ石トノ磨スルヲ見ル者驚嘆セ

遂ニ破碎シ粉ト作ルアリ左右ノ向背

サスルテハ又一別ハ大縄索ヲ以テ両手

ヲ緊縛ス則棟チヲ抱囲シ自然ニ両臂ノ間

ニ在リ身ヲ縛セシ柱棟ト一体ナルカ如ク則ノチ若

シ其手ヲ縛セシ柱棟縄ヲ解カスルハ則ノチ是ノ

都テ其身ヲ挍クセシノ策ナキヤ必セリ

如ク之ヲ作スノ後衆人近ク回立シ之

ヲ見レハ一分間ニシテ柱標ヲ両臂ノ
間ヨリ抜キ前ノ如ク完立スと其身ノ
柱標ニ係ハラスシテ脱スルモノ
ナリ見ル者ハ称善セサルハナシ曰ク酒
量ハ李太白ニ勝リ脅力ハ項羽ニ下ラ
ス術法亦佐左ニ比ス可シ云々ト同シ
ク樂ムコト幾日ノ後手ヲ分ッテ相別
ル今ニ至ル幾年間
時ニ両事件起レリ一ハ甕津郡民カ錢
五千両ヲ京城居前参判金仲煥ナル者
ニ奪ハレシ事一ハ李景用ノ妻ナリ氏
ハ本籍平安道永柔郡ノ人医ヲ業トシ

來テ黄海道海州府ニ雷リ柳秀吉（本賊人

財政ノ女息ト配ヲ作シ同居スルコト

三年一女ヲ生ム秀吉其家舍田畓財産

奴婢ノ多数李氏ノ許ニ分給ス時ニ

海州府地方隊兵管尉官韓元校ナル者

李カ上京ノ隙ニ乗シ其妻ヲ誘引シ姦

ヲ通シテ秀吉ヲ威脅セシ其時家舍什物ヲ奪

ヒ而シテ居居セリ其時ニ李氏其事

ヲ聞キ京城ヨリ歸リテ我家ニ到レハ

則チ韓哥ハ兵丁ヲ率ヰテ李氏家ヲ欧打セ

シメテ之ヲ逐フ李氏ハ頭骨破傷シ流

血浪藉タリ然モ李氏ハ他郷ニ孤跡ノ

身ヲ以テ勢亦奈何トモスルナク縣ヲ
逃レ命ヲ保チ即チ上京シテ訴ヲ陸軍
法院ニ呼ヒ韓哥ト裁判ヲ争フコトモ七
八回韓哥ハ其官職ヲ免セラルレトモ
李氏ハ其妻ト家産トヲ推尋スルコト
能ハス之韓哥カ其女ト共ニ家産ヲ収
收シテ上京シ以テ居住スルカ故ナリ
當時甕津郡民ハ李氏ト皆教會ノ人ナ
ルカ故ニ(自分)ハ總代ニ選ハレ李氏ト
共ニ上京シ両事件ノ時ニ尽カス先
ツ往テ金仲煥ヲ見ルル姓名ヲ通シタ
堂ニ満ツ主人ト相礼シ姓名ヲ通シタ

271

ル後坐定マル金仲煥問テ曰ク何事ニ縁リ
テ以テ來リ訪フカ（自分）答テ曰ク我本
下郷ニ居ルノ愚岷ニシテ世上ノ規則
法律ヲ知ラス故ニ問フ事カアル答テ曰ク財
ク若ニ金京城ノ一ノ大官アリ下郷ノ民ハ
則千兩ヲ勒討シテ之ヲ還給セサレハ治ヲ日ク
ヤト此ヲ何ノ討シテ律法ヲ以テ之ヲ少頃ニ答テ日ク
則此レ我事暗ニ思スル律法ヲ以テ少頃ニ答テ
然リ此レ我事ニ非スヤ否ヤト答テ日ク
ヲ勒奪シテ報ヒサルカト金日ク
公何カ故ニ甕津郡民ノ財五千兩ヲ我今

258

銭ナシニ報ヒスス當サニ後日ヲ以テ還報

ス如ルナノ計ヲ為スヘシト答テ曰ク此ノ

モノ如テ居住スス若シ五千金之ナシト曰フテ此

ノ即チ何人カ之ヲ信スル可ケンシ一官人高

声ニ加ク我ヲ相叱レルテノ際傍聽セル一年老ノ金参判ハ

大官ニ我ヲ叱リ君ハ少年ノ卿民ナリ何ソ敢

テ此ノ如キ不恭ノ説話ヲ発スルカト

（自分）笑テ以テ問フテ曰ク公ハ誰カ答

曰ク我姓名ハ丁明燮ナリ（現時漢城府大判所

檢査官）我答テ曰ク公ハ右書ヲ讀マカ

ルナリ古ヨリ今ニ又ンテ賢君良相ハ民ヲ次

ミテ民ヲ以テ天トナシ暗君貪官ハ民ヲ

テ食弱トケ為スト故ニ民富メハ則チ國富

代ニ民當リケ公等國家則チ國弱ノ臣トナリ皇

上ノ聖意ヲ受ケス是ノ如ク民ヲ虐クヲ

ルハ則チ國家ノ前途豈ニ痛嘆セサ

ンヤ此房ハ才判所ニ非サルナ

リ公若シ五千金報給ノ義務ア

チ我ト相詰スル可十リト丁哥遂ニ

辭ナニ金仲煥曰タ両公幸ニ相詰

勿レ我當サニ幾月ノ後五千金ヲ還報

機往ト司ニレリ探婦ムフス
ヲキ李ニ韓テ法知ルヲヘニ公
知捜氏往哥法シ此コト須
リ索同キ公知此ノトニラ
先ス志公判リノ相李四ヲク寛
ツレ幾判ヲ呼時議景五クク寛恕
避ハ人ヲ妻出李シ周間又スヘ
シ則ト気ヲサ景テハニフ事シ
テチ偕フ為シ周曰韓定事ト哀
レ韓ニ可ステハク元約勢ヲ
ヨ哥韓ナ捉得ハ韓技シ此乞
リ支哥ルヘタ韓哥ノテニ己
之妻ノヘ得ス我哥勢以至気
ヲハ住ナテ然等ハ力テルヲ
捉已家ルルハ先従ヲ住モ
ハニニハ後ツレ逃家己
ヲニ偕常躬ヲガ
ヲニリ躬逃

261

267

得スレテ空シク還ル韓哥ハ漢城府ニ

訴ヘテ曰ク李景用ナル者我カ家ニ

來リ内庭ニ突入シ老母ヲ敺打シテ故

ヲ以テ漢城府ハ李景用ヲ捉フ而シテ故

其證人ヲ問フ則チ李氏ハ（自分）ノ姓名

ヲ指名スル故ニ亦捉ヘラレ撿査所ニ至

リ之ヲ観レハ則チ撿査官ハ丁明燮ナ

リ丁氏ハ（自分）ハ暗思自ラ笑テ曰ク今

ニ現ハル（自分）ハ一見スルヤ怒色外面ニ

日ハ必ス丁哥ノ前嫌ヲ受ケシ（金仲煥）ノ

家ニテ相詰スルハ（嫌、然レトモ無罪ノ

我、孰カ能ク之ヲ害センヿ己ニシテ撿

査官我ニ問フテ曰ク汝李韓双方ノ事

ヲ證見スルカト答テ曰ク然リ又問テ

答テ曰ク何ノ故ニ韓哥ノ母ヲ改打ス

此レ所調已レノ初メ此ノ如キ行動ナカ

施ス勿レト豈他人ノ老母ヲ改打スル人

他ノ人我ノ内庭ニ故ナク突入スル

テ事曰ナシ但タ何カ故

ニ他人ノ内庭ニ突入スルカ答

ル本他人ノ内庭ニ突入シタ

レク但タ李景周家ノ内庭ニ突入スルカ答テ曰ク何

カ故ニルコトアル李哥ノ内庭ト云フカ答テ曰ク

263

此家ハ則チ李哥ノ錢ヲ以テ買得タル
ノ家ニシテ房内ノ器具、皆李哥ノ前日
ニノ所持スルトコロノ奴婢、亦李哥ノ
使フトコロノ奴婢其妻即チ李哥愛ス
ルノ所ノ妻ナリ此レ李哥ノ家庭ニアラ
スシテ何人ノ家庭ソト檢査官黙々ト
シテ言ナシテ忽チ見レハ則チ韓元校我
シテ面前ニ立ッ(自分)ハ急ニこヲ呼ヒ調
テ日々汝我言ヲ聽ケ支レ軍人ナル者
ハ國家ノ重任ナリ忠義ノ心ヲ培養シ
外賊ヲ防禦シ彊土ヲ守護シ人民ヲ保
安スルハ堂々タルノ職分ナリ汝況ンヤ

264

慰官メハ若良民ノ妻ヲ勒奪シ財産ヲ
討索シ然シテ其勢力ヲ恃ンテ忌悼
ハトヨロナヒ若シ京城ニ再ノ如キ賊
漢ノ多ク居住スルアリ則チ下郷ノ
残民ハ其妻其財ヲ此等ノ輩ニ奪ハレ
而シテ尽滅スルハ世豈ニ民ナキノ
國民アラシヤ再ノ如キ京漢輩ハ万孔情
ムナキナリト言未タ畢ラサルニ検査
官床ヲ博々輩々単ト京城ハ如何ナル此漢(辱ナリ)
居京漢輩々処ッ汝敬テ此ノ如キ言ヲ発
スルヤト(自分)ハ笑テ以テ答テ曰ク公

ハ何カ故ニ是ノ如ク怒ヲ發スルヤ我

今云フトコロハ韓哥ニ向ッテ云フノ

ミト云フト曰ク汝ノ言ハレヲ非ヲ飾ルニ

足以ラト丁曰ク汝ノ言ハ然ラス非ヲ善言指ケシ

モ以ラテナリト答辞曰ク然ラス若シ水ヲ指ケシ

ンヤト謂ハ、飾ルニ足ラン之ヲ信シテ可ケシ魚ノ

景周ヲ撿査官答辞ナシ誰カ之ヲ下人後自分テ李

謂テ曰ク汝亦因ニ囚スヘシト我怒テ以テ

答テ曰ク何カ故ニ囚スヘシト我怒ヲ以テ

此ニ來ルモ何ノ但證人ノミ若シ之ヲ囚

セン力千万条ノ法律アリト雖モ無罪

ノ人ヲ捉囚スルノ法律ナレシ百千間ノ

監獄ニ獄ナリシト魚モルノ無罪ノ人ヲ

臨獄ニ豈敢テ此野蜜明ノ時代法律ヲ當リ公ハ私行セン何

ノ故臨獄ニヤト快々門ヲ出テ以テ歸館

偶郷里ヲ歸心リ書信ノ如ク來到ス親患危重陸路空

ト故ニ時ニ嚴冬ノ白雪天地ニ滿チ寒風顧

発程クス來リテ獨立門外ヲ過ク時同顧

ヲ吹クナ親友カ獄ニ囚セラレテ脱

シテ罪ナキ冬天寒獄其苦ヲ愛クルヲ

スルヲ得ス冬天寒獄其苦ヲ愛クルヲ脱ヲ

思ヘハ心膽裂クカ如シ況ニヤ何ノ日
カ彼ノ悪政府ヲ一拳ニ打破シテ之ヲ
改革シ乱臣賊子輩ヲ掃滅シ堂々タル
文明獨立國ヲ成立シ快ク民權自由ヲ
得ンカト言念此ニ及ヘハ血涙湧出シ
テ眞ニ踊ヲ旋シ難キナリ然レトモ事
勢已ヲ得ス竹杖麻鞋獨行千里中路ニ
ニテ偶鄰邑ノ親友李成龍氏騎馬ニテ
來ルニテ逢フ我ニ謂テ曰ク幸ニ伴フテ
卿ニ歸ル得ハ甚タ好シト我答テ曰
ノ騎ト歩ト同カラス豈能ク同行セン
ヤト李曰ク然ラス此馬京城ヨリ價ヲ

筵メ税ヲ得ルノ馬ナリ日氣甚タ寒ク久シク乗ルノ能ハサレハ路當サニ数時間ヲ毎ニ互ニ騎歩スレハ公ト数時間ヲ速行ヲ得ヘシト遂ニ伴ヲ作シテ仝行ス数日後延安邑ニ到ル此地方ハ茲年旱両ナク大ニ歉ス時ニ馬支ハ電線木ヲ指シ語ッテ曰ク現今外國人電ヲ設置セラレ為メヨリッテ空中ノ電線甫ニ凶置セラレ為メニ空中ニ電気ナク從ッテ雨ヲ成ス能ハスシテ是ノ如ク大歉スト(自分)ハ笑テアンスシテ論シテ曰ク豈此ノ如キノ理アランヤ君ハ久シク京城ニ居ルノ

人ニシテ是ノ如ク無識ナルカト言未

夕畢ラサルニ馬丈ハ馬鞭ヲ以テ我ノ日

頭部ヲ之ヲ猛打スルコト再三且ツ罵テ曰

ク自汝何人ヲ之ヲ思フニ其故ニシテ而モ其漢ノ

我此地ハ無人ノ境ニ是ノ如シ（自分）ハ馮

ヤ上ニ動光悪ナルナルコト下ニ能ハス天ヲ仰キテ馬

只ヲタ大笑スルノミ李氏ハ尽カシ然レトモ

丈ヲ制止シ幸ニ大害ヲ免ル少頃ニシテ

我ノ衣冠尽ク破傷セラル此地ノ親友等我ノ形

延安城中ニ至ル

容ヲ見テ驚怪シ之ヲ問フ我其故ヲ説

明スレハ諸人念怒シ馬支ヲ捉囚シテ

法官ニ致シ懲罰ヲ為サントセリ我挽

テ論シテ曰ク此漠失精ノ狂人ホ如何

トモ為シ難ケレハ即チ還送スルヲ可

トス卜衆皆然リト為シ無事放送セリ

(自分)ハ郷ニ還リ家ニ至レハ親患漸次

快方ニ向ヒ数月ノ後全ク治スルヲ得

タリ

其後李景周ハ三年ノ懲役ニ処セラレ

シモ一年ノ後赦サル時ニ韓元校ハ万

金ヲ行賂シ宋哥朴哥ノ両人ヲシテ李

氏ヲ無人ノ境ニ誘引セシメ釖ヲ捩キ

遂ニ李氏ヲ刺殺シ（噫財色ヲ以テ濫リ

ニ人命ヲ殺ス後人ノ戒トナスヘキカ）

逃走セリ後宋朴ノ両人及其女トハ捉

囚セラレテ刑罰ニ処セラレシモ而モ

韓哥ノ捕捉シ得サリシハ痛イ哉

當時各地方官吏濫リニ虐政ヲ用キ民

ノ膏血ヲ唆リ官民ノ間之ヲ視ルコト

仇雛ノ如クシヒニ対スルコト賊ノ如レ

但天主教ノ人等ハ暴令ニ抗拒シ其討

索ヲ受ケスル故ニ官吏輩ハ教人ヲ疾惜

スルコト外賊ニ異ナルニ然レトモ

彼直我曲勢奈何トモスルナシノ好事魔

多ノ一魚海ヲ濁ス)時ニ乱類輩敎人ニ官

稱托シテ挾雜ノ事往々ニアリ故ニ官

使等ハ此ノ機隙ニ乘シ政府大官ト秘

密相議シ敎人ヲ誣陷セントセリ偶々

黃海道敎人ノ行悖ニ因リ政府ハ特ニ巡

査兵使李應翼ヲ派シ海州府ニ到リ巡

檢兵丁ヲ各郡ニ派送シ天主敎會頭領

ノ人其曲直ヲ問ハス悉ク押上シ檢兵

中一大窘乱ヲ來セリ我家ホ巡檢兵

丁二三回來到シ私文ヲ捉ヘントセシ

モ扛拒ヲナシテ拿セラレス身ヲ他処

ニ避ケ官吏輩ノ悪行ヲ痛憤シテ長嘆
息マスレ昼夜酒ヲ飲ンテ心火病ト十リ
重症ニ罹ルコト数月ノ後歸郷シ治療
スルモ効ナシ當時教中ノ事ハ佛國宣
教師ノ保護ニ因リ漸次平息ニ歸セリ
其後年自分ハ事アリ出テ文化郡ニ
遊フ偶私父李敬淳ノ家ニ来テレヲ
聞ニク郷里ニ得即チ其家ニ往ケハ則チ私父
已ニ郷里ニ歸レリ依テ李友ト相対シ
テ酒ヲ飲ミ談話ノ際李ノ曰ク今回公
ノ父親ハ重辱ニ逢ヒテ以テ歸ルト我
大ニ驚キ問フテ曰ク何ノ故ソ李答テ

曰ク
二
医師来リ公ノ父ト病ヲ偕ニ治療スルニシ以テ我國家
ス公カ清医ノ何ノ事ヲ尋ネ故ニ安岳邑ニ往キテ我等清國家
公ノ清医舒哥ヲ診察ノ後飲酒談話ヲ以テ
清父ノ胸腹ヲ殴打セリ傷ク故ニ足下人カ以テ清
父ハ之ヲ執リ緣傷ク今日我等ノ此ニ
来ル之ヲ挽論シテ治スルカ今為メ我等ノ若人此人ニ
医師ヲ打テ病論シテ治スルカ是非ノ論ナリ他ヲラ
ノ笑柄ヲ打テ免レ難シ則チ是非名誉的関係ナラ
慎ム若何ヲ云々ト故ニ衆皆念ヲ忍ン
以テ歸ルハ(自分)ハ曰ク我カ父大人ノ

275

253

行動ヲ守ルハ子タ
ハノ道ニシテ豈
ヤ後ニ訴ヲ法司
如何ト李曰ク然
尋ネ数話ニ過キ
未タ畢テ起ッテ
突トシテ起ッテ
タントセリ
左手ニ彼カ下手ヲ拒キ右手ニ腰間ノ
短銃ヲ索メ舒哥ノ胸腹上ニ向ッテ射
撃セントスルカ如ク擬セリ舒哥喫驚

276

為ス処ヲ知ラス仝行ノ李敬淳ハ其危

急ノ勢ヲ見亦タ自己ノ短銃ヲ取リ空

中ニ向ヒテ放砲スルコト両同舒哥ハ

故ヲ知ルナク大ニ驚キテ失色シ我亦亦テ其

放ヲ知ラナタ大ニ驚タ李氏ハ来ツテ

舒哥ノ鈫ヲ奪ヒ石ニ著ケテ折半シ我

ト共ニ其半片ノ鈫ヲ分持シテ舒哥ノ

膝足ヲ打チ地ニ到ラシム而シテ後自

分ハ即チ法官ノ下ニ往キ其後ノ事實

ヲ訴フ法官曰ク外國人ノ事判決スル

コト能ハス故ニ更ニ舒哥ノ処ニ到

レハ則チ邑中ノ人會集シテ挽テ諭ス

カ故ニ舒哥ヲ棄テ李友ト共ニ各々
家ニ歸リ後数日ヲ経テ或夜半ニ何
レノ者カ七八人李敞淳ノ家ニ突入シ偶李敞
淳ノ父親ヲ乱打シ其火賊ノ来リヲ知リ手
其外房ニ執リ之ヲ追ヒハ則チ廠ノ漢
等李氏銃ヲ放銃シ死生ヲ顧ミズ以テ突
撃スレハ彼等ハ李氏ノ父親ヲ棄テ、
逃走シ去レリ其明日詳探スレハ則チ
舒哥ハ往テ鎮南浦清國領事ニ訴ツル
ヲ以テ清國巡査二名ハ韓國巡撿二名
ト派送セラレニ彼等ハ安哥ノ家ニ

往カスミテ右ノ如ノ夜間ニ空シク李

家ヲ侵セシコト判明セルヲ以テ自分

ハ即地ニ發程シテ鎮南浦ニ往キ探知

スルハ則チ清領事ハ此事ヲ以テ京城

公城ハ公使ニ報告シ韓國外部ニ照會シ往ス

ト云フカ故ニ自分ハ更ニ京城ニ請願セス

其前後ノ事實ヲ擧ケテ外部ニ回付セシ

ニ前該事件ハ鎮南浦裁判所ニ至リシ舒哥

カレ舒哥ト公判スルニ至リシニ太タ不利ナルヨ

リ前後ノ變行現露シテ仲裁ニ入ルルモノア

リ此ニ清人ニシテ

遂ニ互ニ相和スルニ至レリ

此時ニ當ッテ自分ハ洪神父ト一大競
爭ノ事ヲ生セリ即チ洪神父常ニ教人
ヲ壓制スルノ弊アリ故ニ自分ハ諸教
人ト相議シテ曰ク聖教會中豈ニ此ノ
道理アランヤ我等當サニ京城ニ往キ
閔主教ノ前ニ請願スヘシ若シ主教ニ
シテ聽カス則チ當サニ往テ羅馬
府教皇ノ前ニ裏シ以テ此ノ如キノ弊
ニ除クヲ期スヘシト衆皆ナ諾シテ之
ヲ從フク偶洪神父此ノ言ヲ聞キ大ニ念
怒ヲ發シ自分ハ爲メニ歐打サルルコ
ト無数故ニ我モ亦念ヲ含ミシモ而モ

辱シ忍ヘリ其後洪神父ハ我ヲ論シテ

曰クヽ暫時ノ念怒ハ肉情ノ発スルト

口今之ヲ悔故ス亦ヲ以テ相恕スル者

何云々ト自分モ亦答謝シ好ヲ修メ以

テ去前日ノ情ヲ復セリ

歳仁川港湾ニ於テ一千九百五年乙巳ニ當

リ問題突起ノ初メテ日露両國カ東洋一

セ大問題ノ書起信來レメト洪神父数シテ自分ハ

ク韓國将ニ書信危カラシン洪神父ト自分ニハ

問フテ曰ク何カ故ヲ洪曰クス露國ニ主タリ

テ勝捷スレハ則チ露ハ韓國ニ主タリ

日本ニシテ勝捷スレハ則チ日本ハ韓國ヲ管轄セント欲ス豈危ナラスヤ時ニ自分ハ日々新聞雑誌及各國歴史ト考覧シ而シテ已往現在未來ノ事ヲ推測セリ日露戰争媾和休息ノ後ニ至リ伊藤博文韓國ニ渡來シ政府ヲ威脅シ五条約ヲ勒定シ三千里ノ江山ニ二千万ノ人心撓乱シテ針盤ニ坐スルカ如シ時ニ私ハ父ハ心神醫憤シテ病氣尤モ重ク自分ハ父ト秘密ニ相議シテ日ク日露開戰ノ時日本ノ宣戰書中東洋ノ平和ヲ維持シ韓國ノ獨立ヲ鞏固ニス

トアリナカラ今日本ハ其大義ヲ守ラ

ス野心的侵暑ヲ恣行ス此都ニテ日本大

政治家ニ伊藤ノ政暑ニシテ後ニセシ壇士ヲ勒約ヲ呑シ

定メ次國ヲ滅スシテ法ヲ新ニセラン者若シ

ミ現世國ヲ圖ラネテ策ハ禍愈大ナカラン以テ豈

速ニセシヲ手ヲ束ネテ然レ策ナク今義ヲ挙ケ以テ伊

肯シテ待タンヤ然レトモ今義ヲ則チ強

死ノシラシ待タンヤ反対セントモ欲セシハ現ニ聞強

藤ノ政策ニ反対セシカラス徒死益ナシ現ニ聞

弱同シカラスシテ徒死益ナシ現ニ聞

ヲ清國山東上海等ノ地韓人ノ多数居

留セリト我ノ一服家眷モ亦該処ニ移

住シ然ル後次テ前後ノ方策ヲ図ル若

何然ラ視察ヲ以テ則チ我當サ先ツ該処ニ往ニ

キ東キ裝シ以テ來ル家ヲ着ヲ率キ父親ハ這間秘ニ密ニ住

議我還ヘルノ日此ニ於テ待チ當父ニ更ニ鎭南浦ニ密セ住

定行自分タハレト即チ後地上海閑チテ到リ山東等ノ計己ニ

ヲ遊歷シ守門ノル人門ヲ大監ハ韓人ヲ見翼ヲ許ヲ地

尋訪依テ云フテ此日空シク走リ後日ニ三回會見ヲ

サス カト此日空シク走リ後日ニ

サルス

せヲ尋訪スルニ亦前日ノ如ク會見ヲ

許サス故ニ自分ハ叱シテ曰ク公ハ韓

國人トナリテ韓人ヲ見ントスル而モ何レ公ハ

國ノ世代國禄ノ臣ナリ此況ヤレ公

臥シ當リテ下士ヲ憂スル亡フヲ忘ルヲ發業ノ高枕安時

ニ韓國ノ頓ニ祖國ノ興亡ヲ心ナク此安此

ハ當キテ義ヲ祖公等ヤ今日國忘ルヲ世危急

ノ如シ其ニ罪アトス故ニ大官ニ在リ家ノ世民族

ノ過見失ニ罪ノ都カラス面面アタ久シ愧テ而民急

テ歸リ更サルニ又カタ尋訪セス其後詰辱良タ久フリシ愧テテ以而

ナル者ヲ尋訪シ面會ノ上談詰シテ曰相根以而

285

現今韓國ノ形勢危ナルコト朝タニ
在リ何為レソ則チ好カランヤ其計將
ハニ安クニ出テントス徐ク答テ日ク公ハ
サ韓國ノ商民ニシテ我ニ向テ言フ勿レ我ハ公
一個ノ大官輩ニ至奪ハレ幾十万元ノ財政ヲ
政府大官ノ此ニ至ル故ニ國家ノ政治ト以テ民身ヲ
ヲ避ケ何ノ関係アランヤ公ト我ト一笑シテ以テ未
人等テ日ク然ラス、公ハ但其一人ヲ知テニシ
答之其ニ知ラス公ハ則チ國家何ヲ以テ之ア
ラン況ンヤ國家ハ幾個大官等ノ國家

二ニ非スシテ堂々タル二千万民族ノ國家トナリヤ、現今ノ民族世界ニ民権自由ノ理ヲ得ンヤ。獨リ韓國ノ民族豈ニ民権自由而モ何故ラ義務ヲ行ハスシテ、若シ國民ニシテ國民ノ義務ヲ發スルコロノ言然ノリト、甘ンシテ魚肉ト為ルヲ待ツ。滅亡ハ甘ンシテ之レヲ可ナリト更ニ坐シテ徐ロニ答カ、曰ク公ノ口レストル、我再三發スルモ糊口ノ言然ノリト可ナリト更ニ我再三發ス。政治ノ談話ヲ發スルモ一般ナリ、天ヲ仰テ長嘆シ自ラ思フテ曰ク、我カ韓民ノ志皆是ノ如。論スルモ一般ナリ、庵モ應諸ナシ此所謂牛耳經耳。誦ムトモ一般ナリ、此所謂牛耳經自。ラ思フテ曰ク我カ韓民ノ志皆是ノ如。

則千國家ノ前途思フ可キナリト客揚シ

ニ歸臥シ左思右想懷慨ノ懷禁シ難々

シ一日適々天主教堂ニ往キ祈禱良々

テフシテ後門ヲ出テ望見セン際忽チ

一位神父前路ヲ過キ去リ首ヲ囘ラシ

我ヲ望ミ相見テ相驚テ曰ク汝ハ何

故ニ此ニ到ルヤト手ヲ握リテ相礼ス

此乃チ郭神父ナリ（此神父ハ佛國人來

ツテ韓國ニ留マルコト多年教ヲ黄海

此地方ニ傳フ故ニ我ト相親ムコト切

今方ニ香港ヨリ歸韓ノ途次ナリ）調フ

可シ真ニ夢ノ如レト共ニ携ヘテ旅館

ニ歸リ談話ス。郭曰ク、汝何故ニ此ニ到ルト。我答テ曰ク、先生ヨリ現今韓國ノ状ヲ聞カサルカ。郭曰ク、現今韓國ノ勢、此ヲ如何ニシ、家勢已ニ然ルヲ得テ後、在外ノ同胞ト連絡シ、而シテ周ク列國ニ移住シ、然ル後、眷ヲ伴フテ外國ニ至リ、抑々寛ノ状ヲ説明シテ、其同感情ヲ得ルニ至ル。時機ノ至ルヲ待チ、一タヒ事ヲ舉ク。豈目的ヲ達セサランヤト。郭默然、良タ久シフシテ答テ曰ク、我ハ宗教ノ傳教師ナリ。都テ政治界ニ關スルナシ。然シ、然レ

トモ今汝言ヲ聞ケ則千発

勝ヘス汝ノ為メニ一方法感設ノ情ニ

欲ス幸ニセヲ試聽ョ若シヲ理ニ合ス

レハ則チ之ニ隨ヒセ行ョョ然ラスン

ハ則チ自意ノ如ククヲ為セト我日ク

願クハ其計ヲ聞カセト郭曰ク汝カ言

是ノ如ク然リト魚モ此レ但タ其一ヲ

知テ未タ其ニヲ知ラサルナリ家眷ヲ

外ニ移ス誤計ナリニ千万ノ人族皆汝

ノ如クンハ則チ國内將サニサナラン

トス此レ直チニ雖ノ欲スん所ヲ致ス

モノナリ我佛國カ德國ト戰爭ノ時兩

290

道ヲ割共スル汝モ亦知ルトコロノモノ

今ニ至ル共迫之四十年間其地ヲ回復スルノ

ノ機屢々外邦ニ避クルモ然此境ノ有志党ニ

去ツテ外邦ニ避ケ前轍ト為スヘク其目

的ヲ達セス此ノ言フ処則チ在内ノ同胞ニ

外ノ同胞ノ言フ処則チ在内ノ同胞ニ

比ノスレハ其思想培加シ以テ同シク列強ニ謀

ラスレハ其思想培加シ以テ同シク列強ニ

レテンレハ愿ルニ足ラサルナリ列強ニ

モテスンレ汝ノ抑冤ノモノ説明ヲ聞クアル

し皆曰若クレ汝ノ抑冤ノモノナリト云フ

過キスニシテ而モ必ス韓ノ為メニ兵ヲ

動しテ声討スルモノナキヤ明ケし今

291

237

各國己ニ韓國ノ慘狀ヲ知ルモ然モ各
自國ノ事ニ紛忙シ都テ他國ヲ顧護ス
ルノ暇ナレ然レトモ若シ後日遅到リ
時至リ或ハ日本ノ不法行爲ヲ聲討ニ
スルノ機アラン今日汝ノ說明ハ別ノ
效カモ無ニシ古書ニ曰ク自ラ助クルモ
ハ天モ助クト汝遂ニ國ニ歸リ先ッ汝
カ事ヲ務メヨ一ニ曰ク教育ノ發達ニ
ニ曰ク社會ノ擴張三ニ曰ク民志ノ團
合四ニ曰ク實力ノ養成此四件ニシテ
確實ニ成立セハ則チ二千万ノ心力堅
キコト盤石ノ如ク千万門ノ大砲アリ

292

テ攻撃スルト雖モ破壊スルコト能ハ
ス此レ所謂匹夫ノ心奪フ可カラスト
云フモノ況ンヤニ千万支ノ心力ヲ
然ラハ則チ奪ハルトコロノ心ヲ加
形式ノミ勒足スルヨリ虚ニ帰ス此ノ
上ノ空文ノミ元ヨリ虚ハ必ス目的ノ
キノ日快ク事業ヲ成セハ必ス
達セシ此策ハ万国通行ノ例ナリ此
如クセシヲ此ヲ論セハ自ラ量ッテ之ヲ為セ
ヨト自分ハ論セハ聴罷ンテ答ヘテ曰ク先
生ノ言善シ頗クハ之ニ従ッテ行ハン
ト即地ニ束装シ汽船ニ搭柴シ鎮南浦

293

ニ歸着セリ

一千九百五年十二月上海ヨリ鎮南浦

ニ歸着シ家信ヲ探聞スレハ則チ這間

ノ家眷ハ已ニ清溪洞ヲ發シテ鎮南浦

ニ到ルノ途中ニ於テ私父ハ病勢尤モ

重ヲ加ヘ遂ニ別世ニ長逝セルヲ以テ

其靈柩ヲ送リテ清溪洞ニ葬リシト云

フ自分ハ之ヲ聽罷テ痛哭シ氣絶スル

コト數回翌日發程シ還リテ清溪洞ニ

至リト喪ニ服シ齊ヲ守ル幾日ノ後礼畢

リ家眷ト共ニ其歳ノ冬ヲ過セリ此時

ヨリ心ニ盟ヒテ日常ノ酒ヲ斷チ其期

限ヲ大韓獨立ノ日迄トセリ

明年春三月家眷ヲ率キテ清溪洞ヲ離

レ鎮南浦ニ移居シ洋屋一軒ヲ建築シ

業ヲ安ンスルノ後更ニ家産ヲ傾ケテ

學校ヲ二ヶ処ニ設立シ一ヲ三興學校

ト曰ヒ一ヲ敦義學校ト曰フ校務ヲ擔

任シ青年英俊ヲ教育ス其翌年春ニ至

リ或一人ノ者來リ訪ハル其氣象ヲ察

スレハ則チ偉容軒昻頗道人ノ風アリ

其姓名ヲ通スレハ則チ金進士ニテリ彼

曰ク我素ト君カ父親ト親ミ厚カリシ

故ニ特ニ來リ尋ネ訪ハレリト我曰ク先

露領現今白頭山後ノ西北ニ墾島ト彼曰
生遠方ヨリ來ル八何ノ高見アルカ従曰
待時ニ當リ君ノ氣慨ヲ以テシテ此國勢危乱ノ
現今白頭山後ノ何ノ西北計ニカアルル墾島ト彼死曰
露領海三蔵等ノ地ト韓人百余万人口ハ
居留シ而シテ物産豊富以ラ武ヲ該用キ
八往カ地ト調フテ可シ必スス大事業ヲ成サ
ントヲ我日ハク則當チ後ニ日ニ謹ンステ教ユルハ
ロヲ守ルヘク當ニ畢ツテ客ハ相別レ
テ以テ去レリ此時我財政ノ計ヲ弁セヤ

ント欲シテ平壤ニ往キ石炭礦ヲ開採セントス偶々日人ノ阻礙ニ因ッテ損害スルコト數千元此時ニ當ッテ一般韓人ノ發起セル國債報償會ハ爭フテ之ニ出シ一名來者多ク其狀況ヲ探査シ問フテ曰別巡査（刑事巡査）ニ出テ曰會負ハ幾何ソ財政ハ幾何カ收合何カ收合セン一千三百萬円收合シタル後報償セン二千万人財政ヤト我答テ曰ク韓人ハ下等ノ人何ノ爲ノ報償セス事カアラント我曰ク貢債ナルモノハ報償ニシテ給債ハ棒債ニ在リ則チ

何ノ不美ナル事アラン是ノ如キ嫉妬

ラ為ス勿レト諌曰人怒ヲ發シテ我ヲ

打ツ我曰ク此ノ如キ無理ヲ以テ而シ

テ辱ヲ受ケナハ則チ二千万ノ人族将

サニ未タ多大ノ壓制ヲ免レサラント

ス豈肯テ國耻ヲ甘受セント乃チ念ヲ

發シテ相打ツコト無数時ニ傍観スル

者其中間ニ入リ和解ヲナスヲ以テ相

別レタリ

此時一千九百七年伊藤博文韓國ニ來

リ七條約ヲ勒定シ光武皇帝ヲ廢シ兵

ヲ解散スルヲ以テ二千万民人一齊

二念発シ義旅処々ニ蜂起シ三千里ノ
江山砲声大ニ振フ時ニ我ハ急々東装
シテ家眷ニ離別シ北墾島ニ向テ出
発シテ該地ニ到着スレハ則チ此処モ亦
日兵来リテ駐屯シ都テ接足ノ処ナシ
故ニ三朔間各地方ヲ視察シタル後更
ニ去ツテ露領ニ投シ来ツテ烟秋ヲ過
キ海三歳ニ到ル此ノ港内韓人四五千
人口居留シ而シテ数ケ処ノ学校アリ又
青年会アリ我ハ徃テ青年会ニ参セシ
ニ臨時査案ニ選マル時ニ或一人ノ者
許ナクシテ私談スルヲ以テ規ニ依リ

之ヲ禁止スレハ則チ其人怒ッテ我カ
耳辺ヲ打ッコト数回諸負セヲ見テ制
止ス我笑ッテ其人ニ謂テ曰ク今日所
調社會ハ衆力ヲ合スルヲ以テ主ト為
ス而モ是ノ如ク相鬪フハ豈他人ニ対
シ恥ッルトコロニ非スヤ是非ヲ論ス
ル勿ヲ和シ主ト為ス若何ト衆皆善ト
稱ス其後耳傷太痛ヲ覺ヘシモ月余ニ
シテ治癒セリ此地李範允ナル一人ア
リ此人日露戰爭前北墾島管理使ニ任
セラレ清兵ノ多數ト交戰セリ日露開
戰ノ時露兵トカヲ合セテ相助ク露兵

敗歸ノ時伴フテ露領ニ來リ今ニ此処ニ

ニ居留スルモノナリ往テ其人ヲ見テ

談論シテ曰ク閣下ハ日露戰役ノ時露

ヲ助ケテ日ヲ討ツ天ニ逆フト曰フ可

キナリ日本ハ東洋ノ大義ヲ鞏固トケ

東洋平和ヲ當時維持ト大韓獨立ノ後露國ト

ノ意ヲ以テ世界ニ宣言シタル故ニ鞏

ニ声討ス此レ所調天ニ順フカ更ニ義旅

ヲ大捷ヲ得タリ若シ今ハ則チ是レ天

ニ順フコト曰フ可キナリ現今伊藤博文

自ラ其切ヲ特ミ妄リニ自ラ尊大ニ傍

301

若無人ノ如ク驕甚シク悪極マリ君ヲ
欺キ上ヲ罔シ蒼生ヲ濫殺シ鄰國ノ誼
ヲ断絶シ世界ノ信義ヲ排却ス是レ所
謂天ニ逆フト謂フ可ク豈能ク久シカ
ランヤ諺ニ曰ク日出テ露消スルハ理
ナリ日盈ツレハ必スルモ亦合理
ナリ今閣下ハ皇上ノ聖恩ヲ受ケナカ
ラ而モ此ノ家國危急ノ時ニ當リ袖手
傍観スル可ナランヤ閣下速ニ
大事ヲ挙ケ以テ時機ニ違フ勿レト李
曰ク言フトコロ合理ナリト魚モ然モ
財政軍器都テ弁備ナキヲ奈何ン我曰

302

ク祖國ノ亡フル朝タニ在リ然ルニ但

タ手ヲ束ネテ坐ナカラ待ント則チ財

政軍器將キニ天ヨリこテ落ント

スハルカ之天ニ應シ人ニ順ヘハ則千何ノ

ノクレハ則チ其不才ト雖モ常ニ万分一

難カ有ラン今閣下心ヲ決シ事ヲ挙

クレハ則チ李範允猶未タ決セ

サルカナリ此地更ニ両個ノ好人物アリ

ノカヲ助ケこト

一嚴仁變ト曰ヒ一ヲ金起龍ト曰フ

両人頗膽畧義侠アリ裴ニ出ツ我此両

人こト義ヲ結ンテ兄弟トナリ嚴ヲ長兄

トこ我ハ其次金ハ第三タリ此ヨリ三兄

303

人義重ク情厚ク義ヲ舉クルノ事ヲ謀
議シ各地方ヲ巡回シテ多数ノ韓人ヲ
尋訪シ演説シテ曰ク譬ヘハ一家ノ中
コト一人其父母ニ別レ他処ニ離居スル
妻子堂ニ満チ朋友相親ミ家産優ニシテ
慮ナケレハ則チ必ス郷里本國ノ父母
兄弟ヲ忘ル、ハ自然ノ勢ナリ而シテ
或日本國兄弟中ノ一人來リテ急ヲ告
ヲリテ強盗來到シテ父母ヲ逐出シ家屋
ヲ奪居シ兄弟ヲ殺害シ財産ヲ掠取セ

304

リト云ハヽ豈之レ痛マシカラスヤヲ願

クハ兄弟速ニ歸ッテ急ヲ救フコトヤ今我

切望懇請スト此時其人答テ曰ク而モ本

此処ニ居リ安樂ニシテ憂ナシ則観チ

國父母兄弟何ノ關係アランヤ傍ニ

是レ人類ト曰フノ可ケンヤ況ンヤ父兄ヲ為メ

スル者云テ豈能ク誼ヲ絶タンヤ必ス親ヲ為排立シ

排斥シテノ人ヲ本國ノ父

友ヲ絶ツテノ誼ヲ絶タンヤ知ンヤ本國ノ

タンヤ同胞ヲ何ノ面目アッテ世ニ我言

ヲ聞ケヤ現今我韓ノ惨状ナルコト君等

果シテ知ルヤ否日本ノ露國ト開戰ス

ルノトキ其、宣戰書ニ曰ク東洋平和ノ

維持韓國獨立ノ鞏固ト今日ニ至ッテ

此ノ如キノ重義ヲ守ラス反ツテ勒定ノ

韓國ヲ侵掠シ五條約七條ノ廢立軍隊ノ

解散シ鐵道礦産森林川沢ノ奪ハサルハ

ロナシ官衞ノ各廰之間ニ奪居シ膚次シ田

ニ兵站ヲ以テ之ニ軍用及フ

醤之ヲ旧墳墓ヲ称スハ軍用及フ其國民ヲ以テ

ハテ者其子孫タルハ者誰カ念ヲ忍ヒ辱ニタ

306

塘ニ於テハ憤者アリ噫彼ノ三シテ強干ヤ故ニゝゝヲノ民族

一旦蜂起スルニ年兵ヲ發彼ノ三強賊友ヲ掠シ極ヲ暴徒怨々徒々

ニ於テハ余両ニ年ノ問醉生ラ掠傳シ被默ハラ暴残ノ惨徒々

タトニ暴至ハ問ニ人ノ告ニヲシ被生靈ヲシラノ惨残々

告ス万リ者ニ暴徒墻自ヲ討伐ニ殺默極ラ暴怨民

格ヲ防禦スル者ハ暴自非ヲ守リ外ヲ賊残ノ賊

似クゝ友残暴ゝ暴徒カ此所謂賊將枚則是チノ賊

都テ是残友禦ハ者ノモノ根本ヲ論ス調ハ政賊略是ノ

博文ノ暴行ニゝテ韓民ニ千ヲカ日氷藤伊則チ

ノ保護ヲ受ケ現今太平無事平和日進

ハノ願フニ称托シテ上ハ天皇ヲ欺キ外ニ

ハ列強ヲ罔キ其耳目ヲ掩フトコロナリ此

自ヲ行セサラレテ為サルヽヲ擅ニシ

豈痛念セサランハヤ我韓ノ民族若クシ滅此

レヲ誅セスンハヤ則チ韓國ハ必々ラス滅

賊シ東洋將ニセヒント諸君ノ々々スシヤ

熟思セヨ諸君ノ祖國ヲ忘ハヽ忘レハヤ

否親族戚党ハ則チヲ忘レハヽ否若シセヤ

意レスンハ則チ此危急存亡ノ秋ニ當

ニツテ憤發猛醒セニ哉根ナキノ木ハ何

依ッテ生セン國ナキノ民ハ何

308

依ワテ以テ安セン若シ諸君カ外邦ニ
居ルヲ以テ祖國ニ關スルニシテ之ヲ知ラ頓スハ
願ス助カセヤサルコトヲシテ知ラス異ス
心ス曰ハン韓人等ハ我人ニシテ其祖國ノヲ知ラ異ス
其ヲ之ヲ愛スヘ憂ケセンヤ豈能ク其外國ノ無助人
種ハ之愛スヲヘ置ヘ憂ケス無用ナリ知キ外國ノ益論ノ地洲人
種ヲ愛スカヘ遣ヒカササルル間コニ必リ知キ國ノ失我國言益助
騰ハコシテ逐ヒ出サル時ニトスト我ノ言論ノ
境コシ明カナリ逐遠
リ明カナ
疆土已ニ外トリ此出サ如キ時外國人亦一祖國烈國ノ
排斥シテ受ケサレハ則チ老ヲ員ヒ幼ニ

ヲ携ヘ去ツテ将サニ安ク之カント
スルカ諸君ヨ波蘭人ノ虐殺黒龍江上
清國人ノ修状聞カサルヤ否若シ亡國
ノ人種強國人ト同等ナラハ則チ何ソ
亡國ヲ憂ヘント何ソ強國ノ人種ヲ好マンヤ是ノ如レ
ノ國ヲ論スルナク亡國ノ人種ヲ避クヘカラサ
ノ國ヲ修殺虐待セラハ則チ今日我韓ノ人種此
ノ危急ノ時ニ當リ何為レン則ヒケ好キ
カ左思右想モ都ノ外更ニ他ニ法ナキ義ヲ
ナリ挙リケ賊ヲ討スハ則チ現今韓國ノ内地
何トナレハ則チ

十三道ノ江山義兵処トシテ起ラサル

ハナニ彼ノ若シ義兵ノ敗ルルノ日トナラサル

ニ暴徒ニ奸賊輩ハ善ヲ不善ヲ論シ家々

火ヲ衝動カシ此ノ托シテ人ヲ殺シ至リ韓國

ノヲ族然ラハ者ノ何如キテ後ニ殺至リニ韓國行

人民論ヤ十男女老少今日在内在外ノ韓

ヒシン一論一齊ニ義ヲ挙ケ少勝敗銃ヲ顧ミス劍ヲ快

戰一場ス若シ天下後世ノ勝敗恥笑ヲ免レ、

可キナリ十若シ戰ヲ悪シト則チ世

界列強ノ公論獨立ノ望ナキニ非ス況

ヤ日本ハ五年ヲ過キサルノ間ニ必ス

俄清、美ノ三國ト戰ヲ開カン此レ韓國

ノ一大期會十此時ニ當ッテ韓人若

モレ予メ韓國ヲ更備ナク他ノ則中ニ日水敗ラン今日

ヨリ以テ兵ヲ自ラ繼續ニシ自ラ火國期失フ

勿レクリ以テ之ヲ強ヘフ絶ニシタス中ニ調撑

復ハ獨ヲ以テ健全力万事ニ本能ク是所ヲ調撑為

能事ノ興氷トナリ万事故ニノ自助為ルモ

万事ノ獨ハサ去リ故ニ諸名助為ルモ

ハ天モ助ク云フ諸召ヨク坐ナ

ラ以テ死ヲ待ツ可ナル可憤発力ヲ振

勇フ可ナルハカ此ニ彼ニ決心警醒シ熟ヘ思
数ニ服シ従ヒ各地方ト周圍ヲ伏シ望ス是ノ如クモノ説明多
械ヨリ出シ戰ヲ見テ願シ或ハ助ク足ク機
此人等前斗星李範允等皆一致ニ義ヲ出シ戰ヲ見テ為ニ為リ共ニ義大ヲ謀ト
挙ノ此時ラ選ハル總督ト為リ我ハ參謀大ト
中将ノ任セ此任ヲレン豆滿江近辺ハ義兵會集シ
秘密ニ輪送シ以スン兵會集メト
後大事ヲ謀議ス此時我發論シテ曰

ク現今我等三百人ニ過キス則チ賊強

ク我弱ク賊中ト輕ス可カラス況ヤ兵法

ヲヤ百忙ノ中ト金モ必ラス万全ノ策

アラニ義然ノ後大事圖ハ能ニ今我等明

タヒ義然擧ケ後成功シ能ハサルヤ明

ケレハ則チ成若シ同一圍ニシテ至ル

ツレ則ヲ擧ケ二若同三同一圍ニシテ至リ

百析屈明セ年ス今二再明年ヲサ夏ニ明年

圖リ十明年又今再明年成ヲ目的ヲ百成サ

至ん可リ十年

、レハ則チ子代シリ我孫代ツテ必ス大韓成サ

國ノ獨立權ヲ復シ然ル後ニ乃チ已マ

ン然ラハ則チ先進シ後進シ急進シ緩

進シ予備シ後備シ具備シ然ルハ則チ今モ

目的ヲ遵セサルハ則チ得ス然ラハ則チ今モ

日ノ先進師ヲ出ス者病弱少年等ハ社會民

合ノ可キナリ其次ノ青年等ハ予備

志ノ團合ヲ組織シ幼年ノ教育ヲ予備

シ後ニ備シ各項ノ實業ヲ勤務シ實力ヲ間見ヲ

養成シ後者然ルハ不美ノ論アリ之何ノ故ソ

スルハ多クル大事容易ナラント

此地風氣頑固ナル強拳者第一ニ權力ア官職

ル者財政家第二ニ強拳者第三ニ官職

最モ高キ者第四ニ年老者ナリ此四種

315

213

ノ權中我都テ一モ掌握ノ權ナレ豈能

クノ實施センヤ此ニヨリ心ニ快ナラス退攻

ノ歸ルノ為ニ奈何トモスヘキナレ時ニ

諸將校ハ隊ヲ分ケテ師ヲ出シ

領軍勢ノ一千九百八年六月

豆滿江ヲ渡ハ是レ咸鏡北道ニ至リ

日十リ晝伏夜行シ、テ

アリ或ハ數回衝突シ彼我ノ間或ハ死傷ト

日兵ト捕虜者トナリ時ニ日本軍人ト

商民ト或ハ捕虜者ナリシ者ヲ請ヒ來リ

問フテノ君等皆ナ日本國ノ臣民ナリト

リ何故ニ天皇ノ聖旨ヲ兼ケサルルカ曰

316

212

露開戰ノ時宣戰書中東洋平和維持ト

大韓ノ獨立鞏固ト云ヒナカラ而モ今ハ

日是ノ如ク競爭優掠スルニ至レリ逆賊ハ

豈平和ト調フ可ケンヤ此レリ逆賊落涙

强盜ニ非スシテ答テ曰ク此レ我等本然ノ心

シテ以テ非ス答テ曰ク何ソヤト我等本然ノ心

ニテ死ヲシテ人ノ已ムヲ得サルニ出テ生ヲ好モ

ヤ非ケシ人ノハ斯世ニ生ルヽニシヤテ而無モ

ニ明ケ死ヲ人皆常情ニシヤテ而無モ

況ノヤ我等ハ万里ノ戰場修トシテ今

寃ト作ル豈痛憤セサランシヤ

日遺フ所ハ他ニ故アルニアラスシテ

此レ、都テ伊藤博文ノ過ナリ。皇上ノ聖
ヲ受ケステ、擅ニ自ラ權ヲ弄シ、日韓兩國
ノ間ヶ貴重ナル生靈ヲ殺戮スルコト無
數、彼輩安臥シテ福ヲ亨ク。我等憤慨ノ故、
心アリト雖モレテ勢奈何トモ是レ春秋ノ非ス
ニ此境ニ至ル者、然モヤ農商民ノ渡韓國
豈之者尤モ甚タケン困難セリ。是ノ如ク
スルナカルン
獎レ民疲レ頓ト安寧ヲ顧念セス、是ノ如ク東洋ノ平和
ハ日本國勢ノ安寧豈敬テ望ムシ得ン
ヤ我等死スト雖モ痛恨已マスト言畢
テ痛哭絶エスト我謂テ曰ク我聞ク君等

ノ言フトコロ則チ忠義ノ士ト謂フ可

キナリ君ハ此等ノ今當乱ニ放還スヘシ婦リヨ

若起シツシ又此ノ如キ奸臣賊子アリテ端ナク戦

ヲ起シテ同族鄰邦ノ間侵害ノ言論ヲ提

出ス者アラハ悉ク之ヲ掃除セヨ則

チナ名ニ過キスシテ東洋ノ平和圓ハ則

ヘシ公等之ニ能ク応諾ス故ニ即地放送ス

湧躍シテ曰ク之ニ応諾スヲ行フャ否ト其人等

其人等曰ク我等軍器銃砲等ヲ帯ヒ

シテ帰ラハ我ハ軍律ヲ免シ何為ス

レソテ好カラント我曰ク然ラハ即地

公等鋭砲等ヲ還授セン且ツ調ツヲ曰ク

公等速ニ歸リ去レ虜セラルルハ其ノ説ニ曰ク

ヲ千ニ出スナ万謝シ以テ慎テ大事ヲ圖レト其人等之

故ニ聞謝ヲ以テ現今捕虜賊ヲ放還ス我ニ調テ曰ク其後將校等何カ曰ク

都テ萬國公法ニ捕虜賊兵ヲ放還ス我ニ調テ殺戮ノ

還ステ況無ク彼何等ノ処ニ捕虜賊兵而モ後日賠ス

ハトコノ義談之言フト囚ルモ真情發ニ

カセンコト諸人曰ク彼等放ハサシテ何ニ義兵ノ

捕虜セレモノ餘スナク惨悪殺戮セン

況ンヤ我等ハ殺賊ノ目的ヲ以テ此処

ニ來リ風餐露宿スルモノ者ナリ而モ是

ノ如ク盡力シ生擒スルモノナリ放送セ

ト則チ我等何ヲ為ス然ヲ目的トス放送スルカ

ハ我答曰暴行ノ行スクル然ヲ目的賊ト共ニ兵ニノ是怒

ト加ク暴行ノモル而モ今我等モノ市野ニ蠶ン

ノヤ行ヲ為スモノコトモ願フ我神人ス的賊共ニノ怒是

ル如クト動ヲ日本四囲千余万人ロ盡クサンサ滅スンスヤ野ヲ蠶

ノ後國權ヲ挽囲四千余万ノ人計ヲ盡ナクサンサヤルン

彼ヲ知リ已ヲ挽知レスハハノ戰計百戰百勝ス今我

弱ク彼強ヒ悪戰スレ可カラス嘗ニ忠行我

321

義擧ヲ以テスルノミナラス伊藤ノ
暴略ヲ聲討シテ世界ニ廣布シ其列強
ノ同感情ヲ得ヲ以テ恨ヲ雪キ權ヲ復
ニ可シ此所謂弱ニシテ能ク強ヲ除キ
仁ヲ以テ悪ニ敵スルノ法ナリ公等幸
ニ多言スルヲ勿レト曲切ニ論セシモ
然モ衆論沸騰シテ者アリ股セス將軍中隊ヲ
分ケテ遂ク衝突四ヶ時間日既ニ暮レ霖
擊ヲ被リ注キ然尺弁セス將卒各分散
雨暴カニ注キ市ニ判シ難ク勢奈何トモ
スルナク数十人ト林間ニ溜ス其翌日

322

六七十名ニ相逢フ其方向ヲ問ニ則チ各
隊ラ一分ケ離散シ以テ歩ルトヽ云フ
トリチ各一時岡ニ軍人両日食セス此際皆飢寒ノ色アリ此際當ツ村落ヲ傷ニ断アリ
授チ膽裂ク生ノ人ノ心アリ此際當ツ後飢寒ノ村落ヲ傷ニ断アリ
免ンテ餃ヲ水メ食シ少シ紀律ヲ乱ス
スハ是時然レトモ慰諭シタル後飢寒從ハ裂
ニ伏兵ニ逢ヒ一ニ狙撃セラレヲ探ク奈何トモ適モ
スヘ孫キナシ當復タ更ニ散衆ヲ探クト云モ奈何ノ際ト適モ
分散復タ合スヘキ難我獨リ山上ニ座餃裂

323

205

シ自ラ謂ヒ自ラ笑テ曰ク愚ナル哉我

我ノ如キ輩ト共ニ何事ヲ圖ルヘキカ

誰ヲ怨ミ誰ヲ仇トセン更ニ憤發勇進

シテ四方搜探ノ末幸ニ二三人ニ逢ヒ

相共ニ議シテ曰ク何為レリ則チ好キ

カ四人ノ議見各同シカラス或曰ク生

圖ルヽト或曰ク自例シテ次テ死セン

ト或曰ク現ハレテ曰兵ニ捕ハレ

ヽント我ハ右想スルコト良々久シク

テ忽チ一首ノ詩ヲ思ヒ吟シテ同志ニ

謂テ曰ク（男児有志出洋外事不入謀難

處身望須同胞誓流血莫作世間無義神）

324
204

金カノ公テ其機ス万トト
ノ今生ハ痛中械ル人一迄吟
如日靈但哭一ヲモ中場ヲ畢
ク日及タシ人携以一ハ行ッ
重事後一テ挺帶テ分決ヒテ
キ勢日個日身シ恨子戰我更
一都ノ人ク出賊ナノヲ當ニ
身テ多ノ公身賊カ義ナシ調
ヲ北大ノ公陣ル務シニテ
ヲス義義ヲ來カ盡ヲ山ヲ曰
以ル事務來ヲラヘシラク
テモ業意望ヲ望ヘシ大下公
豈モヲ見我シヘシ大韓リ等
豈益顧思大ヲ是ニ然國テ皆
テナミヲシテ以キニハ二日隨
單シサ許テ誤キテ報後日兵意
芥万ルヒ多リ報毒ヘルテ死千

325

203

ノ如クヘケンヤ今日當サニ江東

〔江東ハ露領ノ地名ナリ〕ニ渡歸シ以テ圖ルハ

後日ノ好機會ヲ待チ更ニ大事ヲ圖ル

ヘシ止ス十分ノ合理何ヨリ深ク諒セサ

ヤトシ我更ニ回思シテ昔楚ノ覇王項羽自ラ公烏ノ

一言甚善更ニ昔楚ノ条件アリ父老シ一見ンヤ何ノ烏ノ

面目ニ列スルモノ江東ニ

江ニ小ト烏モ亦以テ

當リ項羽發憤シテ烏江ニ自死フ王タ此ノ時ニ足

ハト項羽一タヒ死シテ天下更ニ項羽

ナリ惜マサル可ケニヤ今日安應一タ

326

202

ヒ死シテ世界更ニ安應セナキヤ必セ伸

リ丈レ英雄タルヤモノ能ク屈シ能フハ

ヒ目的ニ成就スタル當ニ人ノ公ノ言ニ従ヘ

シ際更ニ是ニ於テ四人同行路ヲ尋ネ又ハ

際セハ人三四人ニ逢フ同相調ヘ日ク我等

レハ夜白晝賊陣ヲ衝テ過クル夜霖雨尚ナ

ホ息マ行ニ如カサ衝ク能ハ我等

失シニ離散ス尺但シ難シナリ故ニ其彼我路

ス三人皆山川道路ヲ知ラスシテ彼我同行

雲霧ノ天ニ満チ地ヲ覆フテ東西弁ヤ

ス

スシテ奈何トモスヘカラサルノミナ

況ロンヤ山髙ク谷深ク人家都テ無
シ一回モ喫シテ編踏ニスルコト四五日
間一足ノ鞋ヲ穿ッタルモノ
根ヲ採ッテ喫ス故ニ飢腹ニ勝ヘス草
裏ノミ相テ止飢寒苦楚ニ勝ヘス草
鷄犬ノ声ヲ慰メ食ヒ鑵褥ヲ裂キテ
當聞キ來ン聞ヲテク相護シ人ニ往キ調へ隠飯
我路ヲ前ニ聞ク我家林間往キ
シ我ノ歸ルヲ待ッテ以ス村家ハト日兵ノ派人
気日遠ク我鷄犬ノ声ヲ聞キ來ル
以シテ去ル待ッ此家ハ日兵遂ニ二人派
家ラ以ス歸ルキヲ去ル此家ハ
出所ナリ日兵火ヲ挙ケ門ヲ、出テ來ル

我忽チ見テ之ヲ覺リ更ニ急ニ身ヲ避ケ還
走テ山間ニ至リ更ニ人ト相議シ避ケ逃
日ニ倒ルル時ニ氣力乏盡シ二人ト昏睡シ地上
水ヲ速ク死セハ則チ速ニ死セシ生ヲ仰キ祈ハリ則
テ飲ミ其ムコトヘ一腹ノ後樹下二川ヲ尋ネ次
テ宿ス其翌日二人ハ甚タ若歎ヲ卧ナシ尋ネ
ス息マス我之ヲ論シテ日ク何ソ幸ニヲ過ニ慮
ラン勿レ人命ハ天ニ在リテ日ク何リ然憂フ
足ラシヤ人ニ命非常ノ困難アリ然憂フ
必スス非常ノ事業ヲ爲シ之カ死地ニ陷ニ

リ然ル後生シ是ノ如ク心ヲ落スト雖モ

何ノ益カ之アランスシテ天命ヲ待ツノ

ミ言大ト之ヲ奈何ット日ク昔日美國獨

モ都大ト魚モ談ハ然リ左右ノ方法ナキ

ナリ自思之ニ謂七八年風塵ノ間ニ万古許

立ノ主華盛頓ヲ忍耐シセハ後日事ヲ成サ

多ノ困難若楚ヲ我若シ往キ特ニ華盛頓此

無ニノ英傑ニナリヲ美國ニ紀念人家ニシト此

ハ必スヌ當サレ同情スヲ白昼人家ヲ尋ネ

ヲ追想崇拝シ顧ミス白昼人家ヲ尋ネ

日三人死生ヲ顧ミス

革ニ小間僻村ノ人家ニ逢フ其主人ヲ

呼ヒ飯ヲ氣フ

レヒ以テ此ヲ調フテ其主人一碗ノ粟飯ヲ給

民ム眠テ日此ヲ捕縛シ義兵ニ來ル砲殺シ去飯ヲ饋ル此処ニ良ニ

モ托シ名日此ヲ下調フテ其主人一碗ノ粟飯ヲ給

ト時ニ搜索即時ニ縛シ日兵ニ來リテ君等速ニ去ルニ良

擁シ去食テ山ニ咎ムル捕縛シ義兵ニ來飯ヲ故ナク速ニ去ル

此ノ絶食已山ニ上リ三人均トレトアリ於食テ飯ヲ此ヲ

時ノ絶食如キ已山ニ別ニ六日間ヲ過ギ一ニ是リニ速テ食スル

ノ味ノ如食テ山ニ

料味ノ絶食

理ナリキ

ナルカフトラク更ニ山ヲ越エ川ヲ渡

ハ是レ天上ノ仙店

人間更ニ求メ為得難キ

ノ料理ナリキ

331

197

リ方向ヲ知ラスシテ去リ恒ニ晝伏夜
ニ霖雨息マサルヲ以テ苦楚益々甚タ
行数日ノ後一夜又ハ一軒ノ人家ニ逢フ
ニ門ヲ叩キ主ヲ呼ヘハ主人出テ來リ我
者ニ調テ曰汝ハ必ス是レ露國入籍ノ
以テナラン曰日本兵站ニ押送セント棒身
トシ此ニ打シ其同類ヲ呼ンテ捕縛セン
ラヲ避ケ躱ルノ逃レテ勢奈何トモスルハナク
暗ノ中恐尺ニ相撞ク日兵我ニ向ワリテ黒
放統三四發然レトモ我幸ト免カレテ

中ニラスス急ニ人ト避ケテ山中ニ入リ

更ニ敢テ大路ヲ四五日ヲ行カス但タ山谷ヲハ住

采飢寒尤モ日ヨリ復タ食ヲ得ル能ニ

スニ励シテモ前日ノ過

人ヲ若シ天地大君大父我天主ニ奉事シ聽ケ

世人ハ則チ天地大兄我言ヲ信シ聽セヶ

ス死境ヲ免禽獸ニ如シ況ンヤ今日

我輩死信シヲ以テ免カレ難ノ速ニ天主耶蘇

ノ道古書信ニ云フテ朝靈ニ道ヲ永生キ夕ニ死若

何ンモ可ナリ請フ兄等速ニ聞キ前日ノ過

スルモ可ナリ天主ニ奉事シ以テ永生ヲ枚

ヲ悔改シ天主ニ奉事シ以テ永生ヲ枚

フ若何是ニ於テ天主ノ万物ヲ造成スルノ

ルノ道理至公至義善悪ヲ賞罰スル一

道理邪蘇基督ノ降生救贖ノ道理ヲ聽罷

し々説願ク且ツ勧メシニ人ハ之ニ依テ

シテ願ク二天主教ヲ信奉セント依リ

即チ會規ニ依リ天主教ヲ信奉セント依テ

洗礼ノ権）礼ヲ畢リテ更ニ人家門ヲ

探礼ニ山僻ニノ処ニ一茅屋アリ

出テ叩キ主房中ニ呼ヒ少頃ニ一若人

求メテ来リ主房中ニ呼ヒ進ヒテ礼畢リ飲食ヲ

喚ヒ饌ヲ盛リ来ラシム（山中別味ナシ

求メテ来リ請フ言罷テ即チ童子ヲ

334

葉草ト果ヲ兼又（廉）恥ヲ顧ミス飽迄之

ヲ喫シタルハ神ヲ回シテ喫飯シ思フ而ニ之

大八十二日ノ後間ヲ但シ回ニ回喫飯乃主而

シテ命ヲ救フテ此ニ至レリ前後遭フ主

翁ニ向テ多大ノ一々感謝ヲナシ老人ノ如

トコノ國ノ家危急ノ秋義務當ヤ是ノ興尽

曰ク此國ノ家危急ノ秋義務當ヤ是ノ興尽

ノ用困難ナル若ハ苦尽キレテ甘來ルト共処調々楼

キテ悲來苦尽キレテ現今日共ハト調々楼

索ス幸ニ多願ス真ハニ道ヲ行キ難シ當テ

我カ指ス所ニ從ヲテ某ヨリ某ニ至ル

レハ則チ我ハ一個月半別ニ舎營テヲ

ヲ計ラス推師ヲ出シ蚊族ヲ前後盛ニ腐ヲ其計殺

赤身以テ息ス捂シテ雑見クハ二巳ニ極メ盡テク衣杉服ヲ其ニ脱殺テシ至

テ安渡セスル此ニクハ物日始心テシクヲ衣村家ニ

リ所ニ是依リ於間鉄繊日老ノ人後ニトフ謝一人一致別

江ヲスニ深其開性名ヲ物レ人レト三人シクテ別レニ其テ

スモ是其渡帰名ヲ以テ間後ニ日老好機會ヲ必テ答ス

ヘトシ深我渡帰└シニシテ豆満江遠カラス速

シレ行テ便利└ニ テ後豆満滿江遠機會ヲス図速

ニハ無慮

336

192

ノ人ツ国同治道最四一一恒
愧日テテ脫療一シ時至々ニ
カラ肯辭ハノシ若ノト筆露
之ニテシ歡後トシ客ハフ管
有勝諸テ迎海此夫ト親以ニ
ラ一公日會三ニ命ト友フ瀰
ン敗ノクフ歳留シヲ相訴兩
況ハ歡敗設ニマ服以見シ息
ン兵迎軍備至ハリテハ難マ
ヤ家ンノニハリヒヒモトス
足ノ受將我ニトハリ識露遠
ノ當ケ何ヲ此ト都故ヲ領間
知時ニノ招地餘テニ入炳百
キヤヤ面待ノ日生千ヒ秋服
危リト月ハ韓漸還思得方若
險何諸了我人ヲノ万タ面建

ノ地ヨリ無事ニ生還スヲ豈歡迎セサラヲ
ンヤト云フ更ニ此地ヲ離レテ黑龍江河ノ發浦
方面ニ向ヒ汽船ニ塔乗シ韓人等ノ志家上
流数千里ヲ視察シ或ハ清社會ヲ地家
ヲ尋訪而シ或ハタ教育更ニ勧勉圍行シ或ハ水清等
組織人シノ境ニ至各方面ヲ忽然
谷突出シ我ヲ捕縛シ其一時人調テノ光邁山
義兵大將ヲ恃揖得タリト此全行セシ
輩名者ハ逃走シ去レト彼等我ニ調ニ調
数名ノ次何カ故ニ政府ヨリ最嚴禁スハ
テ日ノ

現今ノ義兵ヲ敢テ行ヒシカ曰ク

所謂我韓政府ハ彼ノ形式ト我答ハテ曰ク如ク

調ヲ我韓ニ行ヒシ政府ノ伊藤ノカ政如ク

我韓内ニハ韓民モ伊藤ニ服従シ

伊藤一個人ノカ政如ク

彼輩ハ則チ伊藤ニ服従スル者ニシテ政府ノ伊藤上有ルカ

其實ハ再ヒ多ク伊藤ニ言ヲセシ以テ即チ命令ハナリ

畢中ニテヒ倒シ手巾言ヲ打チ結縛ス

聲雪ニ叱ニハ言ク日タ汝等打ツ我項チ殺リ無牧縛スト

白シ中或ハテ無事日タノ如シ此牧縛ス

爲シ殺セニハ全行無事ノ逃如クナルモ然此

地ニ向キニ我全行ニ人ノ逃レ去ルアレ汝

ハ此ニ人必ス往テ我同志ニ告ケン汝

等後日尽滅シテ彼等餘スナンシ之シテテ

細以語ノリス此ニス我ヲ聴罷ンテ相附シ月諒シシテ

議屋ノ挽執中ニ少頃ニ入ル者アリ或ハ我ヲ殺スス能ハシテ山間ノ

芽ノ勧解スル者アリト我乃打チ拿ヘ好和ノ説リ

或ハ答ヘ勧解スル相調テコト無数我改乃打チス黙然ノト説

事ニナシ答ハ金哥任意ニ之ヲ金哥行ヲ発起ノ

シテ相関ハ汝ス金哥一人我行ヲヒ我等ヲ押シ我等ノ

夏山ニ下リセ去スト我一タヒ暁論シ一タ

ヒ抗拒スルニ於テ都テ奈

340

何トモスルナク辞ナクシヲ以テ退キ國ヨリ此等皆一進會ノ余党ニシテ本輩ナリ乱ヲ避ケ此ニ来テ居住スルノ如ク通々我カ過ク右ニアリキ我ハ脱シテ是死ヲ免ハ、行動セシコト得親友ノ家ヲ脱尋テ訪ニテ傷処ヲ治療シ其歳ノ冬期ヲ過や

其翌年正月（己酉二千九百九年）還テ烟秋方面ニ至リ同志十二人ト相議シテ日ク

我等前後都テ事ヲ成スナリ則ハ々他人ノ耻笑ヲ免レ難シ思フニ特別ノ團体

187

ナク今日ハ何事ヲ論セ目的ヲ達シ難シ

今日我等斷指同盟シ以テ跡ヲ表シ

然ル後一心團體國ノ爲メニ身ヲ獻シ

目的ヲ達ス體コトヲ期ス若何ト

裏皆諸指ヲ從ヘ是ニ於テ各々其左

手ノ藥指ヲ斷チ血ヲ以テ大韓旗ノ

前面ニ四字ヲ書シテ曰ク大韓獨立

ト書シ畢テ大韓獨立万歲ヲ一齊ニ三

唱シ天ニ誓ヒ地ニ盟ヒ以テ散ス其後

各処ニ往來シ敎育ヲ勸勉シ民志ヲ團

合シ新聞ヲ賭覽スルヲ以テ務ト爲セ

リ此時忽チ鄭大鎬ノ書信ニ接ス即夕

ハ渡沿ヒ家ニ盛ニ卒來ノ卿里ノ消息ヲ付托シ詳ニ聞クハ以テシ歸得

往テ見ヲ卿里ノ

九月ニ運動シ賞多ノ來備ノ路ヲ歳月ニ送リ別ニ

七ス虚ニシノ歳月ヲ備ノ間ヲ同察幾人ト韓内地

神憤闇問問々人ニト調テ自然ト忽然ニ送リ通ニシテ

往力親友教人ニ一日ニ調テ日夕我領今定シ改ナク

如ニト欲ス人ニ其ノ人カ何カ故ニ藏想ニ乃心

期ナクシテ卒カニ往クカ我答想

343

185

テ曰ク我モ亦其故ヲ知ルナヒ自然心

ヲ腦シ都テ此ニ驅マ人ノ意ナヒ故ニ

去ヲレト欲ス其人間フテ目ク今去リ

ルノ中ニヤスト曰カ還シラントスルカ我無心

思ヘハ欲我亦答フ其人ト甚怪テ以テ此ヲ還

エニ入ナリ是ニ於テ相別ノ辞意ヲ覺

口港ニ至リ適マ汽船ニ逢ヒ（此港汽船一週程シ穆

間或ハ二三回海灘ヲ住來ス）塔乘シテ海三蔵ニ至

リ聞々二三回則チ伊藤博文将ニ此処ニ至

來到セントトスト云々ト巻説浪藉タリ是

二於テ其、事實ヲ確メ

文ヲ購覽スレハ則チ哈爾賓ト

眞實ニシテ疑ナキナリ自ラ思フ目的暗期新

二乃喜ンテチヲシテ多年頗、フトトコロノ別着様ノ

今乃哈爾賓ニ到達シ老賊我手ニ休セラハ然的

ヒモ此ニ往キノ説未タ詳カナリセラハ然

必スシ哈爾賓即チニ往程ヲ然未後事ヲ詳カナリセハス

疑トナシト得ル程ヲキ然ル起策ナンコト故欲ス

然モナシ運動費ヲ得ルノ起策ナンコト故成左思

右想ノ上此地ニ居留セル韓國黄海道

義兵将ノ李錫山ヲ尋訪セシニ李氏適々

他ニ往カント束装門ヲ發セしヲ以テ

急ニ之ヲ喚ヒ絪來ツテ窓室ニ入

終リ一ニ肯元從セツス貧車絡㑄此ニシ來

奪スハニナ肯從即セツス威脅ヲ以テハ一勢ヲシテ

ニ於テ彙テラ逗留リ徳事羊ヲ百元何ヲト請フ室ニ

程ノ思フラ汽ヲ同逗約志リ銳淳半以ラ是勒是氏入

ハノ故ニ則車約志人來各德事脅羊ヲ翌コト李モ是

知ヲ恩ミ汽ヲ同遑即人乘拳德事脅此ニシ請フ何ヲト

途中綾スフラ築テラナ從元喚ヒ洒

テ云ニラ芳河ニ則憂チニ來各都ニ鋭淳半翌コ李氏

テ云ラ現方應両塔各露國行瑞ニハ一百元是勒モ氏入

我到家脊柳束夏訪
346

スンニ日ノ伯ニ二賓セニ我爲
テト更來ノテ往ニ亦往ハメ
即欲二期家仝ク往方テ露ニ
ケセ南ノ二行コカケ通語晗
其二長辭圖ニトニ辯ヲ爾
家二春知宿其甚ト藥周知賓
二柳等スニ翌夕後ヲ旋ヲ二
還東ノハ更日好セ質ススス往
ラ夏地ニニ晗ニハスハ故カ
ン本二ト新兩ト際ハ若ニン
ユト向ヲ聞賓即ナカ何其ト
ト年ニ得ヲニ地ト爲トタス
ヲ少華タ見豆二ハメ柳問ハ
欲ナシリテリ程則二同スモ
セハ舉其伊金ヲチ晗ク君而
リヲ翌藤聖起晗爾我偕モ

347

181

依テ更ニ通弁一人ヲ得ント欲セシニ為

メニ曹ニ先行セシヨ共ニ道南ニ行セリヲト家属ヲ迎フ則チ曹氏ハ力為

ハ〆之ヲ共ニ許諾セリ其夜又金聖伯ノ故ニ家柳氏

雷宿ハ時ニ運費不足ノ愿アリ金聖伯ノ故ヲ家柳

東夏ハ托シテ柳氏ニ運費其夜又金聖伯ヲ貸柳

得ネシテ去リ將サ我為〆客外ニ出中ノ金元氏ヲ獨ヲ貸

坐シテ思ヒ暫ヲ去ルト氏ハ爲聖伯ヨリ愿カナリ

得思日ク慷慨ノ將心サニ行燈寒偶一上ニ金氏事獨

下兮何日ノ成業時造英雄兮其志大矣雄視天

吟歌ヲノ塔ノ元ヲ獨

何成業時造英雄兮英雄兮造時東

348

金書來夏的ノル罷兮勢的風
円シラカ意大テ大固嚴漸
借終ハ金ハ東更韓然筋寒
入ルチ聖則共ニ獨同伊ヲ
レト之伯ノ報一立胞藤壯
ノキヲニ許一通万同兮士
事柳還許ニ新ノ歳胞豈義
成氏還ヨ公聞書万兮肯熱
ラ還報リ布社ニ々速比憤
サリスス五スニ信歳成命慨
ル來ルル十ル付ヲ大大豊一
ヲレノノ元等セ認韓業度去
以リ計計金行ント同万至今
テ而ナナヲフコメ胞歳此必
西シリリ借ノロ海兮兮成
宿テ而借シ計ノ三吟歳目

トスルヲ得ス其翌日早朝烏曹柳ノ三人
皆ニ停車場ニ往キ乃チ曹氏ヲシテ
リ南清列車ノ交換スル停車場ハ何レナ
家溝ノ地ナリト云フ故ニ禹、曹両人ハ則チ蔡
柳氏ニ相別レ下車ニシ南向ニ留宿シテ
仝方面ニ至リ列車ニ塔乗シ館ヲ定メ毎日三
し停車場ノ事務員ニ問フテ曰ク毎日列車
毎日幾回來往ス今夜特別車哈爾賓ヲ迎フヲリテ再長春
回祭送シ日本大臣伊藤ヲ迎フヲ此ノ如キ
日ニ朝六時此ニ至ルト云フ此ノ如キ分明

明ノ通信ハ前後ニ於テ初メテ聞ク、ノ
確ノ報ナリ是ニ於テ更ニ自ラ深ク覓シテ
曰ク再明日上午六時頃ハ姑ラク未タ
天明ナラサレハ則チ伊藤ハ必ス得車
場ニ下ルヽ若シ下車スト難モ黒暗中
ノ視察ハ其真假ヲ弁シ能ク地ニ往カント
伊藤ノ面目ヲ知ラス長春等ノ何為レリ則
ンニ更ニ前則チ路費足ヲ何為レリ則
欲スルモ則チ思右想甚タ悶欝タリ通
千好キカ太思右想甚タ悶欝タリ我等此
々柳束夏ニ打電シテ曰ヘラハ則
処々ニ下車セリ若シ緊急ノ事アラハ則

351

177

千打電センコトヲ望ムト黄昏ニ至リ

答電來到セシムルコモトヲ望ムト

二夏二疑詠ヲ加ヘ其文意分明ナラス故

其夜十二分深諒シ更ニ良策ヲ算シ其翌

日夜十二分深諒シ加フル良策ト算シ其

処二合宿日二共二相議シテ良策ニシテ良日

財政不足日二ハ曰ク策議ニシテ良日我等曰ク此ノ過

ハシ三ハ必スタ日ハ伊藤柳氏ノ答スタ我等

會ヲ則キ事ハ必スタ明朝未明答電其

ノハ則矢セハ則チ更二難シ然期過疑

日ノ期会ヲ待チ機ヲ見テ動作セヲ我

会チ今日則君ハ此処二雷リ次テ明

ヲ待チ機ヲ見テ動作セヲ我明シ然期

挙ハ哈爾賓ニ還リ去リ以テ両処ニ事ヲ

事成レハ則チ利チ我必ス者ニ君ニシテ事ヲ

若事成サレハ事則チ成サンシ必

ス事ヲナセテ若シ事両我ニサス於事則君ノ

更ニ相議シテ挙ヲ運動費ヲ都弁意ノ策

ト為ス可シ是ニ於テ挙ヲ相別此レ或ハ金列車ニ

逢フ搭乗ニ哈爾賓ノ還文意ヲ柳東夏ニ其

答辞モテ亦曩キ明カナラ答ナラス故ニ我ハ怒ッテ

とシ責ハシニ柳氏ハ抗セスシテ門ヲ

353

175

狙擊セハ則チ好キカト未タ十分ニ思ニ
動靜ヲ窺ヒ自ラ思フテ曰何ノ時ニ
別氣車來着セリ伊藤茶店ニ塔坐シ何ノ時ニ思フ
ニテ九時頃ニ三杯ニ至リ我ハ伊藤ノ茶店ヲ乗シテハ特ニ
スハコアリテ或ハ伊藤ノ塔ヲ乗シ坐待茶已ニ
ツ、コトリテ伊藤ハ中ニ坐待茶ヲ喫シ
数ニ來時ニテ或ハ伊藤賣茶店迎フハ露國將官軍人ヲナシ多リ
ニ時ニ停車場ヲ向テ去ルニ時ニ午前七時頃ト
車場ニ洋服向テ去ル露國將官軍人ト
十ル洋服ニ換ヘ短銃ヲ攜帶シ即チナリ多リ
明朝早起盡ク其新鮮ノ衣服ヲ脫シ即チナリ停宿シ温シ其
出テ去レリ其夜聖伯ノ家ニ雷宿シ温シ其

量ノ決セサルサ以ル際少時ニシテ伊藤ハ下

車ニシタ飛ヒル月ニ丈ノ灌業ヲ各此軍隊ニシテ礼樂念ノ出

空起ニシ飛ヒ何カ千丈ノ灌業欠此時ニ敬當軍樂念ノ出

突起飛ヒ三ヒル月丈ノ灌業此時ハ腦裏當ツテ軍樂念ヲ残

ラテ者カ嗚ニ嗚呼故ニノ世態強是ノ裏如ヲ衝テ公ナ出

テサモハルリシ対ニ呼鄰邦世態弱是人命シフ公ヲ残

少ヒスサハル憚ニ嗚呼鄰ヲ此世強奪是人如タシフ殘

及ワテモハル是思者対呼故ニ邦此弱是ノ人躍シフ残

步湧進テ見思ノ憚嗚対シ鄰世態強奪是如タ於ト故放人躍シ稚ハ

見レハ進メ則シテ露軍國隊列困ニタカ於ト即之ヲ踏ハ

ハノ際ニシテ其前面ナハ一個黄面白

鬚ノ小翁是ノ如ク没廉ニシテ敢テ天

地ノ間ヲ行シタル

側ニ老賊ヲ向ヒナチ則チ快ク射ンクハ即チフ短銃ニ必スシテ是レヲ

思ヘハ乃チ若シ我レ本一トシ伊藤疑訝ノ面貌ニ知ラル起ル者之ヲ右ヲ敢テ

リ乃ツ最シモ遂ニタヒ誤ノ中脳ヲニ発ノ後キレ伊藤

狼狽容目表ヲ重キニ前面ノ後中面セハヲニ扨其ヲ右

中更ニ目ヲ為シ連射ス先行者ニ人向団大ル者之ヲ体事レア

テ後更ニ思フニ若シ誤ッテル無罪ノ三発ツ体事

ヲ傷ケナハ則チ事必スハ誤美ナラスト俾人発ツ体事レア右

356

止思量スルノ除露國憲兵來ッテ捕捉
セラ一千九百九年陰九月十三
日上午九時ニ其時即チ三人ニ兵分派所ニ入タ
向ッテ大韓万歳ヲ大呼スルコト三タ
ヒハ後少時ニ其性名又何國檢察
官ハ全身ヲ検査シテ後居住
リッノ後拿シテ停車場憲兵分派所ニ
何ニ因ッテ伊藤ニ加ヘタルカノ
何ノ処ニ居住來リ又國檢察
故ヲ問フモ其通弁韓人ノ韓語ハ詳解
十ハ能ハサリシ此時寫真撮影ス
ハ者三四回アリテ午右八九時頃露國

憲兵将官ハ我ト馬車ニ搭桑シ不知ノ
方向ニ向ニ去リシカ遂ニ日本領事舘ニ到
交付シテ去レリ其後二回ノ審問ヲ受ケテ
ケ第四五日ノ後溝渕檢察官來到シテ
更ニ審問ヲ為ス前後ノ歴史細々供述
ニアリ次下畧ス

一千九百十年 庚陰二月初五日 旅順獄中
　　　　　　　成陽三月十五日

大韓國安重根畢書

東洋平和論 序

夫合成散敗萬古常定之理也、現今世界東西分球、

人種各殊、互相競爭、如行茶飯、研究利器、甚於農商、

新發明、電氣砲飛行船、浸水艇、皆是傷人害物之機

械也、訓鍊青年、驅入于戰役之場、無數貴重生靈棄

如犧牲、血川肉地、無日不絕、好生厭死、人皆常情、清

明世界、是何光景、言念及此、骨寒心冷、究其末本則、

自古東洋民族、但務文學而謹守自邦而已、都無侵

奪歐洲寸土尺地五大洲上、人獸草木所共知者也

而挽近數百年以來、歐洲列邦頓忘道德之心、日事

武力、養成競爭之心、小無忌憚中、俄國尤極甚焉、其

暴行殘害、西歐東亞、無處不及、惡盈罪溢、神人共怒

故天賜一期使東海中小島日本、如此强大之露國
一拳打倒於滿洲大陸之上、孰能度量乎此順天
得地、應人之理也、當此之時若韓淸兩國人民上下
一致、欲報前日之仇讎、排日助俄則、無大捷、豈能足
筭哉、然而韓淸兩國人民、毫無如此之行動、不啻又
以歡迎日兵、運輸治道、偵探等事、忘勞專力者、何故、
有二大件事、日露開戰之時日　皇宣戰書、東洋平
和由持大韓獨立、肇圖云、如此大義勝於青天白日
之光線、故韓淸人士、勿論智愚、一致同心、感和服從
者、一也、況、日露開伏、可謂黃白人種之競爭、故前日
仇讎心情、一朝消散、反成一大愛種黨、此亦人情之
順序矣、可謂合理之一也、快哉、壯哉、數百年來、行惡

167

白人種之先鋒、一鼓大破、可謂千古稀罕事業萬邦
紀念表蹟也、時韓淸兩國有志家不謀以同樣者不
自勝者、日本政畧、順序就緒東西球天地肇判後第
一等魁傑之大事業快建之樣、自度矣、噫、千々萬々
料外、勝捷凱旋之後、最近最親、仁弱同種韓國勒壓
定約滿洲長春以南、托借眞居故、世界一般人腦疑
雲忽起、日本之偉大聲名正大功勳一朝變遷尤甚
於螢行之露國也、嗚呼以龍虎之威勢、豈作蛇猫之
行動乎、如此難逢之好期會、更不何得、何惜、可痛也、
至於東洋平和、韓國獨立之句語、已經遍於天下萬
國人之耳目、信如金石、韓淸兩國人、燦章於肝腦者
矣、如此之文字思想、雖天神之能力、卒難消泯况一

二個人智謀豈能抹殺耶、現今西勢東漸之禍患東
洋人種一致團結、極力防禦可為第一上策、雖至童
暸知若也、而何故、日本、如此順然之勢、不顧同
種鄰邦剝割、友誼頓絕自作蚌鷸之勢、若待漁人耶
韓清兩國人之、所望大絕且斷矣、若政略、不改逼迫、
曰甚則、不得已寧亡於異族、不忍受辱於同種議論
湧出於韓清兩國人之肺附上下一體、自為白人之
前驅、明若觀火之勢矣、然則東洋幾億萬、黄人種中
許多、有志家慷慨男兒、豈肯神午僑觀、坐待東洋一
局之、盡死慘狀、可乎故東洋平和、義戰開、伏於哈爾
賓、議案拓定于旅順口後、東洋平和問題、意見、提出、
諸公眼、深審案哉、

一千九百十年庚戌二月
大韓國人安重根書于旅順獄中

3

東洋平和論　目録

東洋平和論　　安重根著

前鑑

自古及今無論東西南北之洲、難測者大勢之翻覆
也、不知者人心之變遷也、向者(甲午)年日淸戰役論
之則、其時朝鮮國鼠竊輩東學黨之騷擾、因緣淸日
兩國動兵渡來、無端開戰、互相衝突、日勝淸敗乘勝
長驅、遼東半部、兵領要險旅順陷落、黃海艦隊擊破
俊、馬關、談判、開設、條約締結、臺灣一島割讓、二億賠
金、堂欸、此謂日本維新後、一大紀蹟也、淸國物重地
大、比於日本、足可爲數十倍而、何故、如是見敗耶、自
古、淸國人、自稱中華大國、外邦謂之夷狄、驕傲極甚、

況權臣戚族、擅弄國權、臣民、紘譬上下、不和、故如是
逢辱者也、日本維新以來、民族不睦、競爭不息矣、及
其外交競爭、既生之後、同室操才之變、一朝和解混
成聯合作成一塊憂國盡故、如是羨凱者矣、此所謂
親切之外人、不如競爭之兄弟也、此時露國行動記
瞻哉當日、東洋艦隊組織、法德兩國聯合橫濱海上、
大抗論提出遼東半島還付於淸國賠金陳藏觀其
外面的舉措、可謂天下之公法正義然、究其內容則
甚於虎狼之心術也、不過數年、敏滑手段、旅順口租
借後、軍港擴張、鐵道建築推想事根則露人、數十年
以來奉天以南大連旅順牛莊等地、溫港一處勤取
之慾、如火如潮、然莫敢下手者、淸國一自英法兩國、

366

来侵天津以後、關東各鎮、新式兵馬、多大設備故、不
敢生心、但流涎不息久待期会矣、伊時、適中其筆也、
當此時、日本人具眼有志者、孰不腸盡裂哉、然究
其理由則此都是、日本之過失也、此所謂有孔生風、
自伐以後、他人伐之、若、日本不先侵犯于清國則露
國、安敢如是、行動耶、可謂自斧傷足矣、自此以後中
嶺一同各般社会言論沸騰故成改変、自然釀成
義和團匪起桃日尒洋之禍大熾故、八國聯合軍雲
集于渤海五上、天津陷落北京侵入清、帝搗遷于
西安府、軍民間傷害、至於幾百餘萬人、金銀財貨之
換害不計其數、如此之惨禍、世界上、罕有之都会東
洋二大羞耻不得將来、襄自人種、分裂争競不息之

始此也、豈不歎言歟、哉此時、露國軍隊十一萬稱此鐵
道保護駐屯於滿洲境上、終不撤還、故駐俄京日本
公使栗野氏、唇舌盡弊然、露國政府、聽若不聞不實、諭其
反以添兵、曉日露兩國間、大慘禍、終不免之、論其
根固則究竟何歸乎、是足爲東洋一大前轍也、當時、
归露兩國各出師於滿洲之際、露國、但以西伯利鐵道
八十萬軍備輸出、日本渡海越国、四五輸輻軍粮稍
水陸兼進入送于遼河一帶雖有這等云然、豈不危
險哉、決非萬金之策真可謂浪戰也、觀其陸軍之作
路則、韓國各海口與盛京金州灣等地、下陸則這間
四五千里、水陸之困苦不言可知也、坊時、日兵幸
有連勝之列然感鏡道猶未過旅順口、姑不破奉天

尚未捷之際、若韓國官民間一致同聲、末集日本人、
韓國　明聖皇后閔氏無故弒殺之仇讐當此可報
飛檄四方咸鏡平安兩道之間露國兵馬交通出其
不意往末衝突請國亦上下協同前日義和團時行
勤如一朞年之旧讐不可不報北清一帯人民暴勤
窺察虚實攻其無備之設提出盖平遼陽方面遊弋
襲擊進戰退守則日兵大勢南北分裂腹背受敵困
左垓心之歡免矣若到如此之境則旅順奉天等地
露國將卒銳氣曝々氣勢倍加前遮後應左衝右突
則日兵之勢力首尾不及輜重糧餉継綻之策尤極
闊涯矣然則山縣乃木氏之謀畧必作爲有之懷矣
况當此之時请國政府主權者等野心暴発蕭馥不

3

369

可報酬而時不可失也、而謂萬國公法、嚴正中立
等說、皆是挽近外交家之狡猾術則、不足可道矣、兵
不厭詐、出其不意、兵家妙算云々、官民一體、無
名出師、排日之狀態、極烈慘毒則、東洋全局百年風
雲、將何如哉、若如此之境、歐洲列強可謂幸得好機、
各其爭先出師矣、時英國者印度、香港等地、而駐
水陸兵馬並進、來集于威海衛方面、仲以强勁手段、
清國政府交涉責問矣、法国西貢、加達馬島、陸軍與
軍艦、一時指揮会齊於廈門等地矣、美德義澳葡希
等國戰艦東洋巡洋艦隊、聯合于渤海上、合同條約、預
備、均露利益、希望矣、然則日本、不得不、全國軍額與
傾國財政、罔夜組織後、滿韓等地、直向輸送矣、請国

370

157

飛檄四方、滿洲與山東河南荊襄等地、軍旅及義勇
兵、急々召集龍戰虎鬪之勢、一大風雲、做出矣、若如
此之勢、當之則事等之慘狀、不言可想也、此時韓清
兩國反不如是、不肯遵守約章、毫髮不動、以使日本、
偉大功勳、建立于滿洲之上、由此觀之則韓清兩國
人士之開明程度、與東洋平和之希望的精神、於足
可知矣、然則東洋一般有志家、一大思量、可誠後日
世、伊時日露戰役、結局未判之際、媾和條約、成立之
前發韓清兩國、有志人之、許多所望、大絶且斷矣、當
時日露兩國之戰勢、論之則、一自開伏以後、大小之
鋒鏑百次、露兵連敗、傷心落膽望風以走、日兵百戰
百勝、乘勝長驅東近浦塩斯德北臨哈爾賓、事勢到

4

此不可失機也、既是舞張之勢則、雖蕩盡全國之力、

若一二個月間、死力進攻則、東接浦鹽斯德、北哈爾賓

寅、明若觀火之勢矣、若然之列、露國之百年大計一

朝、忽作土崩瓦解之勢矣、何故、不此之爲、反以區々

密々、先請媾和、而不成斷草除根之策、可謂歎惜之

處也、況日露談判之論之則、既是媾和談判之地、議定

天下何嘗華盛頓、可乎、當日形勢玄之、美國、雖曰中

立而無偏僻之心云、然禽獸競爭氣、猶有主客之勢、況

人種競爭乎、日本戰勝之國、露國戰敗之國則日本、

何不從我素志以定之矣、東洋、豈無可合之地然耶

小村外相、苟且委往于數萬里外華盛頓、和約結定

之時、樺太島半部入于罰歟之事、容或無怪然、至於

韓國、添入于其中、名稱優越權、有之云、可謂無擾失
也者、昔日、馬關条約之時、本是韓國清國之屬邦故、
談約章中、于清少有矣、然、韓露而國間、如無關係而
何故、挪入於談約章中乎、日本、對於韓國、既有大慾
則、何不自己手段、自由自行而、如是添入于歐羅巴、
自人種之約章之中、以作永世之問乎、都是沒策之
之事也旦美國大統領、乙爲仲裁之主則、若韓國處
在旅歐美之間、仲裁主、必是大驚小怪、以爲種之羞
萬無應從之理矣、旦以獪猾手段籠絡小村外相但
以若于海島、地段興破舩鐵道業、殘物排列賠償而
鋸額、罰金全廢矣、若此時、日敗、露勝、談判席開催於
華盛頓則、對於日本徵出賠償、豈可如此畧小乎、然

373

則、世事之公不公、推此可知而、此無他故、昔日露國、東侵西伐、行爲痛憎故、政界列强、各自嚴正守主、相不救助矣、既是逢敗扑黄人種後、事適然局之地、豈無同種之誼哉、此、人情世態、自然之勢也、噫、不顧自然之刑勢、剝害同種鄰邦者、終爲獨夫之患、必不免矣、

(1)

安應七歷史

一千八百七十九年卽七月十六日、大韓國黃海道、

海州府、首陽山下、生一男子、姓安、名重根、字應七、豊

貨胃近臉有輕急故名應七、其祖父名仁壽、性仁厚享家

産豊富以慈善家、著名於道内、曾前、敘任于鎮海(縣名郡)

縣監(郡)生、六男、三女、求一名曰泰鎮、二泰鉉、三泰勲(別名郡)

私父四泰健、五泰敏、六泰純、合六兄弟、皆文翰有餘、

其中私又才慧英俊、八九歲、通達四書三經、十三四

歲科文大體、卒業讀習通鑑、册將敎師、開卷指示一

字尚曰、自此字、十誤之下底字、何文字能知否、暗思

答曰能知彼此、天字矣、散見、則果若其言、天字敎師

奇異之、更問曰、此册翻逐推上、能知否、若曰能知、如

1

안중근 유고

−안응칠 역사·동양평화론·기서

원본(原本)